D0062413

Ajuste de cuentas

John Grisham (Jonesboro, Arkansas, 1955) se dedicaba a la abogacía antes de convertirse en un escritor de éxito mundial. Desde que publicó su primera novela, en 1988, ha escrito casi una por año. Todas sin excepción han sido best sellers y algunas incluso han resultado ser una magnífica fuente de guiones cinematográficos. Entre sus obras destacan los siguientes títulos, todos ellos convertidos también en películas de éxito: *Tiempo de matar, La tapadera, El informe Pelícano, El cliente, Cámara de gas, Legítima defensa* y *El jurado*. Sus últimas obras publicadas en España son: *La apelación, El profesional, La trampa, La confesión, Los litigantes, El estafador, La herencia, El secreto de Gray Mountain, Un abogado rebelde, El soborno, El caso Fitzgerald, La gran estafa* y las novelas juveniles de la serie Theodore Boone. John Grisham vive con su esposa y sus dos hijos, a caballo entre Virginia y Mississippi.

Para más información, visita la página web del autor:
www.jgrisham.com

También puedes seguir a John Grisham en Facebook:
 John Grisham

JOHN GRISHAM

Ajuste de cuentas

Traducción de
Carlos Abreu

DEBOLS!LLO

Título original: *The Reckoning*

Primera edición en Debolsillo: octubre de 2020

© 2018, Belfry Holdings, Inc.
© 2019, 2020, Penguin Random House Grupo Editorial, S. A. U.
Travessera de Gràcia, 47-49. 08021 Barcelona
© 2019, Carlos Abreu Fetter, por la traducción

Printed in Spain – Impreso en España

ISBN: 978-84-663-5204-8
Depósito legal: B-7.977-2020

Compuesto en Comptex & Ass., S. L.

Impreso en Liberdúplex
Sant Llorenç d'Hortons (Barcelona)

P 3 5 2 0 4 8

Penguin
Random House
Grupo Editorial

PRIMERA PARTE

El asesinato

1

Una fría mañana de principios de octubre de 1946, Pete Banning despertó antes del alba, pero no intentó volver a dormirse. Permaneció largo rato acostado en medio de la cama, contemplando el oscuro techo y preguntándose por enésima vez si poseía el valor necesario. Al fin, cuando los primeros rayos del amanecer se colaron por una ventana, aceptó la solemne realidad de que había llegado la hora del asesinato. La necesidad de llevarlo a cabo se había vuelto tan acuciante que no le permitía continuar con su rutina diaria. No podía seguir siendo el mismo de siempre hasta que hubiera cumplido con su propósito. El plan era sencillo, pero difícil de imaginar. Sus repercusiones se harían sentir durante décadas y cambiarían la vida a sus seres queridos, así como a muchas personas a las que no quería. De hecho, dada su naturaleza, habría preferido eludir la atención, pero eso no sería posible. No tenía elección. La verdad se había revelado poco a poco y, una vez que la hubo asimilado por completo, el asesinato se había vuelto tan inevitable como la salida del sol.

Se vistió despacio, como de costumbre, pues, debido a las heridas de guerra, había amanecido con las piernas rígidas y doloridas. A continuación, recorrió la casa a oscuras hasta la cocina, donde encendió una luz tenue y puso la cafetera. Mientras se hacía el café, permaneció de pie junto a la mesa del desayuno, recto como un palo, y, entrelazando las manos detrás de la cabeza, dobló las rodillas con suavidad. Torció el gesto por el dolor que se le extendía de las caderas a los tobillos, pero aguantó diez segundos en cuclillas. Se relajó y repitió el movimiento varias veces, descendiendo más y más con cada flexión. Llevaba varillas de metal en la pierna izquierda y metralla en la derecha.

Tras servirse el café y añadir leche y azúcar, salió al porche trasero, se detuvo en los escalones y tendió la vista hacia sus tierras. El sol asomaba por el este, tiñendo de amarillo aquel mar de blancor. Los campos estaban recubiertos de un algodón que semejaba nieve recién caída, y en otras circunstancias Pete habría esbozado una sonrisa ante lo que sin duda sería una cosecha generosa. Sin embargo, ese día no habría sonrisas; solo lágrimas, y a raudales. Por otro lado, rehuir el asesinato supondría un acto de cobardía. Bebió un sorbo de café mientras contemplaba su terreno, reconfortado por la sensación de seguridad que le confería. Bajo el manto blanco se extendía una capa de tierra que pertenecía a los Banning desde hacía cien años. Las autoridades lo apresarían y seguramente lo ejecutarían, pero sus tierras perdurarían y proporcionarían sustento a su familia.

Mack, su sabueso mapachero, salió de su sopor y se reunió con él en el porche. Pete le frotó la cabeza al tiempo que le hablaba.

Las cápsulas de algodón, a punto de reventar, pedían a gritos que las recogieran, y pronto una cuadrilla de peones del campo montaría en los remolques para que los transportaran a las hectáreas más alejadas. De pequeño, Pete viajaba en el carro con los negros y arrastraba un saco de algodón doce horas al día. Los Banning eran agricultores y terratenientes, pero también trabajadores, no hacendados aburguesados con vidas decadentes a costa del sudor ajeno.

Tomó otro trago mientras observaba cómo la nieve recién caída se tornaba aún más blanca conforme el cielo se iluminaba. A lo lejos, más allá del establo, oía las voces de los negros, que se congregaban en el cobertizo de los tractores, preparándose para otra larga jornada. Eran hombres y mujeres a los que conocía de toda la vida, peones pobres de solemnidad cuyos antepasados habían trabajado las mismas tierras a lo largo de un siglo. ¿Qué sería de ellos después del asesinato? Su existencia apenas se vería afectada, en realidad. Habían sobrevivido con poco y no sabían hacer otra cosa. Al día siguiente, se reunirían a la misma hora, en el mismo lugar, aturdidos y en silencio, y cuchichearían en torno al fuego antes de encaminarse hacia los campos, preocupados, sin duda, pero también ansiosos por llevar a cabo sus tareas y cobrar sus jornales. La cosecha seguiría adelante, ininterrumpida y abundante.

Pete apuró el café, depositó la taza sobre la barandilla del porche y encendió un cigarrillo. Pensó en sus hijos. Joel cursaba el último año en Vanderbilt, y Stella, segundo en Hollins. Se alegró de que ambos se encontraran lejos. Casi sentía el miedo y la vergüenza que se apoderaría de ellos cuando su padre estuviera preso, pero confiaba en que lo superarían, al igual que los jornaleros. Eran personas inteligentes y equilibradas, y las tierras siempre serían suyas. Terminarían sus estudios, se casarían con personas de buena familia y prosperarían.

Mientras fumaba, cogió la taza, regresó a la cocina y se acercó al teléfono para llamar a Florry, su hermana. Era miércoles, el día que desayunaban juntos, y Pete le confirmó que no tardaría en llegar. Tiró los posos, encendió otro cigarrillo y cogió la cazadora que colgaba de un gancho junto a la puerta. Atravesó el patio de atrás con Mack hasta un sendero que discurría al lado de la huerta donde Nineva y Amos cultivaban una gran cantidad de verduras y hortalizas para alimentar a los Banning y sus empleados. Al pasar por delante del establo, oyó que Amos hablaba a las vacas que estaba a punto de ordeñar. Pete le dio los buenos días, e intercambiaron impresiones sobre un cerdo gordo que habían elegido para la matanza del sábado siguiente.

Reanudó la marcha sin cojear, aunque le dolían las piernas. En el cobertizo de los tractores, los negros charlaban y bebían café en tazas de hojalata alrededor del fuego. Cuando repararon en su presencia, se quedaron callados. Varios lo saludaron con un «buenos días, señor Banning», y él les dirigió unas palabras. Los hombres llevaban pantalones de peto raídos y sucios; las mujeres, vestidos largos y sombreros de paja. Todos iban descalzos. Los niños y adolescentes estaban sentados cerca de un remolque, acurrucados bajo una manta, con los ojos soñolientos y expresión solemne, horrorizados ante la perspectiva de pasarse otro largo día recogiendo algodón.

En la finca de los Banning había una escuela para negros, hecha posible gracias a la generosidad de un judío rico de Chicago, y el padre de Pete había aportado suficientes fondos de contrapartida para su construcción. Los Banning insistían en que todos los niños de color de la hacienda estudiaran por lo menos hasta octavo curso. Sin embargo, en octubre, cuando lo único que importaba era la cosecha, la escuela cerraba sus puertas y los alumnos trabajaban en los campos.

Pete consultó en voz baja a Buford, su capataz blanco. Hablaron sobre el tiempo, el tonelaje recogido el día anterior y el precio del algodón en la lonja de Memphis. Durante la temporada de cosecha, nunca había recolectores suficientes, y Buford contaba con la llegada de una camioneta cargada de trabajadores blancos de Tupelo. Los esperaba el día anterior, pero no se habían presentado. Corría el rumor de que un granjero, a unos tres kilómetros de allí, ofrecía cinco centavos más por libra, pero esa clase de habladurías proliferaba en época de cosecha. Las cuadrillas de recogida trabajaban duro un día, desaparecían al siguiente y luego regresaban a medida que los precios fluctuaban. Los negros, en cambio, no tenían la posibilidad de ofrecer sus servicios al mejor postor, y los Banning eran conocidos por pagar a todos por igual.

Los dos tractores John Deere arrancaron con un petardeo, y los peones subieron a los remolques. Pete los vio alejarse por entre la nieve recién caída, meciéndose y bamboleándose, hasta que los perdió de vista.

Encendió otro cigarrillo y, con Mack a su lado, dejó atrás el cobertizo y enfiló un camino de tierra. Florry vivía a kilómetro y medio, en su parte de la finca, y últimamente Pete siempre iba a verla a pie. Aunque el ejercicio le resultaba doloroso, los médicos le habían asegurado que las caminatas largas le fortalecerían las piernas y que quizá el dolor remitiría con el tiempo. Él lo dudaba y aceptaba el hecho de que aquel ardor y aquellas punzadas en las extremidades inferiores lo acompañarían durante el resto de su vida, una vida que se sentía afortunado de conservar. Unos años atrás lo habían dado por muerto, y en realidad había visto muy de cerca su fin, por lo que consideraba que cada día era un regalo.

Hasta ese momento. Aquel sería el último día de su vida tal como la conocía y lo tenía asumido. No le quedaba más remedio.

Florry vivía en una casita de campo rosa que había hecho construir cuando su madre falleció y heredaron las tierras. Era una aficionada a la poesía sin interés alguno por la agricultura, pero sí por los ingresos que esta generaba. Su parcela del terreno, de dos kilómetros cuadrados y medio, era tan fértil como la de Pete, a quien se la arrendaba a cambio de la mitad de los beneficios. Se trataba de un acuerdo verbal, tan firme como un contrato de muchas páginas y basado en una confianza implícita.

Cuando Pete llegó, su hermana estaba en el patio trasero, paseándose por la pajarera de malla de alambre y tela metálica mientras esparcía pienso y chachareaba con su colección de loros, periquitos y tucanes. Junto al santuario de aves había una jaula más pequeña donde tenía una docena de gallinas. Sus dos golden retrievers se hallaban sentados en la hierba, observando la escena sin el menor interés por las aves exóticas. La casa de Florry estaba repleta de gatos, seres a los que ni Pete ni los perros profesaban aprecio.

Pete señaló un lugar del porche delantero en el que ordenó a Mack que lo esperara y entró. Marietta estaba atareada en la cocina, y la casa olía a tocino frito y tortas de maíz. Pete le dio los buenos días y se sentó a la mesa del desayuno. La criada le sirvió un café mientras él se ponía a leer el periódico matinal de Tupelo. El viejo gramófono del salón reproducía los gritos de angustia operística de una soprano. Pete a menudo se preguntaba cuántos vecinos más del condado de Ford escucharían ópera.

Cuando Florry terminó de alimentar a los pájaros, entró por la puerta de atrás, saludó a su hermano y tomó asiento frente a él. No intercambiaron abrazos ni otras muestras de afecto. Quienes conocían a los Banning los consideraban fríos y distantes, en absoluto cariñosos y poco dados a la emotividad. Era cierto, pero no deliberado; sencillamente los habían criado así.

Florry tenía cuarenta y ocho años, y había sobrevivido a un matrimonio breve y desgraciado cuando era joven. Era una de las pocas divorciadas del condado, por lo que la miraban por encima del hombro, como si adoleciera de alguna tara y quizá también de una moral dudosa. Tampoco es que le importara. Tenía pocos amigos y rara vez salía de la finca. Muchos la llamaban «Doña Pájaros» a sus espaldas, y no de un modo afectuoso.

Marietta les sirvió unas tortillas gruesas con tomate y espinacas, y tortas de maíz bañadas en mantequilla, tocino y mermelada de fresa. Salvo el café, el azúcar y la sal, todo lo que había encima de la mesa procedía de la hacienda.

—Ayer recibí una carta de Stella —declaró Florry—. Al parecer le va bien, aunque tiene el cálculo atravesado. Prefiere la literatura y la historia. Me recuerda mucho a mí.

Se suponía que los hijos de Pete debían mandar al menos una carta por semana a su tía, que les escribía al menos dos veces por semana. Pete, poco partidario de las misivas, les había asegurado que no hacía falta. Sin embargo, escribir a su tía era una obligación.

—No he tenido noticias de Joel —añadió ella.

—Debe de andar muy ocupado —aventuró Pete al tiempo que pasaba una página del periódico—. ¿Sigue saliendo con esa chica?

—Supongo. Es demasiado joven para una relación amorosa, Pete. Deberías decirle algo.

—No me hará caso. —Pete tomó un bocado de tortilla—. Solo quiero que se dé prisa en graduarse. Estoy harto de pagar sus clases.

—Me imagino que la cosecha va bien —comentó ella. Apenas había tocado el desayuno.

—Podría ir mejor, y el precio volvió a caer ayer. Hay un exceso de algodón este año.

—El precio sube y baja, ¿no? Cuando está alto, no hay algodón suficiente, y cuando está bajo, hay demasiado. Sea como sea, sales perdiendo.

—Supongo. —Había acariciado la idea de advertir a su hermana de lo que iba a ocurrir, pero sabía que ella no reaccionaría bien, que le suplicaría que no lo hiciera, se pondría histérica y se enzarzarían en una discusión, cosa que hacía años que no sucedía. El asesinato afectaría a su vida de manera radical y, por un lado, la compadecía y sentía que le debía una explicación. Por otro, sin embargo, sabía que era algo imposible de explicar, y que intentarlo no serviría de nada.

Le costaba asimilar que aquella podía ser la última vez que comieran juntos, aunque, por otra parte, esa mañana casi todas las cosas las estaba haciendo por última vez.

Se vieron obligados a entablar una conversación sobre el tiempo que se prolongó unos minutos. Según el calendario agrícola, las dos semanas siguientes serían frescas y secas, ideales para la cosecha. Cuando Pete le expuso las mismas preocupaciones acerca de la escasez de mano de obra, ella le recordó que era una queja habitual todas las temporadas. De hecho, la semana anterior, mientras desayunaban tortilla, él se había lamentado de la falta de temporeros.

Pete era poco inclinado a entretenerse durante las comidas, sobre todo en un día aciago como ese. Había pasado hambre durante la guerra y sabía que el cuerpo necesitaba muy poco para sobrevivir. Su constitución delgada no le sobrecargaba las piernas. Mordisqueó un trozo de tocino, bebió un sorbo de café, pasó otra página y escuchó a Florry explayarse sobre un primo suyo que acababa de morir a los noventa años, demasiado joven en su opinión. Con la muerte rondándole el pensamiento, Pete se preguntó qué diría de él el periódico de Tupelo los días siguientes. Publicarían artículos, tal vez muchos, pero él no albergaba el menor deseo de atraer la atención. A pesar de todo, era inevitable, y temía que se desatara una ola de sensacionalismo.

—Apenas has probado bocado —observó ella—. Y te veo algo delgado.

—No tengo mucho apetito —respondió él.

—¿Cuánto estás fumando?

—Lo que me apetece.

Tenía cuarenta y tres años, pero aparentaba más, al menos según ella. Su cabello, espeso y negro, empezaba a encanecer por encima de las orejas, y le estaban saliendo largas arrugas en la frente. El soldado joven y gallardo que había partido a la guerra envejecía muy deprisa. Aunque los recuerdos y las secuelas le pesaban, se los guardaba para sí. Los horrores a los que había sobrevivido nunca salían a relucir, al menos por iniciativa suya.

Una vez al mes, hacía el esfuerzo de preguntar a su hermana por sus composiciones, por sus poesías. Habían publicado algunas en revistas literarias poco conocidas a lo largo de la última década, pero no muchas. A pesar de su falta de éxito, nada le gustaba más a Florry que aburrir a su hermano, sus sobrinos y su reducido círculo de amistades poniéndolos al día sobre su carrera literaria. Era capaz de parlotear sin parar acerca de sus «proyectos», sobre ciertos editores que adoraban su poesía pero al parecer no encontraban un hueco para ella o las cartas de admiradores de todo el mundo que recibía. No tenía tantos seguidores, y Pete sospechaba que la solitaria misiva que le había remitido algún alma en pena de Nueva Zelanda tres años atrás seguía siendo la única que le había llegado con un sello extranjero.

Él no leía poesía y, después de verse obligado a leer la de su hermana, había decidido abjurar del género para siempre. Prefería la ficción, sobre todo la de autores sureños, y en especial la de William Faulkner, a quien había conocido antes de la guerra, en un cóctel celebrado en Oxford.

Esa mañana no era un buen momento para hablar de ello. Lo esperaba una tarea repulsiva, un acto monstruoso que no podía rehuir ni seguir posponiendo.

Empujó a un lado su plato, con el desayuno a medio comer, y apuró su café.

—Un placer, como siempre —dijo con una sonrisa al tiempo que se ponía de pie.

Tras dar las gracias a Marietta y ponerse la cazadora, salió de la casa. Mack lo aguardaba en los escalones de la entrada principal. Florry se despidió desde el porche mientras él se alejaba agitando el brazo sin mirar atrás.

Una vez en el camino de tierra, alargó las zancadas y se sacudió la rigidez que se había apoderado de él tras pasar media hora sentado. El sol había ascendido en el cielo y había evaporado el rocío con su calor, y por todas partes las gruesas cápsulas combaban los tallos, implorando que las recogieran. Siguió adelante, un hombre solitario con los días contados.

Nineva se hallaba frente a la cocina de gas, cociendo los últimos tomates para enlatarlos. Pete le dio los buenos días, se sirvió un café recién hecho y se lo llevó a su estudio, donde se sentó a su escritorio y ordenó sus papeles. Todas las facturas estaban pagadas. Todas las cuentas estaban al día y en regla. Los números de los extractos bancarios cuadraban y reflejaban liquidez suficiente. Tras escribir una carta de una página a su esposa, puso la dirección en el sobre y pegó los sellos. Guardó un talonario y unas carpetas en un maletín que dejó junto al escritorio. De uno de los cajones inferiores extrajo su revólver Colt 45, comprobó que las seis recámaras estuvieran cargadas y se lo metió en el bolsillo de la cazadora.

A las ocho, informó a Nineva de que se iba a la ciudad y le

preguntó si necesitaba algo. Ella le respondió que no, y Pete bajó del porche delantero, con Mack a la zaga. Abrió la puerta de su nueva camioneta Ford modelo 1946, y el perro subió de un salto al asiento corrido, del lado del pasajero. Rara vez se perdía un viaje a la ciudad, y ese día no sería distinto, al menos para él.

La residencia de los Banning, un espléndido edificio de estilo neocolonial construido por los padres de Pete antes del crac de 1929, se encontraba en la carretera 18, al sur de Clanton. El año anterior habían asfaltado el camino rural con fondos federales. Los vecinos del lugar creían que Pete había utilizado sus influencias para conseguir la financiación, pero no era cierto.

Clanton se hallaba a poco más de seis kilómetros de distancia, y Pete conducía despacio, como de costumbre. No había tráfico, salvo por algún que otro carro de mulas cargado de algodón que se dirigía hacia la desmotadora. Aunque un puñado de los cultivadores más importantes del condado, como Pete, tenían tractores, seguían utilizando las mulas para la mayor parte del transporte, así como para arar y plantar. Toda la cosecha se realizaba a mano. Las empresas John Deere e International Harvester intentaban perfeccionar las cosechadoras mecanizadas que supuestamente eliminarían algún día la necesidad de emplear tanta mano de obra, pero Pete albergaba sus dudas. De todos modos, carecía de importancia. Lo único que importaba era la misión que tenía entre manos.

El arcén estaba salpicado de briznas de algodón que caían de los carros. Dos muchachos de color y de ojos soñolientos que pasaban el rato junto a un sendero que discurría entre los campos lo saludaron con un gesto al tiempo que admiraban su camioneta, una de las dos Ford nuevas del condado. Pete no correspondió a su saludo. Se encendió un cigarrillo y dijo algo a Mack cuando entraban en la ciudad.

Aparcó cerca de la plaza del juzgado, delante de la oficina de correos, y contempló a los peatones que iban y venían. Esperaba no toparse con nadie conocido, pues después del asesinato, algún testigo podría hacer observaciones tan banales como «Lo vi, y su actitud me pareció de lo más normal», mientras que otro quizá declararía: «Tropecé con él en la oficina de correos y tenía una expresión desquiciada». Tras una tragedia, incluso las personas mínimamente conectadas con ella a menudo exageran su implicación e importancia.

Se apeó de la camioneta, se acercó al buzón y echó la carta para su esposa. De nuevo al volante, rodeó el juzgado, con su extensa y sombreada zona de césped y sus cenadores, mientras imaginaba de forma vaga el espectáculo en el que se convertiría su juicio. ¿Lo obligarían a entrar esposado? ¿Se compadecería de él el jurado? ¿Obrarían sus abogados algún milagro y conseguirían salvarlo? Demasiadas preguntas sin respuesta. Pasó por delante del Tea Shoppe, la cafetería donde abogados y banqueros peroraban largo y tendido todas las mañanas ante tazas de café hirviendo y panecillos de suero de leche, y se preguntó qué opinarían sobre el asesinato. Solía evitar el local porque era agricultor y no tenía tiempo para cháchara.

Que hablaran cuanto quisieran. No esperaba mucha compasión por su parte, ni por parte de ningún vecino del condado, en realidad. No le interesaba ganarse la compasión ni la comprensión de nadie, y tampoco tenía intención de explicar sus actos. En aquel momento, era un soldado con órdenes que cumplir y una misión que llevar a cabo.

Aparcó en una calle tranquila, una manzana por detrás de la iglesia metodista. Bajó del vehículo, estiró las piernas unos instantes, se subió la cremallera de la cazadora y, tras asegurar a Mack que regresaría enseguida, echó a andar hacia la iglesia que había ayudado a construir su abuelo setenta años atrás. Era un paseo corto, y durante el trayecto no se cruzó con nadie. Más tarde, nadie declararía haberlo visto.

El reverendo Dexter Bell predicaba en la iglesia metodista de Clanton desde tres meses antes del ataque a Pearl Harbor. Era la tercera parroquia en la que ejercía su ministerio y, de no ser por la guerra, habría seguido rotando como los demás predicadores metodistas. La reducción de las filas había ocasionado cambios en la asignación de tareas y trastocado los calendarios. Por lo general, de acuerdo con la tradición metodista, un pastor duraba solo dos años en una iglesia, o a lo sumo tres, antes de que lo adscribieran a otra parroquia. El reverendo Bell llevaba cinco años en Clanton y sabía que era cuestión de tiempo que lo llamaran para que se trasladara. Por desgracia, la llamada no llegó a tiempo.

Estaba sentado a su escritorio en su despacho, en un anexo situado detrás del bonito presbiterio, a solas, como era habitual los miércoles por la mañana. La secretaria de la iglesia no trabajaba más que tres tardes por semana. El reverendo, que había concluido sus oraciones matinales y tenía su Biblia de estudio abierta sobre la mesa, junto con dos obras de consulta, meditaba acerca de su siguiente sermón cuando llamaron a la puerta. Antes de que pudiera responder, se abrió de golpe, y entró Pete Banning, con el ceño fruncido y lleno de determinación.

—Vaya —dijo Bell, sorprendido por la intrusión—. Buenos días, Pete. —Se disponía a levantarse cuando Pete sacó con brusquedad una pistola de cañón largo.

—Sabe por qué estoy aquí.

Bell se quedó paralizado y contempló el arma con horror.

—Pete —consiguió balbucir—, ¿qué haces?

—He matado a muchos hombres, pastor, todos soldados valientes en el campo de batalla. Usted será el primer cobarde.

—¡Pete, no, no! —Dexter levantó las manos y se dejó caer de nuevo en su asiento, con los ojos desorbitados y la boca abierta—. Si es por Liza, puedo explicártelo. ¡No, Pete!

Pete dio un paso hacia él, le apuntó con la pistola y apretó el gatillo. Lo habían entrenado en el manejo de toda clase de armas de fuego, las había utilizado en combate para matar a más hombres de los que quería recordar y se había pasado media vida en el bosque, practicando tanto la caza mayor como la menor. La primera bala atravesó el corazón de Dexter, al igual que la segunda. La tercera penetró en el cráneo, justo por encima de la nariz.

Entre las paredes del pequeño despacho, los disparos retumbaron como descargas de artillería, pero únicamente los oyeron dos personas. Jackie, la esposa de Dexter, se encontraba sola en la casa parroquial, al otro lado de la iglesia, limpiando la cocina, cuando llegaron a sus oídos. Más tarde los describiría como un sonido similar al de tres palmadas amortiguadas, y en ese momento no se le pasó por la cabeza que pudiera tratarse de disparos. Nunca habría imaginado que acababan de asesinar a su esposo.

Hop Purdue se encargaba de la limpieza de la iglesia desde hacía veinte años. Se hallaba en el anexo en el momento en que oyó unos estampidos tan fuertes que le pareció que el edificio se estremecía. Estaba en el pasillo, fuera del estudio del pastor, cuando la puerta se abrió y Pete salió empuñando aún la pistola. La alzó y encañonó el rostro a Hop, quien, creyendo que estaba a punto de disparar, se arrodilló.

—Por favor, señor Banning —le suplicó—. No hecho nada malo. Tengo hijos, señor Banning.

Pete bajó el arma.

—Eres un buen hombre, Hop —dijo—. Ve a contárselo al sheriff.

2

Desde la puerta lateral, Hop observó a Pete guardarse con tranquilidad la pistola en el bolsillo de la chaqueta mientras se alejaba. Cuando lo perdió de vista, Hop regresó al estudio arrastrando los pies —tenía la pierna derecha cinco centímetros más corta que la izquierda—, cruzó con cuidado la puerta abierta y examinó al pastor. Tenía los ojos cerrados y la cabeza caída hacia un lado, y le goteaba sangre de la nariz. Detrás de la cabeza, el respaldo de la silla estaba embadurnado de sangre y materia gris. La camisa blanca estaba tiñéndose de rojo a la altura del pecho, inerte. Hop permaneció allí parado unos segundos, tal vez un minuto o incluso más, para asegurarse de que no movía un músculo. Comprendió que no podía hacer nada para ayudarlo. En la habitación se respiraba un fuerte y acre olor a pólvora, y le entraron ganas de vomitar.

Como era el negro que se encontraba más cerca, supuso que le echarían la culpa de algo. Atenazado por el miedo y sin atreverse a tocar nada, salió despacio del estudio. Cerró la puerta y prorrumpió en sollozos. El pastor Bell era un hombre amable que lo trataba con respeto y se interesaba por su familia. Un hombre bueno, un padre de familia cariñoso, adorado por sus feligreses. Fuera lo que fuese lo que hubiera hecho al señor Pete Banning, de seguro no justificaba que le hubiese quitado la vida.

A Hop se le ocurrió que tal vez alguien más había oído los disparos. ¿Y si la señora Bell salía corriendo y se encontraba a su marido muerto y ensangrentado sentado a su escritorio? Hop esperó y esperó, intentando serenarse. Sabía que no poseía el valor suficiente para ir en su busca y comunicarle la noticia. Que se encargaran de eso los blancos. No había nadie más en la iglesia y, conforme transcurrían los minutos, comenzó a caer en la cuenta de que la situación estaba en sus manos. Pero no por mucho tiempo. Si alguien lo veía alejarse corriendo de la iglesia, sin duda se convertiría en el primer sospechoso. Así pues, salió del anexo con la actitud más tranquila posible y enfiló rápidamente la misma calle por la que se había marchado el señor Banning. Aceleró el paso, rodeó la plaza y poco después divisó la prisión.

Roy Lester, el ayudante del sheriff, bajaba de un coche patrulla.

—Buenas, Hop —lo saludó, y entonces reparó en que tenía los ojos enrojecidos y lágrimas en las mejillas.

—Han disparado al pastor Bell —balbució Hop—. Está muerto.

Con Hop enjugándose aún las lágrimas en el asiento del acompañante, Lester condujo a gran velocidad por las silenciosas calles de Clanton y, al cabo de unos minutos, se detuvo en medio de una nube de polvo en el aparcamiento de grava que se extendía frente al anexo. Ante ellos, la puerta se abrió de golpe y Jackie Bell salió gritando. Tenía las manos manchadas de sangre, al igual que el vestido de algodón, y unas rayas rojas denotaban que se las había llevado a la cara. Aullaba, chillaba, sin emitir palabras inteligibles para ellos, solo alaridos de espanto, con las facciones crispadas por el horror. Lester la agarró e intentó contenerla, pero ella se soltó con brusquedad.

—¡Está muerto! —gritaba—. ¡Está muerto! Alguien ha matado a mi marido.

Lester la asió de nuevo, trató de consolarla e impedir que regresara al estudio. Hop observaba la escena, sin la menor idea de qué debía hacer. Seguía preocupándole que le culparan, por lo que prefería implicarse lo menos posible.

La señora Vanlandingham, la vecina de enfrente, oyó el alboroto y se acercó corriendo, con un trapo de cocina aún en la mano. Llegó justo cuando el coche de Nix Gridley, el sheriff, entraba en el aparcamiento y se deslizaba por la grava hasta detenerse. Nix se apeó a toda prisa.

—¡Está muerto, Nix! —vociferó Jackie al verlo—. ¡Dexter ha muerto! ¡Le han disparado! ¡Por Dios, ayúdame!

Nix, Lester y la señora Vanlandingham cruzaron la calle con ella hasta el porche, donde ella se dejó caer sobre una mecedora de mimbre. La vecina trató de limpiarle el rostro y los dedos, pero Jackie la apartó de un empujón. Se tapó la cara con las manos y prorrumpió en sollozos desgarradores mientras gemía, al borde de las arcadas.

—Quédate con ella —le indicó Nix a Lester, y se dirigió hacia la acera contraria, donde lo esperaba el ayudante Red Arnett. Entraron en el anexo y subieron con paso lento hasta el estudio, donde encontraron el cuerpo del pastor Bell en el suelo, junto a su silla. Nix le tocó con cuidado la muñeca derecha—. No tiene pulso —declaró al cabo de unos segundos.

—No me sorprende —comentó Arnett—. Me parece que no necesitamos una ambulancia.

—Yo diría que no. Llama a la funeraria.

Hop entró en el estudio.

—Le ha disparado el señor Pete Banning. Lo he oído. He visto el arma.

Nix se enderezó y miró a Hop con el ceño fruncido.

—¿Pete Banning?

—Sí, señor. Yo estaba ahí fuera, en el pasillo. Me ha apuntado con la pistola y luego me ha dicho que fuera a buscarle a usted.

—¿Qué más te ha dicho?

—Que soy un buen hombre. Y ya está. Luego se ha ido.

Nix se cruzó de brazos y posó la vista en Red, que sacudió la cabeza con incredulidad.

—¿Pete Banning? —murmuró.

Ambos miraron a Hop como si no le creyeran.

—El mismo —dijo Hop—. Lo he visto con mis propios ojos, con un revólver de cañón largo. Me ha apuntado justo aquí —añadió, señalándose el centro de la frente—. Creí que era hombre muerto también.

Nix se echó el sombrero hacia atrás y se frotó las mejillas. Bajó la vista al suelo y reparó en el charco de sangre que se extendía silenciosamente a partir del cadáver. Se fijó en los ojos cerrados de Dexter y se preguntó por primera de muchas veces qué había podido impulsar a alguien a hacer algo así.

—Pues supongo que el crimen está resuelto —dijo Red.

—Supongo que sí —convino Nix—. Pero más vale que tomemos algunas fotos y busquemos casquillos.

—¿Y qué hay de la familia? —inquirió Red.

—Estaba pensando lo mismo. Que la señora Bell entre de nuevo en la casa parroquial y reúna a algunas mujeres para que le hagan compañía. Yo iré al colegio a hablar con el director. Tienen tres hijos, ¿verdad?

—Eso creo.

—Así es —confirmó Hop—. Dos chicas y un chico.

Nix se volvió hacia él.

—No digas ni una palabra de esto, Hop, ¿entendido? Hablo en serio, ni una palabra. No comentes con nadie lo que ha sucedido aquí. Si te vas de la lengua, te juro que te meto en la cárcel.

—No, señor sheriff, seré una tumba.

Salieron del estudio, cerraron la puerta y abandonaron la casa. Al otro lado de la calle, se habían congregado más vecinos en torno al porche de los Vanlandingham. La mayoría eran amas de casa de pie en el césped y, con los ojos muy abiertos, se tapaban la boca con la mano, sin dar crédito.

Hacía más de diez años que no se registraba el asesinato de un blanco en el condado de Ford. En 1936, un par de aparceros se enzarzaron en una guerra por una franja de tierra de cultivo sin el menor valor. El que tenía mejor puntería salió vencedor, alegó legítima defensa en el juicio y quedó en libertad. Dos años después, lincharon a un chico negro cerca del asentamiento de Box Hill, donde supuestamente había soltado alguna insolencia a una mujer blanca. En 1938, sin embargo, el linchamiento no se consideraba asesinato o delito de ninguna clase en el Sur, y menos aún en Mississippi. En cambio, una impertinencia dirigida a una blanca podía castigarse con la muerte.

En aquel momento, ni Nix Gridley ni Red Arnett ni Roy Lester ni ningún otro habitante de Clanton menor de setenta recordaba el asesinato de un ciudadano tan ilustre. Por otro lado, el hecho de que el principal sospechoso fuera aún más ilustre conmocionó a la ciudad entera. En el juzgado, los funcionarios, abogados y jueces se olvidaban de los asuntos que tenían entre manos y repetían lo que acababan de oír, negando con la cabeza. En las tiendas y oficinas situadas en torno a la plaza, secretarias, propietarios y clientes hacían circular la asombrosa noticia e intercambiaban miradas de estupor. En los colegios, los profesores interrumpían las clases, dejaban a sus alumnos y se apiñaban en los pasillos. En las calles que rodeaban la plaza, los vecinos se quedaban parados cerca de los buzones, esforzándose por encontrar maneras distintas de decir «No puede ser verdad».

Pero lo era. En el patio de los Vanlandingham se congregó una multitud que dirigía la vista con desesperación hacia el aparcamiento de grava de enfrente, donde estaban estacionados tres vehículos patrulla —todo el parque móvil del condado—, junto al coche de la funeraria Magargel. Habían acompañado a Jackie Bell de vuelta a la casa parroquial, donde se encontraba sentada junto a un amigo médico y varia feligresas. Las calles no tardaron en llenarse de coches y camionetas conducidos por curiosos. Algunos circulaban despacio, con los conductores boquiabiertos. Otros aparcaban de cualquier manera, lo más cerca posible de la iglesia.

La presencia del coche fúnebre era como un imán, por lo que la gente se dirigía hacia el aparcamiento, donde Roy Lester les indicaba que se mantuvieran alejados. La puerta posterior del vehículo estaba entreabierta, lo que significaba, por supuesto, que pronto cargarían un cadáver y emprenderían el corto trayecto hasta la funeraria. Como en todas las tragedias —ya fueran crímenes o accidentes—, lo que los mirones estaban deseosos de ver era un cadáver. Aturdidos e impresionados, se aproximaron lentamente, callados, y comprendieron que ellos eran los afortunados. Eran testigos de una escena dramática de una historia inimaginable, y durante el resto de su vida podrían jactarse de que estaban allí cuando se habían llevado al pastor Bell en un coche fúnebre.

El sheriff Gridley cruzó la puerta del anexo, echó una ojeada a la muchedumbre y se quitó el sombrero. La camilla apareció detrás de él; el viejo Magargel la sujetaba por un lado, y su hijo, por el otro. El cadáver estaba tapado con una tela negra que solo dejaba al descubierto los zapatos marrones de Dexter. Todos los hombres se despojaron al instante del sombrero o la gorra, y todas las mujeres agacharon la cabeza, aunque no cerraron los ojos. Algunas sollozaban en silencio. Una vez que depositaron el cuerpo con cuidado en la parte posterior del vehículo y cerraron la puerta, el viejo Magargel se sentó al volante y arrancó. Como nunca desaprovechaba la oportunidad de añadir un poco de dramatismo, recorrió sin prisa varias calles laterales antes de entrar en la plaza y dio dos vueltas lentas alrededor del juzgado para que todo el pueblo pudiera verlo.

Una hora después, el sheriff Gridley llamó para ordenar que trasladaran el cadáver a Jackson con el fin de que se le practicara la autopsia.

Nineva no se acordaba de la última vez que el señor Pete le había pedido que se sentara a su lado en el porche delantero. Ella tenía cosas mejores que hacer. Amos estaba batiendo mantequilla en el establo y necesitaba que le ayudara. Después, la mujer tenía que enlatar una ración de guisantes y alubias. Había algo de ropa sucia que lavar. Pero si el jefe le decía que se sentara en aquella mecedora a charlar un rato, no podía rechistar. Bebía té helado mientras él fumaba cigarrillos, más que de costumbre, como recordaría Nineva más tarde al hablar con Amos. El señor parecía pendiente del tráfico de la carretera que discurría a poco menos de un kilómetro del camino de entrada. Algunos coches y camionetas pasaban despacio, adelantando remolques cargados de algodón que se dirigían a la desmotadora de la ciudad.

—Ahí viene —dijo Pete cuando el automóvil del sheriff giró por el camino.

—¿Quién? —preguntó ella.

—El sheriff Gridley.

—¿Qué querrá?

—Viene a detenerme, Nineva. Por asesinato. Acabo de matar a tiros a Dexter Bell, el pastor metodista.

—¡Anda ya! ¿Que ha hecho qué?

—Ya me has oído. —Se puso de pie y dio unos pasos hacia donde estaba sentada ella. Se inclinó y le apuntó con el dedo a la cara—. Y no le dirás una palabra a nadie jamás, Nineva. ¿Me has entendido? —Ella puso los ojos como platos y abrió la boca por completo, pero era incapaz de hablar. Pete se sacó un sobre pequeño del bolsillo del abrigo y se lo tendió—. Ahora, entra en casa y, en cuanto me vaya, llévale esto a Florry.

La tomó de la mano para ayudarla a levantarse y abrió la puerta mosquitera. Una vez dentro, ella profirió un aullido angustioso que lo sobresaltó. Pete cerró la puerta principal y se volvió para observar al sheriff, que se acercaba. Gridley no tenía ninguna prisa. Frenó y aparcó junto a la camioneta de Pete, bajó del coche patrulla y, con Red y Roy como refuerzos, caminó hacia el porche antes de detenerse frente a los escalones. Clavó la vista en Pete, que no parecía en absoluto preocupado.

—Será mejor que nos acompañes, Pete —dijo Nix.

Pete señaló su camioneta.

—La pistola está en el asiento de delante —declaró.

Nix miró a Red.

—Ve a buscarla —le indicó.

Pete bajó del porche con paso tranquilo y se dirigió al coche del sheriff. Roy abrió una puerta de atrás y, mientras Pete se agachaba, oyó los gemidos de Nineva, procedentes del patio trasero. Cuando alzó la mirada, la vio alejarse veloz hacia el establo, carta en mano.

—Vamos —dijo Nix, que abrió la puerta del conductor y se colocó al volante. Red se sentó junto a él, sujetando la pistola.

En el asiento posterior iban Roy y Pete; sus hombros casi se tocaban. Nadie decía esta boca es mía; de hecho, daba la impresión de que nadie respiraba mientras se alejaban de la hacienda y enfilaban la carretera. Los agentes del orden seguían el procedimiento de forma maquinal, con una sensación de incredulidad, tan conmocionados como todos los demás. Un pastor popular, asesinado a sangre fría por el hijo predilecto de la ciudad, un héroe de guerra legendario. Sin duda tenía un motivo condenadamente bueno para ello, y la verdad no tardaría en salir a la luz. Sin embargo, por el momento, el reloj se había detenido y los sucesos se antojaban irreales.

A medio camino de la ciudad, Nix echó un vistazo por el espejo retrovisor.

—No voy a preguntarte por qué lo has hecho, Pete. Solo quiero confirmar que has sido tú, eso es todo.

Pete respiró hondo, contemplando los campos de algodón por los que pasaban.

—No tengo nada que decir —respondió.

La cárcel del condado de Ford, un edificio que databa de otro siglo, resultaba apenas apta para albergar seres humanos. Originalmente un pequeño almacén, lo habían remodelado varias veces para darle distintos usos hasta que el condado lo había comprado y lo había dividido en dos por medio de un muro de ladrillo. En la mitad frontal, habían acondicionado seis celdas para los presos blancos, y en la posterior, habían embutido ocho para los negros. La cárcel rara vez se llenaba por completo, al menos la parte de delante. Aneja al edificio había una pequeña ala de despachos, construida con posterioridad por el condado para el sheriff y el departamento de policía de Clanton. La prisión se encontraba a solo dos manzanas de la plaza, y desde la puerta principal se alcanzaba a ver el tejado del juzgado. Durante los juicios penales, que no eran frecuentes, uno o dos ayudantes del sheriff escoltaban al acusado a pie desde la cárcel.

La gente se había congregado delante de la prisión para vislumbrar al asesino. Seguía pareciéndoles inconcebible que Pete Banning hubiera hecho algo así, y reinaba un escepticismo general respecto a que fueran a encerrarlo. Sin duda habría normas especiales para personajes tan ilustres como el señor Banning. De todos modos, si Nix resultaba tener las agallas suficientes para detenerlo, había bastantes curiosos deseosos de verlo por sí mismos.

—Parece que se ha corrido la voz —murmuró el sheriff mientras giraba para entrar en el pequeño aparcamiento de grava junto a la cárcel—. Que nadie diga una palabra —ordenó.

El coche se detuvo, y se abrieron las cuatro puertas. Nix agarró a Banning del brazo y lo condujo hasta la entrada principal, con Red y Roy a la zaga. La multitud de mirones permaneció quieta y callada hasta que un periodista de *The Ford County Times* se acercó con una cámara y sacó una foto, con un flash que sobresaltó incluso a Pete.

—¡Arderás en el infierno, Banning! —le gritó alguien justo cuando entraba por la puerta.

—¡Eso, eso! —añadió otro.

El sospechoso no se inmutó. Parecía ajeno a la muchedumbre. Poco después se encontraba dentro, a salvo de miradas.

En una sala abarrotada donde se registraba y fichaba a todos los sospechosos y delincuentes, estaba el señor John Wilbanks, eminente abogado de la ciudad y viejo amigo de los Banning.

—¿A qué debemos el placer de su visita? —preguntó Nix al señor Wilbanks, visiblemente poco complacido.

—El señor Banning es mi cliente, y vengo a representarlo —respondió Wilbanks. Sin una palabra más, dio un paso al frente y estrechó la mano a Pete.

—Primero cumplimos nosotros con nuestro trabajo, después puede encargarse usted del suyo —dijo Nix.

—Ya he llamado al juez Oswalt —le informó Wilbanks—, y hemos hablado de la fianza.

—Estupendo. Cuando lo hayan hablado y conceda la libertad bajo fianza, no me cabe duda de que me llamará. Hasta entonces, señor Wilbanks, este hombre es sospechoso de asesinato y lo trataré como corresponde. Ahora, ¿tendría la bondad de marcharse?

—Quisiera hablar con mi cliente.

—No va a ir a ninguna parte. Regrese dentro de una hora.

—Nada de interrogatorios, ¿queda claro?

—No tengo nada que decir —aseveró Banning.

Florry leyó la nota en el porche delantero mientras Nineva y Amos la observaban. Seguían jadeando a causa de la carrera desde la casa principal, y estaban horrorizados por lo que ocurría.

Cuando terminó, bajó el papel y los miró.

—¿Y se ha ido? —les preguntó.

—Se lo ha llevado la policía, señorita Florry —declaró Nineva—. Sabía que venían a buscarlo.

—¿Ha dicho algo?

—Ha dicho que acababa de matar al pastor —contestó la criada, enjugándose las mejillas.

En el mensaje, Pete indicaba a Florry que llamara a Joel a

Vanderbilt y a Stella a Hollins para explicarles que habían detenido a su padre por el asesinato del reverendo Dexter Bell. No debían comentarlo con nadie, mucho menos con periodistas, y debían permanecer en la universidad hasta nuevo aviso. Lamentaba aquel trágico giro de los acontecimientos, pero esperaba que lo comprendieran algún día. Le pedía que lo visitara en la cárcel al día siguiente para tratar algunos asuntos.

Florry se sentía mareada, pero no podía mostrar debilidad delante del servicio. Dobló la nota, se la guardó en el bolsillo y les dio permiso para que se retiraran. Nineva y Amos retrocedieron, más asustados y confundidos que antes, y atravesaron despacio el patio delantero de Florry en dirección al sendero. Ella los siguió con la mirada hasta que los perdió de vista y se sentó en una mecedora de mimbre con uno de sus gatos, pugnando por contener las emociones.

Había notado a Pete preocupado durante el desayuno, apenas unas horas antes, pero, por otro lado, su hermano no había estado bien desde la guerra. ¿Por qué no se lo había advertido? ¿Cómo había podido cometer un acto tan increíblemente perverso? ¿Qué sería de él, de sus hijos, de su esposa? ¿Y de ella, su única hermana? ¿Y de las tierras?

Aunque Florry estaba lejos de ser una metodista devota, la habían criado en la iglesia y asistía de vez en cuando a los oficios. Había aprendido a guardar las distancias con los pastores porque para cuando acababan de instalarse se marchaban, pero Bell era uno de los mejores.

Pensar en su bonita esposa y en sus hijos, hizo que se viniera abajo. Marietta entró con discreción por la puerta mosquitera y se quedó de pie junto a ella mientras sollozaba.

3

La ciudad entera invadió la iglesia metodista. Como la multitud crecía sin parar, un diácono le pidió a Hop que abriera el presbiterio. Los afligidos dolientes entraron en fila y llenaron los bancos, comentando entre susurros las últimas novedades, fueran cuales fuesen. Rezaban, lloraban, se enjugaban el rostro y sacudían la cabeza con incredulidad. Los feligreses más asiduos, los que conocían bien a Dexter y le profesaban un gran cariño, se reunieron en grupos pequeños para llorar la pérdida. Para los menos comprometidos, los que no asistían todas las semanas sino solo una vez al mes, la iglesia era como un imán que los atraía hacia el corazón de la tragedia. Incluso algunos de los que se habían descarriado del todo acudieron para participar del duelo. En aquel momento aciago, todos eran metodistas y todos eran bienvenidos en la iglesia del reverendo Bell.

El asesinato de su pastor había supuesto un golpe demoledor, tanto emocional como físico. El hecho de que lo hubiera matado un miembro de la comunidad también resultaba demasiado difícil de creer en un principio. Joshua Banning, el abuelo de Pete, había ayudado a construir la iglesia. Su padre había sido diácono durante toda su vida adulta. Casi todos los presentes se habían sentado en esos mismos bancos para elevar innumerables plegarias por Pete durante la contienda. Habían quedado desolados cuando habían recibido a través del Departamento de Guerra la noticia de que estaba desaparecido y posiblemente muerto. Habían organizado vigilias a la luz de las velas para celebrar su regreso. Habían llorado de alegría cuando Liza y él habían hecho su reaparición triunfal la semana siguiente a la rendición de los japoneses. Todos los domingos por la mañana, mientras duraba la guerra, el reverendo Bell leía en voz alta los nombres de los soldados del condado de Ford y les dedicaba una oración especial. El primero de la lista era Pete Banning, héroe local y fuente de un inmenso orgullo local. En esos momentos, el rumor de que había asesinado al pastor era sencillamente demasiado inverosímil.

Sin embargo, conforme se iba asimilando la noticia, los murmullos se intensificaron, al menos en algunos círculos, y la gran pregunta de «¿por qué?» fue formulada cientos de veces. Solo unos pocos valientes se atrevieron a insinuar que quizá la esposa de Pete guardaba alguna relación con lo sucedido.

Lo que los dolientes querían de verdad era agarrar a Jackie y a los niños, tocarlos y llorar con ellos a lágrima viva, como si eso pudiera aliviar el horror. Pero, según los cotilleos, Jackie estaba al lado, en la casa parroquial, recluida en su habitación con sus tres hijos, y no recibía a nadie. Sus amigos más cercanos abarrotaban el edificio, y el gentío se desbordaba por los porches y el patio delantero, donde hombres de aspecto sombrío fumaban y refunfuñaban. Cuando unos salían a respirar el aire fresco, otros entraban y ocupaban su lugar. Algunos se trasladaban a la iglesia contigua.

Los desconsolados y los curiosos seguían llegando, y las calles aledañas se llenaron de coches y camionetas. Se dirigían hacia la iglesia en grupos reducidos, a paso lento, como si no supieran muy bien qué harían una vez allí, pero tuvieran la sensación de que se requería su presencia.

Cuando los bancos quedaron atestados, Hop abrió la puerta de la galería superior. Se ocultó entre las sombras, al pie del campanario, para evitar a la gente. El sheriff Gridley lo había amenazado, y él no pensaba decir una palabra. Aun así, lo maravillaba el modo en que los blancos se las apañaban para guardar la compostura, al menos en su mayoría. El asesinato de un pastor negro popular habría provocado un estallido de emoción mucho más caótico.

Un diácono señaló a la señorita Emma Faye Riddle que tal vez procedía un poco de música. La mujer tocaba el órgano desde hacía décadas, pero no estaba segura de que resultara apropiado en aquella situación. Aun así, accedió enseguida, y cuando atacó las primeras notas del himno «The Old Rugged Cross», el llanto arreció.

En el exterior, bajo los árboles, un hombre se acercó a un grupo de fumadores.

—Han encerrado a Pete Banning. Tienen su arma —anunció.

La noticia fue recibida con resignación, comentada y luego transmitida hasta que llegó al presbiterio y pasó de un banco a otro.

Pete Banning, detenido por el asesinato de su pastor.

Cuando se hizo evidente que el sospechoso, en efecto, no tenía nada que declarar, el sheriff Gridley lo condujo a través de una puerta y por un pasillo estrecho y mal iluminado, flanqueado por barrotes de hierro. Había tres celdas a la derecha y otras tres a la izquierda, cada una más o menos del tamaño de un vestidor. No había ventanas, y la cárcel semejaba un calabozo húmedo y oscuro, donde los reclusos quedaban relegados al olvido y no se apreciaba el transcurso del tiempo. Allí todo el mundo fumaba, naturalmente. Gridley introdujo una llave grande en una cerradura, tiró de la puerta para abrirla y, con un movimiento de cabeza, indicó al sospechoso que pasara al interior. El único mueble era un catre barato colocado contra la pared del fondo.

—Me temo que no hay mucho espacio, Pete —dijo Gridley—, pero es una cárcel, al fin y al cabo.

Pete entró y echó un vistazo alrededor.

—Las he visto peores —comentó. Se acercó al catre y se sentó en él.

—El baño está al final del pasillo —señaló Gridley—. Si necesitas ir, pega un grito.

Pete tenía la vista clavada en el suelo. Se encogió de hombros sin decir nada. Gridley cerró de un portazo y regresó a su despacho. Pete se tumbó y ocupó todo el largo del catre. Medía un metro con ochenta y ocho; el catre era más corto. En la celda olía a cerrado y hacía frío, por lo que cogió una manta plegada, tan raída que le serviría de muy poco por la noche. Le daba igual. El cautiverio no era nuevo para él, y había sobrevivido en condiciones que, cuatro años después, aún costaba imaginar.

Cuando John Wilbanks regresó, menos de una hora después, mantuvo una breve discusión con el sheriff sobre dónde debía celebrarse exactamente la entrevista entre abogado y cliente. No había una sala designada para estas reuniones tan importantes. Por lo general, los letrados entraban en el bloque de celdas y se acercaban todo lo posible a sus clientes para intentar hablar con ellos de forma discreta a través de la hilera de barrotes que se interponía entre ellos, mientras los demás presos aguzaban el oído tratando de captar algún fragmento de la conversación. De vez en cuando, un abogado conseguía pillar a su cliente fuera, en el patio, y le daba consejos desde el otro lado de la valla metálica. Sin embargo, lo más frecuente era que los letrados no se tomaran siquiera la molestia de visitar a sus representados en la cárcel. Esperaban a que los llevaran a rastras al juzgado para charlar con ellos.

John Wilbanks, no obstante, se consideraba superior a todos los demás abogados del condado de Ford, por no decir de todo el estado, y su nuevo cliente era sin duda más distinguido que el resto de los presos de Gridley. La categoría de ambos requería que dispusieran de un lugar adecuado donde reunirse, y el despacho del sheriff les iría de perlas. Gridley acabó por acceder —pocas personas eran capaces de vencer en un combate dialéctico a John Wilbanks, quien, por cierto, siempre había apoyado al sheriff en época de elecciones— y, tras refunfuñar y despotricar un poco, le impuso una serie de normas benévolas y se fue a buscar a Pete. Lo condujo hasta allí sin esposarlo y les avisó de que tenían media hora para conversar.

Cuando se quedaron a solas, Wilbanks rompió el silencio.

—Muy bien, Pete, hablemos del crimen. Si lo cometiste tú, dilo. Si no, dime quién lo hizo.

—No tengo nada que decir —afirmó Pete y se encendió un cigarrillo.

—No me basta con eso.

—No tengo nada que decir.

—Interesante. ¿Tienes alguna intención de colaborar con tu abogado defensor?

Por toda respuesta, el hombre se encogió de hombros y soltó un resoplido.

—Muy bien —dijo Wilbanks desplegando su sonrisa más profesional—. Te explicaré el panorama. Dentro de un par de días, te llevarán al juzgado para una comparecencia inicial ante el juez Oswalt. Me imagino que te declararás inocente. Luego te traerán de vuelta aquí. Al cabo de un mes, más o menos, el gran jurado se reunirá y te acusará de homicidio en primer grado. Calculo que, para febrero o marzo, Oswalt estará preparado para celebrar el juicio, en el que yo te representaré, si así lo deseas.

—John, siempre has sido mi abogado.

—Bien. En ese caso, tendrás que colaborar.

—¿Colaborar?

—Sí, Pete. Poner algo de tu parte. A primera vista, esto parece un asesinato a sangre fría. Dame algo con lo que trabajar, Pete. Algún motivo tendrías.

—Eso queda entre Dexter Bell y yo.

—No, ahora es algo entre tú y el estado de Mississippi, que, como todos los estados, no ve con muy buenos ojos los asesinatos a sangre fría.

—No tengo nada que decir.

—Eso no es una justificación, Pete.

—A lo mejor no tengo justificación, al menos una que la gente pueda entender.

—Pues algo tendrán que entender los miembros del jurado. La primera idea que se me ocurre en estos momentos, la única, de hecho, es alegar demencia.

Pete negó con la cabeza.

—Ni hablar. Estoy igual de cuerdo que tú.

—Pero yo no me enfrento a silla eléctrica, Pete.

Este exhaló una bocanada de humo.

—No pienso prestarme a eso.

—Estupendo, pero entonces dame un móvil, una razón. Dame algo, Pete.

—No tengo nada que decir.

Joel Banning estaba bajando los escalones de Benson Hall cuando oyó que lo llamaban. Otro alumno, un estudiante de primer año al que conocía de vista pero con quien nunca había hablado, le entregó un sobre.

—El decano quiere verte de inmediato en su despacho —le comunicó—. Es urgente.

—Gracias —respondió Joel, que cogió el sobre y observó alejarse al novato. Contenía un mensaje escrito a mano en un papel con el membrete oficial de Vanderbilt que le indicaba que acudiera sin demora al despacho del decano en Kirkland Hall, el edificio de administración.

Joel tenía literatura en quince minutos, y al profesor le irritaba que faltaran a clase. Si se daba prisa, podía correr hasta el despacho del decano, ocuparse del asunto que tuviera que tratar con él y llegar tarde a clase, con la esperanza de que el profesor estuviera de buen humor. Atravesó a paso veloz el patio cuadrangular y subió a saltos las escaleras de Kirkland Hall hasta el segundo piso, donde la secretaria del decano le explicó que debía esperar a que dieran las once en punto, hora en que su tía Florry lo llamaría desde su casa. La secretaria le aseguró que desconocía el motivo. Había hablado con Florry Banning, que había llamado a través de una línea colectiva rural y, por tanto, sin privacidad. La mujer le había manifestado su intención de ir en coche a Clanton para utilizar el teléfono privado de una amiga.

Mientras esperaba, Joel, que supuso que había muerto alguien, no pudo evitar pensar en qué parientes y amigos le importaría menos perder. La familia Banning no era numerosa: constaba solo de sus padres, Pete y Liza, su hermana, Stella, y su tía Florry. Los abuelos habían muerto. Como Florry no tenía hijos, Stella y Joel carecían de primos por parte de los Banning. La familia de su madre era originaria de Memphis, pero se había dispersado después de la guerra.

Caminó de un lado a otro del despacho, sin hacer caso de las miradas que le lanzaba la secretaria, y concluyó que con toda seguridad se trataba de su madre. La habían ingresado unos meses antes, y la familia no se había recuperado del golpe. Stella y él no la habían visto, y las cartas que le habían escrito no habían tenido respuesta. Su padre se negaba a hablar del tratamiento de su esposa, así que había un montón de incógnitas. ¿Mejoraría su estado? ¿Regresaría a casa? ¿Volverían a ser una familia de verdad? Joel y Stella tenían preguntas, pero su padre, en las pocas ocasiones en que se dignaba decir algo, prefería tratar otros asuntos. La tía Florry tampoco era de gran ayuda.

Llamó a las once en punto. La secretaria pasó el teléfono a Joel y desapareció tras una esquina, aunque él supuso que aún estaría lo bastante cerca para oírlo. Dijo «hola» y escuchó durante lo que pareció una eternidad. Para empezar, Florry le explicó que estaba en la ciudad, en casa de la señorita Mildred Highlander, a quien Joel conocía de toda la vida, y que había ido allí porque necesitaba hablar con él en privado y la línea comunitaria rural no le ofrecía intimidad, como bien sabía. En realidad, era imposible encontrar privacidad en la ciudad porque, hacía apenas unas horas, su padre había ido en coche a la iglesia metodista, había matado al reverendo Dexter Bell y lo habían metido en la cárcel, así que, como era de esperar, el pueblo entero era un hervidero de rumores y se había paralizado toda actividad. No preguntes por qué y no digas nada que no quieras que oigan otros, estés donde estés, Joel, pero la situación es terrible y que Dios nos ayude.

Joel empezó a marearse y tuvo que apoyarse en el escritorio de la secretaria. Cerró los ojos, respiró hondo y escuchó. Florry le contó que acababa de llamar a Stella a Hollins y que su hermana no había encajado bien la noticia. La tenían en el despacho del rector con una enfermera. Explicó que Pete le había dejado instrucciones muy concretas, nada menos que por escrito, en las que especificaba que ellos —Joel y Stella— debían quedarse en la universidad y no acercarse a casa o a Clanton hasta nuevo aviso. Debían hacer planes para pasar las vacaciones de Acción de Gracias con amigos, lo más lejos posible del condado de Ford. Y si se ponía en contacto con ellos algún reportero, investigador, policía o quien fuera, no debían decir nada. Ni una palabra sobre su padre o la familia. Ni una palabra y punto. Puso fin a la conversación asegurándole que lo quería mucho, que escribiría una larga carta de inmediato y que habría deseado estar a su lado en aquel momento tan terrible.

Joel colgó sin abrir la boca y salió del edificio. Vagó por el campus hasta que encontró un banco desocupado y oculto en parte por unos arbustos. Se sentó, conteniendo las lágrimas, decidido a armarse del estoicismo que le había inculcado su padre. Pobre Stella, pensó. Era tan pasional y sensible como su madre, y él sabía que estaría deshecha.

Asustado, perplejo y confundido, Joel contempló las hojas que caían y se dispersaban impulsadas por la brisa. Lo asaltó el impulso de regresar a casa de inmediato, de tomar un tren que lo llevara a Clanton antes del anochecer y, una vez allí, llegar al fondo del asunto. Sin embargo, el arrebato se le pasó, y se preguntó si podría volver algún día. El reverendo Bell era un pastor elocuente y popular, por lo que con toda seguridad había un ambiente de enorme hostilidad hacia los Banning. Por otro lado, su padre les había dado instrucciones estrictas de que no se acercaran. A sus veinte años, Joel no recordaba haber desobedecido a su padre en una sola ocasión. A medida que se hacía mayor, había aprendido a disentir de él con respeto, pero nunca había contravenido sus órdenes. Su padre era un militar orgulloso que imponía una disciplina férrea, hablaba poco y valoraba la autoridad.

Era de todo punto imposible que hubiera asesinado a alguien.

4

El juzgado, al igual que las tiendas y oficinas circundantes a la plaza frente a la que se encontraba, cerraban a las cinco entre semana. Por lo general, para esa hora, todas las puertas ya tenían echada la llave, las luces estaban apagadas y las aceras vacías, y todo el mundo se había marchado. Sin embargo, ese día los vecinos del pueblo se entretuvieron un rato más, por si llegaban más noticias o habladurías sobre el asesinato. No hablaban de otra cosa desde las nueve de la mañana. Se habían escandalizado unos a otros con las primeras informaciones, y luego habían propagado las novedades sobre el caso. Se habían quedado de pie en actitud de respeto solemne mientras el viejo Magargel recorría la plaza en el coche fúnebre para que pudieran vislumbrar el cadáver, cuya forma se intuía bajo un manto negro. Algunos se habían aventurado a entrar en la iglesia metodista para participar en la vigilia y rezar antes de regresar a sus puestos en torno a la plaza y describir con la voz entrecortada lo que sucedía en primera línea. Los baptistas, presbiterianos y pentecostales estaban en desventaja, pues no podían atribuirse un vínculo real ni con la víctima ni con el asesino. Los metodistas, en cambio, se habían convertido en el centro de atención y estaban más que dispuestos a describir relaciones que parecían estrecharse conforme avanzaba el día. La iglesia metodista de Clanton nunca había acogido a tantos fieles como aquella inolvidable jornada.

Entre los ciudadanos de Clanton, o al menos entre los blancos, predominaba una sensación de traición. Dexter Bell era un personaje conocido y muy bien considerado. Pete Banning, una figura casi mítica. Que uno hubiera matado al otro representaba una tragedia sin sentido que había conmovido a casi a todo el mundo. Resultaba tan incomprensible que no había surgido ningún rumor sólido respecto al posible móvil.

Y no era que los rumores escasearan; al contrario. Banning comparecería en el juzgado al día siguiente. Se negaba a hacer declaraciones. Alegaría demencia. John Wilbanks nunca había perdido un juicio ni tenía la menor intención de perder ese. El juez Oswalt era buen amigo de Banning, o quizá de Dexter Bell. Trasladarían el juicio a Tupelo. El hombre no había vuelto a estar del todo bien desde la guerra. Jackie Bell estaba tomando tranquilizantes fuertes. Sus hijos se hallaban destrozados. Pete presentaría sus terrenos como aval para la fianza y saldría en libertad al día siguiente.

A fin de no encontrarse con nadie, Florry aparcó en una calle lateral y se dirigió a paso rápido hacia el bufete. John Wilbanks, que se había quedado a trabajar hasta tarde, la esperaba en la sala de recepción de la planta baja.

En 1946, el condado de Ford contaba con una docena de abogados, la mitad de los cuales pertenecían al despacho Wilbanks & Wilbanks. Los seis estaban emparentados. Durante más de cien años, la familia Wilbanks había destacado en los campos del derecho, la política, la banca, los bienes inmuebles y la agricultura. John y su hermano Russell habían estudiado derecho en el norte y dirigían el bufete, que al parecer llevaba todos los asuntos comerciales del condado. Otro hermano era el presidente del banco más importante del condado, además de propietario de varios negocios. Un primo labraba ochocientas hectáreas. Otro primo era empresario inmobiliario y también representante del estado con aspiraciones. Se rumoreaba que la familia se reunía en secreto la primera semana de enero de cada año con el fin de hacer un recuento de las diversas ganancias y repartirse el dinero. Por lo visto, a cada uno le tocaba un buen pellizco.

Florry conocía a John Wilbanks desde el instituto, aunque era tres años mayor que él. Su despacho se había ocupado siempre de las cuestiones legales de los Banning, que hasta entonces no parecían muy complicadas. Había surgido el problema espinoso de mandar a Liza al manicomio, pero John había movido los hilos necesarios con discreción, y todo se había solucionado. De manera similar, John y su hermano habían barrido bajo la alfombra el antiguo divorcio de Florry, de modo que apenas había quedado constancia de él en los registros del condado.

Él la recibió con un abrazo solemne, y ella lo siguió escaleras arriba, hasta su espaciosa oficina, la más elegante de la ciudad, con una terraza que daba a la plaza del juzgado. Las paredes estaban cubiertas de retratos sombríos de sus difuntos antepasados. La muerte se encontraba presente por todas partes. Él le indicó con un gesto un suntuoso sofá de piel y Florry se sentó.

—Me he entrevistado con él —comenzó John, encendiéndose un puro negro y corto con una cerilla—. No ha dicho gran cosa. En realidad, se niega a decir nada.

—Por el amor de Dios, John, ¿qué ha pasado? —preguntó ella con los ojos llorosos.

—Que me aspen si lo sé. ¿No te lo esperabas?

—Por supuesto que no. Ya conoces a Pete. No suelta prenda, y menos aún sobre sus asuntos privados. Hace algún comentario acerca de sus hijos y, como todos los agricultores, parlotea sin parar sobre el tiempo, el precio de las semillas y todas esas cosas, pero nunca toca temas personales. Y de algo tan terrible como esto, no, jamás diría una palabra.

John dio una calada al puro y exhaló una nube de humo azulado hacia el techo.

—Entonces ¿no tienes idea de qué hay detrás de esto?

Ella se secó las mejillas con un pañuelo.

—Estoy demasiado abrumada para encontrarle sentido, John

—contestó—. Ahora mismo apenas me veo en condiciones de respirar, y mucho menos de pensar con claridad. Tal vez mañana, tal vez pasado, pero ahora no. Todo me resulta muy confuso.

—¿Y Joel y Stella?

—He hablado con los dos. Pobres chicos: están lejos de aquí, disfrutando de la vida universitaria, libres de preocupaciones, y de pronto se enteran de que su padre acaba de matar a un pastor, a un hombre al que admiraban. Y no pueden regresar a casa porque Pete les ha pedido de forma tajante, y encima por escrito, que se mantengan alejados hasta que cambie de idea. —Después de sollozar durante un rato mientras John fumaba su puro, apretó los dientes y se enjugó las lágrimas de nuevo—. Lo siento.

—Oh, Florry, no te reprimas. Llora cuanto quieras. Ojalá yo pudiera. Desahógate; es lo más natural del mundo. No es el momento de ser valientes. Siéntete libre de mostrar tus emociones. Ha sido un día espantoso cuyo recuerdo nos atormentará durante años.

—¿Qué va a ser lo siguiente, John?

—Pues te garantizo que nada bueno. Esta tarde he hablado con el juez Oswalt, y ni se plantea la posibilidad de concederle la libertad bajo fianza. Queda descartada, cosa que comprendo perfectamente. Al fin y al cabo, estamos hablando de homicidio. Me he reunido con Pete, pero no se muestra dispuesto a colaborar. Así que, por un lado, no piensa declararse culpable y, por otro, no facilitará ninguna ayuda para su defensa. Es posible que esto cambie, desde luego, pero tú y yo lo conocemos y, una vez que toma una decisión, nunca da marcha atrás.

—¿En qué se basará esa defensa?

—Nuestras opciones parecen más bien limitadas. Defensa propia, impulso irresistible, una coartada quizá. Nada encaja, Florry. —Dio otra calada al cigarro y exhaló otra nube por la boca—. Y eso no es todo. Esta tarde he recibido un soplo y me he acercado a la oficina del catastro. Hace tres semanas, Pete firmó una escritura por la que cedía en vida la titularidad de sus tierras a Joel y a Stella. No tenía ninguna razón de peso para hacerlo, y salta a la vista que no quería que me enterara. Contrató a un abogado de Tupelo con pocos contactos en Clanton.

—¿Adónde quieres llegar con todo esto? Lo siento, John, pero necesito que me ayudes a entenderlo.

—Quiero llegar a que Pete llevaba un tiempo planeándolo y a que, para proteger sus tierras ante cualquier posible demanda presentada por la familia de Dexter Bell, se las cedió a sus hijos y se dio de baja como titular.

—¿Y funcionará?

—Lo dudo, pero ya nos preocuparemos más adelante. Tus tierras están a tu nombre, claro, por lo que no se verán afectadas por nada de esto.

—Gracias, John, pero ni he pensado en eso todavía.

—Suponiendo que sea procesado, y no se me ocurre ningún motivo para que no sea así, la transmisión de propiedades se presentará como prueba contra él para demostrar premeditación. Pete lo preparó todo con detenimiento, Florry. Es evidente que llevaba mucho tiempo dándole vueltas.

Florry se tapó la boca con el pañuelo y clavó la vista en el suelo mientras transcurrían los minutos. En el despacho reinaban un silencio y una quietud absolutos; todos los ruidos de la calle habían cesado. John se levantó y, después de aplastar el puro contra un pesado cenicero de cristal, se acercó a su escritorio y se encendió otro. Se dirigió a una puerta cristalera y tendió la mirada hacia el juzgado, al otro lado de la calle. Empezaba a oscurecer, y las sombras se alargaban sobre el césped.

—¿Cuánto tiempo pasó Pete en el hospital después de fugarse? —preguntó sin volverse.

—Muchos meses. No sé, tal vez un año. Estaba herido de gravedad y pesaba menos de sesenta kilos. Tardó en restablecerse.

—¿Y desde el punto de vista mental? ¿Sufrió secuelas?

—Bueno, como es típico de él, nunca ha hablado de ellas, si

es que las había. Pero ¿quién no estaría un poco mal de la cabeza después de pasar por algo así?

—¿Le diagnosticaron algún trastorno?

—No tengo idea. No es el mismo que antes de la guerra, pero ¿cómo iba a serlo? Seguro que muchos de esos muchachos quedaron marcados.

—¿En qué sentido ha cambiado?

Ella se guardó el pañuelo en el bolso, como para dejar claro que se había acabado el llanto por el momento.

—Según Liza, al principio tenía pesadillas y se pasaba muchas noches en blanco. Se ha vuelto más hosco, proclive a quedarse callado durante largos ratos que parece disfrutar. Por otra parte, estamos hablando de un hombre que nunca fue muy parlanchín. Sí recuerdo que, cuando llegó a casa, me pareció contento y relajado. Seguía recuperándose y ganando peso, y se le veía risueño, contento de estar vivo y de que hubiera terminado la guerra. Pero no duró mucho. Noté que las cosas entre Liza y él empezaban a ponerse tensas. Nineva decía que no se llevaban bien. Fue extraño, porque daba la impresión de que, cuanto más recuperaba él las fuerzas, cuanto más en forma estaba, más deprisa se desmoronaba ella.

—¿Por qué reñían?

—No lo sé. Nineva lo ve y lo oye todo, así que intentaban ser discretos. Le contó a Marietta que a menudo la mandaban fuera de casa para discutir. Liza había entrado en barrena. Recuerdo que la vi una vez, no mucho antes de que se marchara, y me pareció muy delgada, débil y, en cierto modo, atribulada. No es ningún secreto que jamás hemos sido íntimas, por lo que nunca me hacía confidencias. Supongo que él tampoco.

John soltó una bocanada de humo y regresó a su asiento, cerca de Florry. La miró con una sonrisa agradable, de las que se dedican a una vieja amiga.

—El único nexo posible entre el reverendo Bell, tu hermano y un asesinato sin sentido es Liza Banning. ¿Estás de acuerdo?

—Mi estado no me permite estar de acuerdo con nada.

—Vamos, Florry, échame un cable. Soy la única persona que quizá pueda salvarle la vida a Pete, algo que parece muy improbable ahora mismo. ¿Pasaba mucho tiempo Dexter Bell con Liza cuando creíamos que Pete había muerto?

—Por dios santo, John, no lo sé. Esos primeros días y semanas fueron espantosos. Liza estaba deshecha. Los chicos estaban traumatizados. La casa era un hervidero, pues toda la gente del condado se pasaba por allí con un jamón o un codillo de cerdo, junto con un hombro sobre el que llorar y un montón de preguntas. Dexter estaba allí, claro, y recuerdo que su esposa también. Estaban muy unidos a Pete y a Liza.

—Pero ¿no notaste nada fuera de lo normal?

—¿Fuera de lo normal? ¿Insinúas que había algo entre Liza y Dexter Bell? Qué barbaridad, John.

—Sí, lo sé. También lo es el asesinato, de cuya defensa tengo que encargarme, si es que se me brinda la oportunidad. Pete lo ha matado por alguna razón. Si él no quiere explicármelo, me corresponderá a mí buscar un motivo.

Florry alzó las manos.

—Me rindo —declaró—. Ha sido un día muy agobiante, John, y no puedo seguir. Tal vez en otro momento.

Se puso de pie y se encaminó hacia la puerta, que él se apresuró a abrirle. La tomó del brazo y bajó las escaleras con ella. Después de abrazarse frente a la puerta principal, prometieron que volverían a hablar pronto.

Su primera comida como recluso consistió en un plato de sopa de alubias con un mendrugo de pan de maíz duro. Ambas cosas estaban frías, y cuando Pete se sentó en el borde de su catre, con el cuenco en la mano, reflexionó sobre cuán difícil debía de ser mantener las alubias calientes hasta el momento de servirlas a los presos. Sin duda era factible, aunque no pensaba proponérselo a nadie. Tampoco pensaba quejarse, pues había aprendido por las malas que eso solía empeorar las cosas.

Al otro lado del lóbrego pasillo, otro recluso cenaba sentado en su catre bajo la tenue luz de una bombilla desnuda que colgaba de un cable. Se llamaba Leon Colliver y era miembro de una familia conocida por destilar de manera clandestina un buen whisky, del que tenía una petaca llena escondida bajo el catre. A lo largo de la tarde, había ofrecido en dos ocasiones un trago a Pete, que había rehusado la invitación. Según Colliver, iban a trasladarlo a la penitenciaría estatal de Parchman, donde debía cumplir varios años de condena. Sería su segunda estancia en el lugar, y estaba deseando marcharse. Cualquier lugar era preferible a aquel calabozo. En Parchman, los presidiarios se pasaban buena parte del día al aire libre.

Colliver tenía ganas de charlar y mostró curiosidad sobre por qué habían encarcelado a Pete. A medida que transcurría el día, se propagaban los cotilleos, que incluso llegaron a oídos de los otros cuatro reclusos blancos, y para el anochecer ya todos sabían que Pete había matado al pastor metodista. Colliver, que disponía de todo el tiempo del mundo para hablar, quería detalles. No consiguió nada. Lo que Colliver ignoraba era que a Pete Banning le habían disparado, le habían pegado palizas, lo habían privado de comida, torturado y aprisionado tras alambradas, en barcos, vagones de carga y campos de prisioneros de guerra, y que una de las numerosas lecciones de supervivencia que había aprendido durante aquella terrible experiencia era la de no revelar más de la cuenta a alguien a quien no conocía. Así que Colliver se quedó con un palmo de narices.

Después de la cena, Nix Gridley entró en el bloque de celdas y se detuvo delante de la de Pete. Este se levantó y dio tres pasos hacia los barrotes.

—Oye, Pete —dijo Gridley en voz baja, casi en un susurro—, hay unos periodistas fisgones hostigándonos, rondando alrededor de la cárcel, empeñados en hablar contigo, conmigo o con cualquiera que les haga caso. Solo quería cerciorarme de que no estás interesado.

—No estoy interesado —respondió Pete.

—Vienen de todas partes. Tupelo, Jackson, Memphis.

—No me interesa.

—Eso imaginaba. ¿Lo llevas bien?

—No me quejo. Más negras las he pasado.

—Lo sé. Oye, Pete, solo quería que supieras que esta tarde me he pasado por la casa parroquial y he hablado un momento con Jackie Bell. Lo lleva bien, supongo. Pero los chicos están destrozados.

Pete clavó los ojos en él sin el menor asomo de compasión, aunque pensó en decir algo juicioso como «dale saludos de mi parte» o «vaya por Dios, dile que lo siento mucho». Sin embargo, se limitó a mirar al sheriff con el ceño fruncido como si fuera un idiota. ¿Por qué me cuenta esto?

Cuando resultó evidente que Pete no iba a responder, Gridley retrocedió.

—Si necesitas algo, avísame.

—Gracias.

5

A las cuatro de la madrugada, Florry renunció por fin a intentar dormir y fue a la cocina a prepararse un café. Marietta, que vivía en el sótano, había oído ruidos y no tardó en aparecer en camisón. Florry le explicó que no podía pegar ojo y que no necesitaba nada, y la envió de vuelta a su cuarto. Después de dos tazas con azúcar y otro acceso de llanto, se mordió el labio y decidió que aquella horrible pesadilla quizá podía estimular su creatividad. Se pasó una hora dando vueltas a un poema, pero al amanecer lo tiró a la basura. Se inclinó por la no ficción y comenzó a escribir un diario para narrar la tragedia en tiempo real. Se saltó la ducha y el desayuno y, hacia las siete de la mañana, se encontraba en Clanton, en casa de Mildred Highlander, una viuda que vivía sola y, hasta donde sabía Florry, era la única persona de la ciudad que entendía su poesía. Mientras tomaban té caliente y bollos rellenos de queso, su conversación se centró en todo momento en la pesadilla.

Mildred echó un vistazo tanto a la prensa matutina de Tupelo como a la de Memphis, esperándose lo peor, y no la decepcionaron. El artículo principal del periódico de Tupelo llevaba el titular «Héroe de guerra detenido por asesinato». El de Memphis, menos interesado en los sucesos de Mississippi, como era lógico, titulaba la noticia de primera página de la sección regional: «Pastor popular muere tiroteado en una iglesia». El relato de los hechos difería poco entre un artículo y otro. No recogían una sola declaración del abogado del sospechoso o las autoridades. Solo se describía la conmoción que había sacudido la ciudad.

The Ford County Times, el periódico local, era un semanario que llegaba a los quioscos los miércoles por la mañana, de modo que por un día no había podido hacerse eco del revuelo y tendría que esperar a la semana siguiente. Su fotógrafo, no obstante, había pillado a Pete Banning cuando se disponía a ingresar en la cárcel, y los diarios tanto de Memphis como de Tupelo habían utilizado la misma imagen. Pete, con expresión de absoluta indiferencia escoltado por tres polis, chicos sencillos del campo con uniforme y gorra desparejos.

Como Clanton parecía aquejado de un caso de mutismo colectivo, los reporteros se explayaron sobre el llamativo historial de Pete como héroe de guerra. Basándose sobre todo en sus archivos, los dos periódicos narraban con lujo de detalles su trayectoria y hazañas como soldado legendario destinado al Pacífico sur. Ambos publicaban fotografías más pequeñas de Pete, del año anterior, cuando había regresado a Clanton. El de Tupelo incluso mostraba una foto de Liza y él durante una ceremonia en el césped del juzgado.

Vic Dixon, que vivía enfrente de Mildred, era de los pocos habitantes de Clanton que estaban suscritos al matutino de Jackson, el de mayor difusión del estado, pero con pocos lectores en los condados del norte. Esa mañana, después de leerlo con el café, se acercó para pasárselo a Mildred, que se lo había pedido. En el cuarto de estar de ella, habló con Florry y le expresó sus condolencias, su pésame o lo que fuera que se suponía que había que presentar a la hermana de un hombre acusado de asesinato que tenía todos los visos de ser culpable. Mildred se deshizo de él, no sin antes arrancarle la promesa de que le guardaría los diarios.

Florry lo quería todo para su carpeta, álbum de recortes o relato factual de la pesadilla. Quería recopilar, registrar y conservarlo todo. No estaba muy segura de con qué propósito, pero se estaba desarrollando una historia larga, triste y a todas luces excepcional, y estaba decidida a no perderse el menor detalle. Cuando Joel y Stella por fin regresaran a casa, quería estar en condiciones de responder al máximo de preguntas posible.

Sin embargo, se llevó una decepción al descubrir que el periódico de Jackson, que estaba más lejos de Clanton que Tupelo o Memphis, contenía menos información y menos fotografías. El titular era más bien soso: «Destacado algodonero detenido en Clanton». Florry recortó un cupón de suscripción con la intención de enviarlo por correo con un cheque.

Desde el teléfono privado de Mildred, llamó a Joel y a Stella para intentar convencerlos de que la situación en casa no era tan catastrófica como la pintaban. Fracasó estrepitosamente y, al final, cuando colgó, sus sobrinos estaban deshechos en lágrimas. Su padre estaba entre rejas, maldita sea, acusado de un crimen terrible. Y querían volver a casa.

A las nueve, Florry se armó de valor y se dirigió a la cárcel en su Lincoln de 1939. El coche, cuyo cuentakilómetros marcaba menos de treinta mil, apenas salía del condado, más que nada porque su propietaria no tenía permiso de conducir. Había suspendido el examen dos veces, la policía la había parado en varias ocasiones sin sancionarla y ella había seguido conduciendo, pues se había comprometido con Nix Gridley a no coger el coche más que para ir de casa a la ciudad y viceversa, y nunca de noche.

Cruzó la puerta de la cárcel, entró en el despacho del sheriff y, tras saludar a Nix y a Red, anunció que estaba allí para ver a su hermano. Había metido en una pesada bolsa de paja tres novelas de William Faulkner, un kilo y medio de café Standard, que había comprado por correo al distribuidor de Baltimore, una taza de café, diez paquetes de cigarrillos, cerillas, un cepillo de dientes y dentífrico, dos pastillas de jabón, dos frascos de aspirinas, dos de analgésicos y una caja de bombones. Su hermano había pedido todos y cada uno de los objetos.

Después de un diálogo incómodo, Nix le preguntó por fin qué llevaba en la bolsa. Sin enseñársela, ella explicó que contenía algunos artículos inofensivos para su hermano, cosas que él le había solicitado.

Los dos agentes tomaron nota mental de registrar esta información por escrito y facilitársela al fiscal. El reo había planeado su crimen de forma tan minuciosa que había redactado una lista de efectos que su hermana debía llevarle a la cárcel. Era una prueba clara de que se trataba de un asesinato premeditado; un error inocente pero potencialmente perjudicial por parte de Florry.

—¿Cuándo te pidió estas cosas? —preguntó Nix aparentando despreocupación, como sin darle importancia al asunto.

—Pues me dejó un recado con Nineva —respondió Florry, ansiosa por colaborar—. Le indicó que me lo entregara cuando lo detuvieran.

—Entiendo —comentó Nix—. Dime, Florry, ¿cuánto sabías de sus planes?

—No sabía nada. Lo juro. Nada de nada. Estoy tan conmocionada como vosotros, más que nada porque es mi hermano y no lo imagino capaz de algo así.

Nix se volvió hacia Red con los ojos llenos de dudas; dudas respecto a que ella no estuviera enterada de antemano, a que desconociera por completo el móvil, a que estuviera contándoles todo lo que sabía. La mirada que intercambiaron los dos policías alarmó a Florry, que comprendió que había hablado de más.

—¿Puedo ver a mi hermano, por favor?

—Claro —contestó Nix. Miró de nuevo a Red y dijo—: Ve a buscar al detenido.

Cuando Red salió del despacho, Nix cogió la bolsa y examinó su contenido, lo que irritó a Florry.

—¿Qué buscas, Nix? —preguntó—. ¿Pistolas y cuchillos?

—¿Qué se supone que va a hacer con este café? —inquirió Nix.

—Bebérselo.

—Ya tenemos el nuestro, Florry.

—Me lo imagino, pero Pete es muy maniático con el café.

Le viene de la guerra, de cuando le resultaba imposible conseguirlo. Solo bebe café Standard, de Nueva Orleans. Es lo menos que podéis hacer por él.

—Si le diéramos Standard, tendríamos que servírselo también a los otros reclusos, por lo menos a los blancos. Aquí no hay tratos de favor, Florry, ¿lo entiendes? Algunos ya sospechan que ofrecerán un acuerdo especial a Pete.

—Me parece razonable. Puedo traer todo el café Standard que queráis.

Nix alzó la taza de café. Era de cerámica, color hueso con manchas marrón claro, claras señales de uso.

—Es su taza favorita —añadió antes de que él pudiera decir nada—. Se la regalaron en el hospital militar, después de que lo operaran. Nix, seguro que no le negarás a un héroe de guerra el sencillo favor de dejarle tomar café en su taza preferida.

—Supongo que no —farfulló él mientras comenzaba a guardar de nuevo los artículos en la bolsa.

—No es un preso cualquiera, Nix. No lo olvides. Lo tenéis ahí encerrado con a saber quién, un hatajo de ladrones y contrabandistas seguramente, pero no olvides que es Pete Banning.

—Está encerrado por matar al pastor metodista, Florry. Y, por el momento, es el único asesino que tenemos ahí detrás. No vamos a darle un trato especial.

La puerta se abrió, y entró Pete seguido de Red. Miró impertérrito a su hermana, se detuvo en el centro de la habitación, con la espalda muy recta y bajó la vista hacia Nix.

—Supongo que querrás volver a usar mi despacho —aventuró este.

—Gracias, Nix, es muy amable por tu parte —dijo Pete.

Nix se puso de pie a regañadientes, cogió su sombrero y salió del despacho con Red. Su pistola, en la funda, colgaba de un perchero en un rincón, a plena vista.

Pete acercó una silla, se sentó y miró a su hermana, cuyas primeras palabras fueron:

—Pedazo de idiota. ¿Cómo has podido ser tan imbécil,

egoísta, corto de miras y estúpido de remate? ¿Cómo has podido hacerle esto a tu familia? Mira que olvidarte de mí, de la hacienda y de la gente que depende de ti. Olvidarte de tus amigos. ¿Cómo demonios has podido hacerles esto a tus hijos? Están destrozados, Pete, muertos de miedo y totalmente desconsolados. ¿Cómo has podido?

—No tenía elección.

—¿De veras? ¿Te importaría explicarte, Pete?

—No, no pienso explicarme, y baja la voz. No des por sentado que no nos están escuchando.

—Me da igual si están escuchando.

Pete, con los ojos vidriosos, la señaló con el dedo.

—Serénate, Florry —le dijo—. No estoy de humor para tus dramas, y no toleraré que me insultes. Hice lo que hice por una razón, y tal vez algún día lo comprenderás. Por el momento, sin embargo, no tengo nada que decir sobre el asunto y, como no lo entiendes, te sugiero que midas tus palabras.

Al instante, a Florry empezaron a lagrimearle los ojos y a temblarle el labio. Bajó el mentón hacia el pecho.

—O sea ¿que ni siquiera puedes hablar conmigo?

—Con nadie, ni siquiera contigo.

Ella se quedó mirando el suelo durante largo rato mientras asimilaba sus palabras. El día anterior, habían compartido uno de sus agradables desayunos de los miércoles sin que nada dejara entrever lo que se avecinaba. Pete siempre estaba así últimamente: frío, distante, a menudo en otro mundo.

Florry levantó la vista hacia él.

—Voy a preguntarte por qué.

—Y yo no tengo nada que decir.

—¿Tiene algo que ver Liza con esto?

Pete vaciló por unos instantes, y Florry supo que había metido el dedo en la llaga.

—No tengo nada que decir —repitió él y se enfrascó en la tarea de sacar con parsimonia un cigarrillo de un paquete, darle unos golpecitos contra el reloj por alguna razón desconocida, como siempre, y encenderlo con una cerilla.

—¿Sientes algún remordimiento o compasión por su familia? —preguntó ella.

—Intento no pensar en ellos. Sí, lamento que tuviera que ocurrir, pero no lo hice por gusto. Ya aprenderán a vivir con lo sucedido, como todos los demás.

—¿Y ya está? Todo ha terminado. Él está muerto. Qué lástima. Hay que sobrellevarlo mientras la vida sigue. Me gustaría verte defender esa pequeña teoría delante de sus tres hermosos hijos ahora mismo.

—Puedes marcharte cuando quieras.

Florry no se movió más que para secarse las mejillas con un pañuelo de papel. Él exhaló una bocanada de humo que quedó flotando como neblina por encima de sus cabezas. Se oían voces a lo lejos, risas que soltaban el sheriff y sus ayudantes mientras se ocupaban de sus cosas.

—¿En qué condiciones te tienen ahí atrás? —inquirió Florry al cabo de un rato.

—Es una cárcel. He estado en sitios peores.

—¿Te dan de comer?

—La comida no está mal. He probado cosas peores.

—Joel y Stella quieren volver a casa y venir a verte. Están aterrados, Pete, totalmente paralizados de miedo y, como es lógico, bastante confundidos.

—He dejado muy claro que no deben volver a casa hasta que yo se lo diga. Y punto. Por favor, recuérdaselo. Sé qué es lo que más les conviene.

—Lo dudo. Lo que más les convenía era que su padre se quedara en casa, encargándose de sus asuntos y tratando de mantener unida una familia fracturada, en vez de acabar en la cárcel, acusado de un asesinato sin sentido.

Pete hizo caso omiso de sus palabras.

—Estoy preocupado por ellos, pero son fuertes e inteligentes, y saldrán adelante.

—Yo no estoy tan segura. Para ti es fácil suponer que son tan fuertes como tú, después de todo aquello por lo que pasaste, pero tal vez te equivoques, Pete. No debes dar por sentado sin más que tus hijos podrán salir indemnes de esta.

—Ahórrate los sermones. Puedes visitarme, y te lo agradeceré, pero no si sientes la necesidad de largarme un discurso cada vez que vengas. Limitémonos a la conversación desenfadada, ¿de acuerdo, Florry? Tengo los días contados. No me los hagas más difíciles.

6

El honorable Rafe Oswalt había sido el juez del tribunal de circuito de los condados de Ford, Tyler, Milburn, Polk y Van Buren durante los últimos diecisiete años. Como vivía en Smithfield, el pueblo de al lado, sede del condado de Polk, nunca había coincidido ni con el acusado ni con el difunto. Sin embargo, los hechos lo intrigaban, como a todo el mundo, y estaba ansioso por asumir la jurisdicción del caso. Durante su trayectoria nada notable en el estrado, había presidido cerca de una docena de juicios por homicidio más bien rutinarios —trifulcas entre borrachos, peleas a navajazos en garitos de negros, reyertas domésticas—, crímenes pasionales y de ira que solían desembocar en juicios cortos seguidos de condenas de prisión largas. Ni uno de aquellos casos había implicado la muerte de una figura tan destacada.

El juez Oswalt había leído las crónicas de los periódicos y oído algunos rumores. Había hablado dos veces por teléfono con John Wilbanks, un abogado al que admiraba mucho. También había mantenido una conversación telefónica con el fiscal del distrito, Miles Truitt, un abogado al que admiraba menos. El viernes por la mañana, el alguacil había entreabierto la puerta del despacho del juez, situado detrás de la sala del juzgado, para informarle de que lo aguardaba una multitud.

Y así era. Daba la casualidad de que el viernes era el día fijado para comparecencias de rutina por asuntos penales y vistas para evaluar solicitudes relativas a pleitos civiles. No había juicios con jurado programados para los meses siguientes en el condado de Ford, y por lo general un orden del día tan anodino atraería a muy pocos espectadores en viernes. Sin embargo, de pronto se había despertado la curiosidad, y la entrada era gratuita. La curiosidad no se limitaba al puñado de asiduos al juzgado que realizaban tallas y mascaban tabaco bajo los viejos robles del césped mientras esperaban que ocurriera algo interesante dentro. La curiosidad consumía el condado entero de Ford, y, a las nueve de la mañana, la sala estaba abarrotada de personas deseosas de ver a Pete Banning. Había reporteros de varios periódicos, incluido uno de un lugar tan remoto como Atlanta. Había numerosos metodistas, convertidos en detractores acérrimos de Banning, apiñados a un lado, detrás de la mesa de la acusación. Al otro lado del pasillo, se entremezclaban amigos de Pete y de Dexter Ball con el público habitual del juzgado, así como con un montón de vecinos del pueblo que habían conseguido escaparse del trabajo para la ocasión. Por encima de ellos, en la galería, estaban sentados algunos negros, aislados por su color. A diferencia de casi todos los edificios de la ciudad, el juzgado les permitía entrar por la puerta principal, aunque, una vez dentro, quedaban desterrados a la galería superior. Ellos también querían echar un vistazo al acusado.

No había miembros de las familias Bell o Banning presentes. Los Bell estaban de duelo, preparándose para el funeral del día siguiente. Los Banning se mantenían lo más apartados posible.

En calidad de funcionarios de tribunales, a los abogados locales se les permitía ir y venir al otro lado del banquillo y alrededor del estrado. Los doce se encontraban allí, todos con su mejor traje negro y fingiendo ocuparse de importantes asuntos legales ante las miradas de la multitud. Los alguaciles, por lo común un grupo lánguido, por no decir letárgico, llevaban a cabo su papeleo inútil con energía.

Nix Gridley contaba con dos ayudantes a tiempo completo —Roy Lester y Red Arnett—, tres a tiempo parcial y dos voluntarios. Ese bonito día, el equipo entero, los ocho, había acudido con ropa formal y bien almidonada, casi como si llevaran uniformes idénticos, y ofrecían un impresionante despliegue de fuerza. El propio Nix parecía estar en todas partes: riéndose con los abogados, coqueteando con los alguaciles, charlando con algunos espectadores. Faltaba un año para que se presentara a la reelección, así que no podía desaprovechar la oportunidad de pavonearse delante de tantos votantes.

Y así prosiguió el espectáculo mientras el gentío crecía y el reloj marcaba las nueve pasadas. El juez Oswalt emergió por fin tras el estrado con su toga negra, larga y suelta, y tomó posesión de su trono. Comportándose como si no hubiera reparado en el público, se volvió hacia Nix.

—Señor sheriff —dijo—, haga pasar a los acusados.

Nix ya estaba frente a la puerta situada junto a la tribuna del jurado. La abrió y desapareció un momento antes de reaparecer con Pete Banning, que iba esposado y llevaba un grueso mono gris con la palabra «Cárcel» estampada en la parte delantera. Detrás de Pete avanzaba Chuck Manley, un presunto ladrón de coches que había tenido la mala fortuna de que lo detuvieran pocos días antes de que Pete disparara al pastor. En circunstancias normales, habrían conducido a rastras a Chuck desde la cárcel, lo habrían llevado por la fuerza ante el juez, le habrían asignado un abogado y lo habrían enviado de vuelta a su celda sin que casi nadie se enterara. No obstante, debido a la intervención del destino, el supuesto delito de Manley llegaría a conocimiento de mucha gente.

Pete caminaba como si desfilara, tieso como un palo, con aplomo y expresión despreocupada. Nix lo guio hasta una silla colocada delante de la tribuna del jurado, que estaba vacía, y Manley se sentó a su lado. No les quitaron las esposas. Los abogados ocuparon sus asientos y, por un momento, se impuso el silencio mientras su señoría estudiaba con detenimiento unas hojas de papel.

—El Estado contra Chuck Manley —dijo por fin.

Un letrado llamado Nance se levantó de un brinco e indicó

por señas a su cliente que se situara junto a él frente al estrado. Manley se acercó y alzó la vista hacia el magistrado.

—¿Es usted Chuck Manley? —preguntó este.

—Sí, señor.

—¿Y el señor Nance, aquí presente, es su abogado?

—Supongo. Lo ha contratado mi madre.

—¿Quiere usted que le represente?

—Supongo. Aunque no soy culpable; solo ha sido un malentendido.

Nance lo agarró del codo y le indicó que se callara.

—El pasado lunes fue usted detenido y acusado de robar el Buick 1938 del señor Earl Caldwell en el camino de entrada de su casa en Karraway. ¿Cómo se declara?

—Inocente, señor —respondió Manley—. Puedo explicárselo.

—Otro día, hijo. Tal vez más tarde. Fijo una fianza de cien dólares. ¿Está en condiciones de pagarla?

—Lo dudo.

—Señoría —bramó Nance, ansioso por decir algo delante de aquella multitud—, le sugiero que conceda libertad bajo palabra a este joven. Carece de antecedentes penales, tiene empleo y comparecerá a todas sus citas en el tribunal.

—¿Es verdad, hijo? ¿Tiene usted trabajo?

—Sí, señor. Llevo la camioneta del señor J. P. Leatherwood.

—¿Se encuentra él en esta sala?

—Ah, lo dudo. Está muy ocupado.

—Señoría —saltó Nance—, me he entrevistado con el señor Leatherwood, que está dispuesto a avalar que mi cliente comparecerá ante el tribunal siempre que así se le indique. Si quiere hablar con el señor Leatherwood, puedo encargarme de ello.

—Muy bien. Llévelo de vuelta a su celda, y esta tarde llamaré a su jefe.

Manley salió escoltado del juzgado menos de cinco minutos después de haber entrado. Su señoría estampó varias firmas y revisó unos documentos mientras todos permanecían expectantes.

—El estado contra Pete Banning —dijo al fin.

John Wilbanks se puso de pie y se dirigió hacia el estrado con grandes zancadas. Pete se levantó y, con una leve mueca, caminó hasta detenerse al lado de su abogado.

—¿Es usted Pete Banning? —preguntó el juez Oswalt.

—Así es. —Asintió.

—¿Le representa el honorable John Wilbanks?

Otro gesto de asentimiento.

—Así es.

—Y ha sido detenido y acusado de homicidio en primer grado del pastor Dexter Bell. ¿Lo entiende?

»¿Y entiende que el homicidio en primer grado se basa en la premeditación y puede acarrear la pena de muerte, mientras que el homicidio en segundo grado comporta una pena de cárcel elevada?

—Soy consciente de ello.

—¿Y cómo se declara?

—Inocente.

—El tribunal acepta su declaración de inocencia y la registrará en la lista de casos. ¿Desea añadir algo, señor Wilbanks?

—Pues sí, señoría —contestó el letrado—. Con la venia del tribunal, quisiera pedirle que considere la posibilidad de imponer una fianza razonable a mi cliente. Ahora bien, soy consciente de la gravedad de los cargos, y en modo alguno pretendo restarles importancia. No obstante, la libertad bajo fianza resulta permisible en este caso. Una fianza no es más que una garantía de que el acusado no se fugará y comparecerá ante el tribunal cuando le corresponda. El señor Banning es propietario de un terreno de doscientas sesenta hectáreas, libre de deudas y dispuesto a presentar la escritura de la propiedad como aval de su fianza. Su hermana, propietaria del terreno colindante, también presentaría la suya. Quisiera añadir, señoría, que dichas tierras pertenecen a la familia Banning desde hace más de cien años, y ni mi cliente ni su hermana se arriesgarán a perderlas.

—Estamos hablando de homicidio en primer grado, señor Wilbanks —lo interrumpió el juez Oswalt.

—Lo comprendo, señoría, pero mi cliente es inocente hasta que se demuestre lo contrario. ¿En que beneficiaría al estado o a persona alguna mantenerlo en prisión cuando puede depositar una fianza cuantiosa y permanecer en libertad hasta el juicio? No se irá a ninguna parte.

—No recuerdo que se haya fijado nunca una fianza en un caso tan grave.

—Yo tampoco, pero el código de Mississippi no lo prohíbe. Si el tribunal así lo desea, puedo entregarle un informe sobre este punto.

Durante este tira y afloja, Pete permanecía en posición de firmes, tan rígido y quieto como un centinela. Mantenía la vista al frente, como si no oyera nada pero lo absorbiera todo.

El juez Oswalt reflexionó un momento.

—De acuerdo —dijo—. Leeré su informe, pero tendrá que ser muy convincente para hacerme cambiar de idea. Entretanto, el acusado quedará bajo custodia de la oficina del sheriff.

Nix agarró con delicadeza a Pete del brazo y salió de la sala con él, con John Wilbanks a la zaga. Fuera, junto al coche del sheriff, aguardaban dos fotógrafos, que se apresuraron a sacar fotografías iguales que las que habían tomado cuando el acusado entraba en el juzgado. Un reportero gritó una pregunta a Pete, que la ignoró mientras se agachaba para subir al asiento trasero. Unos minutos después, volvía a estar en su celda, sin esposas ni zapatos, leyendo *Desciende, Moisés* y fumando un cigarrillo.

El entierro de Dexter Bill se convirtió en un evento memorable. Comenzó el jueves, el día siguiente al asesinato, cuando el viejo Magargel abrió las puertas de la funeraria a las seis de la mañana, e irrumpió la muchedumbre. Media hora antes, a Jackie Bell y a sus tres hijos se les había permitido ver el cuerpo en privado. Como dictaba la costumbre de la época en aquella parte del mundo, el ataúd estaba abierto. Dexter yacía inerte y en silencio en un lecho de tela brillante, y su traje negro resultaba visible de cintura para arriba. Jackie se desmayó mientras los niños chillaban, se desgañitaban y tropezaban unos con otros. El señor Magargel y su hijo, las únicas otras personas presentes, intentaron prestar ayuda, lo cual era imposible.

No había una buena razón para tener la caja abierta. Ninguna ley o versículo de las sagradas escrituras exigía que se cumpliera semejante rito. Se trataba simplemente de algo que hacía la gente para dramatizar al máximo la situación. Una mayor muestra de emoción denotaba más amor hacia el difunto. Jackie había asistido a decenas de funerales oficiados por su esposo, y los féretros siempre estaban abiertos.

Los Magargel tenían poca experiencia con heridas de bala en la cara. Casi todos sus clientes eran ancianos cuyos frágiles cuerpos no costaba preparar. Sin embargo, poco después de iniciar el proceso de embalsamamiento del reverendo, comprendieron que necesitaban ayuda, así que llamaron a un colega más experimentado de Memphis. A la zona posterior del cráneo le faltaba un buen trozo debido a la salida de la bala número tres, pero eso carecía de importancia. Nadie vería esa parte del cadáver. En cambio, justo por encima de la nariz, la entrada había causado una torca considerable que requirió horas de reconstrucción y moldeado minuciosos, con toda clase de masillas reestructuradoras, pegamentos y colorantes. El producto final, aunque no estaba mal, no era ni mucho menos una maravilla. Dexter seguía teniendo el entrecejo fruncido, como si estuviera condenado a contemplar horrorizado el arma para toda la eternidad.

Después de cerca de media hora de visita privada, un rato absolutamente angustioso en el que incluso los Magargel, pese a su pericia y su sangre fría, llegaron a estar al borde del llanto, acomodaron a Jackie y a sus hijos en unos asientos cercanos al féretro, abrieron las puertas y el gentío entró en tropel. Lo que siguió fueron tres horas de dolor, aflicción y sufrimiento inenarrables.

Después de una pausa, el acto prosiguió por la tarde, cuando trasladaron el féretro de Dexter por el pasillo de su iglesia en un carro hasta aparcarlo bajo su púlpito. Jackie, que ya había visto suficiente, pidió que no abrieran la caja. El viejo Magargel frunció el ceño al oír esto, pero respetó sus deseos sin rechistar. Detestaba perderse una oportunidad tan jugosa de ver a gente embargada por la congoja. Durante tres horas más, Jackie y sus hijos hicieron de tripas corazón y permanecieron de pie junto al ataúd, saludando a muchas de las personas a las que ya habían saludado la tarde anterior. Asistieron centenares, incluidos todos los metodistas sanos del condado y muchos fieles de otras iglesias, así como amigos de la familia, con montones de niños demasiado pequeños para un ambiente como aquel, pero que habían acudido al velatorio en virtud de su amistad con los Bell. También presentaron sus respetos numerosos desconocidos que simplemente no querían desaprovechar la ocasión de tomar parte en aquel asunto tan sonado. Los bancos se llenaron de personas que aguardaban con paciencia a que les llegara el turno de desfilar frente al ataúd y decir alguna banalidad a la familia, y mientras esperaban, rezaban e intercambiaban las últimas novedades entre susurros. El presbiterio sufría bajo el peso de la pérdida desgarradora, exacerbada por el sonido del órgano de tubos. La señorita Emma Faye Riddle, al teclado, tocaba una lastimera melodía fúnebre tras otra.

Hop lo observaba todo desde un rincón de la galería, desconcertado de nuevo por las extrañas costumbres de los blancos.

El sábado por la tarde, después de dos días de preparativos, los agotados dolientes se congregaron por última vez en la iglesia para asistir al funeral. Un pastor amigo de Dexter ofició la ceremonia, que incluía un coro completo, dos solistas, una larga homilía, más piezas de órgano interpretadas por la señorita Emma, lecturas de las sagradas escrituras, tres panegíricos, ríos de lágrimas y, sí, un féretro abierto. Pese a que se esforzaba con denuedo, el pastor no conseguía hallar sentido a aquella muerte. Se basaba en gran medida en la premisa de que «los caminos del Señor son inescrutables», pero la cosa no acababa de cuajar. Al final, se dio por vencido y el coro se puso en pie.

Al cabo de dos extenuantes horas, no quedaba nada que decir, por lo que subieron a Dexter al coche fúnebre y lo pasearon por la ciudad hasta el cementerio público, donde por fin le dieron sepultura entre un mar de flores y un torrente de emociones desatadas. Mucho después de que el pastor les indicara que podían marcharse, Jackie y los niños seguían sentados en las sillas plegables, bajo el toldo, contemplando el ataúd y el montón de tierra negra que se alzaba al lado de este.

Tras el sepelio, la señora Gloria Grange, una metodista devota que no se perdía una sola ceremonia, se pasó por la casa de Mildred Highlander para tomar el té. Mildred, presbiteriana, no conocía al reverendo Bell, por lo que no había asistido al velatorio ni al funeral. Aun así, quería enterarse de todos los detalles, y Gloria se los desgranó.

A última hora de la tarde del sábado, Florry se dirigió a toda prisa a la ciudad, también para tomar el té con Mildred. Estaba ansiosa por oír los pormenores del sufrimiento ocasionado por su hermano, y Mildred estaba igual de ansiosa por contárselos.

7

Por primera vez en su corta vida, Joel Banning desobedeció a su padre. Partió de Nashville el sábado por la mañana y tomó el tren a Memphis, un trayecto de cuatro horas, tiempo de sobra para reflexionar sobre aquel acto de rebeldía. Cuando llegó a Memphis, estaba convencido de que se hallaba justificado. De hecho, habría sido capaz de exponer sus razones: necesitaba visitar a Florry para ver cómo lo llevaba; tenía que reunirse con Buford, el capataz, a fin de asegurarse de la buena marcha de la cosecha; tal vez debiera reunirse también con John Wilbanks para hablar de la defensa de su padre, o tal vez no. Su pequeña familia estaba desintegrándose en todos los frentes, y alguien debía dar un paso al frente para intentar salvarla. Además, su padre estaba en la cárcel, y si Joel conseguía llegar y marcharse con discreción, tal como había planeado, nadie descubriría su visita relámpago, su acto de desobediencia.

El tren de Memphis a Clanton realizaba seis paradas, por lo que ya había oscurecido cuando bajó al andén y se caló el sombrero hasta las cejas. Se apearon unos pocos pasajeros más, pero no dieron muestras de reconocerlo. Los dos taxis que había en la ciudad se hallaban parados delante de la estación, mientras sus conductores, apoyados en el mismo guardabarros, mascaban tabaco y fumaban tabaco de liar.

—¿Todavía está esa cabina de teléfono delante de la farmacia? —preguntó Joel al taxista más cercano.

—Pues sí.

—¿Puede llevarme?

—Suba.

La plaza se encontraba repleta de compradores de última hora del sábado. Incluso en temporada de cosecha, los hacendados y sus peones se lavaban después del almuerzo y ponían rumbo a la ciudad. Los comercios estaban llenos, las aceras atestadas, el Atrium proyectaba *Cielo azul*, con Bing Crosby, y una larga cola doblaba la esquina. Un grupo de bluegrass tocaba para un público aglomerado en el césped del juzgado. Joel, que prefería evitar las multitudes, pidió al taxista que parara en una calle lateral. La cabina telefónica de delante de la farmacia Gainwright estaba ocupada. Joel se quedó esperando al lado, removiéndose inquieto con la esperanza de que la joven que hablaba por teléfono se diera por aludida, e intentando evitar el contacto visual con los grupos de personas que pasaban. Cuando por fin entró, introdujo una moneda de cinco centavos y llamó a la tía Florry. Contestó después de varios timbrazos.

—Florry, soy yo. —Como siempre, dio por sentado que alguien escuchaba a través de la línea comunitaria rural—. Estoy ahí en veinte minutos.

—¿Cómo? ¿Quién?

—Tu sobrino favorito. Adiós.

Como era su único sobrino, confiaba en que hubiera captado el mensaje. Si se presentaba de improviso, le provocaría una impresión demasiado fuerte. Además, se moría de hambre y había pensado que, a lo mejor, si avisaba de su llegada, se encontraría con un plato caliente en la mesa. Cuando regresó al taxi, pidió al conductor que redujera a la altura de la iglesia metodista. Después de dejar atrás la concurrida plaza, pasaron por delante de Cal's Game Room, una sala de billares conocida por su cerveza de contrabando y las partidas de dados que se jugaban en la trastienda. Cuando Joel era adolescente y vivía en Clanton, su padre le había prohibido de forma terminante que se acercara a Cal's, una advertencia muy similar a la

69

que recibían todos los jóvenes decentes. El ambiente del local se volvía un poco tumultuoso los fines de semana debido a la clientela pendenciera, por lo que solían producirse peleas y cosas por el estilo. Como lugar vetado, Joel siempre había tenido la tentación de hacer una escapada allí cuando estaba en el instituto. Sus amigos se jactaban de frecuentar Cal's, e incluso circulaban rumores sobre chicas en la planta de arriba. Entonces, sin embargo, después de tres años de universidad, y además en una gran ciudad, a Joel se le antojaba absurda la idea de que lo tentara acudir a un antro de mala muerte como aquel. Conocía los mejores bares de Nashville y los placeres que ofrecían. Le resultaba inimaginable regresar a vivir a Clanton, una población donde la cerveza y el licor eran ilegales, como casi todo.

Las luces del interior de la iglesia metodista estaban encendidas.

—¿Es usted de por aquí? —le preguntó el taxista cuando pasaban por delante.

—En realidad, no —respondió Joel.

—Entonces ¿no se ha enterado de la noticia bomba de esta semana, la del pastor?

—Algo he leído. Es una historia extraña.

—Le dispararon ahí mismo —dijo el taxista, señalando el anexo de detrás de la iglesia—. Lo han enterrado esta tarde. El tipo está en la cárcel, pero no dice ni mu.

Joel guardó silencio, sin ganas de proseguir aquella conversación que él no había iniciado. Contempló la iglesia mientras circulaban, y recordó con cariño las mañanas dominicales en que Stella y él, de punta en blanco, con pajarita y sombrero, entraban en la iglesia de la mano de sus padres, que también lucían sus mejores galas de domingo. Joel sabía desde muy joven que los trajes de su padre y los vestidos de su madre eran un poco mejores que los de la mayoría de los metodistas, que sus coches y camionetas siempre eran más nuevos, y que les planteaban como meta graduarse en la universidad, no solo en el instituto. De niño se daba cuenta de muchas cosas, pero como era un Banning, le habían inculcado la virtud de la modestia y de hablar lo menos posible.

Lo habían bautizado en esa iglesia con diez años; a Stella, con nueve. La familia había asistido fielmente a los oficios semanales, las ceremonias otoñales y primaverales de renovación de la fe, las comidas al aire libre, las cenas de confraternidad, los funerales, las bodas y a una agenda interminable de actos sociales, porque para ellos, como para muchos vecinos de la ciudad, la iglesia ocupaba el centro de la vida social. Joel se acordaba de todos los pastores que habían pasado por allí. El reverendo Wardall había oficiado las exequias de su abuelo, Jacob Banning. Ron Cooper había bautizado a Joel, y su hijo había sido su mejor amigo en cuarto curso. Y la lista seguía y seguía. La sucesión de pastores había continuado hasta que, antes de la guerra, había aparecido Dexter Bell.

Resultaba evidente que se había quedado demasiado tiempo.

—Tome la carretera dieciocho —dijo Joel—. Ya le indicaré dónde parar.

—¿Por qué zona? —preguntó el conductor—. Siempre me gusta saber adónde voy.

—Cerca de la casa de los Banning.

—¿Es usted un Banning?

No había nada peor que un taxista entrometido. Joel hizo caso omiso y contempló la iglesia por el parabrisas trasero hasta que la perdió de vista tras una esquina. Apreciaba a Dexter Bell, a pesar de que durante la pubertad había empezado a cuestionarse sus severos sermones. El pastor Bell les había hecho compañía aquella terrible tarde en que les habían comunicado que el teniente Pete Banning había desaparecido en Filipinas y se le daba por muerto. Durante aquellos aciagos días, Bell se había encargado del duelo, había dirigido la asociación de devotas, con su interminable flujo de comida, organizado vigilias de oración en la iglesia, echado a la gente de la casa cuando necesitaban un poco de privacidad y aconsejado a la familia, al parecer casi a diario. Joel y Stella incluso se quejaban en susurros cuando se hartaban del aleccionamiento. Lo que querían era pasar un rato a solas con su madre, pero el reverendo siempre andaba cerca. A menudo llevaba a Jackie, su esposa; otras veces iba solo. Conforme se hacía mayor, Joel encontraba a Jackie Bell cada vez más fría y distante, y a Stella tampoco le caía bien.

Joel cerró los ojos y sacudió de nuevo la cabeza. No podía ser verdad, ¿no? ¿Su padre había asesinado a Dexter Bell y estaba entre rejas?

Los campos de algodón se extendían a partir de la orilla de la ciudad, y bajo la luna llena se apreciaba con claridad cuáles estaban ya cosechados. Aunque no albergaba la menor intención de dedicarse a la agricultura, como sus antepasados, Joel consultaba todos los días las cotizaciones de la lonja de algodón de Memphis en *The Nashville Tennessean*. No era moco de pavo. Algún día, las tierras les pertenecerían a Stella y a él, y la producción anual sería decisiva.

—La cosecha este año será bastante buena —comentó el taxista.

—Eso he oído. Me bajo un kilómetro y medio más adelante. —Al cabo de unos instantes, añadió—: Allí, por Pace Road, está bien.

—¿En medio de la nada?

—Así es.

El taxi redujo la velocidad, torció por un camino de grava y se detuvo.

—Un dólar —dijo el conductor.

Joel le entregó cuatro monedas de veinticinco centavos, le dio las gracias por la carrera y se apeó con su pequeña bolsa de lona. Una vez que el coche dio la vuelta y se alejó de regreso hacia la ciudad, recorrió a pie los cuatrocientos metros hasta el camino de entrada a su casa.

Se encontró las luces apagadas, y la puerta no estaba cerrada con llave. Al entrar con sigilo, supuso que Mack, el sabueso, debía de estar en casa de Nineva o de Florry. De lo contrario, se habría puesto a ladrar al oírlo acercarse por el camino de grava. En otra época, hacía no mucho tiempo, la casa habría estado llena de vida con las voces de sus padres, la música de la radio y, tal vez, amigos invitados a cenar un sábado. Sin embargo, esa noche estaba lóbrega y silenciosa como una tumba, y olía a tabaco rancio.

Ambos estaban encerrados: su madre en un manicomio del estado, su padre en la cárcel del condado.

Salió por la puerta trasera, dio un amplio rodeo para evitar la pequeña casa de Nineva y Amos, y enfiló el sendero que discurría entre los establos y el cobertizo de los tractores. Eran sus tierras y conocía hasta el último palmo. A unos cien metros, vislumbró una ventana iluminada en la cabaña de Buford. Era el capataz, o encargado, como prefería que lo llamaran, desde antes de la guerra, y su importancia para la familia acababa de aumentar en gran medida.

Todas las luces estaban encendidas en la casita de Florry, que lo esperaba cerca de la puerta. Primero lo abrazó y acto seguido lo reprendió por haber ido, antes de abrazarlo de nuevo. Marietta había preparado estofado de venado dos días antes, y la olla estaba calentándose al fuego. Un aroma intenso y sustancioso inundaba la vivienda.

—Por fin estás cogiendo algo de peso —observó Florry cuando se sentaban a la mesa del comedor. Le sirvió café de una jarra de cerámica.

—Mejor no hablemos de nuestro peso —repuso Joel.

—Trato hecho. —Florry también había ganado unos kilos, aunque no a propósito—. Me alegro mucho de verte, Joel.

—Y yo me alegro de estar en casa, incluso en estas circunstancias.

—¿Por qué has venido?

—Porque vivo aquí, tía Florry. Porque mi padre está en la cárcel, y mi pobre madre, ingresada lejos de aquí. ¿Qué demonios nos está pasando?

—Cuidado con esa boca, chico universitario.

—Por favor. Tengo veinte años y estoy en último curso. Puedo soltar tacos, fumar y beber cuando me dé la gana.

—Madre santísima —dijo Marietta al pasar por su lado.

—Ya está bien, Marietta —le espetó Florry—. Ya me ocupo yo del estofado. Puedes retirarte a tu cuarto. Nos vemos por la mañana, tarde.

La criada se quitó el delantal de un tirón, lo tiró a la encimera, se puso la chaqueta y se encaminó hacia el sótano.

Tía y sobrino respiraron hondo, tomaron un sorbo de café y guardaron un momento de silencio.

—¿Por qué lo hizo? —preguntó Joel con serenidad.

Florry sacudió la cabeza.

—Solo él lo sabe, pero se niega a dar explicaciones. Lo he visto una vez, al día siguiente, y está en otro mundo.

—Tiene que haber una razón, tía Florry. Él jamás cometería un acto tan gratuito, tan terrible, sin una razón.

—Oh, estoy de acuerdo, pero se niega a hablar de ello, Joel. He visto su expresión, la he visto muchas veces, y sé qué significa. Se llevará el secreto a la tumba.

—Nos debe una explicación.

—Pues no nos la va a dar, eso te lo aseguro.

—¿Tienes bourbon?

—Eres demasiado joven para beber bourbon, Joel.

—Tengo veinte años —repitió él, poniéndose de pie—. Me licenciaré en Vanderbilt la primavera que viene y luego estudiaré derecho. —Se dirigía hacia el sofá en el que había dejado su bolsa de lona—. Y estudiaré derecho porque no entra en mis planes ser un hacendado más, por mucho que él se empeñe. —Hurgó en la bolsa hasta que sacó una petaca—. No entra en mis planes vivir aquí, tía Florry, y creo que ya hace tiempo que lo sabes. —Regresó a la mesa, desenroscó la tapa de la petaca y tomó un trago—. Jack Daniel's. ¿Quieres?

—No.

Otro trago.

—E incluso si me planteara regresar al condado de Ford, me parece que esa posibilidad se ha ido al garete ahora que mi padre se ha convertido en el asesino más famoso de la historia del lugar. No es precisamente culpa mía, ¿verdad?

—Supongo que no. No me habías comentado que querías estudiar derecho.

—Llevo pensándolo todo el año.

—Eso es estupendo. ¿Adónde piensas ir?

—No estoy seguro. A Vanderbilt no. Me gusta Nashville, pero necesito cambiar de aires. A lo mejor Tulane, o Texas. Había pensado en la universidad de Mississippi, pero ahora siento una necesidad imperiosa de alejarme de aquí.

—¿Tienes hambre?

—Me comería un caballo.

Florry fue a la cocina y llenó un cuenco grande del estofado que había en la olla colocada sobre el fogón. Se lo sirvió a Joel junto con el pan de maíz que quedaba y un vaso de agua. Antes de sentarse, extendió el brazo hacia el fondo del aparador y extrajo una botella de ginebra. Mezcló cincuenta mililitros con un chorrito de tónica y tomó asiento delante de él.

—Stella y yo descubrimos tu ginebra un día —confesó él con una sonrisa—. ¿Lo sabías?

—¡No! ¿Os la bebisteis?

—Lo intentamos. Yo tenía unos dieciséis años, y sabíamos que la escondías en el aparador. Me puse un poco en un vaso y probé un sorbo. Casi vomito. Me quemó hasta el estómago y sabía a tónico para el pelo. ¿Cómo te puede gustar eso?

—Cuestión de práctica. ¿Cómo reaccionó Stella?

—De forma parecida. Me parece que no ha vuelto a beber una gota de alcohol desde entonces.

—Seguro que sí. Tú pareces haberle cogido el gusto.

—Soy estudiante universitario, tía Florry. Forma parte de mi educación. —Se llevó a la boca una buena cucharada de estofado y luego otra. Después de cuatro o cinco, dejó la cuchara en el plato e hizo una pausa para que se le asentara la comida. La bajó con un poco de whisky, sonrió a su tía y agregó—: Quiero que hablemos de mi madre, tía Florry. El pasado encierra secretos, y hay muchas cosas que no nos has contado.

Florry apartó la mirada, sacudiendo la cabeza.

—Sé que se desmoronó cuando nos dijeron que él había

muerto, o que eso creían —continuó él—. Qué demonios, todos nos desmoronamos, ¿no, tía Florry? Yo estuve una semana sin poder salir de casa. ¿Te acuerdas?

—¿Cómo iba a olvidarlo? Fue espantoso.

—Íbamos como almas en pena, como sonámbulos durante el día, temiendo que llegara la noche. Pero conseguimos sacar fuerzas para seguir adelante, y yo diría que mamá lo llevaba bastante bien, ¿no crees? Se armó de valor para capear el temporal, ¿verdad?

—Sí. Todos lo hicimos. Pero no fue fácil.

—No, no lo fue. Fue un auténtico infierno, pero sobrevivimos. Yo estaba en Vanderbilt la noche que me llamó para darme la noticia de que en realidad él no había muerto, sino que lo habían encontrado y rescatado. Dijeron que estaba malherido, pero eso no nos pareció importante. ¡Estaba vivo! Regresé a casa a toda prisa, lo celebramos, y recuerdo que mamá estaba bastante contenta. Ocurrió así, ¿verdad, tía Florry?

—Sí, así lo recuerdo yo. Estábamos entusiasmados, casi eufóricos, y la emoción nos duró varios días. El mero hecho de que siguiera con vida era un milagro. Pero entonces leímos artículos sobre lo mal que trataban a los prisioneros de guerra en la zona, y empezamos a preocuparnos por sus heridas y otras cosas.

—Por supuesto. Volviendo al tema de mi madre: estábamos como unas pascuas cuando lo liberaron, y cuando volvió a casa convertido en héroe, ella era la mujer más orgullosa del mundo. No habrían podido ser más felices. Todos estábamos en el séptimo cielo, y eso fue hace solo un año, tía Florry. ¿Qué demonios ha pasado?

—No des por sentado que sé lo que ha pasado, porque no es así. Durante las primeras semanas, todo iba sobre ruedas. Pete seguía recuperándose y cada día estaba más fuerte. Estaban contentos; las cosas parecían ir bien. Pero la realidad era muy distinta. No me enteré de que tenían problemas hasta mucho después de que surgieran. Nineva le contó a Marietta que reñían con frecuencia, que Liza se comportaba como una demente, que era propensa a caer en estados prolongados de mal humor y a encerrarse sola en su habitación. Dejaron de dormir juntos y tu padre se trasladó a tu cuarto. Se suponía que yo no debía saberlo, así que tampoco podía indagar mucho. Además, ya sabes, preguntar a tu padre sobre sus asuntos privados es una pérdida de tiempo. Como Liza y yo nunca hemos sido íntimas, ella no me revelaba secretos. De modo que yo estaba a dos velas y, para serte sincera, a veces vale más estar así.

Joel bebió un buen trago de whisky.

—Y entonces se la llevaron.

—Y entonces se la llevaron.

—¿Por qué, tía Florry? ¿Por qué ingresaron mi madre en el hospital psiquiátrico del estado?

Florry agitó con suavidad el vaso de ginebra y observó el vaivén del líquido con detenimiento. A continuación, tomó un sorbo, hizo una mueca como si le hubiera sabido fatal y dejó el vaso encima de la mesa.

—Tu padre decidió que ella necesitaba ayuda, y por aquí cerca no había donde conseguirla. Los profesionales están en Whitfield, así que la mandó allí.

—¿Y ya está? ¿La despachó sin más?

—No, había que cumplir con una serie de formalidades. Pero seamos sinceros, Joel: tu padre tiene contactos y a los chicos Wilbanks metidos en el bolsillo. Hablaron con un juez y firmó la orden. Además, tu madre dio su consentimiento. No se opuso a la orden de ingreso, aunque tampoco tenía elección. Si Pete se empeñaba, y estoy segura de que así fue, no podía resistirse.

—¿Qué le diagnosticaron?

—No tengo ni idea. La condición de mujer, supongo. No olvides, Joel, que vivimos en un mundo de hombres y que, si un hombre bien relacionado considera que su esposa lo está pasando mal por estar en edad crítica, que sufre depresión y cambios bruscos de humor, en fin, puede hospitalizarla una temporada.

—Me cuesta creer que mi padre metiera a mi madre en una

institución psiquiátrica por estar «en edad crítica». Me parece que es demasiado joven para eso. Seguro que hay algo más, tía Florry.

—No me cabe duda, pero nunca fui testigo de sus discusiones y conflictos.

Joel atacó de nuevo su estofado y engulló varios bocados que regó con más whisky.

—¿Sigues saliendo con esa chica? —preguntó ella en un intento vano de cambiar de tema.

—¿Qué chica?

—Vaya, supongo que eso responde a mi pregunta. ¿Hay alguna chica en tu vida ahora mismo?

—La verdad es que no. Soy demasiado joven y me espera la carrera de derecho. Por teléfono me has dicho que habías hablado con John Wilbanks. Me imagino que se encarga de la defensa.

—Sí, al menos en la medida de lo posible. Tu padre no pone de su parte. Wilbanks quiere alegar demencia, dice que es la única forma de salvarle la vida, pero tu padre no quiere ni oír hablar de eso. Dice que está más en sus cabales que Wilbanks o cualquier otro abogado, y no se lo discuto.

—Otra prueba de que está loco. No le queda más remedio que alegar demencia, no hay otra defensa posible. Ayer mismo estuve investigando sobre ello en la facultad de derecho.

—Entonces puedes ayudar a Wilbanks. Le hará falta.

—Le he escrito una carta y pensaba ir a verlo mañana.

—No es buena idea, Joel. Dudo que trabaje en domingo, y no conviene que te dejes ver por la ciudad. Tu padre se disgustaría si se enterara de que has venido. Mi consejo es que te marches con el mismo sigilo con el que has venido y que no vuelvas hasta que Pete te lo diga.

—Me gustaría hablar con Buford y ver cómo va la cosecha.

—No hay nada que puedas hacer para mejorar la cosecha. Te recuerdo que no eres agricultor. Además, Buford lo tiene todo controlado. Me rinde cuentas a mí. Tengo pensado pasarme por la cárcel para informar a Pete. Además, Buford le contaría que estás aquí. Mala idea.

Joel consiguió reírse por primera vez y bebió un poco más de whisky. Apartó su cuenco.

—Medio plato —señaló ella—. Deberías comer más, Joel. Por fin estás engordando un poco, pero todavía te queda un largo camino. Sigues estando demasiado delgado.

—Por alguna razón, no tengo mucho apetito últimamente, tía Florry. ¿Te molesta si fumo?

Ella asintió.

—En el porche —dijo.

Joel salió con un cigarrillo mientras ella despejaba la mesa, se llenaba de nuevo el vaso y tiraba otro leño al fuego en el cuarto de estar antes de arrellanarse en su sillón favorito para esperar a que su sobrino terminara. Cuando él regresó, cogió su petaca, se dirigió al cuarto de estar y se sentó en el desgastado sofá de piel.

Ella se aclaró la garganta.

—Ya que hablamos del algodón, hay algo que debes saber —anunció—. Me imagino que no es un gran secreto, puesto que hay un documento accesible al público en el juzgado. Hace cerca de un mes, tu padre contrató a un abogado de Tupelo para que redactara una escritura con el fin de transferir la titularidad de la hacienda conjuntamente a Stella y a ti. No afecta a mis tierras, claro, porque figuran a mi nombre. John Wilbanks me lo explicó el miércoles en su despacho. De todos modos, Stella y tú las heredaréis algún día, por supuesto.

Joel caviló unos instantes, visiblemente sorprendido y perplejo.

—¿Y por qué lo hizo?

—¿Por qué hace Pete cualquier cosa? Porque puede. No fue una medida muy inteligente, según Wilbanks. Estaba moviendo sus activos para protegerlos de la familia del hombre al que planeaba asesinar. Simple y llanamente. Sin embargo, al hacerlo, puso las cosas en bandeja a la acusación. El fiscal del distrito puede demostrar en el juicio que el asesinato fue premeditado. Pete lo planificó todo.

—¿Está protegida la hacienda?

—Wilbanks cree que no, pero no entramos en detalles. Fue el día después, y seguíamos aturdidos. Aún lo estamos, supongo.

—Como todos. ¿Cree Wilbanks que la familia de Bell intentará hacerse con las tierras?

—Lo insinuó, pero no lo dijo de forma expresa. Puedes centrar tus investigaciones en eso, ahora que has encontrado la biblioteca de derecho.

—Esta familia necesita un abogado a tiempo completo.

—Apuró lo que le quedaba en la petaca.

Florry lo contemplaba atentamente, encantada con todo lo que veía. Había salido a su rama de la familia, la de los Banning, con su estatura, sus ojos oscuros y su cabello abundante. Stella, en cambio, era la viva imagen de Liza, tanto por su aspecto como por su carácter. Estaba embargado por la aflicción, y a Florry la apenaba su dolor. Su vida de felicidad y privilegios había dado un vuelco radical, y él no podía hacer nada por enderezar su curso.

—¿Ha hablado alguien de sacar a mamá del hospital? —preguntó en voz baja—. ¿Es factible siquiera? Mi padre la envió allí y, ahora que su influencia es más bien limitada, ¿cabe alguna posibilidad de que vuelva a casa?

—No lo sé, Joel, pero no he oído nada. Antes de esto, tu padre iba en coche a Whitfield una vez al mes para verla. Nunca comentaba gran cosa, pero en un par de ocasiones en que mencionó sus visitas, dijo que no estaba mejorando.

—¿Cómo se supone que mejora alguien en un manicomio?

—Se lo estás preguntando a la persona equivocada.

—¿Y por qué no puedo visitarla?

—Porque tu padre no quiere.

—No puedo ver a mi padre ni visitar a mi madre. ¿Tengo permiso para reconocer que los echo de menos, Florry?

—Por supuesto, cielo. Lo siento mucho.

Contemplaron el fuego en silencio durante largo rato. Siseaba, crepitaba y empezaba a extinguirse. Uno de los gatos subió de un salto al sofá de piel y miró a Joel como si estuviera invadiendo su espacio.

—No sé qué hacer, Florry —murmuró por fin el joven—. Ahora mismo nada tiene sentido.

Empezaba a arrastrar las palabras, con la boca pastosa. Ella tomó un sorbo.

—Pues estar aquí ahora no es la solución. El tren a Memphis sale a las nueve y media de la mañana, y lo cogerás. Aquí no puedes hacer nada más que preocuparte.

—Supongo que puedo preocuparme en la universidad.

—Supongo que sí.

8

El gran jurado del condado de Ford se reunía el tercer lunes de cada mes para escuchar las pruebas de los últimos delitos locales. El 21 de octubre, como de costumbre, les esperaba una larga lista de casos: una disputa doméstica que había degenerado en una fuerte paliza; el presunto robo de un coche por parte de Chuck Manley; un negro que había disparado a otro con una pistola y, aunque había errado el tiro, había hecho añicos la vidriera de una iglesia rural para blancos, lo que aumentaba la gravedad del incidente y lo elevaba a delito mayor; un estafador de Tupelo que había empapelado la ciudad con cheques sin fondos; un hombre blanco y una mujer negra a los que habían pillado infringiendo con entusiasmo las leyes del estado contra el mestizaje; y varios más. En total la lista constaba de diez delitos, una cifra normal para una comunidad pacífica. Ocupaba el último lugar el caso de Pete Banning, acusado de asesinato.

Miles Truitt era el fiscal del distrito desde que había salido elegido siete años antes. En calidad de fiscal jefe, presidía el gran jurado, cuyos miembros las más de las veces se limitaban a ceder ante sus deseos como marionetas. Truitt elegía a los dieciocho, decidía qué delitos debían investigarse, citaba a testigos que solo favorecían las tesis de la acusación, presionaba al jurado cuando las pruebas parecían poco sólidas y luego conseguía que se aceptaran los cargos contra los acusados. Después, Truitt hincaba el diente a la lista de casos penales y decidía el orden en que debían juzgarse. Casi ninguno acababa yendo a juicio. Solían resolverse con un acuerdo, una sentencia de conformidad en la que el acusado se declaraba culpable a cambio de la pena menos severa posible.

Después de ejercer como fiscal durante siete monótonos años, Miles Truitt había caído en la tediosa rutina de encerrar a contrabandistas, maltratadores y ladrones de coches. Su jurisdicción abarcaba los cinco condados del distrito veintidós, y el año anterior solo había conseguido que se emitiera veredicto sobre cuatro casos. Los demás acusados habían llegado a un acuerdo. Su trabajo había perdido el encanto, más que nada porque no se cometían delitos interesantes en aquel rincón del norte de Mississippi.

Sin embargo, Pete Banning había roto la monotonía, y de forma espectacular. Todo fiscal sueña con un juicio por asesinato que cause sensación, con un acusado ilustre (y blanco), una víctima conocida, una sala abarrotada, multitud de reporteros y, por supuesto, un resultado favorable para el fiscal y todos los ciudadanos de bien que lo eligieron. El sueño de Truitt estaba haciéndose realidad, y tenía que controlar su ansia por centrarse en la acusación contra Pete Banning.

El gran jurado se reunía en la misma sala de deliberaciones que utilizaban los jurados de los juicios. Se trataba de un espacio reducido en el que a duras penas cabía un jurado de doce personas, con sillas encajonadas a lo largo de una mesa estrecha y alargada. De los dieciocho miembros, solo estaban presentes dieciséis, todos ellos hombres blancos. El señor Jock Fedison, de Karraway, había llamado para avisar de que estaba enfermo, aunque la sospecha generalizada era que estaba demasiado ocupado en sus campos de algodón para perder el tiempo con asuntos judiciales sin importancia. El señor Wade Burrell ni siquiera se había tomado la molestia de telefonear, y hacía semanas que nadie lo veía ni sabía de él. No era agricultor, pero se rumoreaba que tenía problemas con su esposa. Ella explicó en tono cansino que el muy holgazán había salido de casa borracho y no iba a regresar.

Con dieciséis había cuórum suficiente, y Truitt los llamó al orden. Hicieron pasar al sheriff Gridley como primer testigo y le tomaron juramento. Truitt empezó con el caso de Chuck Manley, y Gridley expuso los hechos. Se decidió por dieciséis votos a favor y cero en contra que se presentaran cargos por hurto mayor, sin deliberación previa. A continuación le tocó el turno al estafador de los cheques sin fondos, y el sheriff presentó copias de los talones y las declaraciones juradas de algunos comerciantes agraviados. El voto volvió a ser unánime, y también en el caso del leñador de madera para pasta de papel que había roto la nariz a su esposa, entre otras lesiones.

El curso de la justicia iba viento en popa hasta que Truitt hizo pasar a los amantes del caso de mezcla de razas. Los habían pillado in fraganti en la plataforma de carga de una camioneta aparcada en una zona conocida por tales actividades. El ayudante Roy Lester se había enterado por un chivatazo telefónico de que los dos planeaban dicho encuentro, y llegó al lugar acordado antes que ellos. El chivato no reveló su identidad. Lester se ocultó en las sombras y comprobó complacido que la información era correcta. El hombre blanco, que más tarde reconocía que tenía esposa y un hijo, llevó su camioneta a un lugar muy cercano al escondite de Lester y se desvistió parcialmente mientras la chica negra, de dieciocho años y soltera, hacía otro tanto. Como la zona estaba desierta en ese momento, decidieron poner manos a la obra en la trasera de la camioneta.

Lester declaró ante el gran jurado que había observado la escena en silencio, escondido tras unos árboles. En realidad, sin embargo, el encuentro le resultó de lo más erótico, por lo que no estaba precisamente tranquilo. Los miembros del gran jurado escuchaban cada palabra con atención, y Lester se mostró discreto, incluso comedido con sus descripciones. Cuando el hombre estaba llegando al clímax, Lester salió de un salto de su escondrijo y, blandiendo su arma, gritó «¡Alto ahí!», una orden seguramente inapropiada, pues ¿quién habría podido detenerse en un momento tan crítico? Mientras se vestían a toda prisa, Lester aguardaba con las esposas preparadas. Los condujo hasta el coche patrulla, oculto más abajo, en un camino de tierra, y se los llevó a la cárcel. Durante el trayecto, el hombre blanco rompió a llorar y a implorar clemencia. Su esposa sin duda le pediría el divorcio, y él la quería con toda el alma.

Cuando concluyó la declaración, la sala quedó en silencio, como si los miembros del gran jurado estuvieran perdidos en sus ensoñaciones y quisieran más detalles de los hechos. Finalmente, el señor Phil Hobard, profesor de ciencias en el instituto de Clanton, un yanqui trasplantado desde Ohio, pidió la palabra.

—Si tiene veintiséis años, y ella, dieciocho —preguntó—, ¿por qué es ilegal que tengan relaciones?

Truitt se apresuró a tomar el control de la discusión.

—Porque las relaciones sexuales entre una persona caucásica y una negra están prohibidas, y están prohibidas porque la legislación del estado las ilegalizó hace muchos años.

El señor Hobard no quedó satisfecho con la explicación. Haciendo caso omiso de las expresiones ceñudas de sus colegas, volvió a la carga.

—¿Es ilegal el adulterio?

Algunos dejaron de mirarlo con mala cara para echar un vistazo a unos papeles que había sobre la mesa. Dos incluso se removieron inquietos en el asiento, pero los más intransigentes adoptaron un semblante aún más furibundo, como diciendo «Si no lo es, debería serlo».

—No, no lo es —respondió Truitt—. Lo fue en otra época, pero a las autoridades les parecía muy difícil hacer respetar esa prohibición.

—A ver si lo he entendido bien —dijo Hobard—. En la actualidad, en Mississippi, no está prohibido que un hombre se acueste con una mujer que no es su esposa, siempre y cuando pertenezcan a la misma raza. En cambio, si son de razas distintas, pueden detenerlos y llevarlos a juicio, ¿no?

—Eso establece el código —contestó Truitt.

—¿No tenemos nada mejor que hacer que procesar a dos adultos que, por mutuo acuerdo, lo pasaban en grande en la cama, en la parte de atrás de una camioneta o donde sea? —preguntó Hobard, claramente el único miembro del gran jurado con el valor suficiente para escarbar a fondo.

—Yo no redacté la ley, señor Hobard —repuso Truitt—. Y, si quiere cambiarla, le recomiendo que plantee la cuestión al senador del estado.

—El senador del estado es un idiota.

—Bueno, es posible, pero eso escapa a nuestra jurisdicción. ¿Estamos listos para votar sobre la formalización de la acusación? —inquirió Truitt.

—No —dijo Hobard con dureza—. Está usted intentando ventilar el asunto cuanto antes. Muy bien, pero antes de votar quisiera preguntar a mis compañeros del gran jurado cuántos se han acostado alguna vez con una mujer negra. Si lo han hecho, no pueden votar a favor de condenar a estas dos personas.

Un vacío invisible aspiró todo el aire de la habitación. Varios miembros del gran jurado palidecieron. Varios se pusieron rojos de rabia.

—¡Nunca! —barbotó un fanático—. ¡Jamás!

—Por favor, esto es ridículo —terció otro.

—Está chiflado. ¡Adelante, votemos!

—Es un delito y no nos queda más remedio.

Nix Gridley, en un rincón, consiguió disimular una sonrisa mientras observaba sus rostros. Dunn Ludlow era asiduo de la casa de putas de color de Lowtown. Milt Muncie tenía la misma amante negra por lo menos desde que habían nombrado sheriff a Nix. Neville Wray pertenecía a una antigua familia de propietarios de plantaciones que llevaban generaciones mezclándose y cruzándose. Los quince, sin embargo, hacían torpes aspavientos con distintos grados de gazmoñería.

La ley del estado contra el mestizaje, similar a otras que regían en el Sur, tenía poco que ver con los devaneos entre hombres blancos y mujeres negras; por lo general estas relaciones no estaban mal vistas. El propósito de la ley era proteger la virtud de las mujeres blancas y mantener a los negros alejados de ellas. No obstante, tal como había demostrado muchas veces la historia, si dos personas querían acostarse, no perdían el tiempo pensando en artículos del código. La ley no impedía nada, pero de vez en cuando se utilizaba como castigo después de los hechos.

Truitt esperó a que cesaran los comentarios.

—Tenemos que continuar —dijo entonces—. ¿Podemos votar, si son tan amables? Que levanten la mano todos los que estén a favor de dictar auto de procesamiento contra estos dos.

Quince brazos se alzaron en el aire; todos menos el de Hobard.

La decisión de procesar al acusado no requería unanimidad. Bastaba con dos tercios de los votos, y Truitt nunca había perdido ninguna. El gran jurado despachó con rapidez los otros casos.

—Y ahora —anunció Truitt— toca abordar el caso del señor Pete Banning. Homicidio en primer grado. No me cabe duda de que estarán tan informados al respecto como yo. Sheriff Gridley.

Nix pasó por encima de varios pares de botas y zapatos, y consiguió regresar al asiento del extremo de la mesa. La mitad de los hombres estaba fumando, así que pidió a Roy Lester que entreabriera una ventana. Truitt encendió un cigarrillo y exhaló humo hacia el techo.

Nix empezó por la escena del crimen e hizo pasar de mano en mano dos fotografías de Dexter Bell muerto en su despacho. Describió el escenario, refirió el testimonio de Hop Purdue y les contó la historia de cuando fue en coche a detener a Pete, quien le indicó dónde encontrar el arma. Nix sacó la pistola junto con tres balas y aseguró que no cabía la menor duda de que eran las que habían causado las heridas. La policía del estado había enviado un informe. Desde su detención, Pete Banning se había negado a hablar del caso. Lo representaba el señor John Wilbanks. Si se realizaba una acusación formal, era probable que el juicio se celebrara en un futuro próximo.

—Gracias, sheriff —dijo Truitt—. ¿Alguna pregunta?

Milt Muncie alzó la mano en el acto.

—¿De verdad tenemos que votar sobre esto? A ver, conozco a Pete Banning y conocía a Dexter Bell, y la verdad es que no quiero implicarme.

—Yo tampoco —convino Tyus Sutton—. No pienso pronunciarme sobre este caso, y si intentan obligarme, dimitiré. Se puede abandonar el gran jurado, ¿verdad? Pues prefiero renunciar a enfrentarme a eso.

—No, no pueden renunciar —replicó Truitt con sequedad al ver que se le rebelaban las marionetas.

—¿Y si nos abstenemos? —quiso saber Joe Fisher—. Lo lógico sería que tuviéramos derecho a abstenernos en un caso en el que conocemos personalmente a las partes implicadas, ¿no? Muéstreme qué apartado de la ley dice que no podemos abstenernos si queremos.

Todos los ojos se posaron en Truitt, que solía inventarse sobre la marcha las normas de procedimiento para el gran jurado, como todos los fiscales del distrito del estado. No recordaba ninguna referencia a la abstención en situaciones parecidas, aunque, a decir verdad, hacía años que no consultaba los artículos del código. Estaba tan acostumbrado a las marionetas que había descuidado las complejidades procedimentales.

Mientras vacilaba, intentando formular una respuesta, su mente no estaba en el gran jurado, sino en el jurado del juicio. Si los hombres del condado de Ford estaban tan divididos y ansiosos por evitar el caso, ¿cómo diablos convencería a doce de ellos de que emitieran un veredicto de culpabilidad? El caso más importante de su carrera se venía abajo ante sus ojos.

Se aclaró la garganta.

—Permítanme recordarles que han jurado escuchar las pruebas con atención e imparcialidad y decidir si es probable que el presunto crimen se haya cometido. No están aquí para juzgar la inocencia o culpabilidad del señor Banning; ese no es su cometido. Su deber consiste en determinar si hay que acusarlo formalmente de asesinato. El juzgado de primera instancia decidirá su suerte. Y ahora, sheriff Gridley, díganos: ¿le cabe alguna duda de que Pete Banning asesinó a Dexter Bell?

—Ninguna en absoluto.

—Y eso, señores, es lo único que hace falta para dictar auto de procesamiento. ¿Alguna objeción más?

—No voy a votar —aseveró Tyus Sutton con aire desafiante—. Pete tenía un motivo para hacer lo que hizo, y yo no pienso juzgarlo por ello.

—No va usted a juzgarlo —espetó Truitt—. Y si él tenía un motivo y cuenta con una defensa legal, todo ello saldrá a la luz durante el juicio. ¿Alguien más? —Fulminó con la mirada a los miembros del jurado, como si buscara pelea. Él conocía la ley; ellos, no.

Tyus Sutton no se dejaba amedrentar con facilidad. Se puso de pie y señaló a Truitt con el dedo por encima de la mesa.

—Estoy en un momento de mi vida en el que no tolero que me griten. Me largo, y si pretendes chivarte al juez y meterme en un lío, lo tendré en cuenta cuando vuelvas a presentarte como candidato. Y sé dónde encontrar un abogado. —Se dirigió a la puerta con paso airado, la abrió, la atravesó y cerró de un portazo.

El jurado se vio reducido a quince miembros. Hacían falta dos tercios para emitir el auto de procesamiento, y al menos tres de los que quedaban no querían votar. De pronto, Truitt estaba sudando y respirando de forma agitada, estrujándose las meninges para improvisar una estrategia. Podía enviarlos a casa y presentar el caso Banning el mes siguiente. Podía recusarlos y solicitar al juez el nombramiento de un nuevo jurado. Podía presionarlos para que votaran, cruzar los dedos y, si no conseguía diez votos, siempre podía volver a presentar el caso en noviembre. ¿O no? ¿El principio que impedía juzgar dos veces a una persona por el mismo delito se aplicaba también a los casos presentados ante un gran jurado? Creía que no, pero ¿qué ocurriría si daba un paso en falso? Nunca se había encontrado en una situación así.

Decidió perseverar, como si se hubiera visto en esa tesitura muchas veces.

—¿Alguna objeción más?

Se produjo un intercambio de miradas nerviosas en torno a la mesa, pero nadie parecía ansioso por seguir el ejemplo de Tyus Sutton.

—Muy bien —prosiguió Truitt—. Que levanten la mano todos los que estén a favor de acusar formalmente a Pete Banning por el homicidio en primer grado del reverendo Dexter Bell.

Sin el menor entusiasmo, cinco manos se elevaron despacio. Otras cinco las imitaron unos segundos después. Las demás permanecieron debajo de la mesa.

—No puede abstenerse —le espetó Truitt a Milt Muncie.

—Y usted no puede obligarme a votar —contraatacó Muncie con rabia, dispuesto a lanzar o encajar un puñetazo.

Truitt recorrió la sala con la mirada e hizo un cálculo rápido.

—He contado diez —anunció—. Son dos terceras partes de los votos, suficientes para un auto de procesamiento. Gracias, sheriff. Pueden retirarse.

Transcurrían los días, y Pete se mantenía ocupado intentando mejorar las condiciones carcelarias. El café fue su primer objetivo y, al final del tercer día, la prisión entera —presos, celadores y policías— bebía café Standard de Nueva Orleans. Florry lo llevaba en bolsas de dos kilos y, en su segunda visita, le preguntó a Nix qué bebían los reclusos de color. Él contestó que no les servían café, lo cual la enfureció. Durante la diatriba que lanzó a continuación, lo amenazó con interrumpir el suministro de café hasta que lo repartieran entre todos.

En casa, había puesto las pilas a Marietta y Nineva, que habían comenzado a cocinar y hornear a toda máquina. Florry se presentaba en la cárcel casi a diario con pasteles, tartas, galletas, bizcochos de chocolate, ollas de estofado de ternera o de venado, berzas, alubias rojas, arroz, guisantes y pan de maíz. La calidad del rancho de la cárcel aumentó de forma espectacular para todos los presos, la mayoría de los cuales comían mejor que cuando estaban en libertad. Amos destripó un cerdo cebado, y todos en la cárcel se pegaron un atracón de costillas ahumadas. Nix y sus muchachos también se pusieron morados, con lo que se ahorraron unos dólares en almuerzos. El sheriff nunca había tenido encarcelado a un terrateniente próspero con tierras de sobra para cultivar alimentos y personal que los prepararan.

Después de la primera semana, Pete convenció a Nix de que lo nombrara recluso de confianza, lo que significaba que su celda no estaría cerrada con llave durante el día y podría deambular sin impedimentos siempre y cuando no saliera del edificio. Nix temía que circulara el rumor de que Pete recibía un trato especial, por lo que al principio no le gustó la idea de designarlo recluso de confianza. Por otro lado, toda cárcel que se preciara debía contar con uno, y en aquel momento Nix no tenía a nadie. El anterior, Homer Galax, había servido con lealtad al condado durante seis años y le faltaban tres para que finalizara su condena por agresión con agravantes cuando se había fugado con una viuda que, según se decía, tenía algo de dinero. Nadie había vuelto a verlos, y Nix carecía de tiempo, interés o energía para ir en su busca.

Otra norma, que por supuesto tampoco era vinculante, establecía que para obtener dichos privilegios un interno tenía que haber sido condenado por el delito y sentenciado a cumplir pena en la cárcel del condado en lugar de en la penitenciaría del estado. Nix también se saltó ese requisito, y Pete se convirtió en el recluso de confianza. Como tal, servía la comida, cuya calidad había mejorado mucho, a los otros cuatro presos blancos, así como a los seis o siete negros alojados en la parte de atrás de la cárcel. Como los internos no tardaron en averiguar de dónde procedían los nuevos alimentos, Pete se volvió muy popular. Organizaba cuadrillas de trabajo para limpiar el centro, y pagó a un fontanero para que modernizara las instalaciones de los dos baños. Por unos pavos, ideó un sistema de ventilación para despejar el humo que impregnaba el aire, lo que permitió que todos, incluso los fumadores, respiraran mejor. Como había puesto a punto la caldera con la ayuda de un presidiario negro, las celdas casi estaban calentitas por la noche. Dormía a pierna suelta, se echaba siestas a menudo, hacía ejercicio a las horas en punto y animaba a sus nuevos camaradas a imitarlo. Cuando se aburría, leía novelas, casi a la misma velocidad a la que Florry se las suministraba. Como no había estantes en su diminuta celda, ella las devolvía al estudio de Pete, donde contaba con una biblioteca de miles de volúmenes. También leía pilas de periódicos y revistas que ella le llevaba.

Aunque ofrecía su material de lectura a los demás, estos mostraban poco interés. Sospechaba que eran analfabetos, del todo o en parte. Para pasar el rato, jugaba al póquer con Leon Colliver, el fabricante de licor ilegal del otro lado del corredor. Si bien Leon no era especialmente despabilado, era un auténtico tahúr, y Pete, que había llegado a dominar todos los juegos de naipes en el ejército, las pasaba moradas con él. Su juego favorito era el cribbage, y Florry le llevó el tablero con que se jugaba. Aunque Leon nunca había oído hablar del juego, asimiló las reglas sin el menor esfuerzo y al cabo de una hora ya le sacaba cinco centavos de ventaja. Apostaban un centavo por partida. Se aceptaban pagarés, y en el fondo nadie contaba con cobrar.

A última hora de la tarde, cuando concluían las labores de limpieza y la cárcel quedaba como una patena, Pete abría la celda de Leon y ambos sacaban sus desvencijadas sillas al pasillo, con lo que lo obstruían por completo. Colocaban el tablero de cribbage sobre un pequeño cuadrado de contrachapado que Pete guardaba en su celda, y que a su vez se sostenía en equilibrio sobre un barril de madera que antes contenía clavos. Daban comienzo los juegos. Leon se las arreglaba para tener siempre una petaca llena de whisky de maíz, destilado por su familia, por supuesto, y al principio Pete no probaba gota. Sin embargo, con el lento transcurso de los días, cuando empezó a aceptar la realidad de que lo condenarían a muerte o a cadena perpetua, pensó «qué demonios». En el calor de una tensa partida de cribbage, Leon miraba alrededor, a uno y otro lado del pasillo, se sacaba la petaca del bolsillo delantero del pantalón, desenroscaba el tapón, tomaba un trago y se la pasaba a Pete. Este echaba un vistazo en torno a sí, bebía un sorbo y se la devolvía. No era por egoísmo; sencillamente no había suficiente para todos. Además, en toda cárcel había un soplón, y el sheriff Gridley no veía con buenos ojos que bebieran alcohol.

Los dos estaban encorvados sobre el tablero, sin hablar más que de la puntuación, cuando se abrió la puerta y Nix enfiló el estrecho pasillo. Llevaba unos papeles en la mano.

—Buenas tardes, chicos —saludó. Ambos inclinaron la cabeza en un gesto cortés. Tendió los papeles a Pete—. El gran jurado se ha reunido hoy —le explicó—. Aquí tienes tu auto de procesamiento. Primer grado.

Pete enderezó la espalda y cogió el documento.

—Supongo que era de esperar.

—Estaba bastante cantado. Está previsto que el juicio comience el seis de enero.

—¿No podía ser antes?

—Eso tendrás que hablarlo con tu abogado. —Nix dio media vuelta y se marchó.

9

Un mes después de la muerte de su esposo, Jackie Bell se mudó con sus tres hijos a la casa de sus padres en Rome, Georgia. Se llevaba consigo los escasos muebles que no pertenecían a la casa parroquial. Se llevó un torrente de recuerdos hermosos de los últimos cinco años en Clanton. Se llevó las dolorosas despedidas de una feligresía que la había acogido junto con su familia. Y se llevó a su marido. En el caos desatado tras su asesinato, había accedido a que lo inhumaran en Clanton porque era lo más sencillo. Sin embargo, como no eran originarios de Mississippi y no tenían parientes ni raíces auténticas en el lugar, quería volver a su tierra. ¿Por qué iba a dejarlo atrás? Parte de su día consistía en llevarle flores al cementerio y llorar a lágrima viva, un rito que pensaba observar toda la vida, y le resultaría imposible desde Georgia. Como Dexter también era de Rome, había pedido que lo enterraran en un pequeño cementerio situado detrás de una iglesia metodista.

Se habían casado cuando él estaba en el seminario en Atlanta. Su largo periplo comenzó después de que se graduara, cuando le asignaron el puesto de pastor adjunto en una iglesia de Florida. A partir de allí, fueron zigzagueando por el Sur y tuvieron tres hijos, cada uno nacido en un lugar distinto, hasta que los destinaron a Clanton, unos meses antes del ataque a Pearl Harbor.

A Jackie le había encantado Clanton hasta el día que murió Dexter, pero poco después del funeral comprendió que no podía quedarse. El motivo más inmediato era que la iglesia reclamaba la casa parroquial. Un nuevo pastor iba a trasladarse a la ciudad, y su familia necesitaría un lugar donde vivir. La jerarquía de la iglesia le hizo la generosa propuesta de proporcionarle alojamiento gratuito durante un año, pero ella declinó la oferta. Otro motivo, en realidad el más significativo, era que sus hijos sufrían. Adoraban a su padre y no soportaban su ausencia. Por otro lado, en una ciudad tan pequeña, los estigmatizarían para siempre como los chicos cuyo padre había muerto tiroteado en circunstancias misteriosas. Para protegerlos, Jackie se mudó a un lugar que ellos solo conocían como el hogar de sus abuelos.

Una vez en Rome, cuando los chicos regresaron a la rutina escolar, ella cayó en la cuenta de lo provisional que era la solución. La casa de sus padres era modesta y desde luego no lo bastante grande para tres niños. Cobró diez mil dólares del seguro de vida y se puso a buscar una vivienda de alquiler. Para gran preocupación de sus padres, empezó a faltar a la iglesia. Eran metodistas devotos que jamás se perdían los oficios dominicales. De hecho, muy pocas personas en aquel rincón del mundo faltaban a la iglesia, y quienes lo hacían eran objeto de habladurías. Aunque Jackie no estaba de humor para dar muchas explicaciones, dejó claro a sus padres que tenía una crisis de fe y necesitaba un tiempo para reexaminar sus creencias. En su fuero interno, se planteaba la pregunta obvia: su esposo, un ferviente siervo y seguidor de Cristo, se encontraba en la iglesia, leyendo la Biblia y preparando su sermón, cuando alguien lo asesinó. ¿Por qué no lo había protegido Dios, precisamente a él? Cuando reflexionaba más a fondo sobre ello, a menudo surgía una pregunta aún más inquietante que nunca formulaba en voz alta: ¿de verdad existe un Dios? El mero hecho de que esta duda se le pasara por la cabeza la asustaba, pero no podía negar que estaba allí.

La gente no tardó en empezar a murmurar sobre ella, según su madre, pero le daba igual. Su sufrimiento superaba con creces cualquier disgusto que le pudieran ocasionar los cotilleos locales. A sus hijos les estaba costando adaptarse al nuevo colegio. La vida diaria suponía todo un desafío.

Dos semanas después de instalarse con sus padres, Jackie se mudó a una casa de alquiler en el otro extremo de la ciudad. El propietario era un abogado llamado Errol McLeish, un soltero de treinta y nueve años a quien había conocido años atrás en el instituto de Rome. McLeish y Dexter habían ido a la misma clase, aunque se movían en círculos distintos. Como todos los habitantes de la pequeña localidad, McLeish conocía la historia que había detrás del fallecimiento de Dexter y quería ayudar a su joven viuda.

Tras pasarse unas semanas comiendo lo justo para sobrevivir, Jackie había perdido por fin los kilos que había ganado seis años antes, con el último embarazo. No era un plan de adelgazamiento que hubiera recomendado a nadie, y se trataba, por el momento, del único aspecto positivo de lo que por lo demás era una terrible pesadilla. Aun así, cuando se miraba en el espejo, tenía que reconocer que hacía años que no estaba tan delgada. A sus treinta y ocho años, pesaba lo mismo que el día de su boda, y observó complacida que se le marcaban los huesos de la pelvis. Tenía los ojos hinchados y enrojecidos de tanto llorar, por lo que se propuso con firmeza poner fin a eso.

McLeish la visitaba dos veces por semana para ver cómo estaba, y Jackie empezó a maquillarse un poco y a ponerse vestidos más ajustados para recibirlo. Al principio se sentía culpable, con el cuerpo de Dexter aún caliente en la tumba, pero ni siquiera había comenzado a coquetear con el abogado. No tenía intención de entablar un idilio con nadie durante el resto de su vida, aunque seguramente los solteros cultos no abundaban en Rome de todos modos. Al fin y al cabo, estaba soltera, ¿y qué había de malo en que quisiera ponerse guapa?

Por su parte, McLeish la encontraba atractiva, pero le parecía que arrastraba demasiado lastre. Una cosa era la viudedad, una circunstancia a la que podría adaptarse con el tiempo, y otra muy distinta cargar de rebote con toda una familia. Como hijo único que había pasado poco tiempo con otros niños, la idea le resultaba abrumadora. Sin embargo, iba lanzándole indirectas, aprovechándose con discreción de su dolor y su soledad, hasta que la curiosidad cedió el paso al galanteo.

Lo que de verdad le interesaba era su posible demanda. McLeish poseía varias propiedades, todas ellas con gravosas hipotecas, y tenía deudas por otros negocios, y después de ejercer la abogacía durante diez años, comprendió que no iba a ser lo bastante rentable. En cuanto Jackie regresó a Rome, McLeish comenzó a tender sus trampas. Viajó a Clanton y anduvo fisgoneando por el juzgado para informarse sobre los Banning. Se pasó horas escarbando en los archivos del catastro y, cuando tuvo que enfrentarse a la pregunta inevitable, aseguró ser un agente inmobiliario contratado por «una importante compañía de petróleo y gas». Tal como esperaba, la noticia corrió como la pólvora por el juzgado, los comercios de la plaza y el bufete, lo que provocó que, poco después, Clanton atravesara su primera y única fiebre del petróleo. Los abogados y pasantes estudiaban con detenimiento los planos catastrales mientras prestaban atención a los chismorreos y vigilaban de cerca al forastero. McLeish, sin embargo, no tardó en desaparecer tan discretamente como había llegado, dejando que la ciudad entera se preguntara cuándo se produciría el auge petrolero. Regresó a Georgia, donde siguió visitando con cortés regularidad a la viuda Bell, sin mostrarse nunca ansioso o interesado, sino siempre considerado, casi deferente, aunque era consciente del complicado mundo en que vivía ella y no quería tener nada que ver con él.

En 1946, había trescientas setenta y cinco estudiantes matriculadas en Hollins, todas mujeres. La universidad, fundada cien años atrás, gozaba de una reputación inmejorable, sobre todo entre las damas sureñas de clase alta. Stella Banning la eligió porque muchas de las amigas adineradas de su madre en Memphis habían estudiado allí. Liza no, más que nada porque su familia no se lo podía permitir.

Las compañeras de Stella hicieron piña en torno a ella para protegerla de intrusiones y negatividad. Les costaba creer que alguien tan bonita y dulce como Stella pudiera haberse visto envuelta en un drama familiar tan trágico, pero desde luego no era culpa suya. Ninguna de las chicas de Hollins había estado nunca en Clanton. Unas pocas sabían que su padre era un héroe de guerra; sin embargo, para la mayoría eso no tenía mayor importancia. Nadie había conocido a sus padres, aunque su hermano Joel había causado un revuelo considerable durante un fin de semana de visitas de exalumnas.

En los días y semanas posteriores al asesinato, Stella no se quedó sola un momento. Sus dos compañeras de habitación le hacían compañía por la noche, cuando en ocasiones despertaba a causa de las pesadillas y los estallidos de emoción. Durante el día, la rodeaban amigas que la mantenían ocupada. Los profesores, conscientes de su fragilidad, le permitían saltarse clases y aplazar la entrega de deberes y trabajos. Los tutores hablaban con ella a diario para ver cómo estaba. El rector seguía de cerca su situación, y el decano le informaba al respecto dos veces por semana. Pronto se difundió la noticia de que no regresaría a casa para celebrar el día de Acción de Gracias. Su padre le había ordenado que se mantuviera alejada. Esto provocó una avalancha de invitaciones, por parte tanto de amistades y profesores como de chicas a las que apenas conocía.

Stella, conmovida y al borde del llanto, les dio las gracias a todos y después partió de Roanoke en tren con Ginger Reed, tal vez su mejor amiga, con destino a Alexandria, Virginia, para pasar una semana de fiesta en Washington. Ya había estado allí en una ocasión, con Ginger, y la gran urbe la fascinaba. Aunque no se lo había dicho a sus padres ni a Joel, planeaba graduarse lo antes posible y marcharse en pos de las luces de la ciudad. Nueva York era su primera opción; Washington, la segunda. Nueva Orleans ocupaba el tercer lugar, pero a gran distancia. Mucho antes del asesinato, ella tenía claro que jamás volvería a vivir en el condado de Ford. Después de lo ocurrido, quería estar lo más lejos posible del lugar.

Aunque sus sueños se habían visto interrumpidos, seguía decidida a ser escritora. Le encantaban los relatos cortos de Eudora Welty y los personajes estrafalarios y pintorescos de Carson McCullers. Las dos eran sureñas fuertes que escribían con voz propia sobre familias, conflictos, tierras y la atribulada historia del Sur, y publicaban con éxito en una época en que la ficción estadounidense se encontraba bajo el dominio masculino. Stella los leía a todos, hombres y mujeres, y estaba convencida de que había un hueco para ella. Quizá empezaría por narrar historias sobre su familia, se decía a sí misma a menudo, sobre todo últimamente, aunque sabía que eso jamás ocurriría.

Encontraría trabajo en alguna revista de Nueva York, viviría en un apartamento barato en Brooklyn con amigas y empezaría a escribir su primera novela en cuanto estuviera instalada y le llegara la inspiración. Estaba casi segura de que sus padres y la tía Florry la mantendrían en caso necesario. Como Banning, había crecido con la creencia tácita de que las tierras siempre pertenecerían a la familia y le proporcionarían sustento.

Disfrutaría de la vida en Nueva York, trabajaría para una revista, empezaría una novela, y todo con la seguridad de que en casa no faltaba el dinero. Era un sueño emocionante y real, hasta que se produjo el asesinato. Su hogar había pasado a quedar muy lejos y nada era seguro.

La familia de Ginger vivía en Old Town, el centro histórico, en una mansión del siglo XVIII situada en Duke Street. Sus padres y su hermana menor, en antecedentes sobre la pesadilla de la familia Banning, nunca la mencionaban delante de ella. Agasajaron a Stella con una semana de cócteles, cenas hasta tarde, paseos a orillas del Potomac y visitas a una serie de clubes frecuentados por estudiantes que fumaban cigarrillos, bebían demasiado, escuchaban a orquestas de swing y bailaban toda la noche.

El día de Acción de Gracias, llamó a la tía Florry y charló con ella durante diez minutos como si todo marchara bien. Joel se encontraba en Kentucky, lo había invitado la familia de un compañero de hermandad, y Florry le contó que se pasaba todo el día cazando y que el cambio de aires le estaba sentando bien. Le prometió que por Navidad estarían todos juntos.

Esa tarde, Florry metió en el coche una tina pequeña que contenía dos pavos asados con patatas, zanahorias, remolachas y nabos, junto con una fuente de aliño, salsa de menudillos, panecillos con levadura y dos tartas de nueces pacanas. Transportó el banquete hasta la cárcel, donde supervisó a su hermano mientras este trinchaba el pavo. La comida era para todos los presos, y también para el señor Tick Poley, el veterano celador a tiempo parcial que trabajaba de noche y casi todos los festivos a fin de que Nix y sus hombres pudieran tomarse días libres. Florry y Pete cenaron a solas en el despacho de Nix, con el armero a la vista y sin cerrar. Una puerta sin seguro daba al aparcamiento de grava. Tick se conformó con comer solo en el vestíbulo de la cárcel sin dejar de custodiar la entrada principal.

Pete dio unos bocados y se encendió un cigarrillo. A pesar de los esfuerzos de su hermana, seguía comiendo poco y estaba delgado, y tenía la tez pálida porque nunca salía al aire libre. Como de costumbre, ella se lo hizo notar. Y, como de costumbre, él la ignoró. Se animó un poco cuando le refirió las llamadas de Stella y Joel. Según la versión de Florry, se encontraban bastante bien y estaban disfrutando de las vacaciones. Pete sonrió mientras fumaba, elevando los ojos hacia el cielo y más allá.

10

Para Acción de Gracias, ya habían recogido la tercera y última cosecha de algodón, y Pete estaba satisfecho con el resultado. Estudiaba las cotizaciones y repasaba los libros de cuentas cada semana, cuando Buford se acercaba a la cárcel. Firmaba cheques, pagaba facturas, comprobaba las cuentas y los depósitos, y dirigía la venta del algodón a través de la lonja de Memphis. Ordenó que se abriera de nuevo la escuela para niños de color en la hacienda y aprobó un aumento de sueldo para los maestros, así como la instalación de estufas para caldear el local en invierno. Buford estaba ansioso por comprar el último modelo de tractor John Deere. Aunque muchos de los grandes algodoneros ya lo habían adquirido, Pete le respondió que por el momento no, que tal vez más tarde. Ante un futuro tan incierto, era reacio a gastar tanto dinero.

Errol McLeish también permanecía atento al precio del algodón. Como en Georgia se producía casi tanto como en Mississippi, no era ajeno a su importancia económica. Cuanto más subía el precio al contado del algodón en la lonja de Memphis, más férreo era su compromiso con el bienestar de Jackie Bell.

Después de semanas de discusión e investigación, John Wilbanks y su hermano Russell decidieron al fin que el juicio de Pete Banning no debía celebrarse en Clanton. Intentarían trasladarlo a un juzgado alejado.

En un principio se habían confiado demasiado, debido los rumores de que el gran jurado de Miles Truitt había estado a punto de amotinarse. Resultaba evidente que su cliente contaba con amigos y admiradores que se solidarizaban con él, por lo que se había acordado dictar auto de procesamiento por muy pocos votos. No eran más que rumores, por supuesto, y como no se levantaba acta de las reuniones del jurado, que en teoría eran confidenciales, no podían saber con certeza qué había sucedido en realidad. Con el tiempo, sin embargo, creció su escepticismo respecto a la imparcialidad del jurado en el juicio. Tanto ellos como sus empleados hablaron con amigos de todo el condado con la intención de tantear la opinión general. Consultaron a otros abogados de la ciudad, a dos jueces retirados, a un puñado de exayudantes del sheriff y a un par de sheriffs jubilados. Como el jurado estaría integrado en su totalidad por hombres blancos, y prácticamente todos se declararían miembros de una iglesia, conversaron con pastores a los que conocían, de todas las confesiones. Sus esposas se entrevistaban con mujeres en otras iglesias, en clubes de jardinería y de bridge, y prácticamente en cualquier lugar donde pudiera entablarse un diálogo sin incomodar a nadie.

Se hizo patente, al menos para John Wilbanks, que la opinión general era rotundamente hostil hacia su cliente. Una y otra vez, su equipo, sus amigos y él oían comentarios en la línea de: «Fuera cual fuese el conflicto entre esos dos, habría podido arreglarse sin derramamiento de sangre». Por otro lado, el hecho de que Pete Banning no dijera una sola palabra en su defensa incrementaba aún más las probabilidades de que lo declararan culpable. Aunque siempre sería un héroe de guerra legendario, nadie tenía derecho a matar sin una buena razón.

Bajo la dirección de John, el bufete llevó a cabo una investigación exhaustiva de todos los cambios de juzgado en la jurisprudencia estadounidense, y él redactó un informe magistral de cincuenta páginas para respaldar su petición. La tarea le llevó horas y horas, y desembocó en una discusión acalorada entre John y Russell sobre la acuciante cuestión de los honorarios. Desde la detención de Pete, John se había resistido a mencionar el tema. Sin embargo, había llegado un momento en que era inevitable.

También apremiaba resolver el asunto nada baladí de preparar una defensa. Pete no se había mordido la lengua cuando John había aludido a la posibilidad de alegar demencia, pero no había nada más que aducir ante el jurado. Saltaba a la vista que un ser humano de todo punto normal que pegara tres tiros a bocajarro a otro no podía estar en plena posesión de sus facultades mentales, pero elaborar este argumento requería que la defensa informara al tribunal por medio de un escrito y un informe. John escribió uno, citando la jurisprudencia relevante, con el propósito de presentarlo junto con la petición de cambio de jurisdicción.

Antes de esto, sin embargo, necesitaba la aprobación de su cliente. Se enzarzó en un tira y afloja con Nix Gridley hasta que se salió con la suya y, una semana antes de Navidad, a última hora de la tarde, Nix y Roy Lester escoltaron a Pete Banning fuera de la cárcel y lo llevaron en coche a la plaza. Si disfrutó con su primera bocanada de aire fresco, no lo demostró. No se fijaba en la decoración navideña de los escaparates, no parecía interesado en absoluto en lo que hacía la gente de la ciudad, ni siquiera se mostraba agradecido porque le permitieran reunirse con su abogado en su despacho, en lugar de en la cárcel. Durante el breve trayecto, iba medio recostado en el asiento de atrás, con el sombrero calado y las manos esposadas, mirándose los pies. Nix aparcó detrás del edificio Wilbanks, de modo que nadie vio a Pete entrar flanqueado por dos agentes. Una vez dentro, le quitaron las esposas y siguió a John Wilbanks a su despacho, situado en la planta de arriba. La secretaria de Wilbanks sirvió a Nix y a Roy café solo con pastas en el vestíbulo de la planta baja.

Russell se sentó en una silla, John en otra, y Pete en un sofá de piel al otro lado de una mesa de centro. Intentaron charlar sobre cosas banales, pero resultaba incómodo. ¿Cómo se habla del tiempo y las vacaciones con un hombre que está entre rejas, acusado de asesinato?

—¿Cómo van las cosas en la cárcel? —preguntó John.

—Bien —respondió Pete, impávido—. He estado en sitios peores.

—Tengo entendido que prácticamente diriges el cotarro allí.

Pete esbozó una sonrisa, nada más.

—Nix me ha designado recluso de confianza, así que no me paso el día encerrado.

—He oído que los internos están engordando gracias a Florry —comentó Russell, sonriendo.

—La comida ha mejorado —dijo Pete al tiempo que alargaba el brazo para coger un cigarrillo.

John y Russell intercambiaron una mirada. Este se encendió a su vez un cigarro para parecer ocupado y dejar que John abordara el tema espinoso. Su hermano carraspeó.

—Ya, bueno, mira, Pete, aún no hemos hablado de nuestra minuta. El bufete está dedicándole muchas horas a esto. Faltan tres semanas para el juicio, y hasta entonces apenas trabajaremos en otros casos. Necesitamos cobrar, Pete.

Pete se encogió de hombros.

—¿Alguna vez te he dejado una factura sin pagar?

—No, pero nunca te habían acusado de asesinato.

—¿De cuánto estamos hablando?

—Necesitamos cinco mil dólares, Pete, y eso por lo bajo.

Él se llenó los pulmones, exhaló una nube y alzó la vista al techo.

—Pues no quiero ni imaginar cuánto sería por lo alto. ¿Por qué tanto?

Russell decidió entrar al trapo.

—Le estamos echando horas, Pete, horas y horas. Lo que vendemos es tiempo, y no estamos ganando dinero con esto. Tu familia ha sido cliente de este bufete desde siempre, somos viejos amigos y estamos aquí para protegerte. Pero también tenemos gastos de oficina y facturas que pagar.

Pete echó la ceniza en un platillo y dio una calada rápida. No parecía enfadado ni sorprendido. Su semblante no revelaba nada.

—De acuerdo —dijo al fin—. Veré qué puedo hacer.

Pues podrías empezar por extendernos un maldito cheque, habría querido replicar John, pero lo dejó correr. Habían tratado el tema, y Pete no lo olvidaría. Ya hablarían de ello más tarde.

Russell cogió unos papeles.

—Queremos que eches un vistazo a esto, Pete. Se trata de unas peticiones preliminares para tu juicio, y antes de que las presentemos, tienes que leerlas y darles el visto bueno.

Pete agarró los papeles y los revisó por encima.

—Hay mucho texto aquí —dijo—. ¿Por qué no me hacéis un resumen, a poder ser en un lenguaje comprensible?

Sonriente, John asintió y tomó la palabra.

—Claro, Pete. La primera petición es para que el tribunal traslade el juicio a otro lugar, lo más alejado posible. Por lo que hemos averiguado, buena parte de la opinión pública está contra ti, y sabemos que sería difícil encontrar miembros del jurado que simpatizaran contigo.

—¿Dónde queréis que se celebre el juicio?

—Eso queda totalmente a discreción del magistrado, según la jurisprudencia. Conociendo al juez Oswalt, querrá mantener el control sobre el juicio sin tener que desplazarse una gran distancia. Así que, si aprueba nuestra petición, lo que, por cierto, Pete, es mucho suponer, incluso si todo sale bien, seguramente se decidirá por algún lugar en este mismo distrito judicial. Argumentaremos en contra, pero, para serte sincero, cualquier sitio es preferible a este.

—¿Y por qué crees eso?

—Porque Dexter Bell era un pastor popular con una amplia congregación, y porque hay ocho iglesias metodistas más en este condado. En lo que a número se refiere, es la segunda confesión más grande, después de la baptista, lo que plantea otro problema. Baptistas y metodistas son primos hermanos,

Pete, y suelen mantenerse unidos ante cuestiones peliagudas. Política, whisky o juntas escolares. Siempre se puede contar con que los dos clanes estarán a partir un piñón.

—Ya lo sé. Pero yo también soy metodista.

—Así es, y tienes algunos partidarios, viejos amigos y demás. Pero la mayoría de la gente te considera un asesino despiadado. No sé si eres consciente de ello. Los que viven en este condado ven a Pete Banning como a un héroe de guerra que, por motivos que solo él conoce, entró en la iglesia y mató a un pastor desarmado.

—Pete, no tienes ninguna posibilidad de salir bien parado —añadió Russell para enfatizar las palabras de su hermano.

Pete se encogió de hombros, como si le pareciera bien. Había hecho lo que tenía que hacer; le daban igual las consecuencias. Le dio una larga calada al cigarrillo mientras el humo se arremolinaba por la habitación.

—¿Qué os hace pensar que las cosas serán distintas en otro condado?

—¿Conoces a los pastores de las iglesias metodistas de Polk, Tyler o Milburn? —inquirió John—. Claro que no. Aunque son condados vecinos, conocemos a muy pocos de sus habitantes. Ellos tampoco os conocerán a Dexter Bell o a ti en persona.

—Estamos intentando evitar las relaciones personales, Pete —dijo Russell—. No me cabe duda de que muchas de esas personas han leído los periódicos, pero nunca han coincidido contigo ni con Dexter Bell. Sin ese conocimiento personal, tenemos más posibilidades de obviar los sentimientos primarios y plantar la semilla de la duda.

—¿Duda? Habladme de esa duda —le pidió Pete, ligeramente sorprendido.

—Enseguida llegaremos a eso —aseguró John—. ¿Estás de acuerdo en que nos conviene solicitar un cambio de jurisdicción?

—No. Si tengo que someterme a un juicio, quiero que sea aquí.

—Por supuesto que tienes que someterte, Pete. La única manera de evitar el juicio es declararte culpable.

—¿Me estás pidiendo que me declare culpable?

—No.

—Me alegro, porque no pienso hacerlo, ni tampoco pedir un cambio de jurisdicción. Esta es mi tierra, siempre lo ha sido, y también la de mis antepasados, y si la gente del condado de Ford quiere condenarme, sucederá al otro lado de la calle, en el juzgado.

John y Russell se miraron, frustrados. Pete dejó los papeles encima de la mesa de centro sin haber leído una palabra. Se encendió otro pitillo, cruzó las piernas, como si dispusiera de todo el tiempo del mundo y se volvió hacia John, como diciéndole «y ahora, ¿qué?».

Este cogió su copia del informe y la dejó caer de golpe en la mesita.

—Adiós a un mes de documentación y redacción legal de primer orden.

—Y me imagino que esperáis que pague por eso —contestó Pete—. Si me lo hubierais preguntado de entrada, podría haberos ahorrado todo ese trabajo. No me extraña que vuestra minuta sea tan alta.

A John le hervía la sangre y Russell estaba que echaba chispas mientras Pete fumaba plácidamente.

—Escuchad, chicos —prosiguió después de una pausa—, no me importa pagar las minutas, y menos aún después de haberme metido en este lío, pero... ¿cinco mil dólares? A ver, cultivo casi cuatrocientas hectáreas que requieren ocho meses de trabajo agotador por parte de treinta peones, y si tengo suerte, el tiempo acompaña, el precio de mercado se mantiene alto, el fertilizante es eficaz, los gorgojos del algodón no atacan y se presentan suficientes jornaleros para la recogida, cada tres o cuatro años obtendré una cosecha decente y tal vez consiga veinte mil dólares, una vez cubiertos todos los gastos. La mitad le pertenece a Florry. Eso me deja con diez mil, y vosotros queréis la mitad.

—Ese cálculo es conservador —señaló John sin vacilar. Su familia cultivaba más algodón que los Banning—. Nuestro primo ha tenido una cosecha muy buena, y tú también.

—Si nuestros honorarios te parecen excesivos, Pete, puedes contratar a otros. No somos los únicos abogados de la ciudad. Solo estamos haciendo lo posible por protegerte.

—Vamos, muchachos —dijo Pete—. Siempre habéis cuidado de mí y de mi familia. No me quejo de lo que me pedís, pero tal vez tarde un poco en juntar el dinero.

Tanto John como Russell sospechaban que Pete podía extender el cheque sin problemas, pero era un hacendado, después de todo, un colectivo con afición a escatimar hasta el último centavo. Por otro lado, los abogados eran comprensivos con él, porque con toda seguridad no volvería a dedicarse a la agricultura y, si no moría pronto en la silla eléctrica, fallecería mucho después en algún sórdido hospital penitenciario. Se enfrentaba a un futuro más que sombrío, así que no podían reprocharle que intentara ahorrar el máximo dinero posible.

Una secretaria dio unos golpecitos en la puerta y entró con un elegante servicio de café. Tras servirlo en tres tazas de porcelana, les ofreció leche y azúcar. Pete revolvió su mezcla con parsimonia, tomó un sorbo y apagó el cigarrillo.

—Bien, pasemos al siguiente tema —dijo John cuando ella se hubo marchado—. Tenemos que hablar de otra petición. Nuestra única defensa posible se basa en la enajenación mental transitoria. Si te declaran inocente, cosa harto improbable, será porque habremos conseguido convencer al jurado de que no estabas en tus cabales cuando apretaste el gatillo.

—Ya os he dicho que no quiero prestarme a eso.

—Y yo he tomado buena nota de ello, Pete, pero no se trata solo de lo que tú quieres, sino de las estrategias a las que podemos recurrir en el juicio. La demencia es nuestro único as en la manga. Y punto. Si lo descartamos, no nos queda otra que sentarnos en la sala del juzgado a escuchar como espectadores al fiscal mientras te despelleja vivo. ¿Es eso lo que quieres?

Pete se encogió de hombros como si le diera igual.

—Haced lo que tengáis que hacer, pero no voy a fingir que estoy loco.

—Hemos encontrado a un psiquiatra en Memphis que está dispuesto a examinarte y testificar a tu favor en el juicio. Es conocido y eficaz en estas situaciones.

—Pues debe de ser un chiflado de tomo y lomo si piensa decir que estoy loco —repuso Pete con una sonrisa, como si en cierto modo encontrara la situación divertida.

Ninguno de los otros dos le devolvió la sonrisa. John bebió un poco más de café mientras Russell se encendía otro cigarro. El aire estaba cargado no solo de humo sino también de tensión. Los abogados estaban dejándose la piel, pero su cliente no parecía apreciar ni su esfuerzo ni el aprieto en que se encontraba.

John carraspeó de nuevo y se removió en su asiento.

—Bueno, recapitulando, Pete, no tenemos defensa, ni excusas, ni explicación sobre lo ocurrido ni la posibilidad de trasladar el juicio a un entorno menos hostil. ¿Estás conforme con todo esto?

Por toda respuesta, Pete volvió a encogerse de hombros.

John comenzó a pellizcarse la frente como si le doliera. Hubo un momento de silencio.

—Hay otra cuestión, Pete, que deberías tener presente —dijo Russell al cabo de un rato—. Al investigar un poco los antecedentes de Dexter Bell, hemos descubierto algo interesante. Hace ocho años, cuando ejercía como pastor en una pequeña localidad de Luisiana, se produjo un incidente. La iglesia tenía una secretaria joven, de veinte años y recién casada, y parece que surgió una relación de algún tipo entre el pastor y ella. Hay muchos rumores y poca información sólida, pero enseguida destinaron a Bell a otro sitio. La secretaria y su marido se mudaron a Texas.

—Evidentemente, no hemos investigado tanto —agregó John— y tal vez sea imposible demostrar algo que nos sea útil. Por lo visto, el asunto se ha barrido bajo la alfombra.

—¿Se puede presentar eso ante el tribunal? —preguntó Pete.

—No sin alguna prueba adicional. ¿Quieres que indaguemos más?

—No, en mi defensa, no. No quiero que se mencione en mi juicio.

—¿Puedo preguntarte por qué, Pete? —inquirió John, frunciendo el ceño—. No nos estás dando nada con lo que trabajar. —Russell, de nuevo con exasperación, parecía a punto de salir de la habitación.

—He dicho que no —repitió Pete—. No volváis a sacar el tema.

Aunque seguramente la sala no admitiría las pruebas de que Dexter Bell era un mujeriego, sin duda contribuirían a explicar el móvil de su asesinato. Si se demostraba que se le iban los ojos, y que estos se habían fijado en Liza Banning cuando lloraba la pérdida de su esposo, el gran misterio quedaría resuelto. Pero estaba claro que Pete no tenía el menor interés en resolverlo. Se llevaría sus secretos a la tumba.

—Bueno, Pete, va a ser un juicio muy breve —dijo John—. No tenemos defensa ni testigos, nada que alegar ante el jurado. Supongo que despacharemos el asunto en cuestión de un día, más o menos.

—Como mucho —precisó Russell.

—Pues que así sea —concluyó Pete.

11

Tres días antes de Navidad, Joel cogió un tren en Union Station, en el centro de Nashville. En el vagón restaurante lo esperaba su encantadora hermana, vestida a la última. Stella, solo dieciocho meses más joven que su hermano, tenía diecinueve años, pero durante el último semestre había pasado de ser una adolescente de desarrollo tardío a convertirse en una joven preciosa. Se la veía más alta, y Joel no pudo evitar fijarse en las curvas de su delgada figura. Parecía una persona más madura, entera y sensata, y cuando encendió un cigarrillo, le recordó una actriz salida de la gran pantalla.

—¿Desde cuándo fumas? —le preguntó.

El tren estaba saliendo de la ciudad en dirección sur. Se encontraban sentados a una mesa del comedor, frente a sendas tazas de café. Los camareros iban y venían, ajetreados, tomando nota de los pedidos para el almuerzo.

—A escondidas, desde los dieciséis —respondió ella—. Igual que tú. En la universidad, la mayoría de las chicas empieza a fumar en público al cumplir los veinte, aunque sigue sin estar bien visto. Pensaba dejarlo, pero entonces Pete se emocionó con el gatillo. Ahora fumo más que nunca para calmar los nervios.

—Deberías dejarlo.

—¿Y tú qué?

—Yo también. Me alegro mucho de verte, hermana. No quiero empezar nuestro pequeño viaje hablando de Pete.

—¿Empezar? Yo llevo seis horas en este tren. He salido de Roanoke a las cinco de la mañana.

Pidieron comida y té helado, charlaron durante una hora sobre la vida en la universidad: las clases, sus profesores favoritos, sus amigos, sus planes para el futuro y el reto que suponía seguir adelante como si todo fuera normal pese a que tanto su padre como su madre estaban encerrados. Cuando se sorprendían divagando sobre la familia, cambiaban de tema de inmediato y hablaban del año entrante. Aunque a Joel lo habían admitido en la facultad de derecho de Vanderbilt, quería probar otro ambiente. También lo habían admitido en la universidad de Mississippi, pero eso estaba a solo una hora de Clanton, lo que, dadas las circunstancias, se le antojaba demasiado cerca de casa.

Stella, en mitad de su segundo curso, estaba ansiosa por pasar página. Hollins le encantaba, pero anhelaba vivir en el anonimato de una gran ciudad. En la universidad, todo el mundo la conocía y estaba al corriente de lo que había hecho su padre. Quería rodearse de desconocidos, de personas que no supieran de dónde era ni les importara. En el plano romántico, no había mucha actividad. Durante las vacaciones de Acción de Gracias, en Washington había conocido a un muchacho con el que había ido a bailar dos veces y una al cine. El chico estudiaba en Georgetown, incluso tenía una familia agradable y buenos modales, iba bien arreglado y le escribía cartas, pero no había verdadera chispa entre ellos. Le daría alas durante un mes más aproximadamente, luego le rompería el corazón. Joel le habló de sus progresos, que eran aún menos espectaculares. Había tenido alguna que otra cita, pero ninguna digna de mención. Alegó que en realidad no estaba disponible, pues lo esperaban tres años de estudios de derecho. Siempre había jurado que permanecería soltero hasta que cumpliera los treinta.

Por más que se esforzaban, no conseguían eludir el tema de conversación más obvio. Joel le contó al fin que su padre les había transferido la titularidad de las tierras como copropietarios tres semanas antes del asesinato. Tal vez Pete se creyera muy astuto, pero había sido una jugada muy estúpida. La acusación utilizaría las escrituras como prueba de que había planeado el crimen con todo detalle y había tomado medidas para proteger sus propiedades. Joel pasaba mucho tiempo en la biblioteca de la facultad de derecho y, cuanto más se documentaba, más negro le parecía el futuro. Según un amigo hijo de abogado, había muchas probabilidades de que Jackie Bell presentara una demanda por responsabilidad civil contra Pete Banning. Esto había llevado a Joel a dedicar horas a documentarse sobre pleitos. También estaba ahondando en el desagradable tema de las transferencias fraudulentas. Los abogados al servicio de los Bell podían atacar la escritura que les había otorgado su padre. En todo el condado regía una ley que prohibía que alguien que se enfrentaba a cargos civiles cediera sus bienes para no pagar indemnizaciones legítimas.

No obstante, Joel tenía fe en el bufete Wilbanks, no solo por su poderío legal, sino también por su astucia política. Notaba que a Stella le preocupaba la perspectiva de perder las tierras. Ya la había consumido el terror a perder a su padre. No tenía idea de qué sería de su madre. Y ahora tenía que hacer frente a aquello: la posibilidad de perderlo todo. En un momento dado, se le humedecieron los ojos y pugnó por contener las lágrimas. Joel consiguió tranquilizarla un poco explicándole que cualquier posible pleito podía zanjarse con un acuerdo favorable. Además, tenían asuntos más urgentes que tratar. Faltaban dos semanas para que comenzara el juicio de su padre. Y, conforme a sus órdenes, no permitirían a sus hijos acercarse al juzgado.

Cuando terminaron de almorzar, se dirigieron a un compartimento privado y cerraron la puerta. El tren, que había entrado ya en Mississippi, paraba en poblaciones como Corinth y Ripley. Stella se quedó dormida y despertó al cabo de una hora.

Volvían a casa porque su padre por fin se lo había pedido. Había esbozado por carta los parámetros de su visita navideña: debían llegar el 22 de diciembre, alojarse un máximo de tres días en la casa, mantenerse alejados del centro, no ir a la iglesia ni por asomo, limitar los contactos con amistades, no comentar asuntos familiares con nadie y pasar tiempo con Florry. Él se las arreglaría para compartir algo de tiempo en privado con ellos, pero no mucho.

Florry les había escrito también, como siempre, asegurándoles que había hecho planes por su cuenta y que les preparaba una gran sorpresa. Al anochecer, cuando llegaron a Clanton, estaba esperándolos en la estación. Lucía un vestido acorde con el espíritu festivo, de color verde subido y muy holgado, como una carpa diseñada para disimular su contorno. Le caía ondulante hasta los tobillos y brillaba bajo las tenues luces del andén. Llevaba un sombrero de fieltro rojo que solo un payaso de circo se habría atrevido a ponerse, y del cuello le colgaba una colección de baratijas que chacoloteaban cuando se movía. Al ver a Stella, soltó un bramido, se abalanzó hacia delante y estuvo a punto de derribarla con un abrazo de oso. Joel miró alrededor durante la acometida, y cuando le tocó el turno de ser achuchado, Florry tenía los ojos húmedos. Stella lloraba. Los tres se abrazaron mientras otros viajeros pasaban por su lado a toda prisa.

Los chicos habían vuelto a casa. La familia se hundía. Se aferraban unos a otros para darse apoyo. ¿Qué les había hecho Pete, por Dios santo?

Joel cargaba con las maletas mientras las mujeres caminaban del brazo, hablando animadamente y al mismo tiempo. Subieron al asiento trasero del Lincoln 1939 de Florry, sin dejar de parlotear, aunque Florry se interrumpió un momento para indicar a Joel que se sentara al volante. Él no puso objeciones. Había viajado lo suficiente como pasajero en el coche de su tía para conocer los peligros que entrañaba. Arrancó y se alejaron de Clanton a gran velocidad, sobrepasando todos los límites señalizados.

Mientras avanzaban como un trueno por la carretera 18, sin otros vehículos a la vista, Florry les informó de que iban a alojarse en la cabaña rosa y no en su casa. El interior de la cabaña estaba cubierto de adornos navideños, caldeado por un buen fuego e inundado del olor de la comida que preparaba Marietta. Su casa, en cambio, estaba prácticamente deshabitada, fría y a oscuras, sin el menor asomo de espíritu navideño, y además Nineva estaba deprimida y se pasaba el día allí encerrada, con cara mustia, hablando sola y llorando, al menos según Marietta.

Joel dobló por el camino de acceso, y dejaron de hablar conforme se acercaban al único hogar que Stella y él habían conocido. En efecto, estaba oscuro, sin vida, como si todos sus ocupantes hubieran muerto y el sitio hubiera quedado abandonado. El coche se detuvo, iluminando las ventanas de la fachada con los faros. Joel apagó el contacto y, por un momento, se impuso el silencio.

—Mejor no entremos —murmuró Florry.

—Hace un año estábamos todos ahí —dijo Joel—, juntos por Navidad. Papá había regresado de la guerra. Mamá, feliz y muy guapa, trajinaba por toda la casa, emocionada por tener a la familia reunida. ¿Te acuerdas de la cena de Nochebuena?

—Sí —respondió Stella en voz baja—, la casa estaba llena de invitados, entre ellos Dexter y Jackie Bell.

—¿Qué demonios nos ha pasado?

No había respuesta, así que nadie intentó ofrecer una. Junto a la casa se encontraba aparcada la camioneta de Pete, y a su lado, el sedán familiar, un Pontiac comprado antes de la guerra. Los vehículos estaban donde se suponía que debían estar, como si sus propietarios se hallaran en el interior de la casa, preparándose para irse a la cama, como si todo marchara con normalidad en la residencia de los Banning.

—Bueno, ya está bien —dijo Florry—. No vamos a pasarnos el día regodeándonos en el sufrimiento. Arranca y vámonos de aquí. Marietta ha puesto al fuego una olla de chili y está horneando una tarta de dulce de azúcar.

Joel se alejó de la casa marcha atrás y enfiló un camino de grava que daba un amplio rodeo en torno a los establos y cobertizos de la finca de los Banning. Pasaron junto a la casita blanca en la que vivían Nineva y Amos desde hacía décadas. Había una luz encendida, y Mack, el perro de Pete, los observaba desde el porche delantero.

—¿Cómo está Nineva? —preguntó Stella.

—Tan gruñona como siempre —respondió Florry. Sus rifirrafes con el ama de llaves de Pete habían cesado años atrás, cuando ambas habían decidido ignorarse la una a la otra—. En realidad, está preocupada, como todo el mundo. Nadie sabe qué depara el futuro.

—Como para no estar preocupado —farfulló Stella en alto.

Avanzaban despacio por un tramo oscuro del camino, flanqueado por campos interminables. Joel frenó de golpe y apagó tanto el motor como los faros.

—Muy bien, tía Florry —dijo sin volver la cabeza—. Estamos aquí, en medio de la nada, sin ningún curioso que pueda escucharnos. Solo nosotros tres, juntos y a solas por primera vez. Siempre estás mejor informada que los demás, así que suéltalo: ¿por qué mató Pete a Dexter Bell? Tiene que haber un buen motivo, y lo sabes.

Ella se quedó callada un buen rato, y cuanto más se prolongaba el silencio, más crecía la expectación de Stella y Joel. Por fin iba a revelar el gran misterio y a dar sentido a aquella locura.

—Os juro por Dios que no lo sé —dijo en cambio—. No tengo ni idea, y no estoy segura de que vayamos a entenderlo nunca. Vuestro padre es perfectamente capaz de llevarse sus secretos a la tumba.

—¿Estaba enfadado con Dexter, por algún desacuerdo o alguna disputa relacionada con la iglesia?

—Hasta donde yo sé, no.

—¿Tenían tratos comerciales de algún tipo? Sé que es una pregunta ridícula, pero ten paciencia conmigo, ¿vale? Intento descartar cualquier posible conflicto.

—Dexter era pastor metodista —dijo Florry—. No tengo conocimiento de ningún trato comercial.

—O sea que solo nos queda el motivo más obvio, ¿no? Nuestra madre era el único vínculo entre Dexter Bell y papá. Recuerdo aquellos primeros días en que lo dábamos por muerto. La casa estaba abarrotada de gente, tanta que yo sentía la necesidad que salir y dar largos paseos por la hacienda. Rezaban y leían la Biblia, y a veces me sentaba con ellos. Era horrible, y todos estábamos conmocionados, pero recuerdo a Dexter sereno, atento. ¿Tú no, Stella?

—Oh, sí, se portó muy bien con nosotros. Estaba allí a todas horas. A veces lo acompañaba su esposa, pero no nos consolaba tanto como él. Después de la conmoción inicial, la multitud se redujo y en cierto modo volvimos a la rutina.

—El país estaba en guerra. Morían hombres por todas partes. Conseguimos seguir adelante, mantener la esperanza y, sin dejar de rezar mucho, ocuparnos de nuestras cosas. ¡La vida continuaba, por Dios!

—La pregunta es: ¿cuánto tiempo pasaba Dexter en casa, Florry? —inquirió Joel—. Eso es lo que quiero saber.

—No tengo ni idea, Joel, y no sé si me gusta ese tono. Es acusatorio, y yo no he hecho nada malo ni oculto nada.

—Solo queremos respuestas —alegó él.

—Y tal vez no haya. La vida está llena de misterios sin respuestas garantizadas. Nunca sospeché que hubiera algo entre Dexter Bell y vuestra madre. De hecho, me escandaliza que lo insinúes. Jamás he oído a Marietta, a Nineva o a nadie, en realidad, comentar que hubiera el menor indicio de que ellos dos se entendieran. —Hizo una larga pausa para recuperar el aliento.

—Por favor, arranca, Joel, que me está entrando frío —le pidió Stella.

Él no hizo ademán ni de acercar la mano al contacto.

—Por otro lado —prosiguió Florry—, siempre he guardado las distancias con Liza, y por supuesto también con Nineva. No me imagino a Pete viviendo bajo el mismo techo que esas dos mujeres, pero no era asunto mío, claro.

A Joel le entraron ganas de contestar que, de hecho, la casa era bastante agradable, al menos antes de la guerra, cuando llevaban una vida normal. Stella, por su parte, pensó que siempre le había parecido que era tía Florry quien causaba problemas en la familia, aunque nunca lo diría en voz alta. Por otra parte, todo aquello había ocurrido antes de la guerra, en la época en que sus padres estaban más o menos de una pieza.

Joel se pellizcó el caballete de la nariz.

—Entiéndeme, no estoy acusando a mi madre de nada —dijo—. Desde luego no tengo pruebas, pero las circunstancias exigen que nos planteemos estas preguntas.

—Ya hablas como todo un abogado —señaló Stella.

—Cielo santo, Joel —espetó Florry—. Fuera hay cero grados, y me estoy helando. Vámonos.

El día de Nochebuena, al mediodía, mientras Nineva trajinaba en la cocina preparando al menos cinco platos al mismo tiempo, y Joel y Stella se esforzaban al máximo por incordiarla y hacerla reír, sonó el teléfono. Joel, el primero que alcanzó el aparato, saludó a Nix Gridley. No era una llamada inesperada. Después de colgar, le informó a Stella de que su padre llegaría a casa al cabo de una hora. Acto seguido fue en busca de la tía Florry.

Aunque cualquier hombre habría desmejorado tras diez semanas en la cárcel, Pete Banning daba la impresión de estar envejeciendo más deprisa que la mayoría. Tenía el cabello más canoso, y se le estaban extendiendo las arrugas de las comisuras de los ojos. A pesar de que Florry había tomado posesión de la cocina del centro, él se las había arreglado para parecer aún más delgado. Para algunos presos, por supuesto, el hecho de que hubieran transcurrido diez semanas significaba que se hallaban más cerca de la libertad. Para otros, como Pete, no habría libertad; por tanto, no había esperanza ni razón para mantener vivo el espíritu. Moriría entre rejas, de un modo u otro, fuera de su hogar. Para Pete Banning, la muerte comportaba ciertas ventajas. Una de ellas era física; tendría que convivir con el dolor hasta el fin de sus días, en ocasiones con un dolor muy fuerte, lo que no representaba una perspectiva muy halagüeña. Otra ventaja era mental; siempre lo acompañarían las imágenes de sufrimientos humanos indescriptibles, una carga que a veces lo arrastraba al borde de la locura. Casi cada hora, libraba una batalla encarnizada para intentar arrancárselas de la mente. Solo lo lograba muy de vez en cuando.

Al meditar sobre el futuro, Pete asumió que aquellas serían sus últimas Navidades. Convenció de ello a Nix y consiguió que le permitiera hacer una visita rápida a la hacienda. Hacía meses que no veía a sus hijos, y era posible que tardase mucho en verlos de nuevo. Aunque Nix se compadecía de él hasta cierto punto, también era incapaz de quitarse de la cabeza que los chicos Bell no volverían a ver a su padre. A medida que las semanas se sucedían pesadamente y el inicio del juicio se acercaba, Nix estaba cada vez más convencido de que Pete Banning tenía muy en contra a la opinión pública del condado. La admiración que tanto le había costado ganarse y que aún disfrutaba el año anterior se había evaporado en cuestión de segundos. Su proceso tampoco llevaría mucho tiempo.

Fuera como fuese, Nix accedió a dejar que pasara un rato en casa, una hora a lo sumo. A ningún otro recluso se le concedían esos beneficios, y Pete no debía contar a nadie de la cárcel adónde iba. Vestido con ropa de calle, viajaba en el asiento del acompañante junto a Nix, sin decir nada, como de costumbre, contemplando los campos cosechados. Cuando pararon detrás de su camioneta, Nix insistió en quedarse esperando en el coche, pero Pete se negó en redondo. Hacía un frío glacial, y dentro había café caliente.

Pete pasó media hora sentado a la mesa de la cocina, entre Stella y Florry. Nineva, de pie junto a los fogones, aunque secaba platos y realizaba otras tareas por el estilo, participaba en la conversación. Pete, relajado y feliz de ver a sus hijos, los acribilló a preguntas sobre los estudios y sus planes.

El sheriff Gridley estaba sentado solo en el salón, tomando café, hojeando una revista de agricultura y consultando de cuando en cuando el reloj. Al fin y al cabo, era Nochebuena y tenía que hacer algunas compras.

Pete se trasladó con los chicos de la cocina a su pequeño estudio, donde cerró la puerta para mayor privacidad. Se sentó junto a Stella en un pequeño sofá, y Joel acercó una silla de madera. Cuando abordó el tema del juicio, Stella ya estaba pugnando por contener las lágrimas. Él no tenía nada que alegar en su defensa y suponía que lo condenarían sin mucho esfuerzo. La incógnita era si el jurado recomendaría la pena de muerte o la cadena perpetua. Cualquiera de las dos le parecía bien. Había aceptado su destino y se enfrentaría a su castigo.

Stella lloró con más ganas todavía, pero Joel tenía preguntas. Sin embargo, Pete les advirtió que lo único que no podían preguntarle era por qué lo había hecho. Tenía buenos motivos, pero quedaban entre Dexter Bell y él. En más de una ocasión se disculpó por la vergüenza, la humillación y las dificultades que sabía que estaba causándoles, así como por dañar su buen nombre. Les pidió que lo perdonaran, pero no estaban preparados para ello. No podían mostrarse indulgentes mientras él no arrojara un poco de luz sobre lo que sucedía. Era su padre. ¿Quiénes eran ellos para perdonarlo? Además, ¿cómo iban a conceder la absolución, si el pecador no había confesado el móvil? Todo resultaba demasiado confuso y suponía una terrible carga emocional, por lo que llegó un momento en que incluso a Pete se le escapó alguna lágrima.

Cuando hubo transcurrido una hora, Nix llamó a la puerta y puso fin al pequeño reencuentro. Pete lo siguió hasta el coche patrulla para regresar a la cárcel.

Por el bien de sus hijos, Jackie Bell los llevó a la iglesia para asistir a los oficios de Nochebuena. Se sentaron con sus abuelos, que sonreían orgullosos de aquella bonita familia sin padre. Jackie se acomodó en un extremo del banco y, dos filas más atrás, estaba Errol McLeish, un metodista algo descarriado que iba a la iglesia de vez en cuando. Ella le había comentado que llevaría a los chicos a los oficios, y Errol se dejó caer como por casualidad también. Nada más lejos de su intención que acecharla; solo pretendía vigilarla desde cierta distancia. Ella estaba terriblemente herida, y con razón, y él era lo bastante inteligente para respetar su duelo. Tarde o temprano se le pasaría.

Al salir de la iglesia, Jackie y los chicos se encaminaron hacia la casa de los abuelos para disfrutar de una larga cena navideña y luego contarse historias ante el fuego. Mientras los niños desenvolvían sus regalos, Jackie los fotografiaba con su Kodak. Ya era tarde cuando regresaron a su pequeño dúplex. Ella los arropó en la cama y, para matar el tiempo, se pasó una hora tomando chocolate caliente junto al árbol, escuchando villancicos en el gramófono y batallando con sus emociones. Dexter debería haber estado allí, montando juguetes en silencio, compartiendo ese momento especial con ella. ¿Cómo podía haberse quedado viuda a los treinta y ocho años? Y, lo que era más apremiante, ¿cómo se suponía que iba a mantener a esos tres hermosos niños que dormían al otro lado del pasillo?

Durante los últimos diez años, por lo menos, había albergado dudas de que el matrimonio fuera a durar. Dexter era muy aficionado a las faldas y siempre se le iban los ojos. Se aprovechaba de su buena planta y su carisma, así como de su condición de pastor, para manipular a las feligresas más jóvenes. Ella nunca lo había pillado in fraganti, y él desde luego nunca había confesado, pero dejaba tras de sí una estela de sospechas. Clanton era la cuarta iglesia que le habían asignado, la segunda como pastor titular, y Jackie había estado más alerta que nunca. Como carecía de pruebas concluyentes, no se había encarado con él, pero ese día llegaría. ¿O tal vez no? ¿Conseguiría reunir el valor suficiente para dinamitar la familia y hacerla pasar por el infierno de un divorcio? Siempre había sabido que la culparían a ella. ¿Sería más fácil sufrir en silencio para proteger a los niños y el puesto de su marido? En sus momentos de mayor intimidad, la había embargado la angustia por aquellos conflictos.

Y, de pronto, se volvieron irrelevantes. Estaba soltera, libre del estigma de un divorcio. Sus hijos habían quedado marcados, pero el país estaba recuperándose de una guerra en la que habían muerto medio millón de estadounidenses. La contienda había dejado muchas familias marcadas, heridas, que pugnaban por superarlo, por rehacer su vida.

Al parecer, Dexter al fin había tonteado con la mujer equivocada, aunque Jackie no había sospechado de Liza Banning. Era bastante guapa y vulnerable, desde luego. Jackie la había observado y no había detectado nada fuera de lugar, pero para un hombre proclive a engañar a su esposa, todas las mujeres bonitas eran objetivos en potencia.

Jackie se enjugó una lágrima, suspirando por su marido. Lo querría siempre, y la profundidad de su amor hacía que las sospechas resultaran aún más dolorosas. Detestaba ese amor, odiaba a Dexter por ello y, en ocasiones, se odiaba a sí misma por no haber sido lo bastante fuerte para dejarlo. Pero esos días habían quedado atrás, ¿no? Ya nunca volvería a ver a Dexter alejarse en el coche para visitar a un enfermo, preguntándose adónde se dirigía en realidad. Ya nunca volvería a consumirla el recelo mientras él daba consejo a alguien a puerta cerrada en su despacho. Ya nunca volvería a fijarse en el trasero de una señorita en la iglesia y a preguntarse si Dexter estaría admirándolo también.

Las lágrimas cedieron el paso a unos sollozos incontrolables. ¿Lloraba de pena, añoranza, ira o alivio? No lo sabía, y tampoco le encontraba sentido. Cuando el disco terminó, fue a la cocina a por otra cosa de beber. Sobre la encimera había un pastel de varias capas con glaseado rojo, un postre navideño que había llevado Errol McLeish para los niños. Cortó una porción, se sirvió un vaso de leche y regresó al cuarto de estar.

Era tan atento...

12

Después de un copioso desayuno tardío a base de beicon, tortilla y panecillos de suero de leche, se despidieron de Marietta en la casita rosa, y de todas las aves, gatos y perros, cargaron el equipaje en el coche y subieron a él para emprender el viaje por carretera. Joel volvía a hacer las veces de chófer, un puesto a todas luces fijo, dado que ninguna de las dos señoras del asiento de atrás se había ofrecido a ayudar. Hablaban entre ellas sin parar, soltando risitas y distrayendo al conductor. La emisora WHBQ de Memphis no ponía más que canciones navideñas, pero Joel se vio obligado a subir el volumen para oírlas. Las chicas se quejaron de lo fuerte que estaba la música. Él se quejó de su barullo incesante. Todos se rieron, y el viaje por carretera tuvo un gran comienzo. Dejar atrás el condado de Ford supuso todo un alivio.

Tres horas después, cuando llegaron ante la imponente verja del hospital estatal de Mississippi, en Whitfield, el estado de ánimo en el interior del coche cambió de forma radical. Hacía siete meses que habían enviado allí a Liza, y apenas tenían noticias de su tratamiento. Le habían escrito cartas, pero no habían recibido respuesta. Aunque sabían que Pete había hablado con sus médicos, no les había contado una palabra de sus conversaciones, como era de esperar. Florry, Joel y Stella suponían que Liza estaba al tanto del asesinato de Dexter Bell, pero no lo sabrían con certeza hasta que hablaran con los médicos. Era de todo punto posible que estuvieran ocultándole la atroz noticia para protegerla. Para variar, Pete tampoco les había dicho nada al respecto.

Después de hacerles rellenar unos papeles, un guardia uniformado les dio algunas indicaciones, y la verja se abrió, girando sobre sus goznes. Whitfield, el único hospital psiquiátrico del estado, era un extenso conglomerado de edificios que ocupaba cientos de hectáreas. Aunque lo describían como complejo hospitalario, más bien parecía una finca antigua y suntuosa, y estaba rodeado por campos, bosques y florestas. Más de tres mil pacientes vivían allí, junto con quinientos empleados. Había instalaciones separadas para blancos y negros. El coche pasó por delante de una oficina de correos, un hospital, una panadería, un lago, un campo de golf y el ala a la que enviaban a los alcohólicos. Con ayuda considerable por parte de las pasajeras del asiento trasero, Joel localizó al fin el edificio donde se alojaba su madre y aparcó cerca.

Se quedaron un rato sentados en el automóvil parado, contemplando la majestuosa estructura.

—¿Tenemos alguna idea de qué le han diagnosticado? —preguntó Stella—. ¿Depresión, esquizofrenia o una crisis nerviosa? ¿Oye voces? ¿O es solo que Pete la quería fuera de casa?

Florry negaba con la cabeza.

—La verdad es que no lo sé. Su estado empeoró muy deprisa, y Pete me pidió que no me acercara a la casa. Hemos mantenido algunas conversaciones así.

Los problemas comenzaron cuando, al cruzar la puerta principal, una recepcionista les preguntó de malos modos si habían concertado una cita. Sí, le explicó Florry: ella misma había llamado hacía dos días y había hablado con una tal señora Fortenberry, administradora del edificio cuarenta y uno, donde se encontraban en ese momento. La recepcionista repuso que la señora Fortenberry tenía el día libre porque, al fin y al cabo, era Navidad. Florry contestó que sabía perfectamente qué día era, y que los dos jóvenes que la acompañaban eran los hijos de Liza Banning, que querían ver a su madre en aquella fecha señalada.

La recepcionista desapareció durante largo rato. Cuando regresó, la acompañaba un señor que se presentó como el doctor Hilsabeck. Él los invitó de mala gana a seguirlo y los guio por el pasillo hasta un pequeño despacho con solo dos sillas para las visitas. Joel se quedó de pie junto a la puerta. A pesar de la bata de laboratorio blanca que llevaba, les pareció que el aspecto de Hilsabeck no correspondía al de un médico, aunque tampoco tenían mucha experiencia con psiquiatras. No inspiraba confianza con su cabello lacio y brillante, voz chillona y mirada furtiva. Una vez acomodado, colocó una carpeta en el centro de su escritorio.

—Me temo que hay un problema. —Hablaba con un repelente acento del norte que destilaba condescendencia. Además, el apellido Hilsabeck no era originario de ninguna región sureña.

—¿Qué clase de problema? —quiso saber Florry. Ya había llegado a la conclusión de que no le gustaba el edificio cuarenta y uno ni las personas que lo dirigían.

Hilsabeck alzó las cejas pero no los ojos, como si prefiriera evitar el contacto visual directo.

—No puedo hablar de la paciente con ustedes. Los médicos tenemos instrucciones de su tutor legal, el señor Pete Banning, de no atender a consultas de nadie excepto él.

—¡Es mi madre! —exclamó Joel, enfadado—. Y quiero saber cómo se encuentra.

Inmutable ante aquel arranque, Hilsabeck se limitó a mostrarle una hoja de papel como si se tratara del Evangelio.

—Es una orden judicial firmada por el juez del condado de Ford. —Mantenía la vista puesta en el documento mientras hablaba, evitando de nuevo mirar a su interlocutor a los ojos—. Es la orden de internamiento, que acredita la tutela legal de Pete Banning sobre Liza Banning y establece con claridad que los médicos no debemos hablar de ningún asunto relativo a su tratamiento con nadie salvo él. Cualquier visita por parte de familiares o amigos debe recibir la aprobación previa de Pete Banning. De hecho, el señor Banning telefoneó ayer por la tarde. Hablé unos minutos con él, y me recordó que no había autorizado ninguna visita a su tutelada. Lo siento, pero no puedo hacer nada.

Los tres se miraron con incredulidad. Se habían reunido con Pete durante una hora el día anterior en la residencia de los Banning. Joel y Stella le habían preguntado por su madre y, al no recibir respuesta, no habían mencionado su intención de visitarla.

Joel fulminó a Florry con la mirada.

—¿Le avisaste de que vendríamos?

—Para nada. ¿Y vosotros?

—No. Habíamos hablado de ello y decidimos guardarlo en secreto.

Hilsabeck cerró la carpeta.

—Lo siento mucho. No depende de mí.

Stella se tapó el rostro con las manos y rompió a llorar. Florry le dio unas palmaditas en la rodilla.

—Hace siete meses que no ven a su madre —le gruñó a Hilsabeck—. Están muy preocupados por ella.

—Lo siento mucho.

—¿Puede decirnos cómo está, por lo menos? —preguntó Joel—. ¿Tendrá ese mínimo de decencia?

Hilsabeck se puso de pie, carpeta en mano.

—No toleraré que se me insulte. La señora Banning se encuentra mejor. Es todo lo que puedo decir por el momento. Y ahora, si me disculpan... —Rodeó el escritorio, pasó por encima de los pies de Joel y se escurrió por la puerta.

Stella se secó las mejillas con el dorso de la mano, respirando hondo. Florry, que la observaba, la tomó de la mano.

—Qué hijo de puta —farfulló Joel entre dientes.

—¿Cuál de ellos? —inquirió Florry.

—Tu hermano. Sabía que vendríamos.

—¿Cómo ha podido hacer una cosa así? —inquirió Stella.

Dejaron la pregunta flotando en el aire largo rato. ¿Cómo había podido? ¿Acaso ocultaba algo? ¿Era posible que Liza no padeciera ningún trastorno mental pero la hubieran encerrado allí porque su esposo estaba enfadado con ella? No habría sido la primera vez que ocurría algo así. A una amiga de la infancia de Florry la habían ingresado cuando atravesaba una menopausia difícil.

O tal vez Liza estuviera enferma de verdad. Había sufrido una crisis nerviosa grave al enterarse de que Pete estaba desaparecido y lo daban por muerto, y quizá no se había recuperado del todo. Pero ¿por qué iba a pretender él protegerla de sus propios hijos?

¿Y si el loco era Pete? A lo mejor había quedado marcado por la guerra y, cuando había perdido la cabeza por completo, había matado a Dexter Bell. En ese caso, sería inútil intentar entender sus actos.

Los sobresaltaron unos golpes suaves en la puerta. Al salir del despacho, se encontraron con dos guardias de seguridad uniformados pero sin armas. Uno de ellos sonrió y señaló el pasillo con un gesto. Los guardias los siguieron hasta el exterior del edificio y los observaron mientras se alejaban en el coche.

Cuando pasaban junto al río, Joel se fijó en un pequeño parque con bancos y un quiosco. Giró y avanzó en esa dirección. Sin decir una palabra, paró el vehículo, se apeó, cerró la puerta y, tras encender un cigarrillo, se encaminó hacia una mesa de picnic al pie de un roble sin hojas. Contempló las tranquilas aguas y la hilera de edificios que se alzaban al otro lado. Stella se le acercó para pedirle un cigarrillo. Apoyados en la mesa, fumaron en silencio. Florry llegó al cabo de un momento, y, aguantando el frío, los tres cavilaron sobre qué hacer a continuación.

—Deberíamos regresar a Clanton, ir a la cárcel, encararnos con él y exigirle que nos deje ver a mamá.

—¿Crees que daría resultado? —repuso Florry.

—Puede que sí, puede que no. No lo sé.

—No digas tonterías —espetó Stella—. Siempre va un paso por delante de nosotros. Y aquí estamos, mirando un lago en lugar de visitar a mamá. No pienso regresar a Clanton ya.

—Yo tampoco —dijo Florry—. Tenemos reserva en el barrio francés, y allí es a donde voy a ir. El coche es mío.

—Pero no tienes carnet —señaló Joel.

—Eso nunca ha sido un impedimento. De hecho, en una ocasión fui conduciendo hasta Nueva Orleans. Ida y vuelta, sin el menor problema.

—Vamos —convino Stella—. Nos merecemos un poco de diversión.

Cinco horas después, Joel salió de Canal Street girando por Royal. El barrio francés estaba lleno de vida por las fiestas, y los vecinos y turistas que abarrotaban las aceras caminaban a toda prisa, ansiosos por cenar o por llegar a algún club. Tanto los edificios como las farolas estaban decorados con luces navideñas. En la esquina con Iberville, Joel se detuvo frente al majestuoso hotel Monteleone, el de mayor categoría del barrio. Un botones cargó con las maletas mientras un aparcacoches desaparecía con el automóvil de Florry. Atravesaron con paso tranquilo el elegante vestíbulo hacia lo que parecía otro mundo.

Tres años antes, en el momento álgido de la guerra, cuando la familia estaba convencida de que Pete había muerto pero aun así rezaba por un milagro, Florry había persuadido a Liza de que le permitiera llevarse a los chicos de viaje por Año Nuevo. De hecho, había invitado a la propia Liza, pero esta había rehusado, alegando que no estaba de humor para celebraciones. Florry, que ya se imaginaba que se negaría, se sintió aliviada cuando se confirmaron sus suposiciones. De modo que subieron al tren sin ella en Clanton y, tras un viaje de seis horas, llegaron a Nueva Orleans, donde pasaron tres días memorables paseando por el barrio francés, un lugar que Florry adoraba y conocía bien. Su base era el hotel Monteleone. Una noche, cuando ella estaba bebiendo ginebra, Joel tomaba unos sorbos de bourbon y Stella comía bombones en el popular bar del hotel, Florry les había hablado de su sueño dorado de vivir en el barrio francés, lejos del condado de Ford, en otro ambiente, donde escritores, poetas y dramaturgos vivían, trabajaban y organizaban cenas. Anhelaba hacer realidad su sueño, pero a la mañana siguiente pidió perdón por beber demasiado y decir tantas bobadas.

Esa Nochebuena, cuando llegó con sus sobrinos, hicieron llamar al gerente. Este les brindó un recibimiento cordial y les ofreció una copa de champán. Tras confirmar una reserva para cenar a las nueve, se retiraron a sus habitaciones para arreglarse.

Mientras tomaban un cóctel, Florry les expuso las directrices de su estancia allí, que a grandes rasgos se reducían a la promesa de no hablar de su padre ni de su madre durante los cuatro días siguientes. Joel y Stella aceptaron de buen grado. Florry había consultado al conserje para averiguar qué se cocía en la ciudad y descubrió que había mucho que explorar: un club de jazz que acababan de abrir en Dauphine, una producción de Broadway en el Moondance y varios restaurantes nuevos que prometían. Además de vagar por el barrio, admirar las antigüedades francesas en Royal y los espectáculos callejeros en Jackson Square, tomar achicoria con *beignets* en la terraza de cualquiera de la decena de cafeterías, caminar a lo largo del dique al lento ritmo del tráfico fluvial e ir de compras por Maison Blanche, siempre había algo nuevo que hacer en la ciudad.

Por supuesto, habría una larga mesa puesta en la casa de Chartres Street, donde la señorita Twyla los estaría esperando. Era una vieja y querida amiga de Florry, de la época en que había vivido en Memphis. Al igual que ella, era una poeta que escribía mucho y publicaba poco. Por otro lado, Twyla tenía la ventaja de haberse casado bien. Cuando su marido falleció joven, ella se convirtió en una viuda rica que prefería la compañía femenina a la masculina. Se marchó de Memphis en la misma época en que Florry construyó la casita rosa y regresó a su tierra.

Para la cena, se sentaron a una de las mejores mesas del elegante comedor, rodeados de gente bien vestida, en armonía con el espíritu navideño. Camareros con chaqueta blanca les llevaban bandejas de ostras crudas y les servían Sancerre helado. A medida que el vino los relajaba, comenzaron a mofarse de los otros comensales y a reír a carcajadas. Florry les anunció que había extendido la reserva a una semana entera. Si se sentían con ánimos, podían recibir el Año Nuevo con un bullicioso baile en el suntuoso salón del hotel.

El condado de Ford quedaba muy lejos.

13

El lunes 6 de enero de 1947, a las cinco de la mañana, Ernie Dowdle salió de su estrecha casa de una planta en Lowtown y echó a andar hacia las vías del tren propiedad de Illinois Central. Hacía cerca de cero grados, una temperatura acorde con la estación, según el calendario agrícola que Ernie tenía en la cocina. El tiempo, sobre todo en pleno invierno, constituía una parte importante de su trabajo.

El viento del noroeste arreció, de modo que, veinte minutos después, cuando llegó al juzgado tenía los dedos de las manos y los pies congelados. Como solía hacer, se detuvo a admirar el antiguo y señorial edificio, la mayor estructura del condado, y se dejó invadir un poco por el orgullo. Su trabajo consistía en caldearlo, llevaba quince años haciéndolo y a él, Ernie Dowdle, se le daba muy bien.

Aquel no sería un día común y corriente. Estaba a punto de empezar el juicio más sonado que recordaba, y la sala de la primera planta no tardaría en llenarse. Introdujo la llave en la cerradura de la puerta de servicio, en la cara norte del edificio, la cerró tras de sí, encendió la luz y bajó las escaleras hasta el sótano. En la sala de calderas, llevó a cabo su ritual invernal de revisar los cuatro quemadores, solo uno de los cuales había dejado encendido durante el fin de semana. Mantenía la temperatura de todo el edificio a poco menos de cinco grados, lo suficiente para proteger las cañerías. A continuación, comprobó los indicadores de los depósitos de combustible de mil quinientos litros. Los había llenado el viernes, en previsión del juicio. Retiró la placa de la salida de humos y echó un vistazo al interior. Una vez satisfecho respecto al buen funcionamiento del sistema, encendió los otros tres quemadores y aguardó a que subiera la temperatura de la caldera de vapor situada por encima.

Mientras esperaba, montó una mesa con tres cajas de refrescos, se sentó y, sin quitar ojo a los medidores e indicadores, se puso a comer un panecillo que había horneado su esposa la noche anterior. Usaba con frecuencia aquella mesa para desayunar y almorzar, y cuando había poco que hacer, sacaba un tablero de damas para echar un par de partidas con Penrod, el conserje. Se sirvió un poco de café de un viejo termo y, mientras tomaba un sorbo, pensó en el señor Pete Banning. Aunque no lo conocía en persona, un primo suyo vivía en la hacienda Banning y trabajaba en los campos. Durante los últimos años, o incluso décadas, varios familiares de Ernie habían sido peones de campo y la mayoría estaban enterrados cerca de las tierras de los Banning. Ernie se consideraba afortunado por haber escapado de la vida rural. Había logrado hacerse un hueco en la ciudad y conseguido un empleo mucho mejor que no tenía nada que ver con recoger algodón.

Como casi todos los negros del condado de Ford, Ernie estaba fascinado por el asesinato de Dexter Bell. Después de que ocurriera, la creencia generalizada era que un hombre tan ilustre como Pete Banning nunca sería procesado. Si un negro asesinaba a otro negro, se hacía justicia de forma arbitraria, y solo por parte de hombres blancos. Cuestiones como el móvil, la posición social, el grado de embriaguez o los antecedentes penales se consideraban importantes, pero el factor determinante era, por lo general, la persona para quien trabajaba el acusado. Con el jefe adecuado, uno podía salir bien parado con apenas unos meses en la cárcel del condado. Sin jefe, podía acabar en la silla eléctrica.

Una vez quedó claro que el señor Banning sería juzgado por un jurado compuesto por sus pares, nadie, al menos en Lowtown, creía que recibiría condena ni castigo. Le salía el dinero por las orejas, y el dinero servía para contratar abogados con mucha labia, sobornar al jurado, influir en el juez. Los blancos sabían cómo utilizar el dinero para conseguir lo que quisieran.

Lo que a Ernie le resultaba más interesante del caso era que no hubiese personas de color implicadas. No podrían culpar a ninguna. No había chivos expiatorios negros. Un delito grave con una víctima blanca siempre conducía a la detención de los sospechosos habituales negros, pero esa vez no. Aquello no había sido más que una gresca entre blancos de toda la vida, y Ernie intentaría no perderse ni un detalle del juicio. Como todo el mundo, quería saber por qué lo había hecho Banning. Estaba convencido de que implicaba a una mujer.

Se terminó el panecillo y observó los indicadores. La caldera ya estaba generando vapor, lista para usarse. Cuando la temperatura alcanzó los ochenta grados, tiró con suavidad de las palancas para liberar el vapor. Este circulaba por un laberinto de tuberías conectadas con los radiadores de todas las habitaciones del juzgado. Reguló los quemadores sin dejar de comprobar los indicadores. Satisfecho, subió a la primera planta por la escalera de servicio y salió por una puerta situada junto a la tribuna del jurado. La sala estaba fría y a oscuras. Encendió una luz; el resto tendría que esperar a que dieran las siete en punto. Caminó a lo largo del banquillo y las filas de asientos hasta una pared donde un radiador de hierro forjado negro cobraba vida entre traqueteos. El vapor bombeado desde abajo estaba penetrando en él, despidiendo la primera oleada de aire caliente en aquel ambiente gélido. Ernie sonrió, orgulloso de que el sistema de cuyo mantenimiento se ocupaba con tanto mimo funcionara.

Eran las seis y media, y, dado el tamaño de la sala, con el techo de diez metros, la galería y las viejas ventanas que no cerraban bien, Ernie calculó que los seis radiadores tardarían más de una hora en aumentar la temperatura a poco más de veinte grados. El juzgado abría las puertas principales a las ocho, pero Ernie sospechaba que los habituales, los funcionarios, los empleados y seguramente algunos abogados, empezarían a colarse por las puertas laterales antes de esa hora, ansiosos por presenciar el comienzo del juicio.

El juez Rafe Oswalt llegó a las ocho menos cuarto y se encontró a Penrod barriendo el suelo de su despacho, detrás de la sala. Intercambiaron las cortesías de rigor, pero Penrod sabía que el magistrado no estaba de humor para trivialidades. Un momento después, Ernie Dowdle pasó para saludar y preguntar a su señoría por la temperatura. Era perfecta, como siempre.

John Wilbanks y su hermano Russell llegaron para ejercer la defensa. Tomaron posesión de su mesa, la más alejada de la tribuna del jurado, y la cubrieron de gruesos libros de leyes, carpetas y otros enseres de abogados. Con sus elegantes trajes oscuros y corbatas de seda, presentaban el aspecto de letrados prósperos y triunfadores que todos en el pueblo esperaban de ellos. Miles Truitt hizo acto de presencia en representación del estado, junto con Maylon Post, ayudante del fiscal del distrito, un novato recién graduado por la facultad de derecho de la universidad de Mississippi. Truitt y John Wilbanks se estrecharon la mano y entablaron una conversación amistosa mientras veían como iba creciendo la multitud.

Nix Gridley llegó con sus dos hombres, Roy Lester y Red Arnett, los tres con uniformes a juego, limpios y planchados, y con una gruesa capa de betún negro brillante en las botas. Para la ocasión, el sheriff había nombrado ayudantes a dos voluntarios a quienes había provisto de armas, uniformes e instrucciones estrictas de mantener el orden en la sala. Nix iba de un lado a otro, charlando con los funcionarios, riéndose con los abogados y saludando con una inclinación de la cabeza a los candidatos al jurado que reconocía.

A los espectadores les indicaban que se sentaran en el lado izquierdo o sur de la sala, y los bancos de esa zona comenzaron a llenarse poco después de que se abrieran las puertas. Entre los curiosos había algunos periodistas a los que habían asignado asientos de primera fila.

A la derecha, Walter Willy, el alguacil, reunía a los citados. El juez Oswalt y el secretario del tribunal del circuito habían seleccionado a setenta personas inscritas en el censo y les habían enviado una citación dos semanas antes. A catorce los habían descartado por diversas razones. Los candidatos que quedaban miraban alrededor, nerviosos, sin saber muy bien si sentirse honrados por haber sido elegidos o aterrados por tener que participar en un caso tan sonado. Aunque las citaciones no ofrecían el menor indicio de quién sería el acusado, el condado entero sabía que se trataba de Pete Banning. De los cincuenta y seis restantes, solo uno había participado antes en un jurado. Los juicios de esa magnitud eran infrecuentes en el Mississippi rural. Todos los candidatos eran blancos; únicamente tres eran mujeres.

Por encima de ellos, la galería superior empezaba a llenarse de negros, y solo negros. Las señales de los pasillos del juzgado dejaban clara la segregación en los servicios, las fuentes, las entradas a los despachos y la sala. Penrod, un hombre de cierta posición, estaba barriendo el suelo de la galería y explicando a otros cómo funcionaba el sistema judicial. Aquel era su terreno. Había presenciado otros juicios y estaba bastante informado. Ernie subía y bajaba por la escalera, parando de vez en cuando en la galería para coquetear con alguna señorita. Hop, de la iglesia metodista, era el hombre del momento en la galería, porque sería llamado a declarar. Era el testigo más importante del estado, y se aseguraba de que los suyos lo supiesen. Le deseaban lo mejor.

A las nueve en punto, Walter Willy, que había sido alguacil voluntario desde que todo el mundo tenía memoria, se dirigió a su puesto delante del estrado, se colocó en posición de firmes, o al menos en su versión de la misma, y bramó:

—¡En pie ante el tribunal! —Su agudo chillido sobresaltó a los que nunca habían oído su voz, y todos se apresuraron a levantarse cuando el juez Oswalt salió por la puerta situada detrás del estrado.

Walter Willy echó la cabeza hacia atrás y, con la vista en el techo, continuó gritando como si cantara al estilo tirolés.

—¡Atención, el tribunal del circuito del vigésimo segundo distrito judicial del gran estado de Mississippi abre la sesión! Preside el honorable Rafe Oswalt. Que todos los que tengan asuntos que tratar con este tribunal pasen al frente de la sala. ¡Que Dios bendiga Estados Unidos y el estado de Mississippi!

No era necesario emplear estas fórmulas, que no figuraban en ningún artículo del código, norma procesal, orden judicial o punto del reglamento. Cuando, años atrás, Walter Willy había accedido al cargo de alguacil permanente del tribunal, cosa que nadie recordaba con exactitud cómo había ocurrido, había dedicado mucho tiempo a perfeccionar su llamada al orden, que había pasado a ser una parte aceptada de la apertura de sesión. En el fondo, al juez Oswalt le daba igual; los abogados, sin embargo, la detestaban. Con independencia de la importancia de la vista o el juicio, Walter siempre estaba allí para proferir su estridente llamada a ponerse en pie.

Otro elemento de su número era el uniforme, de confección casera. La camisa y pantalón a juego, de tonalidad caqui oliva, no se parecían en absoluto a lo que llevaban los auténticos ayudantes del sheriff, y su madre le había bordado el nombre encima del bolsillo con letras de color amarillo vivo. También le había cosido unos parches sin ton ni son en las mangas. Walter lucía una reluciente placa dorada que había encontrado en un mercadillo en Memphis, y un cinturón de munición negro con una hilera de cartuchos brillantes, con lo que daba la impresión de que quizá fuera de los que disparaban primero y preguntaban después. Sin embargo, no podía, pues carecía de arma. Nix Gridley se había negado en redondo a nombrarlo ayudante y no quería tener nada que ver con Walter Willy ni con su rutina.

El juez Oswalt lo toleraba con cierto sentido del humor porque era inofensivo y añadía un toque de color a la anodina sala y el aburrido discurrir de las sesiones.

—Por favor, tomen asiento —dijo tras sentarse en el estrado, y se acomodó la toga negra en torno al cuerpo. Contempló a la multitud. Tanto la zona inferior de la sala como la galería estaban abarrotadas. En los diecisiete años que llevaba ejerciendo como juez, nunca había visto a tanta gente en aquella sala. Se aclaró la garganta y añadió—: Bien. Buenos días y bienvenidos. Solo tenemos un caso en la lista de esta semana. Sheriff, ¿puede hacer pasar al acusado?

Nix estaba esperando junto a una puerta lateral. Asintió con la cabeza, abrió la puerta y, al cabo de unos segundos, reapareció con Pete Banning, que caminaba despacio, sin esposas, con la cabeza alta y expresión despreocupada, pero la vista baja. Parecía ajeno al gentío que permanecía atento a todos sus movimientos. Pete detestaba las corbatas, y llevaba una americana oscura sobre una camisa blanca. John Wilbanks había resaltado la importancia de que se pusiera un traje en señal de respeto hacia el tribunal. Pete le había preguntado cuántos miembros del jurado irían trajeados, y cuando el abogado respondió que seguramente ninguno, la cuestión había quedado zanjada. En realidad, a Pete le importaba un comino su atuendo, el del jurado y el de quien fuera.

Sin dirigir una sola ojeada al público, ocupó su asiento a la mesa de la defensa, se cruzó de brazos y posó los ojos en el juez Oswalt.

Florry se encontraba tres filas por detrás, en la punta de un banco. Junto a ella estaba Mildred Highlander, su mejor amiga en la ciudad y la única que se había ofrecido a acompañarla durante todo el juicio. Había discutido con Pete sobre el hecho de que asistiera. Él se oponía de pleno. Florry estaba decidida a presenciarlo todo. Quería estar enterada de cuanto ocurriera, no solo por su propio interés, sino también para informar a Joel y a Stella. Además, suponía que no habría casi nadie más apoyando a Pete. Y no se equivocaba. A diestro y siniestro, recibía miradas hoscas por parte de metodistas furiosos.

—En el caso del estado de Mississippi contra Pete Banning, ¿qué tiene que decir el estado?

Miles Truitt se puso en pie con aire resuelto.

—Señoría, el estado de Mississippi está preparado para el juicio.

—¿Y qué tiene que decir la defensa?

Se levantó John Wilbanks.

—La defensa también lo está.

Cuando ambos se sentaron, el juez Oswalt se volvió hacia los candidatos al jurado.

—Bien, hemos citado a setenta de ustedes como jurados preseleccionados. Uno ha fallecido, a tres no hemos podido localizarlos y a otros diez los hemos descartado y enviado a casa. De modo que ahora contamos con un grupo de cincuenta y seis. Según me informa el alguacil, los cincuenta y seis están presentes, son todos mayores de dieciocho años y menores de sesenta y cinco, y no padecen problemas de salud que les impidan ejercer como jurados. Se les ha asignado un orden numérico, y así me dirigiré a ustedes.

De poco habría servido explicar que los diez considerados no aptos eran analfabetos a efectos prácticos y habían sido incapaces de responder a un cuestionario básico.

El juez Oswalt revolvió unos papeles hasta que encontró el auto de procesamiento y lo leyó en voz alta. Los hechos expuestos, según las leyes de Mississippi, eran constitutivos de asesinato en primer grado, delito penado con cadena perpetua o muerte en la silla eléctrica. Tras presentar a los cuatro abogados, les ordenó que se pusieran en pie. A continuación, presentó al acusado, pero cuando pidió a Pete que se levantara, este se negó. No movió un músculo, como si ni siquiera lo hubiera oído. Aunque esto irritó al juez Oswalt, el hombre decidió pasar por alto el desaire.

No fue un gesto afortunado, y John Wilbanks se propuso leer la cartilla a su cliente durante el primer receso. ¿Qué pretendía Pete con aquella falta de respeto?

Acto seguido, el magistrado se extendió en una farragosa descripción tanto de la presunta víctima de asesinato como del presunto asesino. En el momento de su muerte, hacía cinco años que Dexter Bell ejercía como pastor de la iglesia metodista de Clanton, y como tal era un miembro activo de la comunidad. Era un personaje conocido, al igual que el acusado. Pete Banning había nacido en el condado de Ford, en el seno de una familia destacada, etcétera.

Una vez finalizado el preámbulo, el juez Oswalt preguntó a los candidatos al jurado si alguno compartía lazos de sangre o de parentesco por matrimonio con Dexter Bell o Pete Banning. Nadie se movió. A continuación preguntó si alguien se consideraba amigo personal de Pete Banning. Se levantaron dos hombres. Ambos explicaron que eran viejos amigos y que no podían juzgar a Pete, con independencia de lo que indicaran las pruebas. Los dos fueron eximidos y salieron de la sala. El magistrado preguntó entonces cuántos tenían amistad con algún pariente cercano de Pete Banning, y nombró a Liza, Florry, Joel y Stella. Se levantaron seis personas. Un joven declaró que había acabado el instituto con Joel. Otro dijo que su hermana era amiga de Stella y la conocía bien. Un tercero conocía a Florry de años atrás. El juez Oswalt los interrogó por extenso uno a uno y les preguntó si se creían capaces de aplicar un criterio justo e imparcial. Los seis le aseguraron que, si bien eran amigos de los Bell, podían mostrarse imparciales. Como John Wilbanks no quedó convencido, tomó nota mental para recusarlos más tarde.

Con la guerra tan reciente y los recuerdos de la misma tan vívidos todavía, el juez sabía que no le quedaba otra opción que abordarla de frente. Sin apenas entrar en antecedentes, describió a Pete Banning como un oficial del ejército altamente condecorado que había sido prisionero de guerra. Preguntó cuántos veteranos de la contienda había entre los preseleccionados. Se levantaron siete hombres, y los fue llamando por su nombre para formularles preguntas. Todos y cada uno afirmaron que podían dejar a un lado cualquier sesgo o favoritismo para obedecer las leyes y las órdenes del tribunal.

En la guerra habían muerto once hombres del condado de Ford, y tanto el juez Oswalt como el secretario del circuito habían hecho lo posible por excluir a esas familias de la preselección.

Centrándose en el otro lado de la cuestión, el juez Oswalt preguntó si había miembros de la iglesia de Dexter Bell. Tres hombres y una mujer se pusieron de pie, y se les excusó al instante. Quedaban cincuenta. ¿Cuántos pertenecían a otras iglesias metodistas dispersas por el condado? Se pusieron de pie otros cinco. Tres declararon que conocían a Dexter Bell; no así los otros dos. El juez Oswalt los mantuvo a todos en el grupo de candidatos.

Había concedido a cada parte la posibilidad de realizar cinco recusaciones sin causa más adelante. Si a John Wilbanks no le gustaba el aspecto o el lenguaje corporal de algún metodista, podía descartarlo sin aducir motivo alguno. Si Miles Truitt sospechaba que un conocido de la familia Banning estaba ocultando algo, podía presentar una recusación, y esa persona se iba a casa. Los cuatro abogados, sentados al borde de sus asientos, observaban cada tic, sonrisa y expresión ceñuda de los candidatos.

El juez Oswalt prefería controlar la selección del jurado. Otros magistrados daban más manga ancha a los letrados, pero por lo general estos hablaban demasiado e intentaban ganarse a los integrantes. Después de interrogarlos con habilidad durante una hora, Oswalt, que había reducido el grupo a cuarenta y cinco, cedió la palabra a Miles Truitt, el cual se levantó y desplegó una amplia sonrisa, intentando mostrarse relajado. Empezó por repetir y recalcar algo que el juez ya había dejado claro: si el estado demostraba todos los elementos que componían el cargo de asesinato en primer grado, se pediría al jurado que dictara pena de muerte. ¿De verdad podían hacer eso? ¿Condenarían a Pete Banning a la silla eléctrica? Si cumplían la ley, no les quedaría otra alternativa. No resultaría fácil, pero en ocasiones cumplir la ley requería un gran valor. ¿Tendrían ellos el valor necesario?

Truitt se paseaba a lo largo del estrado y consiguió que cada miembro del jurado meditara sobre la gravedad de la tarea que se les encomendaba. Aunque seguramente había quien albergaba dudas, en aquel momento nadie las manifestó en voz alta. A Truitt le preocupaban los veteranos y sospechaba que serían más comprensivos de lo que estaban dispuestos a reconocer. Eligió a uno, le pidió que se pusiera en pie, le agradeció sus servicios y lo interrogó durante unos minutos. Cuando al parecer quedó satisfecho, pasó al siguiente.

El proceso de selección se desarrolló con lentitud hasta que, a las diez y media de la mañana, el juez ordenó una pausa para fumarse un cigarrillo. Media sala se encendió uno, y todos se levantaban, se desperezaban e intercambiaban impresiones. Algunos fueron a los servicios; otros regresaron a su trabajo. Todos intentaban no prestar atención a los jurados, atendiendo a las instrucciones del estrado.

A las once, John Wilbanks se puso de pie y contempló a los jurados potenciales. Su propio cliente había vetado buena parte de lo que quería decir. Tenía planeado sembrar la idea de la demencia desde el primer momento, durante el proceso de selección del jurado, y luego reforzarla con un testimonio conmovedor, triste, creíble y convincente. Pero Pete no quería ni oír hablar de ello. Este no había movido un dedo para salvar el pellejo, y John no sabía si se debía a una perversa pulsión de muerte o sencillamente era tan arrogante que creía que ningún jurado lo condenaría. De cualquier forma, la defensa no tenía la menor posibilidad de ganar.

John había visto lo suficiente para saber a quién quería como miembro del jurado. Intentaría evitar a todos los metodistas y centrarse en los veteranos. Pero era abogado, y no había ninguno capaz de resistirse a pronunciar unas palabras ante un público cautivo. Sonrió y adoptó una expresión cálida, como si se sintiera honrado de estar allí, haciendo lo que estaba haciendo, defendiendo a un hombre que había luchado por su país. Lanzó algunas preguntas al jurado preseleccionado en conjunto y luego dirigió su atención a un par de metodistas, aunque en general sus comentarios no tenían el propósito de sacar a la luz parcialidades ocultas, sino más bien de transmitir afecto, confianza y simpatía.

Cuanto terminó, el juez Oswalt anunció un receso hasta las dos de la tarde y pidió a todos los presentes que desalojaran la sala. A la muchedumbre le llevó unos minutos salir en fila y, mientras esperaban, el juez comunicó a los funcionarios y a otros empleados curiosos que era un buen momento para ir a buscar algo de comer.

—Señor Wilbanks —dijo cuando la sala estaba prácticamente vacía—, tengo entendido que desea usted exponer una cuestión y que conste en acta.

John Wilbanks se levantó.

—Sí, señoría —respondió—, pero preferiría tratarlo en su despacho.

—Hablaremos aquí. Hay mucha gente ahí detrás. Además, si ha de constar en acta, en realidad no puede tratarse de un asunto confidencial, ¿verdad?

—Supongo que no.

El juez Oswalt miró a la taquígrafa judicial y asintió.

—Lo siguiente debe constar en acta. Adelante, señor Wilbanks.

—Gracias, señoría. De hecho, no se trata de una moción o petición al tribunal, pues la defensa no desea formular ningún tipo de reclamación. Sin embargo, me veo obligado a exponer lo siguiente con el deseo de que conste en acta, para que no quepan dudas sobre mi voluntad de defender a mi cliente. Había planeado dos estrategias con el fin de garantizarle un juicio justo. En primer lugar, pensaba pedir al tribunal un cambio de juzgado. Estaba tan convencido entonces como ahora de que mi cliente no puede recibir un juicio justo en este condado. He vivido aquí toda mi vida, al igual que mi padre y el padre de mi padre, y lo conozco bien. Como hemos comprobado esta mañana, los amigos y vecinos de Pete Banning y Dexter Bell están al corriente de los detalles de este caso. Encontrar a doce personas imparciales y de mente abierta será imposible. Después de observar y estudiar al jurado preseleccionado esta mañana, he llegado a la conclusión de que muchos no se muestran muy comunicativos respecto a lo que piensan de verdad. Celebrar este juicio en esta sala es, simplemente, injusto. Sin embargo, cuando planteé a mi cliente la posibilidad de solicitar un cambio de juzgado, él se opuso de plano y sigue oponiéndose. Quiero que así conste en sus propias palabras.

El juez Oswalt se volvió hacia Pete.

—Señor Banning, ¿es eso cierto? —le preguntó—. ¿Se opone usted a un cambio de juzgado?

Pete se puso en pie.

—Sí, es cierto. Quiero que se me juzgue aquí mismo.

—De modo que ha decidido desoír el consejo de su abogado, ¿es así?

—No desoigo su consejo. Es solo que no accedo a seguirlo.

—Muy bien. Puede sentarse. Continúe, señor Wilbanks.

John miró al techo, frustrado, y carraspeó.

—En segundo lugar y, lo que es más importante, al menos en mi opinión, está la cuestión de llevar a cabo una defensa adecuada. Tenía previsto notificar al tribunal que la defensa iba a alegar demencia, pero mi cliente se ha negado. Planeaba presentar un testimonio extenso de las condiciones inhumanas, es más, indescriptibles, que había sufrido y a las que había sobrevivido durante la guerra. Había localizado a dos expertos en psiquiatría y estaba dispuesto a pedirles que examinaran a mi cliente y declararan en este juicio. No obstante, él rehusó colaborar una vez más y me indicó que desistiera de ese propósito.

—¿Es eso cierto, señor Banning? —preguntó el juez Oswalt a Pete.

—No estoy loco, señoría —contestó este sin levantarse—, y sería deshonesto por mi parte fingir que lo estoy.

El juez asintió. La taquígrafa garabateaba en su libreta. Aquellas palabras estaban quedando registradas para la posteridad. Aunque resultaban bastante demoledoras para la defensa, lo que se recordaría para siempre sería su última frase. Casi como si hubiera tenido una ocurrencia de último momento, Pete, que medía cada palabra en cada situación, dijo:

—Sabía lo que hacía.

John Wilbanks miró al juez y se encogió de hombros, como dándose por vencido.

14

El jurado número uno era un misterio. James Lindsey, de cincuenta y tres años, casado; profesión: ninguna; dirección: una carretera rural que conducía al remoto pueblo de Box Hill, en la frontera con el condado de Tyler. Según el cuestionario que había rellenado, era baptista. No había aportado más información durante la sesión de la mañana, y nadie parecía saber nada de él. Ni John Wilbanks ni Miles Truitt querían dejar pasar un reto, así que James Lindsey se convirtió en el primer miembro del jurado elegido para el juicio.

El juez Oswalt nombró al jurado número dos, un tal Delbert Mooney, del disperso clan Mooney originario de Karraway, el único otro municipio incorporado al condado de Ford. Delbert, de veintiocho años, había pasado dos en el ejército, luchando en Europa, y había resultado herido en dos ocasiones. John Wilbanks estaba desesperado por contar con él. Miles Truitt, no, de modo que presentó su primera recusación sin causa.

El juez Oswalt y los abogados seguían en la sala, pero estaban solos. Se habían llevado al acusado de vuelta a la cárcel para la comida, y hasta nueva orden. Al alguacil, la taquígrafa, los secretarios y los ayudantes del sheriff se habían marchado. La selección final de los integrantes del jurado era un asunto confidencial que solo concernía al magistrado y a los letrados, y no constaba en acta. Aunque mordisqueaban sus sándwiches y tomaban sorbos de té helado, estaban demasiado absortos para disfrutar de la comida.

El juez nombró al jurado número tres, una de las dos mujeres que quedaban. Algunas reglas estaban escritas; otras se sobreentendían sin más. Cuando se juzgaban delitos graves, los jurados siempre constaban de doce hombres blancos. Nadie cuestionaba por qué era así ni cómo se había llegado a ese consenso tácito; sencillamente se daba por hecho.

—Deberíamos recusarla «con causa», ¿no crees, Miles? —preguntó John Wilbanks.

Miles se apresuró a darle la razón. Una recusación «con causa» indicaba que el candidato claramente no era apto para ejercer como jurado y que, para no humillarlo descartándolo en plena audiencia pública, la estratagema del rechazo «con causa» se reservaba para una conversación en privado. Y, lo que era más importante, no contaba como recusación sin causa. El juez se limitaba a dictaminar que la persona no formaría parte del jurado, y nadie discutía ese criterio.

Trabajaban sin prisas. Como había muy pocos testigos de la acusación y quizá ninguno de la defensa, el juicio, una vez en marcha, no duraría mucho. Así que repasaron los nombres que faltaban, aceptando unos, descartando otros, debatiendo a nivel profesional en ocasiones, pero sin dejar de avanzar a un ritmo regular. A las tres de la tarde, el juez Oswalt, que necesitaba fumarse otro cigarrillo, decidió mandar a avisar a la multitud que aguardaba de pie en los pasillos, sentada en la escalinata o deambulando por el exterior, en medio del frío, de que el juicio comenzaría a las nueve en punto de la mañana siguiente. Los candidatos al jurado debían permanecer cerca. A las cuatro y media, se abrieron las puertas. Unos pocos espectadores pasaron al interior junto con los jurados, y algunos negros regresaron a la galería. Después de que hicieran entrar al acusado y lo situaran ante la mesa de la defensa, el juez Oswalt anunció que se había seleccionado al jurado. Leyó doce nombres, y los aludidos se dirigieron hacia la tribuna del jurado y ocuparon sus asientos.

Doce hombres blancos. Cuatro baptistas, dos metodistas, dos pentecostales, un presbiteriano y un miembro de la Iglesia de Cristo. Y dos que no manifestaban adscripción a iglesia alguna y que sin duda iban directos al infierno.

Levantaron la mano derecha y juraron cumplir con su deber; a continuación los enviaron a casa con instrucciones estrictas de no hablar del caso. El juez Oswalt levantó la sesión y desapareció. Una vez que se vació la sala, John Wilbanks preguntó al sheriff Gridley si podía pasar unos minutos a solas con su cliente. Era mucho más fácil charlar sentados a la mesa de la defensa que en la cárcel. Nix accedió.

Mientras Penrod barría el suelo en torno a los bancos del público y Ernie Dowdle trasteaba con sus radiadores, el equipo de la defensa formó un corrillo en torno a su cliente.

—No me gusta tu actitud ante el tribunal, Pete —dijo Russell.

—Has estado arrogante y distante, y el jurado acabará por notarlo —se apresuró a añadir John—. Además, has sido irrespetuoso con el juez Oswalt. No debe repetirse.

—Mañana, cuando empiece el juicio —continuó Russell—, los miembros de ese jurado se pasarán la mitad del tiempo mirándote.

—¿Por qué? —preguntó Pete.

—Por curiosidad. Porque tienen el deber de juzgarte. Nunca han hecho esto, y el entorno los impresiona. No perderán detalle, así que es importante que muestres un mínimo de cordialidad.

—No sé si podré —reconoció Pete.

—Al menos inténtalo, ¿de acuerdo? —dijo John—. Toma algunas notas y hojea unos papeles. Finge que estás interesado en tu propio caso.

—¿Quién ha seleccionado a ese jurado? —quiso saber Pete.

—Nosotros. Los abogados y el juez.

—No me convencen. Me da la impresión de que ya han tomado una decisión. No he visto muchos rostros amigables.

—Pues muéstrales tú uno, ¿de acuerdo, Pete? —John apartó la mirada, frustrado—. Recuerda que esas personas van a decidir cómo pasarás el resto de tu vida.

—Eso ya está decidido.

Los radiadores de Ernie ya estaban runruneando a las nueve y media de la mañana del martes, cuando Miles Truitt se puso en pie para dirigir su discurso de apertura al jurado. La sala estaba caldeada y de nuevo abarrotada, y Ernie y Penrod, acuclillados en un rincón de la galería, observaban con gran expectación.

Todos los presentes permanecían inmóviles y en silencio. Truitt llevaba un terno de lana marrón. Del bolsillo de su chaleco pendía una cadena de oro. Era un traje nuevo, comprado para la ocasión, el juicio más importante de su carrera. Tras detenerse delante de los integrantes del jurado, les dedicó una cálida sonrisa y les agradeció el servicio que estaban prestando al estado de Mississippi, su cliente. Los habían elegido de forma cuidadosa para que atendieran a las pruebas, evaluaran a los testigos, la ley y, por último, para que decidieran si el acusado era culpable o inocente. Era una enorme responsabilidad, de modo que les dio las gracias de nuevo.

El asesinato en primer grado era el delito más grave del código penal de Mississippi. Truitt leyó la definición:

—«El acto de dar muerte a otro ser humano de forma intencional, deliberada y premeditada sin autorización legal, por cualquier medio o manera.» —Lo repitió más alto, de manera que cada palabra resonó en la sala. A continuación, leyó el castigo—: «En caso de condena por asesinato en primer grado, el jurado debe decidir entre imponer la pena de muerte en la silla eléctrica o cadena perpetua sin posibilidad de libertad condicional». —Truitt se volvió y señaló al acusado—. Señores del jurado, el reverendo Dexter Bell fue víctima de asesinato en primer grado a manos de Pete Banning, que merece morir por ello. —Esta afirmación, aunque en absoluto inesperada, resultó de lo más dramática.

Truitt habló de Dexter; de su infancia en Georgia, la llamada al sacerdocio, la boda con Jackie, las primeras iglesias en que ejerció, sus hijos, sus contundentes sermones, su compasión hacia todos, su liderazgo en la comunidad, su popularidad en Clanton. No había manchas ni pasos en falso en la trayectoria de Dexter. Era un pastor joven y admirable, entregado a su vocación y su fe, a quien un tirador experto del ejército había abatido a disparos en la iglesia. Una verdadera lástima. Un padre cariñoso al que habían arrebatado la vida en un instante, dejando huérfanos a sus tres hermosos hijos.

El estado de Mississippi demostraría la culpabilidad de Banning más allá de toda duda razonable y, una vez que finalizaran las declaraciones de los testigos, él, Miles Truitt, volvería a plantarse allí, ante ellos, y pediría justicia. Justicia para Dexter Bell y su familia. Justicia para la ciudad de Clanton. Justicia para la humanidad.

John Wilbanks contemplaba admirado su actuación. Sí, los hechos estaban de parte de Miles Truitt, lo que siempre constituía una ventaja importante. Sin embargo, Truitt empleaba un enfoque sutil, minimizando algunos detalles en lugar de cargar las tintas. El asesinato era tan monstruoso en sí mismo que no requería excesivo dramatismo. Wilbanks se fijó en el rostro de los miembros del jurado y vio confirmadas sus sospechas de hacía tiempo. Su cliente no recibiría la menor comprensión. Y, al carecer de pruebas propias, la defensa estaba tan perdida como el acusado.

La sala guardó silencio mientras Miles Truitt tomaba asiento. El juez Oswalt miró a John Wilbanks y asintió.

—La defensa tiene la palabra.

Wilbanks se levantó y se ajustó el nudo de su corbata de seda fina al tiempo que se acercaba a la tribuna del jurado. No tenía nada que decir, y no estaba dispuesto a lanzar un ridículo alegato de que se trataba de un caso de error de identidad ni a aducir una coartada falsa. Así pues, se limitó a sonreír y a decir:

—Señores del jurado, las normas procesales de juicios como

este permiten a la defensa renunciar al discurso de apertura. La defensa ha decidido acogerse a esta opción. —Se dio la vuelta y dirigió una inclinación de cabeza al estrado.

El juez Oswalt se encogió de hombros.

—Por mí de acuerdo. Señor Truitt, llame a su primer testigo, por favor.

Truitt se puso de pie.

—El estado de Mississippi llama a declarar a Jackie Bell.

Jackie, que se encontraba en la segunda fila, detrás de la mesa de la acusación, se levantó y se desplazó hasta el final del banco. Había estado sentada junto a Errol McLeish, que la había llevado en coche a Clanton desde Rome, Georgia, el domingo por la tarde. Sus hijos habían quedado al cuidado de los abuelos. El padre de Jackie había insistido en acompañarla durante el juicio, pero ella lo había disuadido. Errol se había ofrecido voluntario, ansioso por realizar ese viaje. Ella se alojaba en casa de una amiga de la iglesia, y Errol, en una habitación en el hotel Bedford, situado en la plaza de Clanton.

Todas las miradas se posaron en Jackie, que ya estaba preparada para convertirse en el foco de atención. Había embutido su delgada figura en un traje negro ajustado y ceñido por un cinturón negro. Llevaba zapatos de salón de gamuza negra, un casquete de terciopelo del mismo color y una sencilla sarta de perlas. El predominio del negro funcionaba a la perfección, pues destilaba dolor y sufrimiento, o algo parecido. Le confería todo el aspecto de una viuda, pero joven y atractiva.

Los doce hombres estaban pendientes de cada uno de sus pasos mientras se aproximaba, al igual que los letrados, el juez y prácticamente todos los demás. Sin embargo, Pete, en absoluto impresionado, mantenía la vista baja. Después de que la taquígrafa judicial le tomara juramento, Jackie subió al estrado y dirigió la mirada hacia la multitud. Cruzó las piernas con cuidado; el público observaba cada uno de sus movimientos.

Desde detrás de un podio, Miles Truitt le sonrió y le preguntó su nombre y dirección. Como la había preparado bien,

Jackie miró a la cara de los jurados con expresión franca al hablar. A continuación, enumeró otros puntos esenciales: contaba treinta y ocho años, tenía tres hijos y había vivido cinco años en Clanton pero se había mudado a Georgia tras la muerte de su esposo.

—Me quedé viuda —dijo con tristeza.

—Bien. ¿Dónde estaba usted el nueve de octubre del año pasado, a las nueve de la mañana aproximadamente?

—En casa. Vivíamos en la casa parroquial, contigua a la iglesia metodista.

—¿Dónde estaba su marido?

—Dexter estaba en su despacho de la iglesia, sentado a su escritorio, componiendo el sermón.

—Cuéntele al jurado qué ocurrió.

—Pues yo estaba en la cocina, guardando los platos, cuando oí unos ruidos que no había oído nunca. Tres, uno tras otro, como si dieran tres fuertes palmadas en el porche delantero. Al principio no le di mayor importancia, pero entonces me picó la curiosidad. Algo me dijo que comprobara que Dexter estaba bien. Cogí el teléfono y lo llamé a su despacho. Como no contestó, salí de la casa parroquial, rodeé la iglesia hasta la parte delantera y entré en el anexo donde estaba su despacho.

—Se le entrecortó la voz y se le humedecieron los ojos. Llevándose el dorso de la mano a los labios, miró a Miles. En una mano tenía el pañuelo de papel que había llevado consigo al estrado.

—¿Y encontró usted a su marido? —preguntó el letrado.

Ella tragó saliva con fuerza y dio la impresión de que apretaba los dientes.

—Dexter seguía sentado en su silla, al escritorio —prosiguió—. Le habían disparado y sangraba; había sangre por todas partes. —La voz se le quebró de nuevo, así que hizo una pausa, respiró hondo y se enjugó las lágrimas, preparándose para continuar.

En la sala no se oía más que el rumor y el traqueteo de los radiadores de Ernie Dowdle. Nadie se movía ni cuchicheaba.

El público no apartaba la vista de Jackie, aguardando pacientemente a que se tranquilizara y retomara el relato de aquella terrible experiencia. No había prisa. El pueblo llevaba tres meses esperando a conocer los detalles de lo sucedido aquella mañana.

—¿Habló usted con él? —preguntó Miles.

—No estoy segura. Recuerdo que grité, rodeé corriendo la mesa hasta su silla, lo agarré y tiré de él... En fin, no me acuerdo bien de todo. Fue tan espantoso... —Cerró los párpados, agachó la cabeza y lloró. Su llanto se volvió contagioso, y las mujeres que la conocían y que habían conocido a Dexter también tuvieron que enjugarse las lágrimas.

Su declaración era innecesaria. La defensa estaba dispuesta a reconocer que Dexter Bell había muerto, en efecto, y que la causa de la muerte eran las tres heridas de bala provocadas por un revólver Colt 45. La compasión carecía de relevancia para los hechos, y todas las pruebas consideradas irrelevantes eran inadmisibles por ley. Sin embargo, el juez Oswalt, al igual que todos los demás magistrados del estado y del país entero, siempre permitía que la acusación subiera al estrado a un familiar o dos de la víctima, en teoría para dejar constancia de la muerte. La intención real, sin embargo, era conmover al jurado.

Jackie apretó otra vez los dientes y siguió adelante con la exposición de los hechos, o al menos lo intentó. Dexter yacía en el suelo, sin responder. Según recordaba, había salido corriendo del despacho cubierta de sangre, gritando, y entonces había aparecido el ayudante del sheriff con Hop. Después... en fin, todo se volvía borroso en su memoria.

Se produjo una nueva pausa cuando Jackie se desmoronó y, tras un doloroso paréntesis, pareció incapaz de continuar. El juez Oswalt se volvió hacia Miles.

—Señor Truitt, creo que esta testigo ya ha dicho todo lo que tenía decir.

—Sí, señoría.

—¿Alguna repregunta, señor Wilbanks?

—Por supuesto que no, señoría —respondió John Wilbanks con una profunda compasión.

—Gracias, señora Bell. Puede retirarse —dictó el juez. Walter Willy se levantó de un salto, la tomó de la mano y la guio de vuelta hasta su banco, pasando por delante del jurado y los abogados, y a lo largo del estrado. El juez Oswalt, que necesitaba un pitillo, ordenó un receso. Los miembros del jurado fueron los primeros en salir, encabezados por Walter, y una vez que se marcharon, el público se relajó y dio rienda suelta a las ganas de charlar. Muchos de los fieles de la iglesia se pusieron en fila para abrazar a Jackie, ansiosos por ponerle las manos encima. Errol McLeish se retiró con disimulo de la multitud y la observó desde lejos. Aparte de Jackie, no conocía a nadie en la sala, y nadie sabía quién era él.

Hop se acercó bamboleándose hasta el estrado de los testigos y juró decir la verdad. Declaró que su nombre auténtico era Chester Purdue y explicó que desde pequeño lo llamaban Hop porque era muy inquieto. Estaba más que nervioso. Aterrado, lanzaba una y otra vez miradas a la galería superior, como buscando el apoyo de los suyos. Desde allí arriba, declarar parecía mucho más sencillo. Abajo, en cambio, con todos los ojos puestos en él, todos esos blancos —los abogados, el juez, el jurado y los funcionarios, por no mencionar al público—, se había puesto nervioso al instante y le costaba hablar. El señor Miles Truitt había trabajado con él durante horas en su despacho, al final del pasillo. Habían repasado varias veces su declaración, y el señor Truitt insistía en que se tranquilizara y se limitara a contar su historia. Había estado tranquilo el día anterior, y el otro y el otro en el despacho del señor Truitt, pero había llegado el momento de la gran función, todo el mundo lo observaba, y nadie sonreía.

—Tú mírame solo a mí, a nadie más —le había repetido el señor Truitt una y otra vez.

Así que Hop fijó la vista en el fiscal del distrito y contó su historia. Era miércoles por la mañana y estaba limpiando las vidrieras del presbiterio, tarea que realizaba una vez al mes y que le llevaba casi tres días. Salió del presbiterio, caminó hasta el anexo y se dirigió al cuarto donde guardaba los utensilios de limpieza. Pasó por delante de la puerta del despacho del reverendo Bell. Estaba cerrada, y Hop sabía bien que no debía molestar al pastor por la mañana. No oyó voces. No vio entrar a nadie en el anexo. Que él supiera, solo había dos personas en la iglesia: el pastor y él. Se disponía a coger una botella de limpiador cuando oyó tres estampidos fuertes. Los tres sonaron igual y prácticamente sacudieron el edificio. Hop, asustado, corrió al pasillo, donde oyó que se abría una puerta. El señor Pete Banning salió del despacho del pastor empuñando una pistola.

—¿Hace cuánto que conoce a Pete Banning? —inquirió Truitt.

—Hace mucho tiempo. Es miembro de la iglesia.

—¿Puede usted señalar al hombre que sujetaba el arma?

—Como usted quiera. —Hop apuntó con el dedo al acusado. Describió cómo le había encañonado la cabeza el señor Banning, cómo había caído de rodillas, suplicando, y cómo el señor Banning le había dicho que era un buen hombre y que fuera a avisar al sheriff.

Hop lo vio alejarse y entró en el despacho con sigilo, aunque en el fondo no quería. El reverendo Bell estaba en su silla, sangrando por la cabeza y el pecho, con los ojos cerrados. Hop no estaba seguro de cuánto tiempo se había quedado allí, de pie, demasiado aterrorizado para pensar con claridad. Por último, retrocedió sin tocar nada y se fue corriendo en busca del sheriff.

Ningún abogado ganaría nada con impugnar a Hop o arrojar dudas sobre su credibilidad. No había nada que impugnar. ¿Qué motivos tendría él para escatimar la verdad? Había visto lo que había visto, y lo había contado sin adornos. John Wilbanks se puso de pie y murmuró que no deseaba interrogar al testigo. De hecho, no tenía nada que preguntar a ninguno de los testigos del estado.

Cuando se sentó de nuevo, con la sangre hirviéndole de indignación, John se preguntó, y no por primera vez, por qué había asumido la defensa de Pete de forma tan precipitada. El hombre era culpable y no tenía el menor deseo de aparentar lo contrario. ¿Por qué no podía sentarse con benevolencia otro abogado a la mesa de la defensa, al mando de aquel barco que se iba a pique? Desde el punto de vista de un experto abogado litigante, la situación resultaba inquietante, casi embarazosa.

El siguiente testigo del estado era un hombre conocido por todos. Slim Fargason había sido el encargado de la oficina del catastro durante décadas y entre sus funciones se contaban el registro y archivo de todos los documentos de propiedad de bienes inmuebles del condado. Tras echar un vistazo rápido a la copia certificada de una escritura, explicó al jurado que el 16 de septiembre del año anterior el señor Pete Banning había cedido una parcela de doscientas sesenta hectáreas a sus hijos, Joel y Stella Banning, por medio de un documento de renuncia. Pete era el propietario del terreno desde 1932, cuando su madre había fallecido y se lo había legado en su testamento y última voluntad.

En el turno de repreguntas, John Wilbanks explicó con mayor detalle el tracto sucesivo e hizo hincapié en que esas tierras pertenecían a la familia Banning desde hacía más de cien años. ¿Acaso no era *vox populi* en el condado de Ford que los Banning conservaban sus tierras? Slim reconoció que no podía dar fe de si algo era o no *vox populi*, pero sí, suponía que el terreno acabaría pasando a manos de la generación siguiente.

Una vez concluido el interrogatorio, Slim bajó a toda prisa del estrado y regresó a su despacho.

A continuación, el ayudante del sheriff Roy Lester fue llamado a declarar. Tal como dictaban las leyes de Mississippi, se despojó del revólver reglamentario, la funda y el cinturón antes de subir al estrado de los testigos. Incitado por las preguntas de Truitt, Lester reanudó el relato de los hechos donde Hop lo había dejado y describió la escena que se habían encontrado al llegar. En primer lugar, habían intentado calmar a la señora Bell, que se había puesto histérica, y con razón. Lester se encontraba con ella cuando apareció el sheriff Gridley, y la había acompañado al porche de la señora Vanlandingham, al otro lado de la calle. Más tarde, fue a la iglesia a ayudar con la investigación.

John Wilbanks no tenía nada que repreguntar.

Como solía ocurrirles a los abogados de la acusación, los hechos favorecían a Miles Truitt, por lo que trabajaba con parsimonia, lento pero seguro. No necesitaba recurrir a la creatividad. Estaba reconstruyendo los hechos poco a poco y guiando al jurado paso a paso a través del delito y sus consecuencias. Su siguiente testigo era el sheriff Nix Gridley, quien, tras desprenderse de las armas, ocupó el estrado.

Nix describió la escena del crimen y mostró varias ampliaciones de fotografías en color al jurado, que por fin vio el cadáver, en medio de una profusión de sangre. Las imágenes eran truculentas, incendiarias y predisponían al jurado, pero los jueces de Mississippi siempre las admitían. Era innegable que los asesinatos resultaban repulsivos y que quienes juzgaban los hechos tenían derecho a ver los daños infligidos por el acusado. Por fortuna, las fotos no eran lo bastante grandes para que alcanzaran a verse desde la zona del público o la galería. Esto ahorró a Jackie Bell el mal trago de ver a su esposo muerto, pero la inquietó enterarse de que existían dichas pruebas. Nadie le había contado que hubieran fotografiado a Dexter mientras el charco de sangre se extendía por el suelo. ¿Qué sucedería con las fotografías después del juicio?

Cuando empezaron a pasar de mano en mano en la tribuna del jurado, varios miembros lanzaron miradas hostiles a Pete, que estaba hojeando un grueso libro jurídico. Él apenas alzaba la vista, nunca miraba alrededor y parecía indiferente a su propio juicio casi en todo momento.

Nix refirió su conversación con Hop, que había identificado al asesino. Roy Lester, Red Arnett y él fueron en coche a detener a Pete Banning, que los esperaba en el porche. Les dijo que el arma estaba en su camioneta, y fueron a cogerla. Banning guardó silencio durante el trayecto a la cárcel, donde lo aguardaba John Wilbanks. Este insistió en que no lo interrogaran sin él presente, por lo que Nix no había tenido oportunidad de hablar con el acusado, quien, hasta la fecha, no había dicho una palabra sobre por qué había matado al pastor.

—Así que ¿no tiene idea de cuál pudo ser el móvil? —preguntó Truitt.

John Wilbanks se moría de ganas de hacer de abogado. Se levantó de un salto.

—Protesto. Está incitando a la especulación. Este testigo no está en posición de exponernos su «idea» u opinión respecto al móvil.

—Se admite la protesta.

Sin inmutarse, Truitt se dirigió hacia una mesa pequeña colocada frente al estrado, cogió una caja de cartón, extrajo una pistola y se la entregó a Nix.

—¿Es esta el arma que encontró usted en la camioneta de Pete Banning?

Nix la sujetó con las dos manos y asintió. Lo era.

—¿Tendría la bondad de describírsela al jurado?

—Claro. Es un arma fabricada por Colt para el ejército, un revólver del calibre 45 de acción simple, con cilindro de seis recámaras. Cañón de catorce centímetros. Una pistola muy buena. Diría que toda una leyenda en el sector.

—¿Sabe cuándo compró el arma el acusado?

—No. Como ya le he dicho, no he hablado del tiroteo con el acusado.

—¿Sabe cuántos disparos efectuó el acusado contra la víctima?

—Fueron tres. Hop dice que oyó tres detonaciones y, como acaba de declarar la señora Bell, ella también. Según la autopsia, la víctima recibió dos tiros en el pecho y uno en el rostro.

—¿Consiguieron recuperar alguna de las balas?

—Sí, dos. Una le atravesó la cabeza y se incrustó en el relleno de espuma de la silla en la que estaba sentada la víctima. Otra le traspasó el torso y se incrustó también en el respaldo, más abajo. La tercera la extrajo el patólogo durante la autopsia.

Jackie Bell prorrumpió en llanto y comenzó a sollozar. Errol McLeish se levantó y la ayudó a ponerse de pie. Ella salió de la sala tapándose la cara con las manos mientras todo el mundo la observaba y esperaba. Una vez que la puerta se cerró tras ella, Miles Truitt se volvió hacia el juez Oswalt, que asintió como diciendo: «Acabe de una vez».

Truitt se acercó la mesa, sacó un paquete pequeño de la caja y se lo entregó al testigo.

—¿Puede describir esto?

—Claro. Son las tres balas que mataron al pastor.

—¿Y cómo lo sabe?

—Bueno, las envié junto con la pistola al laboratorio forense. Las sometieron a las pruebas de balística y me enviaron un informe.

Truitt regresó a su mesa, cogió unos papeles y los agitó con suavidad en dirección al juez Oswalt.

—Señoría, dispongo de los dos informes, el del experto en balística, y el del médico que practicó la autopsia. Solicito que se admitan como pruebas.

—¿Algo que objetar, señor Wilbanks?

—Sí, señoría, las mismas objeciones que la semana pasada. Preferiría que esos dos expertos comparecieran en esta sala a fin de interrogarlos. No puedo interrogar informes escritos. No hay ninguna razón que justifique el no haber citado a esos dos hombres a declarar aquí como testigos. Es injusto para la defensa.

—No se admite. Los informes se aceptan como pruebas. Prosiga, señor Truitt.

—Bien, sheriff Gridley, el jurado podrá estudiar ambos informes, pero ¿sería usted tan amable de resumir lo que dijo el experto en balística?

—Claro. Los tres cartuchos usados seguían en la recámara,

así que el análisis resultó sencillo. El experto los examinó, junto con las tres balas, y llevó a cabo disparos de prueba con el arma. En su opinión, no cabe duda de que el revólver Colt que encontramos en la camioneta del acusado es el arma con que se efectuaron los tres disparos mortales. No cabe la menor duda.

—¿Y podría resumirnos las conclusiones del médico que practicó la autopsia?

—No son ninguna sorpresa. Las tres balas disparadas por el revólver de Pete Banning penetraron en el cuerpo de la víctima, ocasionándole la muerte. Lo dice todo el informe.

—Gracias, sheriff. He terminado con el testigo.

John Wilbanks se puso de pie y fulminó a Gridley con la mirada, como si quisiera arrojarle una piedra. Se aproximó al estrado, midiendo su siguiente pregunta. Hacía ya varias semanas que todo hijo de vecino en el condado de Ford sabía que Pete Banning había disparado y matado a Dexter Bell. Si Wilbanks se atrevía a insinuar lo contrario, se arriesgaba a perder cualquier credibilidad que pudiera tener. También se arriesgaba a quedar en el más absoluto ridículo, algo que su orgullo no soportaría. Decidió presionar un poco, quizá despertar alguna pequeña sospecha, pero sin jugarse en ningún momento el buen nombre.

—Sheriff, ¿quién es su experto en balística?

—Un hombre llamado Doug Cranwell, trabaja en Jackson.

—¿Y lo considera un experto cualificado en su campo?

—Yo diría que sí. Muchos miembros de las fuerzas de la ley recurren a él.

—Perdone que se lo pregunte, pero a él no puedo interrogarlo respecto a sus cualificaciones, porque no está aquí. ¿Por qué no ha venido a prestar declaración en persona ante este jurado?

—Supongo que tendrá que preguntárselo al señor Truitt. Yo no me encargo de los juicios. —Nix sonrió a los miembros del jurado, saboreando ese momento de frivolidad.

—Entiendo. ¿Y a qué médico recurrió para la autopsia?

—Al doctor Fred Briley, también de Jackson. Muchos sheriffs emplean sus servicios.

—¿Y por qué no está aquí para declarar ante el jurado?

—Creo que cobra demasiado.

—Entiendo. ¿Se trata de una investigación de bajo presupuesto? ¿De un crimen poco importante?

—El presupuesto es del señor Truitt, no mío. Así que tendrá que preguntárselo a él.

—¿No le parece curioso, sheriff, que ninguno de esos expertos haya querido presentarse aquí para someterse a un interrogatorio riguroso por parte de la defensa?

Truitt se puso de pie.

—Protesto, señoría. El testigo no es responsable de la acusación de este proceso.

—Se admite.

—El caso está claro como el agua —continuó Nix, encantado con su breve visita al estrado—. Supongo que el señor Truitt no ha visto la necesidad de citar a un montón de expertos.

—Es suficiente, sheriff —gruñó Oswalt.

—Vamos a ver, ¿cuántos asesinatos ha investigado usted, sheriff? —inquirió Wilbanks, irritado.

—No muchos. Aquí lo tenemos todo controlado. La criminalidad es más bien baja.

—¿Cuántos asesinatos?

Cuando resultó evidente que Wilbanks exigía una respuesta, Gridley se removió en su asiento y reflexionó unos instantes.

—¿De blancos o de negros?

Wilbanks desvió la mirada, frustrado.

—¿Acaso los investiga con métodos distintos?

—No, supongo que no. He visto tres o cuatro apuñalamientos en Lowtown, y a aquel chico, Dulaney, lo colgaron cerca de Box Hill. Aparte de eso, en nuestra zona de la ciudad, encontramos a Jesse Green flotando en el río, pero no pudimos aclarar si lo habían asesinado. El cuerpo estaba demasiado descompuesto. Así que supongo que, hasta ahora, solo había investigado un asesinato.

—¿Y desde cuándo ejerce el cargo de sheriff?

—Van a hacer ocho años.

—Gracias, sheriff. —Wilbanks regresó a su mesa.

El juez Oswalt estaba temblando por la falta de nicotina. Dio un golpe con el mazo.

—Haremos un receso para comer —anunció—. Reanudaremos la sesión a las dos.

15

Después de unos cigarrillos y unos sándwiches, el juez se reunió en privado con los abogados. Truitt le comunicó que no contaba con más testigos y que tenía la sensación de que había demostrado con creces lo que tenía que demostrar. El juez Oswalt se mostró de acuerdo. Wilbanks tampoco podía negarlo y felicitó al fiscal por el modo en que había presentado las pruebas. En cuanto a la defensa, aún había dudas sobre si Pete Banning subiría al estrado. Un día quería prestar declaración y defender su causa ante el jurado; y al día siguiente, apenas se dignaba hablar con su propio abogado. Wilbanks confesó que creía que Pete era mentalmente inestable, pero que no alegarían demencia. Su cliente seguía oponiéndose de manera frontal a ello, y hacía tiempo que había vencido el plazo para presentar la alegación.

—¿Quién será tu primer testigo? —preguntó Oswalt.

—El comandante Rusconi, del ejército estadounidense.

—¿Y el punto clave de su declaración?

—Quiero dejar constancia de que, cuando estaba en servicio activo luchando contra los japoneses en Filipinas, mi cliente fue hecho prisionero y se le dio por muerto. Eso decía el mensaje que enviaron a su familia en mayo de 1942.

—No veo qué relación guarda eso con este caso, John —señaló Truitt.

—No me sorprende. Intentaré preparar el terreno para la declaración de mi cliente, si al final se decide a subir al estrado.

—Yo tampoco lo veo claro, John —reconoció el juez Oswalt con escepticismo—. Demostrarás que estaba muerto, desaparecido o ambas cosas, que eso era lo que creía la familia y que, por tanto, el pastor, al desempeñar su labor, se propasó de algún modo, proporcionándole un pretexto al acusado. ¿Es eso lo que planeas?

Truitt sacudió la cabeza con desaprobación.

—Es lo único que tengo, juez —se defendió Wilbanks—, aparte de al propio acusado. Debe dejar que desarrolle una defensa, por muy poco firme que parezca.

—Llámalo a declarar. Presenta tu objeción, Miles. Dejaré que se explaye unos minutos, para ver adónde nos lleva, pero no estoy convencido.

—Gracias, juez —dijo Wilbanks.

Cuando los miembros del jurado regresaron a sus asientos después de una distendida pausa para la comida, el juez Oswalt les informó de que la acusación no llamaría a más testigos y la defensa renunciaba a su derecho a pronunciar un discurso de apertura. El comandante Anthony Rusconi fue llamado al estrado, adonde se dirigió con paso firme, luciendo el atuendo militar completo. Su inconfundible acento y su sonrisa despreocupada delataban que procedía de Nueva Orleans. Era un oficial de carrera que había servido en el Pacífico.

Después de algunos preámbulos, Miles Truitt se puso de pie.

—Señoría —dijo cortésmente—, con el debido respeto al testigo, su testimonio carece de relevancia respecto a los hechos y temas relativos a este caso. Por lo tanto, me gustaría presentar una objeción continuada a su declaración.

—Tomo nota. Continúe, señor Wilbanks.

Antes de la guerra, Rusconi estaba destinado en Manila y trabajaba en el cuartel general de Douglas MacArthur, comandante de las fuerzas de Estados Unidos en Filipinas. El día siguiente al ataque contra Pearl Harbor, los japoneses bombardearon las bases aéreas estadounidenses en Filipinas, con lo que se desencadenó la guerra en el Pacífico.

Por aquel entonces, el teniente Pete Banning era un oficial

del Vigésimo Sexto Regimiento de Caballería, emplazado en el fuerte Stotsenburg, cerca de la base aérea de Clark, cien kilómetros al norte de Manila.

Los japoneses, que no tardaron en aniquilar las fuerzas aérea y naval americanas, lanzaron una invasión con cincuenta mil soldados curtidos en la batalla y bien pertrechados. Los estadounidenses y sus aliados, los Exploradores Filipinos y el ejército regular de Filipinas, opusieron una defensa heroica, pero a medida que los japoneses enviaban refuerzos y estrechaban el cerco en torno a las islas, la comida, los medicamentos, el combustible y las municiones empezaron a agotarse. Sin protección aérea ni una armada que les proporcionara provisiones y una posible vía de escape, los norteamericanos se vieron obligados a replegarse a la península de Bataán, una lengua de terreno impracticable y selvático que se adentraba en el mar de China meridional.

Rusconi, que tenía facilidad para contar historias, parecía encantado con la oportunidad de hablar de la guerra. Miles Truitt negó con la cabeza e intentó establecer contacto visual con el juez Oswalt, que le rehuyó la mirada. Los integrantes del jurado estaban embelesados; el público, fascinado y prácticamente inmóvil.

El asedio duró cuatro meses, y los americanos tuvieron que rendirse ante una fuerza de una superioridad abrumadora, lo que supuso la mayor derrota en la historia del ejército estadounidense. Sin embargo, los soldados no tenían alternativa. Estaban hambrientos, enfermos y demacrados, y morían a tal ritmo que no era posible enterrarlos a todos. La malaria, el dengue, la disentería, el escorbuto y el beriberi causaban estragos, junto con enfermedades tropicales de las que los médicos norteamericanos nunca habían oído hablar. Y la situación estaba a punto de empeorar.

El propio Rusconi se rindió en Manila en febrero de 1942. El general MacArthur se marchó en marzo para establecer su cuartel general en Australia. A Rusconi y su estado mayor los encerraron en un campo de prisioneros cerca de Manila, pero les permitieron quedarse con muchos de los documentos que los japoneses no consideraban importantes. Aunque les dispensaron un trato razonable, siempre tenían hambre. En Bataán las cosas fueron muy distintas.

Según los escasos documentos que Rusconi fue capaz de conservar y reconstruir, el teniente Banning se rindió con su unidad el 10 de abril de 1942, en la punta sur de la península de Bataán. Fue uno de los cerca de setenta mil prisioneros de guerra a quienes obligaron a caminar durante días sin comida ni agua. Miles cayeron y perecieron bajo aquel sol abrasador, y sus cadáveres acabaron arrojados en cunetas.

Entre los capturados había cientos de oficiales y, a pesar de las terribles condiciones en que se encontraban, se intentaba mantener una apariencia de mando. Se corrió la voz de que había que memorizar los nombres de quienes morían y más tarde anotarlos para notificar a las familias. En aquellas circunstancias tan duras, resultó ser una tarea complicada. Rusconi hizo un inciso para explicar al jurado que, hasta la fecha, el 7 de enero de 1947, el ejército de Estados Unidos seguía enfrascado en la lúgubre labor de encontrar e intentar identificar a los soldados muertos en Filipinas.

Miles Truitt se levantó y alzó las manos.

—Señoría, por favor, esto es un juicio por asesinato. La historia es trágica y fascinante, pero no tiene nada que ver con el asunto que nos ocupa.

Saltaba a la vista que el juez Oswalt estaba librando un conflicto interior. No cabía duda de que el testimonio era irrelevante. Se volvió hacia John Wilbanks.

—¿Adónde quiere llegar, letrado? —le preguntó.

Wilbanks consiguió dar la impresión de que sabía perfectamente lo que hacía.

—Por favor, señoría, solo le pido un poco más de paciencia —dijo—. Creo que puedo atar cabos.

—Prosiga —indicó el juez a Rusconi, a pesar de su expresión escéptica.

Cuando llevaban varios días de marcha, el teniente Banning se lesionó y lo dejaron atrás. Nadie movió un dedo para ayudarlo porque, tal como habían descubierto enseguida los cautivos, esos intentos siempre se traducían en un golpe de bayoneta por parte de algún guardia. Más tarde, durante un descanso, algunos hombres de la unidad oyeron como los soldados japoneses remataban a los rezagados. No les cupo duda de que los guardias habían disparado al teniente Banning.

Pete escuchaba porque no le quedaba otro remedio, pero permanecía impertérrito, mirando al suelo como si no oyera nada. En ningún momento reaccionó ni alzó la vista hacia el testigo.

Rusconi declaró que al menos diez mil soldados estadounidenses y filipinos habían perecido durante la marcha. Morían de hambre, deshidratación, agotamiento, insolación o ejecutados a tiros, palos, bayonetazos o por decapitación. A los supervivientes los hacinaron en campos de exterminio donde las condiciones de vida eran aún más inhumanas que durante las marchas de la muerte. Los oficiales idearon varias maneras de registrar los nombres de los fallecidos, y a finales de la primavera y principios del verano de 1942, las listas de bajas empezaron a filtrarse a la oficina de Rusconi en Manila. El 19 de mayo se notificó oficialmente a la familia de Pete Banning que lo habían hecho prisionero, había desaparecido y se le daba por muerto. Desde ese momento, nadie tuvo noticias del capitán hasta que, tras la liberación de Filipinas, emergió de la selva junto con un grupo de comandos. Durante más de dos años, había dirigido a sus hombres en una campaña de terror intrépida, casi suicida contra el ejército japonés. Por su valentía y liderazgo se le otorgaron condecoraciones como el Corazón Púrpura, la Estrella de Bronce y la Cruz por Servicio Distinguido, con la que se reconocía su heroísmo en combate.

En aquel momento, resultaba imposible ver a Pete Banning como el hombre que había asesinado a Dexter Bell. Consciente de ello, el juez Oswalt decidió intervenir.

—Haremos un receso —dijo, al tiempo que sacaba un cigarrillo.

En su despacho, se quitó la toga, la tiró a un lado y se encendió un Camel. Posó la vista en John Wilbanks.

—Ya está bien —espetó—. Esto es un juicio, no una ceremonia de entrega de medallas. Quiero que me digas ahora mismo si tu cliente va a subir al estrado y cómo piensas conseguir que esto sea relevante.

—El daño ya está hecho, Oswalt —se lamentó Truitt, enfadado—. No es relevante y no debería haberse expuesto ante el jurado.

—¿Prestará testimonio? —exigió saber el magistrado.

—Me temo que no —murmuró Wilbanks, derrotado—. Lo único que me ha dicho es que no quiere declarar nada.

—¿Te queda algún testigo?

Wilbanks vaciló unos instantes.

—Sí —respondió—, uno de los soldados estadounidenses que luchó con Pete.

—¿Uno de los comandos de la selva?

—Sí, pero no es importante. Mi cliente acaba de comunicarme que se opone a que se presenten más testimonios sobre la guerra.

Oswalt dio una larga calada a su Camel y se acercó a una ventana.

—¿Alguna de las dos partes llamará a más testigos?

—La acusación ha terminado con los interrogatorios, señoría —contestó Truitt.

—No tengo nada más, Oswalt —dijo Wilbanks.

Oswalt se volvió hacia su escritorio.

—De acuerdo. Enviaré a los miembros del jurado a casa. Acordaremos las instrucciones para ellos aquí. Pronunciaréis los alegatos finales por la mañana; luego dejaré el caso en manos del jurado.

Clay Wampler era un vaquero de Colorado que se había alistado en el ejército en 1940. Más tarde, ese mismo año, lo habían destinado al Trigésimo Primer Regimiento de Infantería en

Filipinas. Se rindió en Bataán, sobrevivió a la marcha de la muerte y conoció a Pete Banning en un campo de prisioneros. Salvó la vida porque un guardia japonés le vendió quinina suficiente para tratarse la malaria. Cuando los transportaban a un campo de trabajo en Japón, Pete y él se fugaron. Habían decidido que, puesto que eran hombres muertos de todos modos, más valía jugársela en la jungla, donde pasaron los tres primeros días y las tres primeras noches perdidos en la espesura. Cuando se sentían demasiado débiles para andar y estaban discutiendo sobre la forma de suicidarse, mataron a un soldado japonés herido al que encontraron dormitando en el bosque. Hallaron comida y agua en su mochila y, tras atiborrarse, escondieron el cuerpo y consiguieron escapar de su patrulla a duras penas. Armados con una pistola, un cuchillo, un fusil y una bayoneta, toparon al fin con unos guerrilleros americanos y filipinos. Vivieron en la selva montañosa y se volvieron bastante expertos en liquidar soldados enemigos. Sus hazañas habrían podido llenar gruesos volúmenes.

Clay se puso en contacto con John Wilbanks y se ofreció a ayudar en lo que pudiera. Viajó a Clanton, dispuesto a subir al estrado y decir lo que hiciera falta para salvar a su amigo. Cuando el abogado le informó de que no se le permitiría testificar, se acercó a la cárcel el martes por la tarde para visitar a Pete.

El sheriff Gridley salió del edificio a las cinco y, como tenía por costumbre últimamente, dejó su despacho al cuidado de su recluso de confianza y de Tick Poley. Después de servir una buena cena a su hermano y a Clay, Florry permaneció atenta durante horas mientras ellos dos intercambiaban historias que eran nuevas para él. Fue la única vez que oyó a Pete hablar de la guerra. Relato tras relato, Florry escuchaba con incredulidad la descripción de los sufrimientos que habían soportado. Parecía un milagro que hubieran sobrevivido.

Clay estaba perplejo ante la posibilidad de que el estado de Mississippi ejecutara a su amigo. Cuando Pete le aseguró que era probable, él prometió reunir a la vieja pandilla y poner cerco a Clanton. Los regordetes ayudantes del sheriff a los que había visto por el juzgado no serían rivales para sus camaradas, soldados curtidos que habían eliminado a miles de personas de maneras demasiado horribles para hablar de ello.

—A menudo teníamos que matar sin hacer ruido —le explicó Clay a Florry con gravedad—. Los disparos atraen la atención.

Ella asintió, como si lo entendiera perfectamente.

Largo rato después de la cena, Tick Poley llamó por fin a la puerta y les avisó de que la fiesta había terminado. Pete y Clay se abrazaron y se despidieron. Clay le aseguró que regresaría con la pandilla para rescatar a su capitán. Pete replicó que esos días ya habían quedado atrás.

Volvió a su celda, apagó la luz y se durmió.

16

Neviscaba en el exterior cuando Miles Truitt se puso de pie para pronunciar su alegato final ante el jurado. Pocas cosas agitaban más a los vecinos que una nevada y, aunque según el pronóstico no caerían más que cuatro o cinco centímetros, la ciudad bullía de expectación, como si fuera a quedarse aislada durante un mes. Miles temía que aquello perjudicara su caso. El jurado no querría perder el tiempo en deliberaciones, sino volver a casa a toda prisa para prepararse. A John Wilbanks le preocupaba que las condiciones meteorológicas no favorecieran a Pete. Distraerían a los miembros del jurado. Rezaba por que uno o dos abogaran por la cadena perpetua en lugar de la pena de muerte, y por que todos los que no estuvieran de acuerdo acabaran por tirar la toalla y sumarse a la mayoría, ansiosos por llegar a casa antes de que las carreteras se volvieran traicioneras. No cabía la menor duda de que se dictaría una condena, pero un veredicto dividido respecto a la pena podía suponer la diferencia entre la vida y la muerte. Wilbanks había estado debatiendo con Russell las ventajas e inconvenientes de la nevada a primera hora de la mañana, y no habían llegado a una conclusión clara. Russell estaba convencido de que no influiría en el resultado. Había sido un juicio breve. El jurado se hallaba totalmente volcado en el caso. Su decisión era demasiado importante para que se viera afectada.

Hay que ver las cosas sobre las que discuten los abogados.

Miles se acercó a la tribuna del jurado, sonrió a sus integrantes y, tras agradecerles su presencia, como si tuvieran alternativa, inició su discurso.

—Les pido que hagan caso omiso de la declaración del último testigo, el comandante Rusconi, de Nueva Orleans. Nada de lo que ha dicho guarda relación con este caso, con la acusación de asesinato. No les pido que olviden las proezas y sacrificios realizados por el acusado. Fueron extraordinarios, incluso legendarios, pero hasta ahí llega su importancia. Este país acaba de ganar la mayor guerra mundial de la historia, y tenemos muchos motivos para sentirnos orgullosos. Cuatrocientos mil estadounidenses murieron, y a lo largo y ancho de esta gran nación muchas familias siguen intentando rehacer su vida. Más de cinco millones de hombres y mujeres tomaron parte en el conflicto, casi todos con valentía, incluso con heroísmo. Sin embargo, ser un héroe de guerra no le da a nadie el derecho de cometer un asesinato tan espantoso al volver a casa. ¿Qué pasaría si todos nuestros héroes de guerra decidieran tomarse la justicia por su mano y se pusieran a pegar tiros? —Miles iba y venía despacio, hablando sin recurrir a notas. Había ensayado durante horas, se había preparado durante semanas y sabía que aquel sería su momento estelar—. En lugar de eso, les pido que piensen en Jackie Bell y en sus hijos. Tres chicos maravillosos que tendrán que pasar el resto de su vida sin su padre, un buen sacerdote, un pastor excepcional, un padre y marido extraordinario. Un hombre asesinado a sangre fría a los treinta y nueve años de edad, sin motivo aparente. Un hombre indefenso, sin razones para sospechar que su amigo se presentaría sin previo aviso con una pistola. No tuvo escapatoria, ni tiempo para defenderse, ni manera de evitar un final tan repentino como trágico. Un pastor que estaba leyendo la Biblia o acababa de hacerlo cuando el acusado apareció de improviso y le arrebató la vida. Supongo que nunca sabremos la causa del conflicto entre Dexter Bell y Pete Banning, pero formularé la pregunta que todos nos hacemos desde octubre: ¿por qué, en el nombre de Dios, no pudo solucionarse sin derramamiento de sangre? —Miles se volvió y fulminó al acusado con la mirada. Abrió los brazos y repitió—: ¿Por qué?

Pete mantuvo la vista al frente, sin inmutarse.

—Pero lo cierto es que ese derramamiento de sangre se produjo, y ahora les corresponde a ustedes encargarse de ello —prosiguió Miles—. No puede quedar el menor asomo de duda sobre los hechos. La defensa no se ha atrevido a insinuar que otra persona cometiera el asesinato. La defensa no ha alegado que Pete Banning padeciera un desequilibrio mental. La defensa ha hecho lo que ha podido, pero no hay defensa posible. Pete Banning mató a Dexter Bell a tiros. Actuó solo y con premeditación. Lo tenía todo planeado y sabía exactamente lo que hacía. Cuando dentro de un momento se retiren a deliberar, se llevarán consigo una copia de la escritura que firmó apenas tres semanas antes del crimen. Era un intento de ceder a sus hijos sus principales activos, con el fin de proteger sus tierras. En lenguaje jurídico, esto se conoce como alzamiento de bienes. Un fraude como preparativo para un asesinato. Nunca sabremos cuánto tiempo llevaba el acusado proyectando el asesinato, pero en realidad tampoco importa. Lo importante es que lo pensó todo con detenimiento, que el crimen fue premeditado. —Miles hizo una pausa para acercarse a su mesa y beber un sorbo de agua. Era un actor en medio de una interpretación magistral, y tanto el jurado como el resto de los presentes en la sala estaban cautivados—. Determinar la culpabilidad en este caso es fácil, al igual que decidir el castigo. Ustedes, y solo ustedes, tienen el poder de condenar al acusado a morir en la silla eléctrica o sentenciarlo a cadena perpetua sin posibilidad de libertad condicional en la cárcel de Parchman. La razón por la que existe la pena de muerte en este estado es que algunas personas la merecen. Este hombre es culpable de asesinato en primer grado y, según nuestras leyes, no tiene derecho a vivir. Nuestras leyes no están redactadas para proteger los intereses de los ricos, los privilegiados o aquellos que sirvieron a su país durante la guerra. Si me declaran culpable de asesinato en primer grado, merezco morir. Y lo mismo es aplicable para ustedes. Y para él. Cuando regresen a la sala de deliberaciones, léanse la ley con atención. Es sencilla y clara, y verán que no contempla excepción alguna para los héroes de guerra. Si en algún momento sienten la tentación de mostrar compasión hacia él, les pido que dediquen un momento a pensar en Dexter Bell y su familia. Y les pido que, a continuación, tengan con el señor Pete Banning la misma compasión que él tuvo con Dexter Bell. Que Dios lo bendiga. Ustedes han jurado cumplir con su deber, y en este caso su deber les exige emitir un veredicto de culpabilidad y una condena a muerte. Gracias.

El juez Oswalt no había impuesto un límite de tiempo para las recapitulaciones. Truitt habría podido seguir hablando durante una o dos horas más sin interrupción, pero optó por poner punto final, con buen criterio. Los hechos eran simples, el juicio había durado poco, y sus argumentos eran diáfanos e iban al grano.

John Wilbanks se había propuesto ser aún más breve. Comenzó con una pregunta sorprendente:

—¿En qué nos beneficiaría ejecutar a Pete Banning? Reflexionen sobre eso un momento. —Guardó silencio unos instantes y echó a andar con lentitud de un lado a otro frente al jurado—. Si ejecutan a Pete Banning, ¿nuestra comunidad estará más segura? La respuesta es no. Nacido aquí hace cuarenta y tres años, ha llevado una vida ejemplar. Esposo, padre, granjero, vecino, patrón, feligrés, graduado en West Point. Sirvió a este país con más valor del que podemos imaginar. Si ejecutan a Pete Banning, ¿devolverán la vida a Dexter Bell? La respuesta es evidente. Todos nos compadecemos de la familia Bell y su profundo dolor. Ellos solo quieren recuperar a su padre y esposo, pero eso no está en su mano, señores del jurado. Si ejecutan a Pete Banning, ¿confían en vivir el resto de sus días con la sensación de haber conseguido algo positivo, de haber hecho lo que el estado de Mississippi les pedía? Lo dudo. La respuesta, señores, es que no hay ventaja alguna en quitarle la vida a este hombre. —Wilbanks se quedó callado y recorrió la sala con la vista. Se aclaró la garganta y miró a los ojos a los miembros del jurado, uno a uno—. Se impone una pregunta obvia: si matar está mal, y todos coincidiremos en que así es, ¿por qué se permite que el estado mate? Las personas que hacen las leyes en Jackson no son más inteligentes que ustedes. Su sentido de lo que está bien y lo que está mal, de la moral básica, no es mejor que el suyo. Conozco a algunas de esas personas y puedo asegurarles que no son tan decentes o temerosas de Dios como ustedes. No son tan sensatas. Si se fijan en algunas de las leyes que han aprobado, se percatarán de que suelen equivocarse. A pesar de todo, en algún momento, en alguna etapa del proceso legislativo, alguien con un poco de sentido común decidió darles a ustedes, los miembros del jurado, la posibilidad de elegir. Comprendieron que todos los casos son distintos, que todos los acusados son distintos, y que en cualquier juicio puede llegar un momento en que el jurado decide que la matanza debe terminar. Por eso tienen la posibilidad de elegir entre la vida y la muerte. Así lo establece la ley que les ha sido dada. —Wilbanks guardó otro silencio dramático mientras paseaba la mirada de un rostro a otro—. No podemos traer de vuelta a Dexter Bell ni devolvérselo a sus hijos. Pero Pete Banning también tiene hijos: un joven estupendo y una muchacha hermosa, ambos estudiantes universitarios, ambos con toda la vida por delante. Por favor, no les arrebaten a su padre. Ellos no han hecho nada malo. No merecen un castigo. Cierto, Pete Banning no gozará ni mucho menos de una vida plena entre los muros de la prisión, pero al menos estará ahí. Sus hijos podrán visitarlo de vez en cuando. Podrán escribirle cartas, por supuesto, mandarle fotografías del día de su boda y concederle la alegría de ver el rostro de sus nietos. Aunque ausente, Pete seguirá siendo una presencia en su vida, y ellos en la suya. Pete Banning es un gran hombre, sin duda mejor que yo, mejor que la mayoría de los que estamos en esta sala. Lo conozco prácticamente desde que nació. Mi padre era muy amigo del suyo. Pete es uno de los nuestros. Él también nació de esta tierra negra y se crio aquí con las mismas creencias, convicciones y tradiciones que ustedes y yo. ¿En qué nos beneficiaría enviarlo a la tumba? Si ejecutamos a uno de los nuestros, el condado de Ford quedará manchado de una sangre que nunca podremos lavar. Nunca, nunca, nunca. —Se le entrecortó un poco la voz mientras se esforzaba por mantener la compostura. Tragó saliva y apretó los dientes, con expresión suplicante en los ojos—. Les ruego, señores del jurado, un jurado integrado por pares, que perdonen la vida a Pete Banning.

Cuando John Wilbanks se sentó junto a Pete, lo abrazó por los hombros y le dio un apretón fuerte pero fugaz. Pete no reaccionó; permanecía con la vista al frente, como si no hubiera oído una palabra.

El juez Oswalt dio las últimas instrucciones al jurado y, mientras sus miembros salían en fila, todos los presentes se pusieron en pie.

—Declaro un receso —dijo—. Se levanta la sesión. —Dio unos golpecitos con el mazo y desapareció detrás del estrado. Eran casi las once, y la nevada había cesado.

En un silencio absoluto, la mitad del público abandonó la sala poco a poco. La gran incógnita era cuánto durarían las deliberaciones, pero como nadie podía predecirlo, apenas se hablaba de ello. Los que se quedaron dentro se juntaron en grupos pequeños para cuchichear, fumar y menear la cabeza mientras las agujas del viejo reloj instalado encima del estrado avanzaban despacio.

Jackie Bell ya había oído suficiente. Al cabo de unos minutos, se encaminó junto con Errol hacia el coche de este. Después de que él quitara la nieve del parabrisas, se marcharon de Clanton. Jackie llevaba cuatro días sin ver a sus hijos.

Florry también estaba harta del juicio. Eludiendo las miradas de los metodistas, Mildred Highlander y ella cogieron sus abrigos y salieron. Fueron en coche a casa de Mildred, que preparó té para las dos. Sentadas a la mesa de la cocina, leyeron los periódicos de Tupelo, Memphis y Jackson. Los tres tenían reporteros en la sala del juzgado y fotógrafos apostados en el exterior. Los de Tupelo y Memphis habían publicado largos artículos en primera plana, con fotos de Pete entrando esposado en el edificio el día anterior. El de Jackson ofrecía el mismo contenido, pero en la página dos. Florry recortó los artículos para incluirlos en su álbum. Cuando recibiera la terrible noticia, llamaría a Joel y a Stella para comunicársela.

Pete regresó a su celda y pidió una taza de café. Roy Lester fue a buscársela, y Pete se lo agradeció. Al cabo de unos minutos, Leon Colliver, el fabricante de licor ilegal, lo llamó desde el otro lado del pasillo.

—Eh, Pete, ¿te apetece echar una partida?

—Claro.

Pete salió de su celda, descolgó el llavero de una pared y abrió la puerta de Leon. Dispusieron el tablero en medio del pasillo y empezaron una partida de cribbage. Leon sacó su petaca, bebió un sorbo y se la pasó a Pete, que le pegó un trago.

—¿Cómo pinta lo tuyo? —preguntó Leon.

—No muy bien.

—¿Te mandarán a la silla?

—Me sorprendería que no lo hicieran.

Nadie se presentó voluntario para ser presidente del jurado. Según las instrucciones del juez, el primer punto de su orden del día era elegir a uno. Hal Greenwood, propietario de una tienda de pueblo situada cerca del lago, era un hombre locuaz. Alguien lo propuso, y fue elegido por unanimidad. Bromeó con que merecía cobrar más. Por aquel entonces, a los miembros de un jurado en el condado de Ford se les pagaba un dólar al día.

El juez Oswalt les había aconsejado que se tomaran su tiempo. El juicio había sido breve; no había más casos en la lista de esa semana, y saltaba a la vista que se trataba de uno importante. Les recomendó que empezaran las deliberaciones repasando las indicaciones que él les había dejado por escrito y analizaran los artículos aplicables del código. Así lo hicieron.

Recalcó la importancia de examinar cada prueba material presentada. Prestaron poca atención a la pistola y a las balas. En realidad, ni lo uno ni lo otro era necesario. Hal leyó en voz alta y pausada los informes de la autopsia y de balística. La escritura de renuncia la leyó por encima, centrándose únicamente en los puntos más relevantes y saltándose la jerga legal.

Walter Willy no se limitaba a encargarse de la sala, sino también del jurado. Montaba guardia frente a la puerta, solo, y ahuyentaba a todo aquel que se acercara. Cuando pegaba la oreja a la puerta, oía casi todo lo que se decía en el interior. Siempre lo hacía, y esa vez no fue una excepción. Al escuchar la palabra «almuerzo», retrocedió. Hal Greenwood abrió la puerta y le comunicó que los integrantes del jurado tenían hambre. Walter explicó que se había anticipado y había pedido unos sándwiches.

Mientras esperaban, Hal sugirió que efectuaran un voto inicial sobre la cuestión de la culpabilidad. Sin un orden determinado, cada uno de los doce pronunció la palabra «culpable», aunque un par de ellos se mostraron más reacios que los demás.

John y Russell Wilbanks comieron en la sala de reuniones del bufete. Por lo general iban a un café situado en la misma calle, pero no estaban de humor para aguantar las miradas ni las observaciones banales de las personas a las que veían casi a diario. A Russell el último llamamiento de su hermano al jurado le había parecido admirable, y estaba convencido de que uno o dos miembros defenderían la cadena perpetua. John no albergaba tantas esperanzas. Seguía frustrado, incluso malhumorado y abatido, por su intervención en el juicio. Si Pete le hubiera dado carta blanca, habría construido una defensa sólida basada en la demencia y le habría salvado la vida. Sin embargo, su cliente parecía empeñado en buscarse la ruina. En el caso más importante de su carrera, Pete se había visto maniatado y prácticamente relegado al papel de mero espectador.

Mientras jugueteaba con su almuerzo, se recordó a sí mis-

mo que nada le destrozaba más los nervios a un abogado que
aguardar la decisión de un jurado.

Uno de los compañeros de hermandad de Joel era de una población pequeña a una hora del campus de Vanderbilt. El lunes por la mañana, cuando comenzó el juicio, a Joel le resultaba imposible pensar en otra cosa. Su amigo lo invitó a la finca
familiar, donde montaron a caballo, cazaron durante horas en
lo más profundo del bosque e intentaron hablar de todo menos de lo que sucedía en Clanton. Joel telefoneaba a Stella todas las tardes para preguntarle cómo estaba. Ella también faltaba a clase e intentaba evitar a la gente.

Russell Wilbanks tenía razón. Tres de los doce se resistían a
votar a favor de la pena de muerte, al menos durante las primeras deliberaciones. Uno, Wilbur Stack, era un veterano de
guerra que había resultado herido tres veces en Italia. Había
sobrevivido a las recusaciones sin causa de Miles Truitt simplemente porque este ya había formulado cinco antes de que
pudiera exonerarlo a él. Otro, Dale Musgrave, que dirigía un
aserradero junto al lago, reconoció que su padre había tenido
tratos con el padre de Pete y había expresado una gran admiración por su familia. Alguien señaló que quizá habría debido
mencionar ese detalle durante el proceso de selección, pero ya
era demasiado tarde. El tercero, Vince Pendergrass, era un
pintor de brocha gorda pentecostal que, aunque aseguraba no
tener vínculos con los Banning, no podía creer que esperaran
de él que matara a un hombre. De los nueve restantes, varios
expresaron las mismas reticencias, pero estaban decididos a
ajustarse a la ley. Si bien a ninguno de los doce le entusiasmaba
la idea de votar a favor de la silla eléctrica, todos creían en la
pena de muerte. En teoría y en el papel, era una opinión bastante popular en todo el condado, y desde luego también en
Mississippi en general. Sin embargo, muy pocos participaban

en jurados responsables de decidir si alguien debía morir o no. Eso era harina de otro costal.

El debate siguió adelante en un ambiente solemne, y cada uno tuvo la oportunidad de exponer por extenso su punto de vista. La nieve había desaparecido. El cielo estaba despejado; las calles, transitables. No había urgencia por regresar a casa. A las tres de la tarde, Hal Greenwood abrió la puerta y pidió a Walter una jarra de café y doce tazas.

Después del café, y con el aire cargado de humo de tabaco, el decoro empezó a evaporarse al tiempo que se elevaba el tono. La línea divisoria estaba clara, pero las posturas no se habían enconado. Mientras que los nueve se habían mantenido firmes en todo momento, los otros tres empezaban a dar señales de rendirse. Se hacía hincapié en que el caso que los ocupaba era un asesinato bien planeado que debería haberse evitado. Si Pete Banning al menos hubiera subido al estrado para explicar sus motivos, tal vez podrían mostrar algo de comprensión. Pero Banning se había limitado a quedarse allí sentado, aparentemente ajeno a su propio juicio, sin dirigir una sola mirada al jurado.

Era evidente que la guerra lo había trastornado. ¿Por qué no lo había dejado claro su abogado? ¿El móvil del crimen tendría algo que ver con su esposa y Dexter Bell? Los metodistas, ofendidos por esta insinuación, defendieron el honor del pastor asesinado. Hal Greenwood les advirtió de que no les correspondía juzgar el caso más allá de los hechos. Debían ceñirse a lo que habían visto y oído en la sala.

Hacia las cuatro, Vince Pendergrass cambió de parecer y se alineó con la mayoría. Esta primera conversión supuso un momento crucial. Los diez se envalentonaron y redoblaron la presión sobre Wilbur Stack y Dale Musgrave.

Al salir de la sala del tribunal al pasillo, Ernie Dowdle pilló a Walter Willy dormitando junto a la puerta de la sala de deliberaciones. Eran casi las cinco, más tarde de la hora de salida de

Ernie. Se detuvo para preguntar a Walter si necesitaba algo. Este le respondió que no y le aseguró que podía irse, que lo tenía todo más que controlado.

—¿Qué están haciendo ahí dentro? —inquirió Ernie, señalando la puerta con un movimiento de la cabeza.

—Deliberar —contestó Walter con aire de profesionalidad—. Ahora, haz el favor de marcharte.

—¿Van a dar un veredicto?

—No sabría decirte.

Ernie se alejó y subió por una escalera angosta a la segunda planta, que albergaba la pequeña biblioteca jurídica del condado y algunos trasteros. Avanzó procurando no hacer ruido y abrió la puerta de un lavadero estrecho y oscuro en el que se encontraba Penrod, sentado en un taburete, con una pipa de mazorca apagada en la boca. Un conducto de ventilación de hierro forjado se elevaba hasta el techo. En el suelo junto a él, había una rendija por la que se colaba no solo el olor de los cigarrillos, sino también el sonido apagado de las voces de los miembros del jurado, reunidos justo debajo.

—Once a uno —susurró Penrod de forma casi inaudible.

Esto pareció sorprender a Ernie. Una hora antes, la votación estaba nueve a tres. Penrod y él estaban seguros de que los despedirían y probablemente los encarcelarían si alguien se enteraba de que se dedicaban a espiar, así que no lo comentaban con nadie más. La mayor parte de los casos con jurado eran de derecho civil, demasiado aburridos para arriesgarse por ellos. En los escasos juicios penales que se celebraban, el acusado solía ser negro; el jurado, blanco en su totalidad; y las deliberaciones, rápidas y predecibles. El proceso del señor Banning estaba resultando mucho más interesante. ¿Serían capaces los blancos de sentenciar y matar a uno de los suyos?

Como no había conseguido nada en toda la tarde, John Wilbanks decidió calmar los nervios antes del anochecer. Se retiró con Russell a una habitación de la planta de arriba donde tenían una cafetera y un mueble bar bien surtido. Russell sirvió Jack Daniel's con hielo para los dos, y se sentaron en unas viejas sillas de paja que llevaban décadas en el bufete. A través de una ventana se divisaba el juzgado, al otro lado de la calle, y en la primera planta se vislumbraban las siluetas de los jurados que se movían de vez en cuando por la sala. Llevaban seis horas deliberando, nada fuera de lo normal en el Mississippi rural.

John recordó la historia de un jurado de la época de la Gran Depresión que se había pasado días enzarzado en una disputa trivial. Cuando por fin emitió un veredicto y se retiró, salió a la luz la verdad. Un dólar al día no era poca cosa por aquel entonces, y la mayoría de los miembros no tenían nada mejor que hacer.

Entre risas, se sirvieron otro trago y estaban contemplando la posibilidad de cenar algo cuando se apagaron las luces de la sala de deliberaciones. Al cabo de un momento, sonó el teléfono del despacho. Una secretaria subió las escaleras para notificarles que el jurado estaba listo.

El juez Oswalt dejó pasar un rato para que se corriera la voz y el público pudiera reunirse de nuevo. A las siete de la tarde, tal como había prometido, apareció en el estrado con la toga negra, pidió a Walter Willy que prescindiera de los cantos tiroleses y ordenó a Nix que hiciera pasar al acusado. Pete Banning caminó hasta su silla y se sentó sin mirar a nadie. Una vez que todos habían ocupado su sitio, Walter fue en busca del jurado.

Sus integrantes entraron en fila, despacio, uno a uno, con la cabeza gacha. Uno dirigió la vista hacia el público; otro, hacia Pete. Tomaron asiento y volvieron los ojos hacia el estrado, como si estuvieran pasándolo muy mal y desearan con todas sus fuerzas hallarse en otra parte.

—Señores del jurado —dijo el juez Oswalt—, ¿han alcanzado ustedes un veredicto?

Hal Greenwood se puso de pie con una hoja de papel en las manos.

—Sí, señoría.

—Tenga la bondad de entregárselo al alguacil.

Walter Willy cogió el papel que le tendió Hal y, sin mirarlo, lo llevó al estrado y se lo dio al magistrado, que lo leyó despacio.

—Señores, ¿están todos de acuerdo con este veredicto?

Los doce asintieron sin el menor entusiasmo.

—¿Puede el acusado ponerse en pie? —Pete Banning se levantó lentamente, enderezó la espalda, echó los hombros hacia atrás, alzó la barbilla y desafió al juez Oswalt con la mirada—. El veredicto por unanimidad es el siguiente: «Nosotros, el jurado, declaramos al acusado, Pete Banning, culpable del asesinato en primer grado de Dexter Bell. Y nosotros, el jurado, lo sentenciamos a la pena de muerte por electrocución».

El acusado no solo no se inmutó; ni siquiera pestañeó. Otros, en cambio, se estremecieron, y entre el público se oyeron algunos gritos ahogados y gemidos. Y, en la tribuna del jurado, Wilbur Stack se tapó el rostro con las manos, embargado de pronto por la emoción. Durante el resto de su vida, lamentaría haber cedido y votado a favor de matar a otro soldado.

Florry mantuvo la calma, más que nada porque el veredicto no la pilló por sorpresa. Su hermano ya se lo esperaba. Ella, que había observado cómo reaccionaba el jurado a cada palabra pronunciada durante el juicio, sabía que no tendrían compasión. Además, para ser sinceros, ¿por qué habrían de tenerla? Por alguna razón incomprensible, Pete se había convertido en un asesino que, además, no buscaba comprensión. Mientras se llevaba un pañuelo de papel a las mejillas, Florry pensó en Joel y Stella, pero consiguió guardar la compostura. Ya la perdería más tarde, cuando estuviera a solas.

El juez Oswalt cogió otra hoja de papel.

—Señor Banning —leyó en voz alta—, por el poder que me otorga el estado de Mississippi, le condeno a muerte por electrocución dentro de noventa días, el 8 de abril. Puede sentarse.

Pete tomó asiento sin alterar la expresión. El juez Oswalt avisó a los abogados de que tenían un plazo de treinta días para presentar peticiones posteriores al juicio y recursos; a continuación, dio las gracias al jurado por su servicio y lo despidió. Cuando se hubieron marchado, señaló a Pete y se volvió hacia Nix.

—Llévelo de vuelta a la cárcel.

17

La cafetería Tea Shoppe de la plaza abrió sus puertas a las seis
de la mañana, como de costumbre, y al cabo de unos minutos
el establecimiento se llenó de abogados, empleados del banco,
pastores y hombres de negocios —la clientela habitual, formada por oficinistas—, que, reunidos ante sus cafés y panecillos,
se pasaban unos a otros los periódicos de la mañana. Nadie
desayunaba solo. Había una mesa redonda para demócratas y,
en el otro extremo del salón, otra para republicanos. Los foro-
fos del equipo de la universidad de Mississippi se apiñaban
cerca de la entrada mientras que los que apoyaban al de la universidad estatal preferían una mesa próxima a la cocina. Los
metodistas tenían su rincón, y los baptistas, el suyo. Las conversaciones entre mesas eran habituales, al igual que las bromas y los chistes, pero rara vez surgían discusiones de verdad.

El veredicto hizo que el local se llenara. Todo el mundo
estaba al tanto de los hechos, los pormenores e incluso los cotilleos, pero acudieron temprano de todos modos para asegurarse de que no se habían perdido nada. A lo mejor Pete Banning había roto su silencio y le había dicho algo a su abogado o
a Nix Gridley. Tal vez Jackie Bell hubiese hecho algún comentario sobre el veredicto a un periodista. Quizá el periódico de Tupelo había descubierto una pista que los otros habían
pasado por alto. Y la cuestión más controvertida de todas: ¿de
verdad ejecutaría el estado a Pete Banning?

Un contratista consultó a Reed Taylor, abogado, acerca

del proceso de apelaciones. Reed le explicó que John Wilbanks tenía treinta días para notificar la apelación al tribunal, y treinta más para presentar sus informes y realizar los trámites necesarios. El fiscal general de Jackson se encargaría de los informes para el estado, y su oficina dispondría de treinta días más para dar una respuesta a John Wilbanks. En total sumaban noventa días. A continuación, el tribunal supremo del estado estudiaría el caso, lo que le llevaría unos meses. Si al final anulaba la condena, cosa que, sinceramente, Reed consideraba de todo punto imposible, el caso se trasladaría de nuevo al condado de Ford para un nuevo juicio. Si, por el contrario, el tribunal supremo ratificaba la condena, John Wilbanks podía ganar tiempo e intentar interponer otro recurso, esta vez ante el tribunal supremo del país. No conseguiría nada con ello, excepto tal vez conceder a Pete unos meses más. Si Wilbanks optaba por no hacerlo, la ejecución se llevaría a cabo antes de que terminara el año natural.

Acto seguido, Reed explicó que, en los casos de pena de muerte, el recurso era automático. Había presenciado el juicio entero y no había detectado error alguno en el que basar un recurso de apelación, pero había que presentarlo de todos modos. De hecho, prosiguió Reed, la única equivocación posible había sido permitir que el soldado testificara acerca de la guerra en su declaración. Y, por supuesto, eso había perjudicado a la acusación. No proporcionaba a John Wilbanks argumentos para la apelación.

Cuando Reed terminó, los hombres volvieron a separarse en grupos y a conversar en voz baja. De vez en cuando se abría la puerta, y una grata ráfaga de aire frío penetraba en la nube de humo de tabaco y grasa de tocino. El senador del estado llegó en busca de votos. No era uno de ellos, sino que vivía en Smithfield, en el condado de Polk. Apenas le veían el pelo salvo en época de campaña para la reelección, y la mayoría estaban molestos por su presencia en la ciudad durante aquellos momentos tan dramáticos. Emprendió una ronda de saludos con una sonrisa empalagosa, dando apretones de manos e intentando recordar los nombres de la gente. Al final encontró una silla libre entre el grupo de los baptistas, que estaban todos ocupados leyendo periódicos y tomando café a sorbos. En cierta ocasión había divagado en torno a la prohibición de bebidas alcohólicas a nivel estatal, así que no querían saber nada de él.

A medida que se alargaba la mañana, se hizo evidente que no había novedades en el caso Banning. El proceso había sido rápido, y el veredicto, aún más. Una vez emitido, no se habían producido revelaciones importantes por parte del jurado, los abogados, el acusado o la familia de la víctima. Los esfuerzos por propagar rumores desde el Tea Shoppe cayeron en saco roto, y a las siete y media los hombres ya formaban cola para pagar la cuenta.

El miércoles, a altas horas de la noche, después de la temida llamada de la tía Florry, Joel regresó al campus. A primera hora del jueves, acudió a la sección de prensa y revistas de la biblioteca principal de la universidad, donde, expuestos en una estantería, había una docena de ejemplares de ediciones matutinas de todo el país. Aunque no se incluían los periódicos de Tupelo o Jackson, nunca faltaba el *Memphis Press-Scimitar*. Se lo llevó hasta un cubículo en el que, a salvo de las miradas, contempló la foto de su padre saliendo esposado del juzgado y leyó la información sobre lo que había ocurrido cuando el jurado regresó con el veredicto. Seguía sin creerse que hubieran fijado una fecha tan temprana para la ejecución. Toda aquella tragedia le parecía increíble.

Su graduación se celebraría el 17 de mayo. Así pues, unas cinco semanas después de que sujetaran a su padre a una silla eléctrica, se suponía que él, el joven Joel Banning, de veintiún años, debía marchar orgulloso por el césped, ataviado con toga y birrete junto con mil estudiantes más, y recibir su título de una universidad de prestigio. Se le antojaba imposible.

Asistir a clase también se le antojaba imposible. Aunque

sus compañeros de hermandad habían cerrado filas en torno a él y se esforzaban por protegerlo y ayudarle a mantener una apariencia de vida universitaria normal, Joel se sentía estigmatizado, avergonzado, en ocasiones incluso humillado. En clase, percibía las miradas clavadas en él. Casi podía oír los susurros, tanto en el campus como fuera de él. Era un estudiante de último año que sacaba buenas notas y podía aprobar el curso sin dificultad, y eso era justo lo que se había propuesto. Hablaría con sus profesores y les haría promesas. Abandonar no era una opción. El reto consistía en sobrevivir.

Yale había rechazado su solicitud de ingreso en la facultad de derecho. Lo habían admitido en Vanderbilt y la Universidad de Mississippi, y la diferencia en el precio de la matrícula era considerable. Con la condena de su padre por el asesinato, cabía esperar una demanda por responsabilidad civil. La economía familiar se veía abocada a una época incierta, hasta tal punto que Joel no estaba seguro de que los estudios de derecho fueran viables. Era inconcebible: un Banning preocupado por el dinero, y todo porque su padre estaba resentido. Fuera cual fuese el conflicto que tenía con el reverendo Bell, seguro que no valía la pena causar tanto daño por ello.

Transcurrió una hora, y Joel faltó a la primera clase. Tras salir de la biblioteca, vagó por el campus y se pidió un café en la cafetería. Se lo tomó, faltó a la segunda clase y después, cuando regresó a la residencia, llamó a su hermana.

Stella también iba a la deriva. Había decidido pedir un permiso para ausentarse y ocultarse en Washington durante el resto del año. Adoraba Hollins y algún día se graduaría, pero por el momento todos los rostros que veía pertenecían a personas que sabían que su padre estaba preso por asesinato y que lo acababan de sentenciar a muerte. La vergüenza y la compasión pesaban demasiado sobre ella. Anhelaba abrazar a su madre. Aunque estaba apenada por su padre, a la vez le resultaba más fácil pensar mal de él.

Su decano favorito conocía a un licenciado por Hollins en Washington y lo telefoneó. Stella partiría en el primer tren a la capital, se instalaría en una casita de invitados en Georgetown y trabajaría de canguro, profesora particular, niñera, chica de los recados o lo que fuera. Y, aparte de la familia que la acogería, ninguna de las personas con las que se cruzara sabría cómo se llamaba ni de dónde procedía. Al trasladarse de Roanoke a Washington, pondría aún más tierra de por medio entre ella y Clanton.

Hardy Capley, un periodista novato que trabajaba para el *Memphis Press-Scimitar*, cubrió el juicio de principio a fin. Su hermano había sido prisionero de guerra, y Hardy estaba intrigado por la presencia de Clay Wampler, el vaquero de Colorado que había luchado junto a Pete Banning en Filipinas. Aunque a Clay no le habían permitido declarar, se había hecho notar en la sala, sobre todo durante los recesos. Después del juicio, se quedó unos días más en Clanton y al final se marchó. Hardy estuvo incordiando al director del periódico hasta que este cedió y lo envió a investigar más a fondo. El reportero viajó a Colorado en tren y autobús y se pasó dos días con Wampler, que le habló sin ambages de sus aventuras y correrías contra los japoneses como guerrillero a las órdenes de Pete Banning.

El reportaje que escribió Hardy constaba de diez mil palabras, aunque podría haber sido cinco veces más largo. Era un relato increíble que merecía publicarse, pero su extensión resultaba excesiva para un periódico. Se negó a recortarlo, amenazó con llevarlo a otro periódico e importunó a sus jefes hasta que accedieron a publicarlo en una serie de tres partes.

Hardy describía el asedio de Bataán con todo lujo de detalles; la valentía de las tropas estadounidenses y filipinas, las enfermedades, el hambre y el miedo que los atenazaban, el asombroso coraje que habían demostrado frente a una fuerza superior, y la humillación que supuso para ellos verse obligados a rendirse. La marcha de la muerte de Bataán, que se había vuelto tristemente célebre, estaba narrada de forma tan vívida que los editores tuvieron que suavizar un poco el tono. El salvajismo y la crueldad de los soldados japoneses quedaban retratados con pocas modificaciones. El asesinato y el abandono sufridos por tantos prisioneros de guerra norteamericanos provocaban congoja y rabia.

Aunque gran parte de la historia ya la habían contado tanto los fugados como los supervivientes, el reportaje tuvo un fuerte impacto en Clanton porque hablaba de uno de los suyos. Durante más de dos años, Pete Banning había comandado una guerrilla variopinta formada por estadounidenses y filipinos que hostigaban a los japoneses y se levantaban cada día convencidos de que sería el último de su vida. Tras haber esquivado tantas veces la muerte, la aceptaban como una certeza, por lo que se entregaban al combate con arrojo temerario. Mataron a cientos de soldados japoneses. Destruyeron puentes, vías de tren, aviones, cuarteles, tanques, arsenales y puestos de abastecimiento. Llegaron a ser tan temidos que se ofreció una recompensa de diez mil dólares por la cabeza de Pete Banning. Siempre perseguidos, los guerrilleros podían desaparecer en la jungla y lanzar un ataque días después, a treinta kilómetros de su última posición conocida. Desde el sesgado punto de vista de Wampler, Pete Banning era el soldado más extraordinario que había conocido.

El reportaje, muy leído en el condado de Ford, atemperó el entusiasmo por la futura ejecución de Pete. El juez Oswalt incluso comentó a John Wilbanks que si el periódico lo hubiera publicado antes del juicio, se habría visto obligado a trasladarlo a más de cien kilómetros de allí.

Pete Banning se había enrocado en su negativa a hablar de la guerra. Ahora que otro se había encargado de tratar el tema, muchos vecinos del condado querían un final distinto para su historia.

Si el acusado estaba angustiado por la sentencia y la pena de muerte, no mostraba la menor señal. Continuó cumpliendo con sus obligaciones de recluso de confianza, como si el juicio no se hubiera celebrado. Imponía un horario estricto en la cárcel, mantenía limpios y ordenados los dos baños, reñía a gritos a los internos que no hacían la cama todas las mañanas o que dejaban basura en el suelo de su celda, los animaba a leer libros, periódicos y revistas, y estaba enseñando a leer a dos presos, uno blanco y uno negro. Aportaba un suministro constante de buenos alimentos, la mayor parte producto de su finca. Cuando no estaba entretenido haciendo esto y aquello por la cárcel, jugaba al cribbage durante horas con Leon Colliver, leía montones de novelas y se echaba siestas. Ni una vez se quejó por el juicio ni mencionó su suerte.

La cantidad de correo que recibía aumentó de forma espectacular tras el juicio. Le llegaban cartas de casi todos los estados, escritas por otros veteranos que habían sobrevivido a los horrores de la guerra en Filipinas. Se trataba de misivas largas en las que los soldados relataban sus experiencias. Le manifestaban su apoyo a Pete, horrorizados porque un héroe como él estuviera a punto de ser ejecutado. Él les respondía con notas inevitablemente escuetas, dado el volumen del correo, y al cabo de poco tiempo dedicaba dos horas al día a la correspondencia.

Las cartas a sus hijos se hicieron más extensas. Aunque pronto ya no estaría, ellos contarían con sus palabras escritas para siempre. Joel no le confesó que le habían entrado dudas respecto a estudiar derecho. Stella, desde luego, no le confesó que estaba viviendo en Washington tras haber aparcado los estudios. Su decano en Hollins le reenviaba las cartas de Pete y le remitía a este las que su hija le escribía a su vez. Stella ni siquiera había informado a Florry de su paradero.

Una tarde, Pete estaba en plena partida de cribbage cuando Tick Poley la interrumpió para avisarle de la llegada de su abogado. Pete le dio las gracias y continuó jugando, obligando a John Wilbanks a esperar veinte minutos a que terminara.

—Tenemos que presentar tu recurso de apelación el próximo miércoles a más tardar —le informó Wilbanks cuando se encontraban a solas en el despacho del sheriff.

—¿Qué recurso de apelación? —inquirió Pete.

—Buena pregunta. En realidad, no se trata de una apelación, porque no tenemos nada que apelar. Sin embargo, la ley establece que, en caso de pena de muerte, la apelación es automática, así que algo tengo que presentar.

—No tiene sentido, como tantas otras leyes —repuso Pete. Abrió un paquete de Pall Mall y se encendió un cigarrillo.

—Bueno, Pete, yo no hago las leyes, pero las normas son las normas. Voy a redactar un informe muy escueto y a presentarlo en el último momento. ¿Querrás leerlo?

—¿Qué vas a decir? ¿Qué fundamentos hay para la apelación?

—No muchos. Seguramente podría recurrir al viejo truco de alegar que el veredicto no tuvo en cuenta el aplastante peso de las pruebas.

—A mí las pruebas me parecieron bastante sólidas.

—Y, en efecto, lo eran. Y puesto que se me impidió construir una defensa basada en la demencia, nuestra única estrategia posible y que habría funcionado a las mil maravillas, lo cierto es que no hay gran cosa sobre lo que escribir.

—No estoy loco, John.

—Ya hemos tenido esta discusión, y es demasiado tarde para volver sobre ello.

—No me gusta la idea de apelar.

—¿Por qué será que no me sorprende?

—Me ha sentenciado un jurado formado por mis pares, hombres buenos de mi condado natal, y con más sentido común que esos jueces de Jackson. Dejemos su veredicto en paz, John.

—Tengo que presentar algo. Es automático.

—No vas a presentar una apelación en mi nombre, ¿me has entendido, John?

—No tengo más remedio.

—Entonces me buscaré otro abogado.

—Ah, genial, Pete. Esto es maravilloso. Quieres despedirme ahora que ha terminado el juicio. ¿Quieres otro abogado para atarle las manos también? Vas derecho a la silla eléctrica, Pete. ¿Quién demonios querría representarte cuando faltan pocos minutos para el final del partido?

—No presentes una apelación por mí.

John Wilbanks se levantó como un resorte y se dirigió hacia la puerta.

—La presentaré porque estoy obligado, pero no pienso seguir perdiendo el tiempo, Pete. No me has pagado mis honorarios por el juicio.

—Ya me ocuparé de eso.

—No dejas de repetírmelo. —Wilbanks abrió la puerta, salió y la cerró de golpe tras de sí.

John Wilbanks presentó el recurso de apelación y, que él supiera, Pete ni lo despidió ni le pagó. Fue uno de los recursos más sucintos jamás recibidos por el tribunal supremo de Mississippi por un caso de asesinato, y el estado respondió de forma contundente. Es decir, con otro breve informe. El proceso había sido sencillamente impecable, y el acusado no alegaba errores perjudiciales. Pese a que formaban parte de un tribunal muy criticado por su lentitud glacial, los magistrados se habían resistido a ratificar con tanta rapidez la sentencia de un asunto tan sonado. En cambio, habían indicado al secretario que reorganizara la lista de casos y programara la vista oral por el de Banning para más tarde, en primavera. John Wilbanks informó al secretario de que no había solicitado la vista oral ni pensaba participar en ella. No tenía nada que alegar.

El 8 de abril llegó y se fue sin que se produjera la ejecución. Para entonces ya se había corrido la voz a través del Tea Shoppe de que se estaban realizando trámites para retrasarla y no se había fijado una fecha concreta, así que la gente no contaba los días. Por el contrario, con la llegada de la primavera, los cotilleos por la ciudad y el condado se desviaron de Pete Banning para centrarse en el aspecto más importante de la vida: la siembra del algodón. Habían empezado a arar, labrar y preparar los campos para recibir las semillas, muy pendientes del estado del tiempo. Si sembraban muy pronto, como por ejemplo a finales de marzo, las fuertes lluvias podían arrastrar consigo las semillas. Si sembraban demasiado tarde, como por ejemplo a principios de mayo, los cultivos empezarían con mal pie y correrían el riesgo de inundarse al llegar octubre. La agricultura, como siempre, era una lotería.

Buford Provine, el capataz de los Banning desde largo tiempo atrás, empezó a pasarse por la cárcel todas las mañanas para fumarse un pitillo con Pete. Por lo general quedaban al aire libre, detrás del edificio, y Buford apoyaba la espalda en un árbol mientras Pete estiraba las piernas al otro lado de la valla de tela metálica de dos metros y medio. Se encontraba en el «patio», un pequeño cuadrado de tierra en el que los presos a veces tomaban el fresco. También se usaba para las visitas y reuniones con los abogados. Lo que fuera con tal de salir de la cárcel.

El 9 de abril, el día siguiente a la fecha en la que en teoría iba a morir, Pete habló con Buford de los calendarios agrícolas y pronósticos del servicio meteorológico, y decidió que lo mejor sería plantar las semillas lo antes posible. Cuando Buford se alejó conduciendo, Pete siguió su camioneta con la mirada hasta que desapareció. Aunque estaba contento con la decisión de sembrar, también sabía que ya no estaría cuando llegara el momento de la cosecha.

El día antes de la ceremonia de graduación en Vanderbilt, Joel metió sus pertenencias en dos bolsas de lona y se marchó de Nashville. Tomó el tren a Washington y fue a buscar a Stella a Georgetown. Ella se alegró mucho de verlo y le aseguró que estaba bastante satisfecha con su trabajo, que consistía en «prácticamente criar a tres niños». Su casita de invitados era demasiado pequeña para alojar a otra persona, y su jefe tampoco quería que viviera nadie más allí. Joel encontró habitación en una pensión de mala muerte y entró a trabajar como camarero en un restaurante de postín. Los dos exploraban la ciudad siempre que se lo permitían las obligaciones de Stella y disfrutaban al verse rodeados de personas que lo ignoraban todo sobre su procedencia. Escribían largas cartas a la tía Florry y a su padre en las que les explicaban que habían conseguido empleos de verano en Washington y que las cosas les iban bastante bien. Ya les hablarían de las clases más adelante.

El 4 de junio, el tribunal supremo de Mississippi, sin vista oral, ratificó de forma unánime el fallo y la sentencia de Pete Banning, y remitió el caso de nuevo al juez Oswalt. Una semana después, este fijó la fecha de la ejecución a treinta días vista, el martes 10 de julio.

No hubo más apelaciones.

18

Antes de 1940, Mississippi ejecutaba a los criminales en la horca, por aquel entonces el método preferido en todo el país. En algunos estados los ajusticiamientos se llevaban a cabo con discreción, sin mucho bombo, mientras que en otros constituían actos públicos. En Mississippi, los políticos de línea dura creían firmemente que mostrar a la gente lo que podía ocurrirle si se pasaba demasiado de la raya era una manera eficaz de controlar el crimen, por lo que la pena capital solía convertirse en un espectáculo. Los sheriffs locales tomaban las decisiones y, por regla general, a los acusados blancos los ahorcaban en privado, mientras que a los negros los mataban a la vista de todos.

Entre 1818 y 1940, el estado colgó a ochocientas personas, el ochenta por ciento de las cuales eran de raza negra. Se trataba, claro está, de ejecuciones de violadores y asesinos condenados por un tribunal. Durante el mismo período, aproximadamente seiscientos negros fueron linchados por turbas que actuaban al margen del sistema legal y sin sufrir consecuencia alguna.

A la prisión estatal le habían puesto el nombre de Jim Parchman, en honor a su primer alcaide. Era una extensa plantación de algodón de más de tres mil hectáreas en el condado de Sunflower, en el corazón del delta del Mississippi. Los vecinos del lugar no querían que fuera conocido como «el condado de la muerte» y contaban con políticos influyentes. En consecuencia, los ahorcamientos se producían en los condados donde se cometían los crímenes. No había patíbulos fijos, ni verdugos capacitados, ni procedimientos estándar, ni protocolos. No era tan complicado; bastaba con poner al hombre una soga al cuello y dejarlo caer. Los lugareños montaban el armazón, las vigas transversales y las trampillas, y los sheriffs se encargaban de colgar a los condenados ante la multitud.

Aunque los ajusticiamientos eran rápidos y eficientes, no estaban exentos de problemas. En 1932, ahorcaron a un blanco llamado Guy Fairley, pero algo salió mal. El cuello no se le partió como estaba previsto, de modo que el hombre quedó colgando, agitando las piernas, ahogándose, sangrando y gritando. Tardó mucho en morir. La prensa se hizo mucho eco de lo ocurrido, lo que dio pie a que se planteara la posibilidad de una reforma. En 1937, otro blanco, Trey Samson, cayó por la trampilla y pereció al instante cuando la cabeza se le desprendió por completo del cuerpo y rodó hacia el sheriff. Había un fotógrafo presente y, aunque ningún periódico se avino a publicarla, la foto tuvo una amplia difusión de todos modos.

En 1940, la asamblea legislativa abordó el problema. Se llegó a una solución intermedia cuando se acordó que el estado abandonara los ahorcamientos en favor de un método más moderno como el de la electrocución. Y como había una fuerte oposición a matar a los acusados en Parchman, el estado decidió construir una silla eléctrica portátil que se transportara con facilidad de un condado a otro. Los legisladores, impresionados por aquella iniciativa tan ingeniosa, se apresuraron a integrarla en una ley. Surgieron algunas complicaciones cuando se hizo patente que nadie en el país había usado nunca una silla eléctrica portátil. Y, al menos durante un tiempo, ningún electricista respetable quiso abrazar aquella idea tan original y astuta.

Al fin, una empresa de Memphis dio un paso al frente y diseñó la primera silla eléctrica portátil de la historia. Venía con ciento ochenta metros de cables de alta tensión, un cuadro de distribución, generador propio, correas para el casco y unos electrodos diseñados a partir de especificaciones facilitadas por los estados con sillas eléctricas fijas. La unidad entera se trasladaba de un condado a otro en un camión plateado grande diseñado específicamente para dichas ocasiones.

El nuevo verdugo del estado era un personaje turbio llamado Jimmy Thompson que acababa de salir en libertad condicional de Parchman, donde había estado cumpliendo condena por robo a mano armada. Además de expresidiario, era extripulante de barco, exmarine, exartista de carnaval, exhipnotizador y borracho habitual. Había conseguido el trabajo gracias a sus contactos políticos: conocía al gobernador en persona. Le pagaban cien dólares por ejecución, más los gastos.

A Thompson le encantaban los focos, por lo que siempre estaba dispuesto a conceder entrevistas. Llegaba temprano a los lugares convenidos, mostraba su silla portátil y su cuadro de distribución, y posaba junto a los vecinos. Tras su primera ejecución, contó a un periódico que el acusado había muerto «con lágrimas en los ojos por el cuidado que puse en freírlo de forma limpia y eficiente». Al difunto, un hombre negro llamado Willie Mac Bragg, condenado por matar a su esposa, lo fotografiaron cuando los ayudantes del sheriff lo sujetaban a la silla y en el instante en que moría electrocutado. Aunque las ejecuciones no estaban abiertas al público, siempre asistían numerosos testigos.

La silla no tardó en conocerse como Vieja Chispas, y su fama fue en aumento. En un momento excepcional de la historia, Mississippi estuvo a la vanguardia de algo. Luisiana reparó en ello y construyó una imitación, pero ningún otro estado siguió su ejemplo.

Desde octubre de 1940 hasta enero de 1947, la Vieja Chispas se utilizó treinta siete veces durante la gira de Jimmy Thompson por el estado con su espectáculo ambulante. La práctica no hizo al maestro y, aunque los ciudadanos estaban bastante orgullosos de los ajusticiamientos, surgieron quejas. Ninguna ejecución se parecía a las demás. Algunas resultaban

rápidas y aparentemente piadosas. Otras, en cambio, eran pro-
longadas y espantosas. En 1943, una electrocución salió mal
en el condado de Lee porque Thompson colocó de forma in-
correcta los electrodos en las piernas del condenado. Empezaron a arder, quemándole los pantalones y la carne, y despidiendo nubes de un humo nauseabundo que provocó arcadas
a los presentes en la sala del juzgado. En 1944, el primer ca-
lambrazo no mató al reo, de modo que Jimmy le dio al interruptor otra vez. Y luego otra. Dos horas después, el pobre
hombre seguía vivo y atenazado por un dolor atroz. El sheriff
intentó poner fin a aquel suplicio, pero Thompson se negó en
redondo. Aumentó el voltaje del generador y remató al condenado con una última descarga.

En mayo de 1947, instalaron la Vieja Chispas en la sala principal del juzgado del condado de Hinds, en Jackson, y un hombre negro condenado por asesinato murió electrocutado.

Y en julio, Jimmy Thompson partió con rumbo al condado de Ford con su artilugio.

Como John Wilbanks había oído tantas veces la misma pregunta y había respondido siempre con la misma sinceridad,
cabían muy pocas dudas de que la ejecución estaba a punto de
producirse. Wilbanks solicitó el indulto al gobernador sin co-
municárselo a su cliente. El perdón era una prerrogativa exclusiva del gobernador, pero las probabilidades de que lo con-
cediera eran escasas. Junto con la solicitud, John envió una carta
en la que aclaraba que la presentaba solo para tener todas las
bases legales cubiertas. Por lo demás, como John explicaba una
y otra vez, no había la menor posibilidad de detener la ejecución; ni recursos pendientes ni argucias legales de último momento. Nada.

Clanton celebró el Cuatro de Julio con el desfile anual que
discurría por el centro, en el que decenas de veteranos uniformados marchaban y repartían caramelos entre los niños. El
césped del juzgado se cubrió de barbacoas y puestos de hela-

dos. Una banda de música tocaba en un quiosco. Como era año de elecciones, los candidatos se turnaban ante el micrófono para lanzar sus promesas. La celebración, sin embargo, quedó un poco deslucida, pues los vecinos no hablaban de otra cosa que de la ejecución. Y, como comentó John Wilbanks desde el balcón de su despacho, había bastante menos gente de lo habitual.

El martes 8 de julio, Jimmy Thompson apareció en su camión plateado y aparcó a un lado del juzgado. La descargó y animó a todos los curiosos a echar un vistazo. Como de costumbre, dejó que algunos mocosos se sentaran en la silla eléctrica y posaran para fotografías. Agasajó a los reporteros que ya empezaban a llegar con relatos de sus fantásticas experiencias por todo el estado. Les describió el proceso paso a paso, explicándoles con lujo de detalles que el generador se quedaría en el camión y que la corriente de dos mil voltios recorrería unos cien metros por la acera hasta el interior del juzgado y la sala de la planta superior, donde la Vieja Chispas ya estaba instalada junto a la tribuna del jurado.

Joel y Stella llegaron en tren el martes, entrada la noche, y Florry los recibió en la estación. Se escabulleron a toda prisa sin hacer caso a nadie y se dirigieron a la casita rosa de ella, donde Marietta tenía la cena preparada. Fue una velada sombría, sin apenas conversación. ¿Qué iban a decir? Se adentraban como sonámbulos en una pesadilla conforme asimilaban poco a poco la realidad.

Cuando, a primera hora de la mañana del miércoles, Nix Gridley se acercó al juzgado, no le sorprendió encontrarse con una pequeña multitud que contemplaba boquiabierta la Vieja Chispas. Jimmy Thompson, una comadreja de la que el sheriff ya estaba harto, peroraba sobre las asombrosas capacidades de su máquina y, al cabo de unos minutos, Nix se alejó en dirección a la cárcel. Pasó a buscar a Roy Lester, y ambos salieron con Pete Banning por una puerta lateral para marcharse rápidamente en el coche patrulla de Gridley. Pete, que iba en el asiento trasero, sin esposas, apenas abrió la boca mientras avanzaban a toda velocidad hacia el sur por la carretera Natchez Trace. En el pueblo de Kosciusko, se quedaron en el coche entretanto Roy compraba café y panecillos en una cafetería. Comieron en silencio mientras los kilómetros se sucedían.

El director del hospital estatal de Mississippi en Whitfield los esperaba en la entrada principal. Nix lo siguió a través del complejo hasta el edificio cuarenta y uno, donde Liza Banning había pasado los últimos catorce meses. Dos médicos los aguardaban allí. Tras las acartonadas presentaciones, guiaron a Pete hasta un despacho y cerraron la puerta.

El doctor Hilsabeck fue el encargado de hablar con él.

—Lamento decirle, señor Banning, que su esposa no se encuentra bien. Y esto no hará más que empeorar las cosas. Se ha retraído por completo y no se comunica con nadie.

—Tenía que venir —dijo Pete—. No había otra manera.

—Lo comprendo. Le sorprenderá su aspecto. Y no espere que se muestre muy receptiva.

—¿Cuánto sabe?

—Se lo hemos contado todo. Estaba mostrando cierta mejoría hasta que se enteró del asesinato, hace varios meses. Eso supuso un golpe muy duro para ella, y su estado no ha hecho más que empeorar desde entonces. Hace dos semanas, cuando hablé con el sheriff y quedó claro que la ejecución era inevitable, intentamos darle la noticia con delicadeza. Eso le provocó un retraimiento total. Apenas prueba bocado y no ha pronunciado palabra desde entonces. Para serle sincero, no tenemos idea del impacto que tendría sobre ella la ejecución, si se lleva a cabo. Naturalmente, estamos muy preocupados.

—Quisiera verla.

—Muy bien.

Pete los siguió por el pasillo y subió un tramo de escaleras tras ellos. Una enfermera aguardaba junto a una puerta sin placa. Hilsabeck hizo una señal con la cabeza a Pete, que abrió la puerta y entró. La enfermera y el médico se quedaron en el pasillo.

La tenue iluminación de la habitación procedía de una solitaria lámpara de techo. No había ventanas. Había una puerta abierta a un baño diminuto. En una estrecha cama con estructura de madera, estaba Liza Banning, recostada sobre una pila de almohadas y despierta, esperando. Pete se acercó con cuidado al lecho y se sentó al pie. Ella lo observaba con fijeza, como asustada, sin decir nada. Aunque no había cumplido los cuarenta, parecía mucho mayor a causa del cabello cano, las mejillas descarnadas, las arrugas, la palidez de la piel y los ojos hundidos. La habitación estaba oscura, en silencio, inmóvil.

—Liza —dijo Pete al fin—, he venido a despedirme.

—Quiero ver a mis hijos —respondió ella en un tono sorprendentemente firme.

—Vendrán dentro de un día o dos, cuando yo ya no esté, te lo prometo.

Ella cerró los ojos y exhaló, como invadida por el alivio. Transcurrieron unos minutos, y Pete comenzó a frotarle las piernas con delicadeza por encima de las sábanas. Ella no reaccionó.

—Los chicos estarán bien, Liza, te lo prometo. Son fuertes y saldrán adelante sin nosotros.

A Liza empezaron a resbalarle lágrimas por las mejillas y luego a gotearle desde el mentón. Ella no intentó enjugárselas, y él tampoco. Pasaron varios minutos más, y las lágrimas no cesaban.

—¿Me quieres, Pete? —susurró ella.

—Por supuesto. Desde el primer día, y nunca he dejado de quererte.

—¿Podrás perdonarme?

Pete bajó la vista y se quedó contemplando el suelo con cara inexpresiva durante largo rato. Al final se aclaró la garganta.

—No voy a mentirte. Lo he intentado muchas veces, Liza, pero no, no puedo perdonarte.

—Por favor, Pete, dime que me perdonarás antes de marcharte.

—Lo siento. Te quiero, y seguiré queriéndote cuando me vaya a la tumba.

—¿Igual que en los viejos tiempos?

—Igual que en los viejos tiempos.

—¿Qué ha sido de esos tiempos, Pete? ¿Por qué no podemos volver a estar juntos con los chicos?

—Los dos sabemos la respuesta, Liza. Han pasado demasiadas cosas. Lo siento.

—Yo también lo siento, Pete.

Rompió a sollozar, y él se acercó para abrazarla con ternura. La notó frágil, quebradiza, y por un momento, lo asaltaron recuerdos de los esqueletos que lo habían obligado a enterrar en Bataán, los de unos soldados otrora sanos que habían muerto de hambre, pesando menos de cuarenta y cinco kilos. Cerró los ojos, ahuyentó esos pensamientos y de algún modo consiguió recordar el cuerpo de Liza en la maravillosa época en que no podía quitarle las manos de encima. Añoraba esos días, aquel pasado no tan lejano en el que vivían en un estado de excitación casi continuo y no desaprovechaban una sola oportunidad.

Finalmente se derrumbó y se puso a llorar también.

La última cena, preparada por Nineva, consistía en los platos favoritos de Pete: chuletas de cerdo con puré de patata y salsa de carne, y quingombó hervido. Él llegó después del atardecer con el sheriff y Roy, que se quedaron esperando en el porche, meciéndose en sillas de mimbre.

Nineva sirvió la cena a la familia en el comedor y salió por la puerta, deshecha en lágrimas. Después de despedirse, Amos la acompañó a casa.

Pete llevaba el peso de la conversación, más que nada porque los demás no tenían gran cosa que comentar. ¿Qué se suponía que debían decir en un momento tan terrible? Florry no podía probar bocado, y ni Joel ni Stella tenían apetito. Pete, en cambio, estaba hambriento, y mientras cortaba sus chuletas de cerdo, les describió la visita a Whitfield.

—Le he dicho a vuestra madre que le haréis una visita el viernes, si es lo que queréis.

—Sin duda será una reunión familiar de lo más agradable —murmuró Joel—. Te enterramos el viernes por la mañana, y luego nos vamos pitando al manicomio para ver a mamá.

—Necesita veros —aseguró Pete, masticando.

—Ya lo intentamos una vez —repuso Stella, que ni siquiera había cogido el tenedor—. Pero tú lo impediste. ¿Por qué?

—Bueno, no querrás que discutamos durante nuestra última comida juntos, ¿verdad, Stella?

—Claro que no. Somos los Banning y nunca hablamos de nada. Se espera de nosotros que guardemos la compostura y sigamos adelante, como si creyéramos que todo va a salir bien, que todos los secretos quedarán enterrados, que la vida acabará por volver a la normalidad y que nadie sabrá jamás por qué nos has metido a todos en esta espantosa situación. Somos los Banning, los más duros de pelar. —Se le quebró la voz y se enjugó el rostro.

—He hablado con John Wilbanks —dijo Pete sin hacerle caso—, y todo está en orden. Buford tiene controlados los cultivos y se reunirá con Florry para asegurarse de que todo marche bien en la hacienda. Las tierras están ahora a vuestro nombre, de modo que seguirán perteneciendo a la familia. Los ingresos se repartirán cada año, y recibiréis el cheque por Navidad.

Joel dejó su tenedor sobre la mesa.

—Así que la vida continúa, ¿no, papá? —saltó—. El estado te mata mañana, te enterramos al día siguiente y nosotros nos marchamos para regresar a nuestros pequeños mundos, como si nada hubiera cambiado.

—Todos morimos tarde o temprano, Joel. Mi padre no llegó a los cincuenta, ni tampoco mi abuelo. Los Banning no vivimos muchos años.

—Vaya, qué reconfortante —comentó Florry.

—Me refiero a los Banning varones. Las mujeres tienden a ser más longevas.

—¿Podríamos hablar de algo que no sea la muerte? —pidió Stella.

—Por supuesto, hermanita —respondió Joel—. ¿El tiempo, las cosechas, los Cardinals? ¿Qué te pasa por la cabeza en estos terribles momentos?

—No lo sé. —Se dio unos leves toques en los ojos con la servilleta—. No puedo creerlo. No puedo creer que estemos aquí sentados intentando comer, cuando es la última vez que estaremos contigo.

—Tienes que ser fuerte, Stella —dijo Pete.

—Me he cansado de ser fuerte, o de aparentarlo. No puedo creer que le esté ocurriendo esto a nuestra familia. ¿Por qué lo hiciste?

Se produjo un largo silencio mientras ambas mujeres se secaban los ojos. Joel tomó un bocado de puré y tragó sin masticar.

—Bueno, supongo que has decidido llevarte tus secretos a la tumba, ¿no, papá? Ni siquiera ahora, en el último momento, eres capaz de contarnos por qué mataste a Dexter Bell, así que estamos condenados a pasarnos el resto de nuestra vida preguntándonos por qué. ¿He resumido bien la situación?

—Ya os he dicho que no pienso hablar de ello.

—Claro que no.

—Nos debes una explicación —aseveró Stella.

—No os debo una mierda —espetó Pete, enfadado. Después de respirar hondo, añadió—: Lo siento. Pero no voy a hablar de ello.

—Tengo una pregunta —dijo Joel con tranquilidad—. Y, como es mi última oportunidad, te la voy a hacer ahora. Durante la guerra, presenciaste muchas atrocidades, mucho sufrimiento y destrucción, y tú mismo mataste a un montón de hombres en batalla. Cuando un soldado ha visto morir a tanta gente, ¿se insensibiliza? ¿Valora menos la vida? ¿Llega un punto en que opina que la muerte no es nada del otro mundo? No te estoy criticando, papá; solo tengo curiosidad.

Pete dio un mordisco a una chuleta y reflexionó sobre la pregunta mientras mascaba.

—Supongo que sí. A partir de cierto momento, tuve la certeza de que iba a morir, y cuando eso sucede en combate, un soldado acepta su destino y lucha con más fuerza todavía. Perdí a muchos amigos. Incluso enterré a unos cuantos. Así que dejé de hacer amigos. Y, después de todo, no morí. Sobreviví, y, debido a todo aquello por lo que había pasado, aprendí a apreciar aún más la vida. Pero descubrí que morir forma parte de ella. A todos nos llega el final. A algunos antes que a otros. ¿Responde eso a tu pregunta?

—La verdad es que no. Supongo que no hay respuestas.

—Creía que no íbamos a hablar más de la muerte —protestó Florry.

—Esto es surrealista —comentó Stella.

—La vida siempre es valiosa —continuó Pete—. Cada día es un regalo. No lo olvidéis.

—¿Y qué me dices de la vida de Dexter Bell? —inquirió Joel.

—Merecía morir, Joel. Nunca lo entenderás, y supongo que algún día te darás cuenta de que la vida está llena de cosas que escapan a nuestra comprensión. Nada te garantiza que llegarás a tener un conocimiento pleno de todas las cosas. Hay muchos misterios ahí fuera. Acéptalos y sigue adelante con tu vida.

Pete se limpió la boca y apartó su plato.

—Yo también tengo una pregunta —dijo Stella—. Serás recordado durante mucho tiempo por aquí, y no por las mejores razones. De hecho, tu muerte seguramente se convertirá en leyenda. Mi pregunta es la siguiente: ¿cómo quieres que te recordemos nosotros?

Pete sonrió.

—Como a un buen hombre que creó a dos hijos hermosos. Dejad que el resto del mundo diga lo que quiera, mientras no se meta con vosotros dos. Moriré orgulloso de tu hermano y de ti.

Stella se tapó el rostro con la servilleta y se puso a sollozar. Pete se levantó despacio.

—Debería marcharme —dijo—. Ha sido un día largo para el sheriff.

Joel, con lágrimas rodándole por las mejillas, se puso de pie y abrazó a su padre.

—Sé fuerte —le pidió este.

Stella, ahogándose en un mar de lágrimas, no podía levantarse. Pete se agachó y le dio un beso en la cabeza.

—Ya basta de llorar —dijo—. Tienes que mantener la entereza, por tu madre. Algún día volverá a casa. —Se volvió hacia Florry—. Nos vemos mañana.

Ella asintió y él se marchó del comedor. Cuando oyeron que la puerta se cerraba, los tres dieron rienda suelta al llanto. Joel salió al porche delantero y observó el coche del sheriff alejarse por la carretera hasta desaparecer.

19

El jueves 10 de julio, la fecha que constaba en la segunda sentencia de muerte firmada por el juez Rafe Oswalt, Pete Banning despertó al alba y se encendió un cigarrillo. Roy Lester le llevó una taza de café y le preguntó si le apetecía desayunar. Pete lo rechazó. Cuando Roy quiso saber si había dormido bien, le respondió que sí. No, no necesitaba nada por el momento, pero gracias de todos modos. Leon Colliver lo llamó desde el otro lado del pasillo y le propuso una última partida de cribbage. A Pete le gustó la idea, de modo que dispusieron el tablero entre ambas celdas. Pete le recordó a Leon que le debía dos dólares y treinta y cinco centavos que le había ganado en el juego, y este le recordó a su vez que no le había pagado todo el licor ilegal que había consumido en los últimos nueve meses. Riéndose, se estrecharon la mano y convinieron en que estaban en paz.

—Cuesta creer que esto vaya a pasar de verdad, Pete —dijo Leon mientras barajaba.

—La ley es la ley. A veces te beneficia, y a veces, no.

—Pues no me parece justo.

—¿Quién ha dicho que la vida sea justa?

Después de jugar unas manos, Leon sacó su petaca.

—A lo mejor a ti no te hace falta, pero a mí sí.

—Voy a pasar, gracias —contestó Pete.

La puerta se abrió, y Nix Gridley se les acercó. Parecía inquieto y cansado.

—¿Puedo hacer algo por ti, Pete?

—No se me ocurre nada.

—De acuerdo. En algún momento deberíamos repasar el horario, más que nada para saber qué esperar.

—Luego, Nix, si no te importa. Ahora mismo estoy ocupado.

—Ya veo. Oye, hay una cuadrilla de reporteros merodeando frente a la cárcel, ansiosos por saber si tienes algo que decir.

—¿Por qué iba a querer hablar con ellos ahora?

—Eso me imaginaba. Además, ya ha llamado John Wilbanks. Quiere acercarse un momento.

—Ya estoy hasta la coronilla de John Wilbanks. No tengo nada más que decirle. Dile que estoy ocupado.

Nix miró a Leon con cara de resignación, dio media vuelta y se marchó.

Los soldados empezaron a llegar antes del mediodía. Unos procedían de condados cercanos, situados a solo dos o tres horas de viaje. Otros procedían de otros estados y se habían pasado toda la noche al volante. Unos llegaban solos en camionetas; otros, en coches atestados de gente. Unos llegaban vestidos con el uniforme que habían lucido con orgullo durante la guerra, y otros con peto, pantalón caqui, o traje y corbata. Llegaban desarmados, sin la menor intención de causar problemas, pero bastaría una palabra de su héroe para que se aprestaran a luchar. Llegaban para honrarle, para estar ahí cuando muriera, porque él había estado ahí para ellos. Llegaban para despedirse.

Aparcaron en torno al juzgado, luego alrededor de la plaza y, cuando ya no quedaba sitio para aparcar, llenaron las calles de los barrios del centro. Se paseaban por la zona, saludándose, lanzando miradas hoscas a los vecinos de la ciudad, personas por las que no sentían el menor aprecio, pues eran ellos quienes lo habían sentenciado a muerte. Vagaban por los pasillos del juzgado y contemplaban la puerta cerrada de la sala de arriba. Abarrotaban las cafeterías y los bares, y mataban el tiempo conversando muy serios entre sí, pero no con los lugareños. Se agolpaban en torno al camión plateado y examinaban los cables que discurrían a lo largo de la acera principal hasta el interior del juzgado. Sacudiendo la cabeza, intentaban idear alguna manera de parar aquello, pero luego se retiraban y seguían esperando. Fulminaban con la mirada a los policías y ayudantes del sheriff, una docena de hombres armados y uniformados, la mayoría enviados desde los condados contiguos.

El gobernador era Fielding Wright, un abogado del Delta con una exitosa carrera política. Había accedido al cargo ocho meses antes, tras el fallecimiento de su predecesor, y estaba en plena campaña para la reelección por un período completo de cuatro años. El jueves, después del almuerzo, se reunió con el fiscal general, que le aseguró que se habían agotado todos los cauces legales para evitar la ejecución.

El gobernador Wright había recibido un alud de cartas que le pedían, incluso le exigían, que indultara a Pete Banning, si bien otras lo habían animado a aplicar la ley con todo rigor. Aunque consideraba débiles a sus rivales electorales y no quería politizar la ejecución, el caso lo tenía intrigado, como a la mayoría. Partió de su oficina en la capital del estado en el asiento trasero de un Cadillac de 1946, su vehículo oficial, con el chófer y un asesor. Pusieron rumbo al norte, seguidos por dos policías estatales en un coche patrulla. Hicieron escala en Grenada para que el gobernador realizara una breve visita a un simpatizante destacado, y más tarde pararon en Oxford, por el mismo motivo. Cuando llegaron a Clanton, poco antes de las cinco, dieron una vuelta alrededor de la plaza. El gobernador quedó asombrado al ver la multitud que se arremolinaba en torno al césped del juzgado. El sheriff le había asegurado que la situación estaba bajo control y que no necesitaba refuerzos.

Se había filtrado la noticia de que iba a asistir el gobernador, por lo que otra muchedumbre, periodistas sobre todo, aguardaba delante de la cárcel. En cuanto bajó del coche, se encontró con los destellos de los flashes y un aluvión de preguntas. Se apresuró a entrar en la prisión, haciendo caso omiso con una sonrisa. Nix Gridley lo esperaba en su despacho, junto con John Wilbanks y el senador del estado, un aliado. El gobernador conocía a Wilbanks, que apoyaba a uno de sus adversarios en las elecciones. Esto carecía de importancia en aquel momento. Para el gobernador, no se trataba de un acto político.

Roy Lester entró con el preso, y se llevaron a cabo las presentaciones. John Wilbanks pidió al senador que por favor saliera un momento. Iban a tratar una cuestión que no era de su incumbencia. El hombre se marchó de mala gana. Una vez que los cuatro se quedaron solos, el gobernador se embarcó en un relato animado sobre la ocasión en que había conocido al padre de Pete Banning, años atrás, en algún acto celebrado en Jackson. Sabía que la familia era importante para la zona y gozaba de prominencia desde hacía muchos años.

Sus palabras no conmovieron a Pete.

—Bien, señor Banning —dijo el gobernador—, como bien sabe, poseo la potestad de conmutarle la pena de muerte por la cadena perpetua. Para eso estoy aquí. Lo cierto es que no le veo el menor sentido a proceder con su ejecución.

Pete lo escuchó con atención.

—Pues le agradezco la visita, señor —respondió—, pero yo no he solicitado esta reunión.

—Nadie la ha solicitado. He venido por iniciativa propia, y estoy dispuesto a otorgarle el perdón e impedir la ejecución, con una sola condición: quiero que nos explique al sheriff, a su abogado y a mí por qué mató a ese pastor.

Pete fulminó con la mirada a John Wilbanks, como si este hubiera conspirado contra él. Wilbanks sacudió la cabeza.

Pete se volvió hacia el gobernador con semblante inexpresivo.

—No tengo nada que decir —aseveró.

—Estamos ante un asunto de vida o muerte, señor Banning. Dudo mucho que esté deseando acabar en la silla eléctrica dentro de unas horas.

—No tengo nada que decir.

—Estoy hablando muy en serio, señor Banning. Díganos por qué, y la ejecución no tendrá lugar.

—No tengo nada que decir.

John Wilbanks agachó la cabeza y se acercó a una ventana. Nix Gridley exhaló un suspiro de exasperación, como diciendo «os lo había advertido». El gobernador clavó los ojos en Pete, que le sostuvo la mirada sin pestañear.

—Muy bien —dijo el gobernador Wright al fin—. Como usted quiera. —Se levantó y se marchó del despacho, salió del edificio, ignoró de nuevo a los periodistas y se dirigió en coche a la casa de un médico, donde le estaban preparando la cena.

Cuando el atardecer cayó sobre la ciudad, la multitud alrededor del juzgado aumentó, y las calles se inundaron de gente. Los vehículos apenas podían abrirse paso, de modo que se desvió el tráfico.

Roy Lester se alejó de la cárcel en su coche patrulla y condujo hasta la casa de Mildred Highlander. Después de recoger a Florry allí, regresó a la prisión con ella. Consiguieron entrar por la puerta trasera sin que los reporteros los vieran. Roy la guio hasta el despacho del sheriff, donde Nix la recibió con un abrazo. La dejó allí y, unos minutos más tarde, le llevaron a su hermano. Se sentaron uno frente a otro, con las rodillas tocándose.

—¿Has comido algo? —preguntó ella con suavidad.

Él negó con la cabeza.

—No. Me han ofrecido una última comida, pero no tengo mucho apetito.

—¿Qué quería el gobernador?

—Solo se ha pasado para despedirse, supongo. ¿Cómo están los chicos?

—¿Que cómo están? ¿Tú qué crees, Pete? Hechos un desastre. Están destrozados, y no es para menos.

—Pronto habrá acabado todo.

—Para ti, sí, pero no para los demás. Tú te irás al otro mundo cubierto de gloria, pero nosotros tendremos que rehacer nuestra vida, preguntándonos por qué demonios ha ocurrido esto.

—Lo siento, Florry. No tenía alternativa.

Ella se mordió la lengua mientras se secaba los ojos. Tenía ganas de soltarle un exabrupto y desahogar toda su rabia, pero también quería abrazarlo por última vez para dejarle claro que su familia lo quería.

Pete se inclinó hacia ella y la tomó de las manos.

—Hay algo que debes saber —anunció.

20

El preso hizo una única petición. Quería ir a pie de la cárcel al juzgado, un paseo de apenas dos manzanas, pero a la vez una larga marcha hacia la tumba. Para él era importante caminar con la cabeza bien alta, sin esposas, mientras afrontaba con valentía la muerte que tantas veces había eludido. Quería demostrar un valor que pocas personas serían capaces de entender. Moriría con orgullo, sin rencores ni arrepentimientos.

A las ocho, salió por la puerta principal de la prisión vestido con camisa blanca y pantalones caquis. Llevaba las mangas recogidas porque hacía calor y una humedad sofocante. Flanqueado por Roy Lester y Red Arnett, siguió a Nix Gridley por entre la muchedumbre, que se abría para dejarles paso. Reinaba el silencio, salvo por los estallidos de los flashes y los chasquidos de las cámaras. No se oían preguntas banales lanzadas por los reporteros, ni gritos de aliento, ni amenazas sobre el fuego eterno. Doblaron por Wesley Avenue en dirección a la plaza, andando por el medio de la calzada mientras los curiosos desfilaban detrás. Cuando se aproximaban a los soldados alineados a lo largo de la calle, estos se pusieron firmes y saludaron. Al verlos, Pete se quedó sorprendido durante un par de segundos, luego asintió con aire sombrío. Avanzaba despacio, sin la menor prisa, pero resuelto a despachar aquel asunto de una vez.

En la plaza, la multitud calló de golpe en cuanto divisaron al preso y su escolta. Con un gruñido, Nix ordenó a algunos que retrocedieran para apartarse de su camino, y todos obedecieron. Torció por Madison Street, delante del Tea Shoppe, y la procesión lo siguió.

Más adelante se alzaba imponente el juzgado, con todas las luces encendidas, a la espera. Era el edificio más importante del condado, el lugar donde se defendía y administraba la justicia, y donde se zanjaban disputas de forma pacífica y ecuánime. El propio Banning había prestado servicio como miembro de un jurado cuando era mucho más joven, y la experiencia lo había impresionado. Sus compañeros y él se habían ceñido a la ley y emitido un veredicto justo. Se había hecho justicia, y ahora la justicia lo esperaba a él.

Los policías de refuerzo habían acordonado la acera del juzgado. A un lado se extendían los cables que conducían la corriente. Avanzaron junto al camión plateado en cuyo interior runruneaba el generador, aunque Pete pareció no fijarse. Detrás de Nix, pasó por encima de los cables cuando giraron hacia el edificio. Le sorprendió toparse con tal gentío, en especial con tantos soldados, pero mantuvo la vista al frente por temor a avistar a algún conocido.

Se acercaron lentamente al juzgado y entraron. Estaba vacío, pues la policía había cerrado todas las puertas y ahuyentado a los curiosos. Nix estaba decidido a evitar un espectáculo, por lo que juró que detendría a todo aquel al que pillara dentro sin autorización. Subieron por la escalinata principal y se detuvieron a las puertas de la sala. Un guardia las abrió, y las franquearon. Los cables discurrían por el pasillo y por delante del banquillo hasta la silla.

La Vieja Chispas constituía una presencia siniestra junto a la tribuna del jurado, de cara a las filas de asientos vacíos reservados para el público. Pero no había público, solo un puñado de testigos. Pete no había dado el visto bueno a ninguno. No había nadie de la familia de Dexter Bell. Nix había prohibido la entrada a los fotógrafos, para gran disgusto de Jimmy Thompson, que aguardaba con impaciencia frente al cuadro de distribución, junto a la silla de sus amores. Habían desplazado unas mesas y dispuesto varios asientos en fila para los testigos. Miles Truitt, el fiscal, estaba sentado junto al juez Rafe Oswalt. A su lado se hallaba el gobernador Wright, que nunca había visto una ejecución y había decidido quedarse en la ciudad para ser testigo de aquella. Se sentía obligado a presenciar un ajusticiamiento, ya que su pueblo era fervoroso partidario de la pena capital. Junto al gobernador había cuatro periodistas, seleccionados en persona por Nix Gridley y entre los cuales figuraba Hardy Capley, del *Memphis Press-Scimitar*.

John Wilbanks estaba ausente por decisión propia. Pete lo habría aprobado como testigo, pero él no quería participar en el procedimiento. El proceso había concluido, y John esperaba haber dejado atrás el turbio caso Banning. Sin embargo, lo dudaba, pues abrigaba fuertes sospechas de que el asesinato tendría más repercusiones legales. En aquel momento, se hallaba sentado con Russell en el balcón del bufete, tomando sorbos de bourbon mientras contemplaban la muchedumbre que rodeaba el juzgado.

En el interior, acompañaron a Pete hasta una silla de madera colocada junto a la Vieja Chispas y tomó asiento.

—Señor Banning —dijo Jimmy Thompson—, esta es la parte de mi trabajo que no me gusta.

—¿Por qué no cierras el pico y haces lo que tengas que hacer? —espetó Nix, harto de Thompson y su histrionismo.

Se impuso el silencio mientras Thompson rapaba el cabello a Pete lo más corto posible con una maquinilla que había adquirido como excedente del ejército. Los mechones de color castaño oscuro entreverado de gris le caían a manojos sobre la camisa y los brazos, y Thompson los tiraba al suelo pasando la mano con destreza. Después de remangarle la pernera izquierda a Pete, le peló la pantorrilla. Mientras se ocupaba de estas tareas con rapidez, lo único que se oía en la sala era el zumbido de la maquinilla. Ninguno de los hombres que lo observaban había asistido a una ejecución, por lo que sabían muy poco acerca del procedimiento. Thompson, sin embargo, era un profesional, realizaba su labor con eficiencia. Cuando apagó el aparato, inclinó la cabeza en dirección a la Vieja Chispas.

—Por favor, tome asiento.

Pete avanzó dos pasos y se sentó en el tosco trono de madera. Thompson le inmovilizó las muñecas con unas gruesas correas de cuero y a continuación hizo lo mismo con la cintura y los tobillos. Sacó de un cubo dos esponjas mojadas que le sujetó a las pantorrillas, antes de asegurarlas con una gruesa correa que llevaba incorporado un electrodo. Las esponjas eran necesarias para el flujo rápido de la electricidad.

Pete cerró los ojos y empezó a respirar de forma agitada.

Thompson le colocó cuatro esponjas húmedas sobre la cabeza. El agua le goteaba y le resbalaba por la cara, y Thompson le pidió disculpas por ello. Pete no contestó. La pieza para la cabeza era un artilugio metálico, no muy distinto de un casco de fútbol americano, y cuando Thompson lo ajustó en su sitio, Pete torció el gesto, su única reacción negativa hasta el momento. Una vez dispuestas las esponjas bajo el casco, Thompson lo apretó. Conectó los cables y pasó a manipular las correas. Daba la impresión de que tardaba demasiado, pero como ni Nix ni los demás tenían idea del protocolo, se limitaron a esperar y observar en silencio. La humedad en la sala se tornó aún más pegajosa, y todos sudaban. A causa del calor, habían entreabierto cuatro de los ventanales de los lados y, por desgracia, habían olvidado cerrarlos.

Thompson se sentía presionado debido a la notoriedad del caso. Casi todas sus víctimas eran delincuentes negros pobres, por lo que a poca gente le importaba que se produjera algún fallo en sus ajusticiamientos. Ni uno solo había salido con vida. Por otro lado, la ejecución de un hombre blanco ilustre era algo inédito, así que Thompson estaba resuelto a concederle una muerte limpia, que no admitiera críticas.

Cogió una mortaja negra.

—¿Quiere que le vende los ojos? —preguntó a Pete.

—No.

—Muy bien.

Thompson hizo una señal con la cabeza al juez Oswalt, que se levantó y avanzó unos pasos hacia el condenado. Con una hoja de papel en la mano, se aclaró la garganta, nervioso.

—Señor Banning —dijo—, estoy obligado por ley a leerle su orden de ejecución. «A instancias del tribunal del circuito del vigésimo segundo distrito judicial, y tras haber sido declarado culpable de asesinato en primer grado y sentenciado a morir por electrocución, veredicto ratificado por el tribunal supremo de este estado, yo, el juez Rafe Oswalt, ordeno la ejecución inmediata del acusado, el señor Pete Banning.» Que el Señor se apiade de su alma. —El papel le temblaba entre los dedos mientras lo leía, sin mirar a Pete, y, en cuanto le fue posible, se sentó.

Desde la galería en penumbra, tres hombres de color contemplaban la escena con incredulidad. Ernie Dowdle, que trabajaba en el sótano del juzgado; Penrod, su custodio, y Hop Purdue, el conserje de la iglesia, los tres tendidos boca abajo, miraban a hurtadillas por entre los balaustres de la baranda. Estaban demasiado asustados para respirar, porque si los pillaban, Nix sin duda los encerraría en la cárcel durante años.

Thompson señaló con la cabeza a Nix Gridley, quien se acercó a la silla.

—Pete, ¿hay algo que quieras decir? —preguntó el sheriff.

—No.

Nix retrocedió y se quedó de pie junto a los testigos, con Roy Lester y Red Arnett. El forense del condado se encontraba a un lado. Jimmy Thompson se acercó a su cuadro de distribución y lo estudió un segundo, antes de volverse hacia Nix.

—¿Hay alguna razón para que esta ejecución no siga adelante?

Nix negó con la cabeza.

—No —respondió.

Thompson hizo girar un botón. El rumor del generador en el camión plateado cobró volumen a medida que el motor de gasolina aumentaba la corriente. Quienes se encontraban cerca se apartaron al comprender lo que estaba ocurriendo. La intensa energía eléctrica recorrió los cables a toda velocidad y llegó hasta la Vieja Chispas casi al instante. Del cuadro de distribución sobresalía un interruptor de doce centímetros con cubierta de plástico rojo. Jimmy lo agarró y lo bajó de golpe. Cuando la descarga de dos mil voltios alcanzó a Pete, todos y cada uno de sus músculos se contrajeron y lo impulsaron hacia arriba y hacia delante, tirando con fuerza de las sujeciones. Profirió un grito, un potente y estentóreo rugido de dolor y sufrimiento extremos que estremeció a los testigos. El alarido resonó por toda la sala y se prolongó varios segundos mientras su cuerpo se retorcía con espantosa furia. El bramido escapó por las ventanas abiertas y hendió el aire de la noche.

Quienes se hallaban cerca del camión plateado del generador, frente a la cara sur del juzgado, cerca de la fachada principal, asegurarían más tarde que no habían oído el grito, pero los que estaban junto a los costados oriental y occidental y, sobre todo, los que se encontraban próximos a la parte posterior, no solo lo percibieron, sino que jamás lo olvidarían. John Wilbanks lo oyó con la claridad de un trueno.

—Dios mío —exclamó. Se puso de pie, dio un paso adelante y se fijó en los rostros aterrorizados de los más cercanos a la sala.

Aunque el grito duró unos segundos, para algunos duraría toda la vida.

En teoría, la primera descarga le pararía el corazón y lo dejaría inconsciente, pero no había manera de saberlo. Pete se convulsionó con violencia unos diez segundos, aunque resultaba imposible medir el tiempo. Cuando Thompson tiró del interruptor para cortar la corriente, Pete dejó caer la cabeza, que quedó ladeada a la derecha, y permaneció inmóvil. De repente sufrió una contracción nerviosa. Thompson aguardó treinta segundos, como de costumbre, antes de accionar el interruptor para la segunda dosis. Pete dio una sacudida cuando la corriente lo golpeó de nuevo, pero su cuerpo ofreció menos resistencia, pues saltaba a la vista que empezaba a apagarse. Durante la segunda descarga, la temperatura interna de su cuerpo llegó a los noventa grados, y los órganos comenzaron a fundirse. Le brotó sangre de las cuencas oculares.

Thompson cortó otra vez la corriente y pidió al forense que comprobara si Pete había muerto. El médico no se movió, pues estaba contemplando boquiabierto la macabra expresión de Pete Banning. Nix Gridley consiguió por fin apartar la vista, asqueado. Miles Truitt, que, seis meses antes, se había plantado en el punto exacto donde se encontraba la Vieja Chispas en ese momento y había suplicado al jurado una condena a muerte, acababa de ser testigo por primera vez de una ejecución, y nunca volvería a ser el mismo. Tampoco el gobernador. Por razones políticas, seguiría apoyando la pena capital, pero en su fuero interno desearía que desapareciera, al menos para los acusados blancos.

En la galería, Hop Purdue cerró los ojos y rompió a llorar. Como testigo estrella, había prestado declaración contra el señor Banning y se sentía responsable.

Después de la conmoción inicial, los periodistas se recuperaron y se pusieron a garabatear notas de forma frenética.

—Por favor, señor, si no le importa... —dijo Thompson con irritación y un gesto hacia el forense, que por fin pudo moverse.

Con un estetoscopio que había pedido prestado a un buen médico que se había negado de plano a asistir al ajusticiamiento, dio unos pasos hacia el cuerpo y auscultó el corazón a Pete. Le manaban sangre y otros fluidos de las cavidades oculares, y su camisa blanca de algodón estaba cambiando rápidamente de color. El forense no tenía claro si oía algo o si estaba utilizando siquiera el estetoscopio de forma correcta, pues en aquel momento deseaba que Pete estuviera muerto. Ya había visto suficiente. Además, si Pete no estaba muerto, lo estaría muy pronto. Así que el forense se apartó.

—No le late el corazón —anunció—. Este hombre está muerto.

Thompson se sentía aliviado de que la ejecución se hubiera consumado sin complicaciones. Aparte del alarido desgarrador que parecía haber hecho vibrar las ventanas, y tal vez del derretimiento de los globos oculares, no había ocurrido nada que no hubiera presenciado antes. La de Pete era su ejecución número treinta y ocho, y, a decir verdad, no había habido dos iguales. Thompson creía haberlo visto todo, desde piel carbonizada hasta huesos rotos debido a las convulsiones, pero siempre surgía algún imprevisto. A grandes rasgos, sin embargo, había sido una buena noche para el estado. Desabrochó a toda prisa el casco, lo retiró y tapó el rostro a Pete con la mortaja para ocultar parte de la sangre derramada. Comenzó a desconectar cables y a soltar correas. Mientras se atareaba con ello, Miles Truitt se excusó y se marchó, al igual que el gobernador. Los periodistas, en cambio, permanecían absortos, intentando registrar cada detalle.

Nix se llevó aparte a Roy.

—Oye, en cuanto acabe aquí, tengo que llevar el cuerpo a la funeraria —le dijo—. Le he prometido a Florry que la avisaría cuando todo hubiera terminado. Está con los chicos en su casa, aquella cabaña de color rosa. Quiero que vayas en coche y les comuniques la noticia.

Roy tenía los ojos húmedos y estaba visiblemente agitado.

—Claro, jefe —acertó a murmurar.

Durante más de cien años, los Banning habían enterrado a sus muertos en un cementerio familiar situado en la ladera de una colina ondulada, no muy lejos de la cabaña de color rosa. Las sencillas lápidas estaban dispuestas de forma ordenada bajo las ramas de un vetusto sicomoro, un árbol antiguo y majestuoso que llevaba allí tanto tiempo como los Banning. Mucho antes de que naciera Pete, el cementerio recibió el nombre de Sicomoro Viejo, que pasó a formar parte de la jerga de la familia. Los parientes difuntos no siempre estaban muertos. A veces simplemente se habían ido «a casa», al Sicomoro Viejo.

A las ocho en punto de la mañana del viernes 11 de julio, un pequeño grupo se reunió en el Sicomoro Viejo para contemplar cómo bajaban el sencillo ataúd de madera a la fosa por medio de cuerdas. Cuatro peones de campo de los Banning, que habían excavado la tumba el día anterior, se ocupaban de la caja. La lápida ya estaba colocada en su sitio, con una inscripción: «Peter Joshua Banning tercero, nacido el 2 de mayo de 1903, fallecido el 10 de julio de 1947». Grabadas en la parte inferior estaban las palabras: «Fiel soldado de Dios».

Quince personas blancas ataviadas con sus mejores galas dominicales rodeaban la tumba. Solo se podía asistir al entierro por invitación, y Pete había redactado la lista, junto con instrucciones detalladas sobre la hora de inicio de la ceremonia, los pasajes de la Biblia que debían leerse y el modo en que debía construirse el féretro. Entre los invitados estaban Nix Gridley, John Wilbanks con su esposa y algunos amigos más, además, claro está, de Florry, Stella y Joel. Detrás de ellos se encontraban Nineva, Amos y Marietta, el servicio doméstico. Más atrás, y a mayor distancia, había unos cuarenta negros de edades diversas, todos ellos empleados de los Banning, vestidos con la ropa más elegante que poseían. Mientras que, al principio, los blancos intentaban mostrarse estoicos e imperturbables, los negros no hicieron el menor esfuerzo por imitarlos. Prorrumpieron en llanto en cuanto los peones descargaron el ataúd del coche fúnebre. El señor Pete era su jefe, un hombre bueno y decente, y no podían creer que se hubiera ido para siempre.

En la década de 1940, en el Mississippi rural, el destino de una familia negra dependía de la bondad o la maldad del propietario blanco de las tierras, y los Banning siempre los habían protegido y tratado de forma justa. Los negros no alcanzaban a entender la lógica de las leyes del hombre blanco. ¿Por qué habían matado a uno de los suyos? No tenía el menor sentido.

Nineva, que había ayudado al médico a traer a Pete al mundo cuarenta y cuatro años atrás, estaba tan afectada que le costaba tenerse en pie. Amos la abrazaba e intentaba consolarla.

El pastor era un joven presbiteriano y estudiante de teología de Tupelo, amigo de un amigo y sin apenas vínculos con el condado de Ford. Jamás sabrían cómo había dado Pete con él. Pronunció una oración de apertura bastante elocuente. Cuando terminó, Stella volvía a estar arrasada en lágrimas. La flanqueaban su tía y su hermano, ambos sujetándola por los hombros para apoyarla. Después de la oración, el pastor leyó el salmo veintitrés y acto seguido hizo una breve semblanza de la vida de Pete Banning. Lejos de extenderse sobre la guerra, se limitó a mencionar que Pete había sido condecorado. No dijo una palabra sobre la condena por asesinato ni sus consecuencias, sino que habló durante diez minutos sobre el perdón, la justicia y otros conceptos que no logró relacionar muy bien con los hechos concretos. Cuando terminó, rezó otra oración. Marietta se acercó a la lápida y cantó a capela las dos primeras estrofas de *Amazing Grace*. Tenía una voz preciosa y, en la casita rosa, solía cantar al ritmo de los discos de ópera.

Cuando el pastor anunció que la ceremonia había finalizado, los dolientes se apartaron despacio para dejar sitio a la tierra que paleaban los sepultureros. Ninguno de los tres Banning tenía el menor deseo de ver cómo rellenaban la fosa. Se encaminaron hacia el coche, parando de vez en cuando para hablar con algún amigo.

Nix Gridley abordó a Joel y le explicó que muchos soldados seguían en la ciudad y querían pasarse por la tumba para presentar sus respetos. Joel lo consultó con Florry, y ambos convinieron en que a Pete le habría parecido bien.

Los primeros militares se presentaron una hora después, y continuaron llegando a lo largo del día. Unos iban por su cuenta, figuras solitarias cargadas de recuerdos. Otros aparecían en grupos reducidos y hablaban entre sí en susurros. Llegaban en silencio, con aire sombrío pero orgulloso. Tocaban la lápida, contemplaban la tierra recién apilada, rezaban o pronunciaban unas palabras y se marchaban, presos de una profunda tristeza por la muerte de un hombre al que pocos de ellos habían conocido.

SEGUNDA PARTE

Campo de huesos

21

El hotel Peabody, edificado en el centro de Memphis en 1869, se convirtió enseguida en el local más frecuentado por la alta sociedad. Diseñado al estilo renacentista italiano, no habían reparado en gastos. Su amplio vestíbulo contaba con galerías elevadas y una fuente ornamental llena de patos. El Peabody, sin lugar a dudas el más espectacular de Memphis, no tenía rival en cientos de kilómetros a la redonda. Había resultado rentable desde el principio, pues los habitantes de Memphis adinerados acudían en masa para tomar copas o cenar, celebrar bailes, galas, fiestas, conciertos y reuniones.

Hacia finales de siglo, cuando las otrora prósperas plantaciones algodoneras de las regiones del Delta en Arkansas y Mississippi empezaron a recuperarse, el Peabody pasó a ser el desino preferido de los grandes hacendados que buscaban diversión en la ciudad. Los fines de semana y festivos, se adueñaban del hotel, organizaban fiestas fastuosas y se codeaban por todo lo alto con sus amigos pudientes de Memphis. A menudo llevaban a sus esposas para que salieran de compras. Otras veces iban solos por negocios y de fin de semana romántico con sus amantes.

Se decía que, si alguien se plantara en el vestíbulo del hotel Peabody durante el tiempo suficiente, vería pasar por ahí a todo aquel que era alguien en el Delta.

Pete Banning no era del Delta ni tenía pretensiones de serlo. Procedía de las colinas del noreste de Mississippi y, aunque su familia de terratenientes gozaba de cierta prominencia, estaba lejos de ser rico. En la escala social, la gente de las colinas ocupaba un peldaño bastante inferior al de los dueños de las plantaciones situadas a más de cien kilómetros. Su primer viaje al Peabody lo había realizado por invitación de un amigo de Memphis a quien había conocido como cadete en la academia militar de Estados Unidos. Aunque la ocasión era una puesta de largo o algo por el estilo, el auténtico aliciente, al menos para Pete, era pasar un fin de semana en Memphis.

Contaba veintidós años y acababa de graduarse en la academia militar de West Point. Estaba pasando unas semanas en la finca, cerca de Clanton, mientras esperaba que llegara el momento de presentarse en Fort Riley, en Kansas. Se había aburrido del campo y estaba deseando ver las luces urbanas, aunque no era precisamente un pueblerino que pisara por primera vez la gran ciudad. Había visitado Nueva York muchas veces, para asistir a diversos acontecimientos, y sabía desenvolverse con soltura en cualquier ambiente social. No iba a dejarse intimidar por un puñado de esnobs de Memphis.

Corría el año 1925, y el hotel acababa de reabrir sus puertas tras una remodelación completa. Aunque Pete conocía su reputación, nunca había estado allí. Durante sus cuatro años en West Point, su amigo le había hablado de las deslumbrantes fiestas y de las decenas de chicas preciosas. Y no exageraba.

La puesta de largo, muy concurrida, se celebraba en el salón de baile principal, en la primera planta. Para la ocasión, Pete se había puesto su uniforme de gala, de un blanco radiante desde el cuello hasta los zapatos, y su apuesta figura, copa en mano, destacaba entre la multitud. Con su postura marcial impecable, su rostro bronceado y su sonrisa despreocupada, saltaba de una conversación a otra y pronto se percató de que varias jovencitas se fijaban en él. Cuando anunciaron la cena, encontró su sitio en una mesa a la que se sentaban muchos otros amigos de su anfitrión. Bebieron champán, comieron ostras y hablaron de esto y aquello, temas intrascendentes que desde luego no tenían nada que ver con el mundo militar. La

Gran Guerra había terminado. El país estaba en paz y sin duda continuaría así para siempre.

Mientras servían la cena, Pete reparó en una muchacha de la mesa contigua. Se hallaba sentada de cara a él, y cada vez que volvía la mirada hacia ella, la sorprendía observándolo también. Era sin duda la más bella entre todas las chicas bonitas de aquella sala, y quizá también del mundo entero. En una o dos ocasiones, le resultó imposible apartar los ojos de ella. Al final de la cena, ambos estaban avergonzados por el embobamiento mutuo.

Pete no tardó en enterarse de que se llamaba Liza Sweeney. La siguió hasta la barra, se presentó y comenzó a charlar con ella. La señorita Sweeney era de Memphis, tenía solo dieciocho años y nunca había sentido la tentación de prestarse a todas las ridiculeces que implicaba una puesta de largo. Lo que de verdad le apetecía era un cigarrillo, pero no quería fumar delante de su madre, que intentaba vigilarla desde el otro extremo de la estancia. Pete salió del salón de baile tras ella —la joven parecía conocer bien el hotel— y la siguió hasta un patio junto a una piscina. Una vez allí, se fumaron tres pitillos cada uno y apuraron dos copas: ella de Martini, él de bourbon.

Liza acababa de terminar el bachillerato, pero no estaba segura respecto a la universidad. Estaba harta de Memphis y quería irse a una ciudad más grande, como París o Roma, aunque, por otro lado, solo eran fantasías. Pete le preguntó si sus padres le permitirían salir con un hombre cuatro años mayor. Ella se encogió de hombros y respondió que en los últimos dos años había salido con quien había querido, si bien todos habían sido chicos del instituto.

—¿Me estás pidiendo una cita? —inquirió con una sonrisa.

—Así es.

—¿Cuándo?

—El fin de semana que viene.

—Trato hecho, chico soldado.

Seis noches después, quedaron en el Peabody para tomar unas copas, cenar y asistir a otra fiesta. Al día siguiente, sábado, dieron un largo paseo junto al río, tomados del brazo y tocándose bastante, y luego vagaron por el centro de la ciudad. Esa noche, ella lo invitó a cenar a su casa. Pete conoció a los padres y la hermana mayor de Liza. El señor Sweeney, actuario de una compañía de seguros, era un hombre más bien anodino. Su esposa, en cambio, era una mujer muy bella que prácticamente hablaba por los dos. Formaban una pareja extraña, y Liza ya había comentado varias veces a Pete que pensaba marcharse de casa lo antes posible. Su hermana estudiaba en alguna universidad de Missouri.

En los primeros días de noviazgo, Pete sospechaba que Liza era una de los miles de chicas de Memphis que frecuentaban el Peabody con la esperanza de pescar un marido rico. Le dejó bien claro que él no era otro hacendado acaudalado del Delta. Su familia poseía tierras en las que cultivaba algodón pero que en nada se asemejaban a las grandes plantaciones. Aunque al principio Liza se daba aires de mujer de mundo, en cuanto comprendió que Pete no era más que un plebeyo, dejó de aparentar. Al invitarlo a su casa le reveló lo obvio: que procedía de una familia bastante modesta. A Pete le daba igual que tuvieran mucho o poco dinero. Estaba perdidamente enamorado y dispuesto a cortejarla hasta conquistarla, lo que, como no tardó en descubrir, no representaba un reto tan grande. A Liza no le importaba lo grande que fuera su hacienda. Había encontrado a un soldado al que adoraba y no pensaba dejarlo escapar.

El viernes siguiente, quedaron de nuevo en el Peabody para cenar con amigos. Tras la cena, se escabulleron a un bar para estar a solas. Después de echar un trago, subieron a hurtadillas a la habitación de Pete en la sexta planta. Él ya había estado con mujeres, pero solo con trabajadoras de los burdeles de Nueva York. Era una tradición de West Point. Liza era virgen y estaba deseando dejar de serlo, por lo que se entregó al acto amoroso con un entusiasmo que dejó mareado a Pete. Hacia la medianoche, este insinuó que era hora de que Liza regresara a casa. Ella replicó que no se iba a ninguna parte, que, de hecho, iba a pasar la noche con él, y que no le importaría quedarse en la cama gran parte del día siguiente. Pete accedió.

—Pero ¿qué les contarás a tus padres? —preguntó.

—Mentiré. Ya se me ocurrirá algo. No te preocupes. Son fáciles de engañar, y jamás me creerían capaz de hacer algo así.

—Lo que tú digas. Y ahora, ¿podemos dormir un poco?

—Sí. Sé que estás agotado.

El apasionado idilio se prolongó un mes mientras los dos amantes se olvidaban de que existía el resto del mundo. Cada fin de semana, Pete pasaba tres noches en una habitación del Peabody, a menudo en compañía de Liza. Las amigas de ella cuchicheaban a sus espaldas. Sus padres empezaban a sospechar algo. Al fin y al cabo, corría el año 1925, y la conducta de las señoritas decentes y sus pretendientes se regía por normas estrictas. Liza las conocía tan bien como sus amistades, pero también sabía lo divertido que podía resultar para una chica saltarse algunas. Disfrutaba con los Martinis, los cigarrillos y, sobre todo, con el sexo prohibido.

Un domingo, Pete la llevó en coche a Clanton para que conociera a su familia, visitara la finca y se formara una idea de sus orígenes. No planeaba dedicar el resto de su vida al cultivo del algodón. Había elegido la carrera militar, que les permitiría a él y a Liza viajar por el mundo, o al menos eso creía a los veintidós años.

Recibió la orden de trasladarse a Fort Riley, en Kansas, para iniciar su instrucción como oficial. Aunque había aguardado con impaciencia a que le notificaran su primer destino, solo de pensar en dejar a Liza se le caía el alma a los pies. Fue en coche hasta su casa en Memphis y le comunicó la noticia. Sabían que ese momento llegaría tarde o temprano, pero se les antojaba imposible estar separados. Cuando se despidieron, ambos estaban deshechos en lágrimas. Pete viajó en tren a Fort Riley y, una semana después, le llegó una carta de Liza. Iba directa al grano: estaba embarazada.

Sin vacilar, Pete trazó un plan. Con el pretexto que unos

asuntos familiares urgentes exigían que regresara a casa, persuadió a su oficial al mando para que le prestara su coche. Condujo durante la noche y llegó al Peabody a tiempo para el desayuno. Llamó a Liza y le anunció que se fugarían. A ella le encantó la idea, pero no sabía muy bien cómo saldría a escondidas con una maleta con su madre en casa. Pete la convenció de que se olvidara de la maleta. Había tiendas en Kansas City.

Liza se despidió de su madre con un beso y se encaminó hacia el trabajo. Pete la interceptó, y juntos huyeron de Memphis, alejándose a toda velocidad entre risitas, carcajadas y mareos. En Tupelo encontraron una cabina telefónica y llamaron a la señora Sweeney. Liza le habló en un tono dulce pero firme. Mamá, siento sorprenderte así, pero me fugo con Pete. Tengo dieciocho años y puedo hacer lo que me plazca. Te quiero y volveré a telefonear esta noche para hablar con papá. Cuando colgó, su madre lloraba. Liza, en cambio, era la chica más feliz del mundo.

Ya que estaban en Tupelo, una ciudad que Pete conocía bien, decidieron casarse. En Fort Riley, las mejores viviendas estaban reservadas para los oficiales y sus familias, por lo que un certificado de matrimonio supondría una ventaja. Fueron al juzgado del condado de Lee, rellenaron un impreso, pagaron una tasa y encontraron al juez de paz reponiendo piscardos en la parte de atrás de su tienda de cebos. Con su esposa como testigo, y tras cobrarles sus honorarios habituales de dos dólares, los declaró marido y mujer.

Pete ya llamaría a sus padres más tarde. Puesto que el primer hijo estaba en camino, era importante que constara una fecha de boda lo más temprana posible. Pete sabía que los cotillas de Clanton se pondrían a consultar calendarios en cuanto se enteraran por su madre del nacimiento de su primer nieto. Liza suponía que faltaban unos ocho meses para que saliera de cuentas. Sin duda un período de gestación de ocho meses llamaría un poco la atención, pero no alimentaría los rumores. Un período de siete meses despertaría sospechas. Un período de seis meses provocaría un auténtico escándalo.

Se casaron el 14 de junio de 1925.

Joel nació el 4 de enero de 1926 en un hospital militar de Alemania. Pete había suplicado que lo destinaran al extranjero para estar lo más lejos posible de Memphis y Clanton. Allí nadie vería el certificado de nacimiento de Joel. Liza y él esperaron seis semanas antes de enviar telegramas a los abuelos.

De Alemania, trasladaron a Pete de vuelta a Fort Riley, en Kansas, donde se adiestró con el Vigésimo Sexto Regimiento de Caballería. Era un jinete excelente, pero empezaba a dudar que la caballería montada tuviera razón de ser en la guerra moderna. Aunque el futuro estaba en los carros de combate y la artillería móvil, él amaba la caballería de todos modos, así que se quedó en el Vigésimo Sexto Regimiento. Stella nació en Fort Riley en 1927.

El 20 de junio de 1929, Jacob, el padre de Pete, murió a la edad de cuarenta y nueve años, al parecer a causa de un infarto. Liza, con dos niños pequeños enfermos, no pudo viajar a Clanton para asistir al entierro. Hacía dos años que no volvía a casa y prefería permanecer lejos.

Cuatro meses después del fallecimiento del señor Banning, la bolsa de valores se desplomó, y el país se sumió en la Gran Depresión. Los oficiales de carrera apenas notaron el colapso de la economía. Tenían asegurados el empleo, la vivienda, la sanidad, la educación y el sueldo. Pete y Liza estaban contentos con su profesión y su creciente familia, y su futuro seguía estando en el ejército.

El mercado del algodón también se hundió en 1929, lo que afectó mucho a los cultivadores. Tuvieron que pedir préstamos para pagar los gastos y deudas, así como para volver a plantar algodón el año siguiente. La madre de Pete, que no se manejaba muy bien desde la repentina muerte de su esposo, no estaba en condiciones de administrar la hacienda. Florry, su hermana mayor, vivía es Memphis y tenía escaso interés en la agricultura. Si bien Pete contrató a un capataz para la siembra de 1930, la hacienda perdió dinero otra vez. Al año siguiente, pidió dinero prestado y empleó a un capataz distinto, pero el mercado aún no se había recuperado. Las deudas se acumulaban, y los Banning corrían el riesgo de perder las tierras.

Durante las fiestas navideñas de 1931, Pete y Liza se plantearon la deprimente posibilidad de abandonar el ejército y regresar al condado de Ford. Ninguno de los dos quería, en especial Liza. No se imaginaba residiendo en una ciudad tan pequeña y atrasada como Clanton, ni soportaba la idea de convivir con la madre de Pete bajo el mismo techo. Las dos mujeres habían pasado poco tiempo juntas, pero lo suficiente para saber que necesitaban mantener cierta distancia. La señora Banning era una metodista devota que conocía todas las respuestas porque estaban ahí, negro sobre blanco, en las sagradas escrituras. Basándose en la autoridad divina de la palabra del Señor, podía indicarle a cualquiera cómo debía vivir su vida, y eso era lo que hacía. No era vehemente ni odiosa, solo moralista en exceso.

Pete también la rehuía. De hecho, había acariciado la posibilidad de vender la hacienda y retirarse del negocio. La idea no prosperó por tres razones: para empezar, la hacienda no le pertenecía. Su madre la había heredado del abuelo. En segundo lugar, no había mercado para las tierras de cultivo debido a la Depresión. Y, en tercer lugar, su madre no tendría donde vivir.

Pete adoraba el ejército, en especial la caballería, y quería servir hasta que se jubilara. De pequeño, había cortado y recogido algodón durante largas horas en los campos, y quería llevar una vida distinta. Deseaba conocer mundo, luchar en una o dos guerras, obtener algunas medallas y tener a su esposa contenta.

Así que pidió otro préstamo y contrató a un tercer capataz. Los cultivos prometían y el mercado se mantenía fuerte cuando, de pronto, a principios de septiembre, llegaron las lluvias, intensas como un monzón, y lo arrasaron todo. La cosecha de

1932 se malogró por completo, y los bancos empezaban a reclamar. El estado de su madre continuaba empeorando, y ella apenas podía cuidar de sí misma.

Pete y Liza se plantearon mudarse a Memphis o quizá a Tupelo, a cualquier lugar menos a Clanton. Una ciudad más grande les ofrecería más oportunidades, mejores escuelas, una vida social más vibrante. Pete podría desplazarse a diario para trabajar en la hacienda..., ¿o tal vez no? En Nochebuena, estaban planeando la velada cuando recibieron un telegrama. Lo había enviado Florry para comunicarles una noticia trágica. Su madre había fallecido el día anterior, posiblemente debido a una pulmonía. Contaba solo cincuenta años.

En lugar de desenvolver los regalos, hicieron las maletas a toda prisa y emprendieron el largo trayecto en coche hasta Clanton. Enterraron a su madre en el Sicomoro Viejo, junto a su esposo. Pete y Liza tomaron la decisión de quedarse, y ya nunca regresaron a Fort Riley. Él renunció a su cargo, pero pasó a la reserva.

Soplaban vientos de guerra. Japón se expandía por Asia y había invadido China el año anterior. Hitler y los nazis construían fábricas para producir tanques, aeroplanos, submarinos, cañones y todo el material que necesitaba un ejército para llevar a cabo una expansión agresiva. Los colegas militares de Pete estaban muy preocupados por lo que sucedía. Algunos predecían un conflicto bélico inevitable.

Cuando Pete entregó el uniforme y regresó a casa para salvar la hacienda, no podía disimular su pesimismo. Tenía deudas que saldar y bocas que alimentar. La Depresión se había consolidado y atenazaba al país entero, que estaba insuficientemente armado, vulnerable y demasiado arruinado para financiar un ejército apto para la guerra.

Pero si al final la guerra estallaba, él no pensaba perdérsela por quedarse en la hacienda.

22

Después de dos cosechas extraordinarias consecutivas en 1925 y 1926, Jacob Banning decidió construirse una buena casa. Aquella en la que Pete y Florry se habían criado databa de antes de la guerra de Secesión y había sufrido ampliaciones y reformas a lo largo de las décadas. Aunque desde luego era más bonita que la mayor parte de las residencias del condado, Jacob, aprovechando que tenía dinero en el bolsillo, quería lanzar una proclama edificando algo que sus vecinos admiraran mucho después de su muerte incluso. Contrató a un arquitecto de Memphis y dio el visto bueno a un diseño de estilo neocolonial, una casa de dos plantas en la que dominaban el ladrillo rojo, un tejado curvo de dos aguas y un amplio porche delantero. Jacob la construyó en una elevación más próxima a la carretera, pero aún lo bastante lejana para que los conductores pudieran contemplarla y no despertara recelos.

Con Jacob muerto, al igual que su esposa, Liza se convirtió en ama y señora de la espaciosa casa y se propuso llenarla de niños. Como era de esperar, Pete y ella se entregaron al proyecto con gran entusiasmo, pero los resultados fueron decepcionantes. Tuvo un aborto en Fort Riley, y luego otro, cuando se mudaron a la hacienda. Al cabo de unos meses de lúgubres cambios de humor y mares de lágrimas, levantó cabeza y volvió a demostrar tanto vigor como antes, para regocijo de Pete. Tanto Liza como Pete se habían criado con solo una hermana, por lo que ambos estaban de acuerdo en que las familias pequeñas eran aburridas. Ella soñaba con tener cinco hijos, y Pete quería seis, tres niños y tres niñas, por lo que acometieron sus deberes maritales con fiera determinación.

Cuando no estaba en la cama con su mujer, Pete centraba todos sus esfuerzos en mejorar la hacienda. Se pasaba horas en los campos, ocupándose en persona de las labores manuales y dando ejemplo a sus empleados. Despejó parte del terreno, reconstruyó un granero, reparó unos edificios anexos, levantó una cerca, compró cabezas de ganado y por lo general trabajaba de sol a sol. Se reunió con los banqueros y les dijo sin rodeos que tendrían que esperar.

En 1933 el tiempo fue propicio y, con Pete hundiendo las manos en la tierra a la cabeza de sus peones, obtuvieron una cosecha abundante. El mercado también se comportó, lo que dio a la hacienda su primer respiro en años. Pete iba efectuando pagos a los bancos para mantenerlos contentos, pero también guardaba algo de dinero bajo el colchón. Las tierras de los Banning se dividían en dos parcelas, de doscientas sesenta hectáreas cada una, y cuanta más extensión de ellas despejara, más algodón podría sembrar. Por primera vez en su vida, Pete comenzó a ver potencial a largo plazo a su herencia.

Como era propietario de una parcela, y Florry de la otra, llegaron a un acuerdo en virtud del cual él cultivaría las tierras de su hermana a cambio de la mitad de los beneficios. En 1934, ella construyó su casita rosa y se mudó desde Memphis. Su llegada a la finca insufló algo de vida al lugar. Liza le cayó bien, y entablaron una relación amistosa, en un principio.

No es que la existencia allí fuera aburrida; en absoluto. A Liza le gustaba ejercer de madre a tiempo completo mientras intentaba en vano aumentar la familia. Pete le enseñó a cabalgar, construyó un establo y lo llenó de caballos y ponis. Ella no tardó en subir a Joel y a Stella a la silla de montar. Pete la adiestró en el tiro y empezaron a salir juntos a cazar aves. La inició en la pesca, y al poco la pequeña familia se pasaba horas junto al río los domingos por la tarde.

Si Liza añoraba la gran ciudad, rara vez se quejaba. A sus

treinta años, estaba felizmente casada con un hombre al que adoraba y había sido bendecida con dos hermosos hijos. Vivía en una buena casa rodeada de tierras de cultivo que le brindaban seguridad. Sin embargo, para una chica aficionada a las fiestas, llevaba una vida social decepcionante. No había clubes de campo, hoteles elegantes, salones de baile ni bares decentes. De hecho, no había bares de ningún tipo porque en el condado de Ford, como en el resto del estado, regía la ley seca. La venta de bebidas alcohólicas era ilegal en los ochenta y dos condados y en todas las ciudades. Aquellos más proclives a las actividades pecaminosas se veían obligados a depender de los contrabandistas, que eran legión, o de amigos que introducían el alcohol de forma clandestina desde Memphis.

La vida social estaba dictada por la iglesia. En el caso de los Banning, claro está, se trataba de la iglesia metodista, la segunda más importante de Clanton. Pete insistía en que asistieran religiosamente a los oficios, y Liza se adaptó a la rutina. La habían criado como episcopaliana poco fervorosa, y en Clanton no había ni un episcopaliano, devoto o no. Al principio, la rigidez de la doctrina metodista le había provocado cierto rechazo, pero pronto comprendió que las cosas podrían ser mucho peores. El condado estaba repleto de ramas más estridentes del cristianismo —baptistas, pentecostales e iglesias de Cristo—, creyentes acérrimos y aún más fundamentalistas que los metodistas. Los presbiterianos eran los únicos que no parecían tan exaltados. Si había algún católico solitario en la ciudad, pasaba del todo desapercibido. El judío más cercano vivía en Memphis.

Se clasificaba, y a menudo se juzgaba, a las personas por su confesión. Si no aseguraban profesar una, se les condenaba, por supuesto. Liza se unió a la iglesia metodista y se convirtió en miembro activo. ¿Qué otra cosa se podía hacer en Clanton?

Sin embargo, como era forastera, con independencia del pedigrí de su esposo, tardaría mucho en integrarse. Los lugareños no acababan de fiarse de nadie cuyo abuelo no hubiera conocido a sus antepasados. Ella asistía de forma asidua a las ceremonias religiosas y llegó a disfrutarlas, sobre todo la música. Con el tiempo, la invitaron a incorporarse a un grupo femenino de estudio de la Biblia que se reunía una vez al mes. Después le pidieron ayuda para planear una boda. Echó una mano en la organización de un par de entierros importantes. Un predicador ambulante llegó a la ciudad para la reunión primaveral de evangelistas, y Pete le ofreció la habitación de invitados para toda la semana. Resultó ser un hombre bien parecido, y las otras señoras envidiaban la cercanía de Liza con el joven y carismático pastor. Pete no les quitaba ojo y se alegró cuando aquellas jornadas finalizaron.

Sin embargo, siempre había programadas más reuniones. Los metodistas celebraban dos al año, los baptistas tres, y los pentecostales parecían vivir en un estado constante de desenfrenada renovación de la fe. Al menos dos veces al año, algún predicador callejero itinerante montaba una carpa junto a la tienda de piensos de al lado de la plaza y despotricaba todas las noches a través de unos altavoces. No era infrecuente que representantes de una iglesia «visitaran» otra cuando había un predicador de primera fila en la ciudad. Los fieles de todas las confesiones rendían culto el domingo por la mañana durante al menos dos horas. Otros regresaban por la tarde para continuar (esto ocurría en las iglesias para blancos; las ceremonias de los negros duraban todo el día y parte de la noche). Los miércoles por la noche solían celebrarse reuniones de oración. Como a esto se sumaban los actos de renovación de la fe, los oficios de las fiestas religiosas, los campamentos cristianos de verano, los funerales, bodas, aniversarios y bautizos, a veces Liza acababa agotada de sus labores eclesiales.

Se empeñaba en salir de la ciudad de vez en cuando. Si Florry accedía a cuidar de los niños, Pete y ella se iban al Peabody para pasar un largo fin de semana de fiesta. A veces, Florry los acompañaba con Joel y Stella, y la familia entera disfrutaba de los placeres de la gran ciudad, sobre todo de las luces. En dos ocasiones, por insistencia de Florry, los cinco subieron a un tren y viajaron a Nueva Orleans para unas vacaciones de una semana.

En 1936 había un marcado contraste en la distribución del servicio eléctrico. El noventa por ciento de las zonas urbanas contaba con suministro, mientras que solo el diez por ciento de las poblaciones pequeñas y de la campiña tenía luz. Aunque el centro de Clanton se conectó a la red en 1937, el resto del condado seguía a oscuras. Cuando iban de compras a Memphis y a Tupelo, Liza y las otras señoras de las haciendas se quedaban boquiabiertas ante los aparatos y pequeños artilugios eléctricos que inundaban el mercado —radios, gramófonos, hornillos, frigoríficos, tostadoras, batidoras, incluso aspiradoras— y que estaban fuera de su alcance. La gente de campo soñaba con la electricidad.

Liza quería pasar el mayor tiempo posible en Memphis y Tupelo, pero Pete se resistía. Se había convertido en algodonero y, como tal, cada año se volvía más tacaño. Así pues, ella se acostumbró a la vida tranquila y se guardó sus quejas.

Nineva y Amos iban incluidos en la finca. Sus padres habían nacido esclavos y habían trabajado las mismas tierras que cultivaba Pete. Aunque Nineva «rondaba los sesenta años», según ella, no existían documentos en los que constara de forma inequívoca su fecha de nacimiento. A Amos le daba igual su edad, pero, para chinchar a su mujer, solía asegurar que él era más joven. Su hijo mayor poseía un certificado de nacimiento que demostraba que tenía cuarenta y ocho años. Era improbable que Nineva hubiera dado a luz a los doce. Amos decía que contaba al menos veinte en aquel entonces. Los Banning sabían que en realidad «rondaba los setenta», pero era un tema tabú. Amos y ella tenían tres hijos más y un montón de nietos, si bien para 1935 casi todos habían emigrado al norte.

Nineva había trabajado toda la vida en la residencia de los Banning como única empleada doméstica. Ejercía de cocinera, lavaplatos, criada, lavandera, niñera, canguro, comadrona. Había ayudado al médico a traer al mundo a Florry en 1898, y a su hermano menor, Pete, en 1903, y prácticamente los había criado a ambos. La madre de Pete la consideraba una amiga, terapeuta, orientadora, confidente y consejera.

Para la esposa de Pete, en cambio, era más bien una rival. Los únicos blancos en quienes Nineva confiaba eran los Banning, y Liza no era una Banning. Era una Sweeney, una chica de ciudad que lo desconocía todo acerca de las costumbres de los blancos y negros del campo. Nineva acababa de perder a su amiga más querida, la señora Banning, y no estaba preparada para recibir con los brazos abiertos a la nueva señora de la casa.

Al comienzo, Nineva sintió celos de la esposa joven y bella con una fuerte personalidad. Era afectuosa, simpática y mostraba en todo momento su voluntad de encajar, pero Nineva solo la veía como una fuente de más trabajo. Se había pasado los últimos cuatro años cuidando de la señora Banning, que pedía muy poco, y Nineva reconocía para sus adentros que se había vuelto un poco perezosa. ¿Qué más daba que la casa no estuviera impecable? La señora Banning apenas reparaba en ello durante sus últimos años. De pronto, con la llegada de esa nueva mujer, la aletargada rutina de Nineva estaba a punto de cambiar. Desde el comienzo se hizo patente que a la esposa de Pete le encantaba la ropa, y por supuesto había que lavarla, plancharla y a veces almidonarla. En cuanto a Joel y a Stella, pese a que eran adorables, necesitarían que los alimentara y les proporcionara ropa, toallas y sábanas limpias. Acostumbrada a atender a la señora Banning, que comía como un pajarito, Nineva tuvo que afrontar de pronto la realidad de preparar tres comidas al día para una familia entera.

Al principio, a Liza la violentaba la presencia de otra mujer en su hogar durante todo el día, y, para colmo, de una mujer fuerte y arraigada. Ella no se había criado con doncellas ni criadas. Su madre se había ocupado de la casa, con la ayuda de su marido y sus dos hijas. No obstante, le llevó solo unos días percatarse de que el mantenimiento de una vivienda tan grande suponía demasiado trabajo para ella sola. Sin desencadenar una guerra por el territorio ni ofender a Nineva, Liza pasó rápidamente por el aro.

Ambas mujeres eran lo bastante inteligentes para comprender que ninguna de las dos iba a marcharse. No les quedaba más remedio que llevarse bien, al menos en apariencia. La casa era lo bastante grande para las dos. Las primeras semanas fueron tensas, pero a medida que se tanteaban mutuamente, la tirantez disminuyó. Pete no les prestó la menor ayuda. Se pasaba el día en los campos, feliz y despreocupado. Ya resolverían las mujeres sus diferencias.

Amos, por otro lado, quedó encantado con Liza desde el primer día. Cada primavera, plantaba una huerta grande con cuyos productos se alimentaban los Banning y muchos de sus empleados, y Liza se sintió atraída hacia él. Como chica de ciudad, nunca había cultivado nada salvo unas margaritas en un pequeño arriate. La huerta de Amos consistía en dos mil metros cuadrados de tierra con hileras perfectas de calabazas, berenjenas, quingombós, fresas, cebollas y por lo menos cuatro variedades de tomates. Al lado había un pequeño huerto de árboles frutales: manzanos, melocotoneros, ciruelos y perales. Amos cuidaba también de las gallinas, los cerdos y las vacas lecheras. Por fortuna, otro se encargaba del ganado.

Estaba más que agradecido por la llegada de su nueva ayudante. Cada mañana, después de desayunar, Liza iba a la huerta a regar las plantas, arrancar malas hierbas, matar insectos y recoger los frutos maduros mientras tarareaba alegremente o asediaba a Amos a preguntas sobre horticultura. Llevaba un sombrero de paja de ala ancha para protegerse del sol, y unos pantalones chinos remangados hasta la rodilla y guantes hasta el codo. Aunque no le importaba ensuciarse con tierra o barro, de algún modo conseguía mantener la ropa limpia. A Amos le parecía la mujer más hermosa que había visto en la vida y empezó a prendarse de ella, aunque seguía fingiendo irritarse por sus intrusiones. Ella quería aprenderlo todo sobre el cultivo de hortalizas, y cuando se quedaba sin preguntas, los dos se iban al establo de las vacas, donde él le enseñaba a ordeñar, y a elaborar mantequilla y queso.

A menudo les echaba una mano Jupe, el nieto adolescente de Amos y Nineva. Su madre le había puesto el nombre de Jupiter, pero él lo detestaba, así que se lo había acortado. Aunque ella se había ido a Chicago para no volver jamás, Jupe prefería la vida en la hacienda y residía en la casa de sus abuelos. A los quince años, era un muchacho robusto y musculoso que estaba fascinado por Liza pero en cuya presencia lo invadía una timidez tremenda.

Al principio, Amos sospechaba que el entusiasmo de la joven derivaba de su deseo de salir de la casa y alejarse de Nineva, y en parte así era. Sin embargo, entablaron amistad, para gran sorpresa de ambos. Liza quería saber más cosas sobre la familia y los orígenes de él, sobre sus padres y abuelos, y la dura existencia que habían llevado en la hacienda. El padre de ella procedía del Norte. Su madre se había criado en Memphis. Liza nunca había tenido trato con negros, y se solidarizaba con su difícil situación. Eligiendo sus palabras con cuidado, y decantándose por la parquedad antes que por el exceso, Amos le explicó que Nineva, sus hijos y él eran los más afortunados. Tenían una casita acogedora, que les había construido el padre de Pete después de echar abajo la vieja vivienda familiar. Tenían comida y ropa de sobra. Nadie pasaba hambre en la hacienda de los Banning, pero los peones de campo eran bastante pobres. Sus pequeñas chabolas a duras penas eran habitables. Los niños, que eran numerosos, siempre iban descalzos.

Liza sabía que Amos intentaba ser prudente, para que nadie pudiera acusarlo de criticar a su jefe. Además, siempre se apresuraba a puntualizar que en los alrededores había un montón de blancos pobres en una situación tan desesperada como la de los peones.

Liza salió sola a recorrer a caballo la finca de los Banning, compuesta en dos terceras partes de tierras de cultivo. El resto constaba de terreno densamente arbolado. Se topó con pequeños conjuntos de chozas enclavados en el bosque y aislados del mundo. En los porches había niños sucios de grandes ojos que se negaban a responder cuando les hablaba. Las madres asentían sonriendo mientras se llevaban a los chiquillos al interior de las casuchas. En una especie de aldea, Liza se encontró con una tienda y una iglesia con un cementerio detrás. Las chabolas se arracimaban a lo largo de las polvorientas calles.

Liza, atónita por la pobreza y las condiciones en que vivían aquellas personas, juró para sus adentros que algún día buscaría la manera de mejorarlas. Aunque no habló a Pete de sus paseos a caballo por el bosque, él no tardó en enterarse. Uno de los peones comentó que había visto cabalgar a una mujer blanca desconocida. Liza reconoció que se trataba de ella, por supuesto, ¿y qué problema había? ¿Acaso la habían advertido de que había lugares vedados?

No, nada le estaba vedado. No había nada que ocultar. ¿Qué estabas buscando?

Iba a lomos de mi caballo. ¿Cuántos negros viven en nuestras tierras?

Pete no estaba seguro, porque las familias no paraban de crecer. Eran cerca de cien, pero no todos trabajaban para ellos. Algunos tenían otros empleos. Otros se habían mudado; unos cuantos habían vuelto. Algunos hombres tenían varias familias. ¿Por qué quieres saberlo?

Por curiosidad. Liza sabía que el proyecto llevaría años, y que no era buen momento para causar problemas. Pete seguía en deuda con los bancos. El país aún estaba sumido en una depresión. No sobraba el dinero. Incluso para los viajes a Memphis tenían un presupuesto limitado.

A finales de marzo de 1938, cuando Liza y Amos aprovechaban el día cálido y soleado para plantar guisantes y ayocotes, ella empezó a sentirse mareada. Interrumpió el trabajo para recuperar el aliento y de pronto se desmayó. Amos la ayudó a levantarse y corrió con ella hasta el porche trasero, donde los recibió Nineva, que era la enfermera, doctora y comadrona residente. Esta le limpió el rostro con una toalla fría y consiguió con paciencia que volviera en sí. Al cabo de unos minutos, Liza se encontraba mejor.

—Siento que estoy embarazada —declaró.

Menuda sorpresa, pensó Nineva, aunque no dijo una palabra. Esa tarde, Pete llevó a Liza en coche a Clanton, a ver al médico, que confirmó que estaba de dos meses. Joel y Stella eran demasiado jóvenes para una noticia así, de modo que optaron por no hablar del asunto en casa. En privado, Pete y Liza estaban eufóricos. Después de dos embarazos fallidos y de mucho esfuerzo, por fin lo habían conseguido. Pete exigió a su esposa que dejara el cuidado del huerto en manos de Amos y se lo tomara con calma durante un tiempo.

Un mes después, Liza sufrió otro aborto. Fue una pérdida devastadora que le provocó una profunda depresión. Cerró las cortinas y, durante un mes, apenas salió del dormitorio. Nineva, siempre al pie del cañón, la atendía tan a menudo como ella se lo permitía. Pete pasaba con ella todo el tiempo posible, pero nada parecía consolarla, ni siquiera Joel y Stella. Al final Pete la llevó a Memphis a ver a un especialista. Se alojaron dos noches en casa de los padres de ella, lo que tampoco sirvió para levantarle el ánimo. Una mañana temprano, mientras se tomaba el café, Pete confesó a Nineva que lo embargaba la preocupación. Casi lo asustaba contemplar cómo una persona tan llena de vida como Liza se sumía en un estado tan lastimoso.

Nineva tenía experiencia con mujeres blancas deprimidas. La señora Banning no había sonreído una sola vez en sus últimos cuatro años de vida, y Nineva la tomaba de la mano todos los días. Comenzó a hacer compañía a Liza durante ratos largos y a intentar entablar conversación con ella. Al principio, la joven apenas decía esta boca es mía y lloraba a todas horas. Así que Nineva hablaba sin parar, contándole anécdotas de su madre y su abuela, detalles de la vida en esclavitud. Le llevaba té con galletas de chocolate y, poco a poco, descorría las cortinas. Día tras día, se sentaban a charlar y, de forma gradual, Liza empezó a darse cuenta de que su existencia no era ni por asomo tan dura como las de otras personas Era una mujer privilegiada y con suerte. Tenía treinta años, gozaba de buena salud y sus mejores días aún estaban por llegar. Ya era madre y, aunque no alumbrara más hijos, siempre tendría una familia estupenda.

Una mañana, nueve semanas después del aborto, Liza despertó, esperó a que Pete saliera de casa, se enfundó sus pantalones chinos, encontró sus guantes y sombrero de paja, y anunció a Nineva que la necesitaba en el jardín. La criada la siguió hasta allí y le susurró algo a Amos. El hombre la observó con atención y, cuando el sol salió y ella rompió a sudar, le insistió en que descansara un poco. Nineva apareció con una jarra de té helado con limón, y los tres se sentaron a la sombra de un árbol a conversar y reír.

Pete y Liza no tardaron mucho en recuperar su rutina de siempre y, aunque lo pasaban de maravilla, no conseguían que ella quedara encinta. Transcurrieron dos años sin novedad. Cuando Liza cumplió los treinta y dos, en noviembre de 1940, no albergaba ninguna duda de que era estéril.

23

Hacia finales del verano de 1941, la cosecha de algodón parecía especialmente prometedora. Las semillas ya estaban sembradas a mediados de abril. Para el Cuatro de Julio, los tallos llegaban a la altura de la cintura, y, para el Día del Trabajo, a la altura del pecho. El tiempo acompañaba con días calurosos, noches más frescas y lluvia torrencial una semana sí y otra no. Después de pasarse el largo invierno limpiando el terreno, Pete había conseguido cultivar treinta hectáreas adicionales. Había saldado sus deudas con los bancos y había jurado en su fuero interno que jamás utilizaría sus tierras como aval para un préstamo. Como cultivador, sin embargo, sabía que ese juramento no era vinculante. Había demasiados factores que escapaban a su control.

Sin embargo, la alegría por las perspectivas favorables para los campos se vio empañada por los sucesos que sacudían el mundo. En Europa, Alemania había iniciado las acciones militares al invadir Polonia dos años antes. Al año siguiente, comenzó a bombardear Londres, y en junio de 1941, Hitler marchó sobre Rusia con la fuerza invasora más numerosa de la historia. En Asia, los nipones llevaban diez años luchando en China. Su victoria allí los envalentonó para invadir las colonias británicas, francesas y holandesas en el Pacífico sur. Japón parecía imparable en su objetivo de dominar toda Asia oriental. En agosto de 1941, Estados Unidos suministraba a dicho país el ochenta por ciento del petróleo que utilizaba. Cuando el presidente Roosevelt anunció un embargo total sobre el petróleo, tanto la economía como el poderío militar de Japón se tambalearon.

La guerra parecía inminente en ambos frentes, y la gran incógnita era durante cuánto tiempo podría mantenerse Estados Unidos al margen. Pete tenía muchos amigos que seguían en servicio activo en el ejército, y ni uno solo creía que el país podía permanecer neutral.

Ocho años atrás, él había abandonado la vida militar, no sin pesar. En ese momento, sin embargo, no albergaba dudas respecto a su futuro. Se había acostumbrado a la vida de agricultor. Adoraba a su esposa y a sus hijos, y había encontrado la felicidad en el flujo de las estaciones, en el ritmo de las siembras y las cosechas. Salía a los campos todos los días, a menudo a caballo y con Liza a su lado, para inspeccionar los cultivos e idear maneras de adquirir más tierras. Joel tenía ya quince años y, cuando no estaba en el colegio o encargándose de sus numerosas tareas en la hacienda, se encontraba en el bosque con Pete cazando ciervos de cola blanca y pavos salvajes. Stella, con trece años, avanzaba en los estudios sin el menor problema y sacaba unas notas perfectas. Los cuatro cenaban en familia todos los días a las siete en punto y hablaban de todo. La conversación se centraba cada vez más en la guerra.

Como reservista, Pete estaba convencido de que pronto lo movilizarían, y la idea de dejar su hogar le resultaba dolorosa. Se mofaba de sus viejos sueños de gloria militar. Se había convertido en agricultor y era demasiado mayor para ser soldado, al menos en su opinión. No obstante, sabía que al ejército no le importaría su edad. Casi cada semana recibía otra carta de algún camarada de West Point al que habían movilizado. Todos prometían permanecer en contacto.

La orden le llegó el 15 de septiembre de 1941. Debía presentarse en Fort Riley, Kansas, sede del Vigésimo Sexto de Caballería, su antiguo regimiento, que ya estaba emplazado en Filipinas. Solicitó una prórroga de treinta días para la cosecha de otoño, pero se la denegaron.

El 3 de octubre, Liza invitó a un grupo reducido de amigos a casa para la despedida. A pesar de los esfuerzos de Pete por aplacar los temores, no fue una ocasión alegre. Hubo sonrisas, abrazos, buenos deseos y demás, pero el miedo y la tensión se palpaban en el ambiente. Pete agradeció a todos sus pensamientos y oraciones, y les recordó que estaban llamando a filas a centenares de jóvenes de todo el país. El mundo estaba al borde de otro gran conflicto, y las épocas difíciles exigían sacrificios.

Dexter Bell, el nuevo pastor, se encontraba presente, junto a su esposa Jackie. Se habían mudado a la ciudad hacía un mes y se les había dispensado un buen recibimiento. Dexter, joven y entusiasta, rezumaba presencia en el púlpito. Jackie tenía una voz preciosa y le habían bastado dos solos para maravillar a la feligresía. Sus tres hijos eran corteses y educados.

Tras la marcha de los invitados, los Banning, incluida Florry, se quedaron largo rato sentados en el cuarto de estar, intentando retrasar lo inevitable. Stella, aferrada a su padre, pugnaba por contener el llanto. Joel intentó mantenerse estoico, como él, como si no le cupiera la menor duda de que todo saldría bien. Tiró unos leños al fuego frente al que se calentaban, decaídos y asustados por el futuro incierto. Cuando las llamas se extinguieron al fin, llegó la hora de irse a la cama. El día siguiente era domingo, por lo que los chicos dormirían hasta tarde.

Unas horas después, al amanecer, Pete arrojó su petate en el asiento trasero del coche y se despidió de Liza con un beso. Arrancó y se alejó en compañía de Jupe, que a los veinte años se había convertido en un joven apuesto. Pete lo conocía desde el día de su nacimiento y durante años había sido uno de sus favoritos. Le había enseñado a conducir, le había tramitado el permiso y le había pagado un seguro, de modo que para entonces Liza, Nineva y él lo enviaban a hacer recados por la ciudad. Pete incluso le permitía conducir su camioneta hasta Tupelo para buscar pienso y provisiones.

Al llegar a Memphis, Pete aparcó cerca de la estación de

tren. Indicó a Jupe que se ocupara de todo en la hacienda y lo observó alejarse en el coche. Al cabo de dos horas, subió al tren que lo llevaría a Fort Riley, en Kansas. Estaba repleto de soldados que se dirigían a bases de todo el país.

Había dejado el ejército con el grado de teniente y lo recuperó al reingresar. Le reasignaron su antigua unidad, el Vigésimo Sexto Regimiento de Caballería, y se pasó un mes adiestrándose en Fort Riley antes de que lo embarcaran a toda prisa el 10 de noviembre. Estaba en la cubierta del transporte de tropas cuando zarpó y pasó por debajo del puente Golden Gate, y se preguntó cuándo podría volver. A bordo, escribía dos o tres cartas al día a Liza y a sus hijos, y se las remitía al tocar puerto. El barco hizo escala en Pearl Harbor para abastecerse y, una semana después, arribó a Filipinas.

Pete no podría haber llegado en peor momento. Su misión no podría haber sido más desafortunada.

24

Filipinas es un conglomerado de siete mil islas esparcidas por un extenso archipiélago en el mar de la China meridional. Los terrenos y paisajes varían de forma espectacular de una isla a otra. Hay montañas de casi tres mil metros de altura, densos bosques, junglas impenetrables, llanuras inundables, playas y kilómetros de costa rocosa. Muchas de las islas más grandes están surcadas por ríos de aguas rápidas no navegables. En 1940 era un país rico en recursos minerales y producción de alimentos, por lo que resultaba esencial para el esfuerzo de guerra japonés. A los estrategas estadounidenses no les cabía duda de que elegirían Filipinas como uno de los primeros objetivos, y también sabían que defenderlo sería casi imposible. Poseía cercanía geográfica con Japón, un enemigo imperial que estaba invadiendo de forma salvaje a todos sus vecinos en la región.

La defensa de Filipinas se hallaba en manos del general de división Douglas MacArthur, del ejército de Estados Unidos. En julio de 1941, el presidente Roosevelt lo convenció de que abandonara su retiro y lo nombró comandante de todas las fuerzas norteamericanas en Extremo Oriente. MacArthur estableció su cuartel general en Manila y acometió la titánica labor de prepararse para defender Filipinas. Como llevaba años viviendo en el país, lo conocía bien, y también sabía lo grave que era la situación. Había advertido a Washington de la amenaza japonesa en reiteradas ocasiones. Sus advertencias habían sido escuchadas, pero no atendidas. Poner su ejército en pie de guerra parecía un reto imposible, y quedaba poco tiempo.

En cuanto asumió el mando, comenzó a exigir más tropas, armamento, aviones, barcos, submarinos y provisiones. Washington se lo prometió todo, pero cumplió pocas promesas. En diciembre de 1941, mientras las relaciones con los japoneses empeoraban, el ejército estadounidense en Filipinas constaba de veintidós mil hombres, la mitad de los cuales eran los bien entrenados Exploradores Filipinos, una unidad de élite integrada por filipinoamericanos y algunos nativos. Les enviaron a otros ocho mil quinientos soldados estadounidenses por mar. MacArthur movilizó a las fuerzas armadas regulares filipinas, un ejército variopinto, mal equipado y sin experiencia que se componía de doce divisiones de infantería, al menos sobre el papel. Si se incluía a todo aquel que disponía de algo parecido a un uniforme, MacArthur tenía bajo su mando a unos cien mil hombres, la inmensa mayoría de los cuales no habían recibido instrucción y nunca habían oído un tiro disparado con rabia.

El ejército regular filipino estaba en unas condiciones lamentables. El grueso de sus fuerzas, los nativos filipinos, iba pertrechado con armas ligeras, fusiles y ametralladoras de la época de la Primera Guerra Mundial. Su artillería estaba obsoleta. La mayor parte de la munición salía defectuosa. Muchos oficiales y soldados rasos no habían recibido adiestramiento, y había pocas instalaciones donde impartirlo. Pocos tenían uniformes decentes. Los cascos de acero eran tan escasos que los filipinos utilizaban piezas improvisadas con cáscaras de coco para protegerse la cabeza.

La fuerza aérea de MacArthur contaba con varios cientos de aviones, casi todos ellos aparatos de segunda mano que nadie más quería. Exigía una y otra vez más aeroplanos, buques, submarinos, hombres, munición y pertrechos, pero o no existían o los destinaban a otros lugares.

Pete llegó a Manila el día de Acción de Gracias y consiguió que un camión de suministros lo llevara a Fort Stotsenburg, cien kilómetros al norte de la capital. Una vez allí, se incorporó al escuadrón C del Vigésimo Sexto Regimiento de Caballería. Tras presentarse ante los oficiales al mando, le asignaron una litera en el cuartel y lo acompañaron a las caballerizas para que eligiera un caballo.

Por aquel entonces, el Vigésimo Sexto constaba de 787 soldados rasos, la mayoría Exploradores Filipinos bien entrenados, y cincuenta y cinco oficiales americanos. Se trataba de la última unidad montada totalmente operativa que quedaba en el ejército regular estadounidense. Bien equipada e instruida, era famosa por su disciplina. Pete se pasó los primeros días a lomos de su nuevo compañero, un purasangre castaño oscuro llamado Clyde. El polo era un deporte popular en el Vigésimo Sexto Regimiento, cuyos hombres lo practicaban como parte del entrenamiento. Aunque un poco oxidado al principio, Pete no tardó en hacerse a la silla y disfrutar de los partidos. Sin embargo, la tensión aumentaba día a día, y el regimiento, al igual que todas las fuerzas de las islas, percibía la urgencia de la situación. Era solo cuestión de tiempo que los japoneses dieran su siguiente paso.

A primera hora del 8 de diciembre, los operadores de radio de Filipinas oyeron los primeros informes del ataque a Pearl Harbor. Los juegos habían terminado; la guerra estaba en marcha. Todas las unidades e instalaciones estadounidenses recibieron órdenes de estar preparadas. Según el plan maestro para la defensa de Filipinas, el comandante de la fuerza aérea, el general Lewis Brereton, puso a su flota entera en alerta máxima. A las cinco de la mañana, el general Brereton llegó al cuartel general de MacArthur en Manila con el fin de solicitarle autorización para lanzar un ataque con bombarderos B-17 sobre los campos de aviación japoneses situados en Formosa, a poco más de trescientos kilómetros de distancia. El jefe del Estado Mayor de MacArthur se negó a reunirse con el comandante, alegando que estaba demasiado ocupado. El plan de preguerra, bien trazado y ensayado, contemplaba un ataque inmediato de ese tipo, pero la última palabra correspondía a MacArthur. Este, en lugar de dar la orden, se cruzó de brazos. A las siete y cuarto, Brereton, presa del pánico, regresó al cuartel y de nuevo pidió audiencia con el general. Una vez más, se la denegaron y le indicaron que esperara «hasta nueva orden». Para entonces se habían avistado aviones de reconocimiento japoneses y una avalancha de noticias sobre aeronaves enemigas llegaba al cuartel general de Brereton. A las diez de la mañana, el comandante de la fuerza aérea, furioso y desesperado, volvió a exigir una reunión con MacArthur. Aunque rehusaron, Brereton recibió la orden de prepararse para el ataque. Una hora después, este dispuso el despegue de sus bombarderos para protegerlos de una ofensiva japonesa. Comenzaron a volar en círculo en torno a las islas, sin bombas.

Cuando MacArthur ordenó por fin el ataque, los bombarderos de Brereton se hallaban en el aire, con el combustible casi agotado. Aterrizaron de inmediato, junto con los escuadrones de cazas. A las once y media, todas las aeronaves americanas estaban en las bases, donde las aprovisionaban de combustible y armas. El personal de tierra trabajaba a marchas forzadas cuando apareció la primera oleada de bombarderos japoneses, en perfecta formación. A las 11.35, cruzaron el mar de la China meridional y divisaron el aeródromo de Clark. Los pilotos nipones quedaron atónitos. Abajo, en las pistas, había sesenta B-17 y cazas estacionados en filas ordenadas. A las 11.45, se inició el bombardeo implacable de la base de Clark y, al cabo de unos minutos, la aviación estadounidense había quedado destruida casi en su totalidad. Al mismo tiempo, se lanzaron ataques similares sobre otras bases aéreas. Por razones que nunca llegarían a explicarse, habían pillado desprevenidos a los americanos. Los daños eran incalculables. Sin una fuerza aérea que protegiera y reabasteciera a las tropas, y sin refuerzos a la vista, la batalla de Filipinas quedó decidida apenas unas horas después de comenzar.

Los japoneses confiaban en que conseguirían tomar las islas en treinta días. El 22 de diciembre, cuarenta y tres mil soldados de élite desembarcaron en varios puntos y avasallaron a las fuerzas que aún resistían. Durante los primeros días de la invasión, parecía que su confianza estaba justificada. Sin embargo, en un despliegue de tenacidad y valentía extraordinarias, las fuerzas norteamericanas y filipinas, sin esperanza alguna de que llegaran rescates o refuerzos, aguantaron durante cuatro terribles meses.

Poco después de la invasión por mar del 22 de diciembre, el escuadrón C fue enviado al norte, a la península de Luzón, en una misión de reconocimiento para la infantería y la artillería, y se vio envuelto en varias escaramuzas de retaguardia. El líder de la sección de Pete era el teniente Edwin Ramsey, un aficionado a los caballos que había ingresado como voluntario en el Vigésimo Sexto Regimiento porque había oído que «tenían un club de polo magnífico».

Se pasaban los días sobre las monturas, avanzando con rapidez por la península, observando los movimientos del enemigo y evaluando sus fuerzas. Les quedó claro de inmediato que las tropas japonesas eran muy superiores en número, adiestramiento y armamento. Para tomar las islas, se habían valido de sus divisiones de primera línea, integradas por veteranos curtidos en combate que llevaban casi una década luchando. Por otro lado, como controlaban el espacio aéreo, la aviación japonesa podía bombardear y ametrallar a discreción. Para los estadounidenses en tierra, el ruido más aterrador era el chirrido de los motores de los cazas Zero cuando aparecían volando a baja altura por encima de los árboles y disparaban con sus dos cañones de veinte milímetros y sus dos ametralladoras de siete milímetros contra todo lo que se moviera en el suelo. Ponerse a cubierto de los Zero se convirtió en un rito diario que a menudo se repetía cada hora. Para los hombres del Vigésimo Sexto resultaba aún más complicado, pues no solo tenían que encontrar una zanja donde refugiarse, sino que también debían esconder a sus caballos.

Al anochecer, acampaban y daban de comer y de beber a las caballerías. Cada escuadrón contaba con el apoyo de cocineros, herreros e incluso veterinarios. Después de cenar, cuando reinaba la tranquilidad y los hombres estaban a punto de caer rendidos, leían el correo que les llegaba de casa y escribían cartas. Antes de la invasión y del bloqueo naval consiguiente, el servicio postal había sido bastante fiable, incluso excelente, dadas las circunstancias. A finales de diciembre, sin embargo, se había vuelto considerablemente más lento.

La semana antes de Navidad, Pete recibió un envase de cartón del tamaño de una caja de zapatos que contenía cartas y tarjetas postales de su familia, la iglesia y, al parecer, la mayoría de la buena gente de Clanton. Eran docenas, y las leyó todas. Las de Liza y los chicos las releía casi hasta memorizarlas. En las que Pete enviaba a su familia, describía las islas, un paraje muy distinto de las onduladas colinas del norte de Mississippi. Les hablaba de la monotonía de la vida en el ejército. En ningún momento pintaba su situación como peligrosa. Se guardaba mucho de emplear palabras que pudieran denotar algo remotamente parecido al miedo. Los japoneses no tardarían en lanzar una invasión, si es que no lo habían hecho ya, pero serían rechazados por el ejército estadounidense y sus camaradas filipinos.

El 24 de diciembre, MacArthur puso en práctica el plan de preguerra que consistía en la retirada de sus fuerzas a la península de Bataán para asentar allí el último bastión. La victoria no era una posibilidad real, y MacArthur lo sabía. El objetivo de los estadounidenses era atrincherarse en Bataán y mantener ocupados a los nipones durante el mayor tiempo posible a fin de retrasar invasiones en otros frentes del Pacífico.

«Retrasar» era la palabra clave. La expresión «acción dilatoria» se volvió muy habitual.

Para proteger a sus tropas mientras se replegaban hacia Bataán, MacArthur estableció cinco posiciones dilatorias en Luzón Central, donde maniobraba el grueso de las fuerzas japonesas. El Vigésimo Sexto Regimiento de Caballería se hizo esencial para frenar el avance enemigo.

El 15 de enero de 1942, el teniente Ed Ramsey y su sección habían completado una misión de reconocimiento agotadora y se aprestaban a descansar junto con sus monturas. Sin embargo, el escuadrón C recibió la noticia de que se aproximaba una nutrida unidad japonesa. Planearon un contraataque, y Ramsey ofreció su apoyo para la ofensiva.

Le ordenaron que tomara la aldea de Morong, una posición estratégica junto al río Batalan, en el oeste de Bataán. Si bien se hallaba en poder de los japoneses, la guarnición que la protegía no era numerosa. Ramsey reunió a su sección, de veintisiete hombres, y se dirigió al norte por la carretera principal a Morong. Cuando llegaron al río Batalan, en el límite oriental de la aldea, se aproximaron con cautela y descubrieron que estaba desierta. La iglesia católica, el único edificio de piedra del pueblo, estaba rodeada de chozas de paja sostenidas sobre pilotes. Ramsey dividió la sección en tres pelotones de nueve hombres, uno de ellos comandado por el teniente Banning. En el momento en que Pete se acercaba a la iglesia con su pelotón, una avanzada japonesa abrió fuego contra toda la sección. Los hombres de Ramsey dispararon a su vez, y de pronto vislumbraron los componentes principales de una ingente fuerza japonesa que estaba vadeando el río. Si esas tropas llegaban a Morong, la sección se vería superada.

Sin vacilar, Ramsey decidió lanzar una carga de caballería contra la infantería, un ataque que no se había visto en el ejército estadounidense desde hacía más de cincuenta años. Ordenó a la sección que se colocara en formación, alzó su pistola y gritó «¡A la carga!». Entre alaridos y disparos, sus hombres arremetieron a galope contra la vanguardia japonesa y la hicieron recular. El enemigo, aterrado, se retiró hasta la otra orilla del río e intentó reagruparse. Con solo tres hombres heridos, la sección de Ramsey contuvo a los japoneses hasta que los relevaron los refuerzos.

Esta carga de caballería llegaría a ser conocida como la última de la historia militar de Estados Unidos.

El Vigésimo Sexto siguió hostigando al enemigo y entorpeciendo su avance para retrasar el inevitable asedio a Bataán. MacArthur trasladó a la península el gobierno filipino y el grueso de su ejército, pero para su puesto de mando eligió un búnker en la isla fuertemente armada de Corregidor, que resguardaba la bahía de Manila. Sus fuerzas se apresuraron a establecer posiciones defensivas por todo Bataán. Por medio de barcazas, transportaron a hombres y provisiones desde Manila en un empeño desesperado por atrincherarse. El plan consistía en almacenar víveres suficientes para alimentar a cuarenta y cinco mil hombres durante seis meses. En total, ochenta mil soldados y veinticinco mil civiles filipinos se guarecieron en Bataán. A mediados de enero, la retirada se había llevado a cabo con éxito.

Aprovechando que las fuerzas norteamericanas estaban confinadas en la península, los japoneses pusieron manos a la obra con rapidez para asfixiarlas con un bloqueo aéreo y naval total. Llevados por una confianza excesiva, los nipones cometieron un error táctico: retiraron sus divisiones de élite para utilizarlas en otros escenarios del Pacífico y las sustituyeron por tropas menos preparadas. Si bien fue un error que acabarían por subsanar, alargó unos meses el asedio y las penalidades.

Durante las primeras semanas de la batalla de Bataán, los japoneses sufrieron numerosas bajas, pues estadounidenses y filipinos luchaban con furia por proteger su último baluarte. Aunque las pérdidas de los aliados eran mucho menores, no podían reemplazar a sus muertos. Los nipones tenían reservas inagotables de hombres y armas, y, a lo largo de semanas, castigaron a su presa con artillería pesada y ataques aéreos despiadados.

En Bataán, las condiciones de vida se deterioraban a ojos vistas. Durante semanas, americanos y filipinos luchaban con el estómago casi vacío. El soldado medio consumía dos mil calorías diarias, más o menos la mitad de las necesarias para un combate intenso. Pasaban un hambre atroz, y las provisiones empezaban a escasear. Esto se debió principalmente a otro desacierto inexplicable por parte de MacArthur. En su precipitación por afianzar sus fuerzas en Bataán, había dejado casi todos los víveres atrás. En un solo almacén, habían quedado abandonados millones de fanegas de arroz, que habrían bastado para sustentar a su ejército durante años. Muchos oficiales le habían suplicado que hiciera acopio de alimentos en Bataán, pero él no había hecho caso. Cuando le informaron de que sus hombres estaban hambrientos y se quejaban amargamente, ordenó que las raciones de todas las unidades se redujeran a la mitad. En una carta a sus hombres, les prometía refuerzos. Escribió que «han enviado a miles de soldados y cientos de aviones. Se desconoce la hora exacta de llegada de los refuerzos». Sin embargo, la ayuda iba en camino.

Era mentira. La flota del Pacífico había sido diezmada en Pearl Harbor, y no les quedaban buques para romper el bloqueo japonés. Filipinas se hallaba aislada por completo. Washington lo sabía, y también MacArthur.

Los hombres, famélicos, se comían todo lo que se movía. Cazaban y destazaban carabaos, el equivalente filipino del búfalo de agua. Su carne, dura y correosa, tenía que ponerse en remojo, hervirse en agua salada y golpearse con mazos para que resultara más o menos masticable. Solían servirla sobre un mazacote de arroz podrido e infestado de gorgojos. Cuando ya habían diezmado a los carabaos, mataron a los caballos y mulas, aunque los soldados del Vigésimo Sexto de Caballería se negaron a comerse a sus queridos animales.

Los soldados, muertos de hambre, cazaban cerdos salvajes, lagartos de la selva, incluso cuervos, aves exóticas y serpientes, incluidas cobras, que abundaban. Todo aquello que conseguían matar lo echaban en una olla gigantesca para preparar un guiso comunitario. Para febrero ya no quedaba un solo mango o plátano en Bataán, por lo que los hombres comían hierba y hojas. La península estaba rodeada por el mar de la China meridional, conocido por su copiosa pesca. Practicarla, sin embargo, les resultó imposible. Los pilotos de caza japoneses se divertían atacando y hundiendo incluso las embarcaciones pesqueras más pequeñas. Adentrarse en el agua equivalía a un suicidio.

La desnutrición causaba estragos. A principios de marzo, el estado físico de la tropa era tan lastimoso que eran incapaces de organizar patrullas, tender emboscadas o lanzar ataques. Todos habían perdido una cantidad de peso asombrosa, entre quince y veinte kilos.

El 11 de marzo, por orden de Washington, MacArthur huyó de Corregidor con su familia y sus principales ayudantes. Llegó sano y salvo a Australia, donde estableció su centro de mando. Pese a que, al contrario de lo que exigía la ley, no había realizado actos de valor en combate y había abandonado a sus tropas a su suerte, MacArthur recibió la medalla del Honor por su audaz defensa de Filipinas.

Los hombres escuálidos a los que había dejado en Bataán no estaban en condiciones de combatir. Padecían inflamación de las articulaciones, sangrado de las encías, entumecimiento de manos y pies, tensión baja, pérdida de temperatura corporal, escalofríos, temblores y una anemia tan grave que muchos no podían caminar. La desnutrición no tardó en derivar en disentería, con una diarrea tan debilitante que los enfermos a menudo se desplomaban. Bataán ya era una provincia infestada de malaria en tiempos de paz, y la guerra proporcionó a los mosquitos incontables presas nuevas. Las víctimas de sus picaduras experimentaban fiebre, sudores y escalofríos. Hacia finales de marzo, se infectaba un millar de hombres al día. Casi todos los oficiales la habían contraído. Un general informó de que solo la mitad de sus hombres podía luchar. Los demás estaban «tan enfermos, hambrientos y cansados que eran incapaces de mantener una posición o lanzar una ofensiva».

Los soldados empezaron a dudar de las promesas de refuerzos y rescate. Todas las mañanas, los vigías escudriñaban el mar de la China meridional en busca de los convoyes, pero, por supuesto, estos nunca aparecían. A finales de febrero, el presidente Roosevelt se dirigió a la nación en una de sus famosas «charlas al calor del fuego». Anunció al pueblo estadounidense que los japoneses estaban sometiendo Filipinas a un bloqueo y que «el cerco total» impedía la llegada de «refuerzos esenciales». Y, dado que Estados Unidos estaba luchando en dos grandes escenarios, el país tendría que concentrar sus esfuerzos en «otras zonas, lejos de Filipinas».

Los hombres de Bataán también estaban escuchando, a través de radios de onda corta, desde sus trincheras individuales y tanques. Ya sabían la verdad: nadie acudiría a rescatarlos.

En casa, hacía casi dos meses que los Banning no habían recibido carta de Pete. Sabían que estaba en Bataán, pero no tenían idea de lo desesperada que era la situación. Ellos también escucharon al presidente y, por fin, empezaron a cobrar conciencia de la magnitud del peligro que corría su padre y esposo. Después de la emisión, Stella se encerró en su habitación y lloró hasta quedarse dormida. Liza y Joel permanecieron despiertos hasta tarde, hablando de la guerra e intentando en vano encontrar razones para el optimismo.

Todos los domingos por la mañana, cuando Dexter Bell iniciaba el oficio, leía en voz alta los nombres de los hombres y mujeres del condado de Ford que habían partido para la guerra, y la lista crecía cada semana. Rezaba una larga plegaria por su bienestar y su regreso sanos y salvos. Muchos estaban recibiendo instrucción y aún no habían entrado en combate. Pete Banning, sin embargo, se encontraba en un lugar espantoso, por lo que le dedicaban más oraciones que a los demás.

Liza y el resto de la familia se esforzaban por armarse de valor. El país estaba en guerra, y muchos hogares convivían con el miedo. A un muchacho de dieciocho años de Clanton lo mataron en el norte África. Miles de familias estadounidenses estaban a punto de recibir la temida noticia.

25

Sin caballos, el Vigésimo Sexto Regimiento de Caballería había dejado de existir como unidad de combate. Los hombres fueron incorporados a otros grupos, donde les encargaron tareas a las que no estaban acostumbrados. A Pete lo asignaron a infantería y le entregaron una pala para que se excavara una trinchera individual, una de las miles que jalonaban los veinte kilómetros de la línea de reserva que atravesaba el sur de Bataán. En realidad, la línea de reserva era la última línea de defensa. Si los japoneses conseguían traspasarla, los aliados se verían acorralados en la punta de la península y aplastados de espaldas al mar de la China meridional.

En marzo, se produjo una tregua cuando los japoneses estrecharon el cerco en torno a Bataán. Se reagruparon y rearmaron con nuevos suministros. Americanos y filipinos, conscientes de que se avecinaba lo inevitable, redoblaron los esfuerzos por atrincherarse.

Durante el día, Pete y sus camaradas paleaban tierra entre búnkeres y parapetos, aunque el trabajo suponía un esfuerzo enorme. Los hombres estaban enfermos y famélicos. Pete calculó que había perdido al menos dieciocho kilos. Cada diez días, más o menos, tenía que hacer un agujero nuevo en su único cinturón para que no se le cayeran los pantalones. Por el momento, había conseguido salvarse de la malaria, aunque era cuestión de tiempo que la contrajera. Había sufrido dos episodios de disentería, pero se había recuperado enseguida de ambos, pues un médico había encontrado elixir paregórico. Por las noches, dormía sobre una manta junto a su trinchera, con su fusil al lado.

En el agujero de su derecha se encontraba Sal Moreno, un rudo sargento de origen italiano natural de Long Island. Sal se había criado como chico de ciudad en el seno de una familia numerosa y pintoresca, fuente de un montón de buenas anécdotas. Había aprendido a montar a caballo en una granja en la que trabajaba su tío. Después de un par de roces con la ley, se alistó en el ejército y llegó hasta el Vigésimo Sexto de Caballería. Estuvo a punto de morir por un caso grave de malaria, pero Pete adquirió quinina en el mercado negro y cuidó de él hasta que volvió a estar razonablemente sano.

En el agujero situado a la derecha de Pete se resguardaba Ewing Kane, un aristócrata virginiano que se había graduado con honores en el instituto militar de Virginia, al igual que su padre y su abuelo. Ewing, que ya montaba ponis cuando tenía tres años, era el mejor jinete del Vigésimo Sexto.

Sin embargo, ya no contaban con cabalgaduras y lamentaban haber quedado reducidos a una unidad de infantería. Se pasaban horas juntos, charlando, y su tema favorito era la comida. Pete se recreaba en descripciones de los platos que preparaba Nineva: chuletas rebozadas de cerdos criados en la hacienda, costillas ahumadas, quingombó frito, pollo frito, tomates verdes fritos, patatas fritas en grasa de tocino, calabaza frita, cualquier cosa frita. A Sal le maravillaba que un estilo de cocina estuviera tan basado en la grasa. Ewing describía las delicias del jamón y el tocino ahumados de Virginia, de la carne de faisán, pichón, codorniz y gallina, y del estofado Brunswick. No obstante, eran principiantes en comparación con Sal, cuyas madre y abuela preparaban platos de los que los otros dos ni siquiera habían oído hablar. Lasaña al horno, manicotti rellenos, espagueti boloñesa, escalopines de cerdo al vinagre balsámico, bruschetta de tomate y ajo, mozzarella frita y un largo etcétera. La lista parecía interminable, y al principio creían que exageraba. Sin embargo, al escuchar aquellas explicaciones tan detalladas se les hacía la boca agua. Acordaron reunirse en Nueva York tras la guerra para ponerse morados de manjares italianos.

Aunque había momentos en que conseguían reír y soñar, tenían la moral por los suelos. Los hombres atrapados en Bataán culpaban a MacArthur, Roosevelt y los demás políticos de Washington por haberlos abandonado. Estaban resentidos y desolados, y la mayoría no se mordían la lengua a la hora de quejarse. Otros les exigían que cerraran el pico y dejaran de lloriquear. Las quejas no servían en absoluto para mejorar su horrible situación. No era infrecuente ver a hombres llorando en sus trincheras, o a un soldado desmoronarse de repente y alejarse sin rumbo. Para mantener la cordura, Pete pensaba en Liza y los chicos, además de en las opíparas comidas que algún día le prepararía Nineva, y en todas aquellas verduras de la huerta de Amos. Estaba desesperado por escribir cartas, pero no había plumas, ni papel ni servicio postal. Sufrían un bloqueo absoluto y no tenían manera de comunicarse con el exterior. Rezaba a diario por su familia y rogaba a Dios que los protegiera cuando él ya no estuviera. La muerte le llegaría tarde o temprano, ya fuera a causa del hambre, la enfermedad, las bombas o las balas.

Mientras la infantería japonesa se tomaba un descanso, ni la artillería ni la fuerza aérea interrumpían sus bombardeos. A pesar de la tregua, no había días tranquilos. El peligro nunca quedaba lejos. Todas las mañanas, los bombarderos en picado los despertaban ametrallando a discreción, y en cuanto desaparecían comenzaban las descargas de los cañones.

A finales de marzo, el enemigo emplazó ciento cincuenta armas pesadas cerca de la línea estadounidense e inició un cañoneo despiadado. Era un ataque que duraba día y noche, con resultados devastadores. Muchos norteamericanos y filipinos saltaron en pedazos en sus trincheras individuales. Los búnkeres que se suponían a prueba de bombas se desintegraban como chozas de paja. Las bajas eran espantosas, y los hospitales de campaña se llenaron de heridos y moribundos. El 3 de abril, tras una semana de fuego de artillería incesante, la infantería y los carros de combate japoneses irrumpieron por los huecos. Mientras estadounidenses y filipinos se replegaban, sus oficiales intentaban reorganizarlos en posiciones defensivas, pero se veían superados al cabo de horas. Trazaron planes de contraataque y trataron de llevarlos a cabo, pero las fuerzas japonesas, muy superiores, los desbarataron por completo.

Para entonces, un general americano había calculado que solo uno de cada diez soldados podría avanzar un centenar de metros, levantar el fusil y disparar al enemigo. Lo que fuera un ejército combatiente integrado por ochenta mil hombres había quedado reducido a una fuerza de combate efectiva de dos mil quinientos. Faltos de alimentos, ánimos y municiones, sin apoyo aéreo o naval, estadounidenses y filipinos seguían luchando, atacando a los japoneses con todas sus fuerzas y causándoles unas bajas espantosas. Sin embargo, debido a su inferioridad en número y en potencia de fuego, pronto sucedió lo inevitable.

Mientras el enemigo continuaba con su inexorable ofensiva, el comandante norteamericano, el general Ned King, se reunió con sus generales y coroneles para discutir lo impensable: la rendición. Las órdenes de Washington eran claras: las fuerzas americanas y filipinas debían resistir hasta el último hombre. Tal vez sonara heroico en un cómodo despacho de Washington, pero el general King tenía que afrontar la terrible realidad. Le correspondía a él decidir entre la capitulación o la aniquilación de sus hombres. Los que aún estaban en condiciones de combatir oponían una resistencia que se tornaba cada día más débil. Los japoneses se hallaban a pocos kilómetros de un gran hospital de campaña que albergaba a seis mil heridos y agonizantes.

La medianoche del 8 de abril, el general King convocó a sus comandantes.

—Al alba enviaré a una delegación con una bandera blanca para negociar los términos de la rendición. A mi juicio, seguir resistiendo solo supondría un desperdicio de vidas humanas. Uno de nuestros hospitales, que está al cien por cien de su capacidad y justo en la trayectoria del enemigo, se encuentra a tiro de su artillería ligera. No nos quedan más vías de resistencia organizada.

Aunque se trataba de una decisión insoslayable, resultaba difícil de aceptar. Muchos de los presentes lloraban cuando se marcharon para reanudar sus tareas. El general King ordenó la destrucción inmediata de todo el material que pudiera considerarse de uso militar, salvo los autobuses, coches y camiones, pues serían necesarios para transportar a los enfermos y heridos a los campos de prisioneros.

Con unos setenta mil soldados bajo su mando, la capitulación del general King fue la más grande de la historia de Estados Unidos.

Cuando Pete se enteró de la noticia, el mediodía del 9 de abril, no daba crédito a sus oídos. Al principio, Sal, Ewing, él y otros miembros del Vigésimo Sexto planearon ocultarse en la espesura para seguir luchando, pero la estrategia se antojaba casi suicida. Apenas les quedaban energías para organizar una fuga. Se les ordenó que destruyeran sus armas y municiones, que se comieran todos los víveres que encontraran, llenaran de agua sus cantimploras y echaran a andar hacia el norte en busca de los japoneses. Los hombres estaban perplejos, derrotados, incluso desconsolados porque el otrora orgulloso ejército estadounidense se había rendido. Los embargaba un profundo sentimiento de humillación.

A medida que caminaban, despacio, con una expectación nerviosa teñida de terror, se unieron a ellos otros americanos y filipinos tan aturdidos como demacrados. Primero decenas, y luego cientos de soldados abarrotaron el camino que conducía a un futuro incierto pero con toda seguridad ingrato. Se apartaron para dejar paso a un camión repleto de estadounidenses heridos. En el capó iba sentado un soldado raso solitario que empuñaba un palo del que pendía una bandera blanca. La rendición. Parecía una visión irreal.

Los hombres estaban asustados. La brutalidad de las fuerzas de ocupación japonesas era célebre. Habían leído historias sobre los crímenes de guerra que cometían en China: la violación de incontables mujeres, la ejecución de prisioneros, el saqueo de ciudades enteras. Al mismo tiempo, sin embargo, los consolaba saber que, por su condición de prisioneros americanos, los protegían las leyes internacionales, que prohibían los malos tratos. ¿Acaso Japón no estaba obligado a cumplir las disposiciones de la Convención de Ginebra?

Pete, Sal y Ewing permanecían juntos en su penoso avance hacia el norte para encontrarse con sus captores. Al coronar una colina, vislumbraron una escena escalofriante. En un claro se había detenido una hilera de tanques japoneses, esperando. Más allá se extendía una columna de soldados. A lo lejos, los aviones seguían lanzando bombas, y los cañones seguían disparando.

—Deshaceos de todos los chismes japoneses que tengáis, rápido —gritó alguien hacia atrás.

La advertencia pasó de boca en boca por las filas, y casi todos los hombres la oyeron y obedecieron enseguida. Sacaron las monedas y recuerdos japoneses que guardaban y los dejaron caer a la tierra o los tiraron en zanjas. Pete solo llevaba tres latas pequeñas de sardinas en los bolsillos, además de su reloj de pulsera, su alianza, una manta, sus platos, tazas y cubiertos de campaña y unas gafas de sol. Había cosido veintiún dólares estadounidenses al interior de la funda de lona de su cantimplora.

Se les acercaron unos soldados japoneses que blandían fusiles y gritaban en su idioma. Las armas llevaban la bayoneta calada. Condujeron a los prisioneros a un campo, los formaron en filas y les indicaron que guardaran silencio. Uno de los japoneses hablaba suficiente inglés para bramar órdenes. Conminó a los prisioneros, uno por uno, a dar un paso al frente y vaciarse los bolsillos. Los cachearon, aunque saltaba a la vista que los guardias querían evitar el contacto en la medida de lo posible. Los puñetazos y manotazos les resultaban aceptables, pero no los palpamientos delicados en torno a los bolsillos. Los nipones les robaron o «confiscaron» casi todo lo que llevaban: plumas estilográficas, lápices, gafas de sol, linternas, cámaras, servicios de campaña, mantas, monedas, maquinillas de afeitar y cuchillas.

Jack Wilson, de Iowa, estaba justo delante de Pete cuando un soldado japonés comenzó a berrearle a la cara. Había descubierto un pequeño espejo para afeitarse en su bolsillo y, por desgracia, estaba fabricado en Japón.

—*Nippon!* —exclamó el guardia.

Como Jack no respondió a tiempo, el soldado lo golpeó en la cara con la culata del fusil. El de Iowa cayó al suelo, y el soldado continuó asestándole culatazos hasta dejarlo inconsciente. Otros guardias se pusieron a pegar con el puño y la mano abierta a los prisioneros mientras sus superiores los alentaban entre carcajadas. Pete quedó estupefacto ante aquel repentino despliegue de violencia.

No tardaron en descubrir que los japoneses creían que todos los billetes, monedas o baratijas que los prisioneros llevaban consigo se los habían robado a sus camaradas muertos. Por tanto, debían tomar represalias. Apalearon a varios prisioneros hasta que no podían moverse, pero el castigo alcanzó una brutalidad inimaginable cuando un capitán que no pertenecía al Vigésimo Sexto se vació los bolsillos. Un soldado raso de baja estatura se puso a chillar enfadado al capitán y le ordenó que diera un paso al frente. Estaba fuera de sí porque había descubierto que llevaba encima unos yenes. Un oficial japonés, un sargento alto y desgarbado de tez mucho más oscura que la de los demás, se acercó y comenzó a gritarle también al capitán. Le propinó un puñetazo en el estómago, una patada en la entrepierna y, cuando el capitán se encontraba a cuatro patas en el suelo, el «Japo Negro», como se le conocería más adelante, desenvainó la espada, la alzó por encima de la cabeza y descargó al capitán un mandoble en la parte posterior del cuello. La cabeza se le desprendió de los hombros y se alejó rodando unos metros. La sangre manaba a borbotones del cuerpo, que se retorció durante unos segundos antes de quedarse inmóvil.

El Japo Negro sonrió, admirando su obra. Guardó de nuevo la espada en la funda y dedicó un gruñido a los demás prisioneros. El soldado raso se guardó los yenes y registró los bolsillos del capitán, para lo cual se tomó su tiempo. Los otros guardias dejaron de contenerse y empezaron a aporrear al resto de los prisioneros.

Pete contempló boquiabierto la cabeza que yacía sobre la tierra y estuvo a punto de perder la razón. Estaba deseando atacar al soldado más cercano, pero habría sido un acto suicida. Respiró hondo, preparándose para encajar el primer golpe. Tuvo la suerte de que no lo trataran a patadas, al menos por el momento. Más adelante, en la fila, otro soldado raso abofeteó a un prisionero, ardiendo de indignación. El Japo Negro se aproximó con grandes zancadas y, al ver más yenes, pegó una paliza al americano. Cuando desenfundó la espada, Pete desvió la vista.

Dos decapitaciones rápidas. Los estadounidenses jamás habían imaginado nada parecido. Pete, asqueado y conmocionado, no podía creer lo que estaba ocurriendo. La conmoción se le pasaría, sin embargo, a medida que los asesinatos se volvieran rutinarios.

Los prisioneros permanecieron en formación durante más de una hora, mientras el sol tropical caía de lleno sobre sus cabezas descubiertas. Pete, que siempre había detestado su casco, lo había dejado atrás. Lamentaba no haberlo conservado. Aunque algunos prisioneros llevaban gorra, la mayoría no tenía con qué protegerse del sol. Estaban empapados en sudor, y a muchos empezaron a salirles ampollas. Casi todos tenían cantimplora, pero se les prohibía beber agua. Cuando los guardias se aburrieron de atormentar a los prisioneros, se retiraron a la sombra a descansar. Al cabo de un rato, los tanques se alejaron. Los prisioneros fueron conducidos al camino y forzados a encaminarse hacia el norte.

La marcha de la muerte de Bataán había comenzado.

Marchaban en columna de tres, en medio del calor y el polvo. Sal iba a la izquierda de Pete, y Ewing, a la derecha. Cuando el sendero llegó a su fin, torcieron hacia el este por la carretera nacional que atraviesa la punta meridional de Bataán. Se dirigían hacia ellos columnas interminables de infantería, camiones, tanques y piezas de la artillería japonesa tiradas por caballos, en preparación para el asalto a Corregidor.

Cuando los guardias no podían oírlos, los hombres hablaban de forma incesante. Había unos veinte del Vigésimo Sexto de Caballería. Los demás se habían dispersado durante el caos de la rendición. Pete les ordenó que se organizaran en grupos de tres para estar pendientes unos de otros y ayudarse en la medida de lo posible. Si los sorprendían hablando, los golpeaban. Por diversión, los guardias elegían al azar a algunos prisioneros para practicarles un cacheo rápido y pegarles más palizas. Al cabo de unos cinco kilómetros, los habían despojado de todos los objetos de valor. Pete recibió su primera bofetada en la cara de un guardia que le quitó sus sardinas.

Las cunetas estaban sembradas de camiones y tanques a los que americanos y filipinos habían prendido fuego para inutilizarlos. En cierto momento, pasaron junto a una gran pila de raciones requisadas, listas para consumirse. Sin embargo, nadie mencionó la comida, y los hombres, que en su mayoría ya padecían desnutrición, estaban muertos de hambre. Hacía un calor sofocante, y algunos empezaron a caer desfallecidos. Los prisioneros no tardaron en comprobar que no era buena idea prestar ayuda a sus compañeros. Los guardias, siempre con la bayoneta a punto, estaban ansiosos por acuchillar a cualquier cautivo que se parase para socorrer a otro. A los que se desplomaban y ya no podían levantarse los apartaban a patadas hacia las cunetas, para que se encargaran de ellos más tarde.

La bayoneta japonesa, de setenta y seis centímetros, contaba con una hoja de treinta y ocho. Acoplada a un fusil Arisaka de ciento veintisiete centímetros, conformaba una lanza de un metro con sesenta y ocho. Los soldados rasos estaban orgullosos de sus bayonetas y se morían de ganas de utilizarlas. Cuando un prisionero caía por un tropiezo o, sencillamente, porque le flaqueaban las piernas, le propinaban un pinchazo rápido en el trasero para acuciarlo a seguir. Si eso no funcionaba, le clavaban la hoja entera y lo dejaban tirado desangrándose.

Pete marchaba con la cabeza gacha y los ojos entornados para protegerlos del polvo y el calor. Observaba también a los guardias, que daban la impresión de desvanecerse en el aire y luego materializarse a partir de la nada. Algunos parecían compasivos y poco deseosos de asestar patadas o guantazos, pero la mayoría se recreaba con la crueldad. Se encendían por cualquier motivo. Podían estar tranquilos y serios, y acto seguido enloquecer de rabia. Golpeaban a los prisioneros con los puños, les propinaban patadas con las botas, los aporreaban con las culatas de los fusiles y los apuñalaban con las bayonetas. Los molían a palos por mirar a un lado u otro, por hablar, por ir demasiado lentos, por no responder a una pregunta espetada en japonés o por intentar echar una mano a un camarada.

Si bien trataban a todo el mundo con brutalidad, los japoneses se mostraban especialmente crueles con los filipinos, a quienes consideraban una raza inferior. Durante las primeras horas de la marcha, Pete presenció el asesinato de diez Exploradores Filipinos, cuyos cadáveres arrojaban a patadas a las cunetas, para que se pudrieran allí. Durante un descanso, contempló con incredulidad una columna de Exploradores que se aproximaba. Todos tenían las manos atadas a la espalda y les costaba mantener el paso. Los guardias disfrutaban tirándolos al suelo y mirando cómo rodaban y se revolvían en el polvo pugnando por ponerse de pie.

Esposar a los prisioneros era del todo innecesario. Pese a lo terrible de su situación, Pete se alegraba de no ser filipino.

Mientras caminaban con pesadez bajo el sol inclemente, los hombres empezaron a sufrir deshidratación. A pesar de los numerosos y notorios problemas que los aquejaban, el agua constituía su principal pensamiento. Su organismo reaccionó intentando retener los líquidos. Dejaron de sudar y orinar. Su saliva se volvió viscosa, y la lengua se les pegaba a los dientes y al paladar. El polvo y el calor les provocaban fuertes dolores de cabeza y les nublaban la vista. Y había agua por todas partes, en pozos artesianos recién excavados junto a la calzada, en hoyos profundos próximos a los caminos y carreteras, en los grifos de granjas y establos, en los arroyos borboteantes que cruzaban. Los guardias, conscientes de su sufrimiento, tomaban largos tragos de sus cantimploras y se salpicaban la cara para refrescarse. Empapaban pañuelos que se colocaban alrededor del cuello.

Conforme los prisioneros se acercaban a los restos calcinados del hospital número uno, comenzaron a avistar a pacientes vestidos con batas sucias o pijamas verdes que vagaban por ahí sin la menor idea de qué hacer o adónde ir. A algunos les faltaba una pierna y andaban con muletas. Otros tenían heridas sangrientas que requerían tratamiento. Habían bombardeado el hospital hacía unos días, y los pacientes se encontraban en shock. El comandante japonés los vio y ordenó que los reunieran a todos y los incorporaran a la marcha. Como toda clase de ayuda seguía estando prohibida, algunos pacientes no consiguieron avanzar más que unos metros antes de venirse abajo. Los echaron a patadas a un lado del camino y los abandonaron a su suerte.

Cuando toparon con un enorme atasco de camiones y tanques japoneses, los condujeron hasta campo abierto y les ordenaron que se sentaran bajo aquel sol de justicia. Este castigo, que llegó a conocerse como «tratamiento solar», llevó a algunos al límite de sus fuerzas. Mientras se achicharraban, un prisionero intentó tomar a escondidas un sorbo de agua tibia de su cantimplora, lo que enfureció a los guardias. Gritando y repartiendo golpes, fueron de un prisionero a otro, les arrebataron las cantimploras y derramaron el agua sobre la tierra reseca. El guardia que vació la de Pete se la arrojó después con tanta fuerza que le hizo un pequeño corte por encima del ojo derecho.

Reanudaron la marcha al cabo de una hora. Pasaron junto a hombres con heridas de bayoneta que imploraban ayuda mientras se desangraban. Pasaron junto a varios cadáveres de norteamericanos. Observaron horrorizados cómo sacaban a rastras a dos soldados filipinos de una zanja y los dejaban en medio de la carretera para que los tanques los arrollaran. Cuanto más avanzaban, más muertos y moribundos veían en las cunetas. A Pete le maravillaba la facilidad con que su cerebro se acostumbraba a las matanzas y la crueldad, y no tardó en llegar a un punto en que ya no lo impresionaban. El calor, el hambre y las privaciones le embotaban los sentidos. Sin embargo, en su fuero interno bullía de rabia y juraba que se vengaría. Rezó por encontrar un día la manera de matar a tantos soldados japoneses como fuera humanamente posible.

Continuó hablando, animando a los demás a dar otro paso, a remontar la cuesta siguiente, a aguantar una hora más. Sin duda, en algún momento les darían de comer y les permitirían beber agua. Al anochecer, los guiaron a un claro situado a un lado del camino, donde les dejaron sentarse y tumbarse. Aunque no había señales de comida o agua, resultaba reconfortante descansar un poco. Tenían los pies cubiertos de ampollas y las piernas acalambradas. Muchos se desplomaron y se quedaron dormidos. Cuando Pete empezaba a cabecear, se armó un alboroto en el momento en que una nueva remesa de guardias llegó y se puso a propinar patadas a los prisioneros. Les ordenaron que se levantaran y formaran una columna. La marcha prosiguió en la oscuridad, y durante dos horas los hombres avanzaron cojeando, nunca lo bastante rápido para complacer a los guardias.

A lo largo del primer día, Pete y los compañeros que tenía cerca contaron a trescientos prisioneros en su columna, pero el número cambiaba de manera constante. Algunos hombres se derrumbaban y morían; a otros los mataban; los rezagados los alcanzaban, y su columna se fusionaba a menudo con otras.

En algún momento de la noche —dado que les habían robado los relojes no tenían idea de qué hora era—, los llevaron a un claro y les indicaron que se sentaran. Evidentemente, los japoneses también tenían hambre y había llegado la hora de la cena. Después de comer, se pasearon entre los prisioneros con cubos de agua y cucharones, y ofrecieron unos sorbos a cada uno. Aunque el agua estaba tibia y tenía mucha cal, les supo deliciosa. A cada cautivo se le entregó una bola de arroz pegajoso. Un grueso filete con patatas fritas no les habría parecido más sabroso.

Mientras saboreaban la comida, oyeron disparos de armas ligeras procedentes de la carretera y pronto comprendieron lo que sucedía. Los «pelotones de buitres» se encontraban detrás de ellos, rematando con toda tranquilidad a los que no habían sido capaces de seguir el ritmo.

La comida había reactivado los sentidos de Pete, aunque fuese brevemente, y volvió a quedarse atónito ante el asesinato gratuito de prisioneros de guerra estadounidenses. Su calvario en la marcha de la muerte duraría seis días, y todas las noches escuchaba espantado junto a los demás cómo los pelotones de buitres realizaban su labor.

Durmieron en un arrozal unas horas, hasta que los despertaron de nuevo, les ordenaron de malas maneras que se pusieran en formación y los obligaron a marchar. Después de la inactividad, a muchos les costaba caminar, pero las bayonetas, siempre presentes, los aguijonearon. La carretera estaba atestada de prisioneros americanos y filipinos.

Al amanecer, se encontraron con otra gigantesca caravana de soldados y artillería japoneses. El camino estaba demasiado abarrotado para que pasaran los prisioneros, por lo que los condujeron a un campo junto a una pequeña granja. Detrás de un cobertizo había un riachuelo en el que un agua que parecía limpia borbollaba sobre las piedras. Aquel murmullo resultaba enloquecedor para los hombres. Tenían una sed atroz, y algunos no soportaban más aquella tortura. Un coronel se puso de pie con valentía, señaló el arroyo y pidió permiso para que sus hombres bebieran un poco. Un guardia lo dejó inconsciente de un culatazo.

Durante al menos una hora, los prisioneros se quedaron en cuclillas, escuchando el rumor del riachuelo mientras el sol se elevaba. Vieron el convoy desfilar ante ellos, levantando nubes de polvo. Los guardias se alejaron y se arracimaron junto a la carretera para disfrutar de un desayuno de bolas de arroz con mango. Mientras comían, tres Exploradores Filipinos se arrastraron hasta el arroyo y sumergieron la cara en el agua fresca. Un guardia volvió la cabeza, los vio y avisó a sus compañeros. Sin mediar palabra, se acercaron a unos seis metros del riachuelo, improvisaron un pelotón de fusilamiento y asesinaron a los filipinos.

Cuando el tráfico disminuyó, obligaron rápidamente a los prisioneros a formar de nuevo y continuar la marcha.

—Pronto habrá comida —le aseguró un guardia a Pete, que estuvo a punto de darle las gracias.

Aunque le dolía mucho el estómago, la sed era incluso peor. A media mañana, tenía la boca y la garganta tan resecas que no podía hablar. A los otros prisioneros les sucedía lo mismo, por lo que un silencio lúgubre se apoderó de las filas. Los hicieron detenerse cerca de una ciénaga y sentarse a pleno sol. Un guardia les permitió acercarse a la orilla de una charca de agua estancada y llenar las cantimploras de un líquido pardusco y salobre contaminado con agua de mar. Si no los mataba, como mínimo les provocaría disentería o algo peor, pero se lo bebieron de todos modos.

A mediodía, pararon cerca de unos barracones y les ordenaron que se sentaran al sol. El aire transportaba un inconfundible aroma a comida caliente hasta los prisioneros, la mayoría de los cuales no habían ingerido más que una bola de arroz en las últimas treinta horas. Bajo una tienda de campaña improvisada, unos cocineros preparaban arroz en unos calderos puestos al fuego. Los prisioneros observaron cómo añadían ristras de salchichas y pollos frescos y removían con largas palas de madera. Al otro lado de la tienda de campaña, había un corral también improvisado y cercado con alambre de espino, en cuyo interior se encontraban cerca de cien ciudadanos filipinos harapientos y famélicos, personal de apoyo del ejército. Llegaron más guardias y pronto se hizo evidente que almorzarían allí. Cuando les sirvieron, los japoneses comieron con sus cubiertos y platos de campaña, disfrutando de aquel sustancioso guiso. Uno de ellos se acercó al corral con una salchicha fina que lanzó a través de la alambrada. Una turba se abatió sobre ella, chillando, arañándose, agarrándose, peleando. El guardia se dobló de risa, al igual que sus amigos. Así que varios se dirigieron a la alambrada y les mostraron muslos de pollo y salchichas. Los prisioneros extendían el brazo, suplicantes, y forcejeaban de forma brutal en cuanto la comida tocaba el suelo.

A los americanos no les lanzaban nada. Para ellos no habría almuerzo, solo el agua putrefacta y una hora bajo el sol. La marcha prosiguió a lo largo de la interminable tarde, durante la que más hombres se desplomaron y fueron abandonados.

Hacia la medianoche del 12 de abril, el segundo día de la marcha, los hombres llegaron a la ciudad de Orani, a casi cincuenta kilómetros del punto de partida. Semejante caminata habría sido muy dura incluso para soldados sanos; en el caso de los supervivientes, era un auténtico milagro que hubieran conseguido recorrer aquella distancia. Cerca del centro de la ciudad, los apartaron de la carretera y los hicieron entrar en un recinto de alambre de espino construido a toda prisa para albergar a quinientos prisioneros. Para cuando llegó la columna de Pete, ya eran al menos mil. No había comida, agua ni letrinas. Muchos hombres padecían disentería, y el suelo estaba recubierto de excrementos, sangre, mocos y orina humanos que se les pegaban a la suela de las botas. Los gusanos estaban por todas partes. Sin espacio para acostarse, los cautivos intentaban dormir espalda con espalda, pero los músculos doloridos se lo impedían. Los gritos de los perturbados tampoco ayudaban a conciliar el sueño. Enfermos, deshidratados, exhaustos y muertos de hambre, muchos hombres perdían la noción de dónde estaban y lo que hacían. Muchos deliraban, medio trastornados o del todo enloquecidos; otros, catatónicos, se quedaban de pie, inmóviles, sumidos en el estupor, como zombis.

Y se morían. Muchos caían en coma y ya no despertaban. Al alba el campo estaba sembrado de cadáveres. Cuando los oficiales japoneses se percataron de ello, no les proporcionaron comida y agua. En cambio, les llevaron unas palas y ordenaron a los prisioneros «más sanos» que comenzaran a cavar tumbas poco profundas a lo largo de la alambrada. Como Pete, Sal y Ewing aún estaban en condiciones de trabajar, los eligieron como sepultureros.

A los que solo sufrían desvaríos los encerraban en un cobertizo de madera y les decían que se callaran. A algunos comatosos los enterraron vivos, aunque tampoco es que esto supusiera una gran diferencia; la muerte acabaría por llegar en cuestión de horas. En lugar de descansar, los de las palas trabajaron durante toda la noche mientras las bajas aumentaban y los cuerpos se amontonaban junto al alambre de espino.

Al amanecer, unos guardias abrieron las puertas y entraron arrastrando sacos de arroz hervido. Indicaron a los prisioneros que se sentaran en filas ordenadas y tendieran las manos ahuecadas. Cada uno recibió una cucharada de arroz pegajoso, su primera «comida» en días. Después del desayuno, los condujeron en grupos pequeños hasta un pozo artesiano y les permitieron llenar las cantimploras. El alimento y el agua apaciguaron a los hombres durante unas horas, pero el sol volvía a resplandecer. A media mañana, el coro de gritos y alaridos demenciales se había reanudado con vehemencia. Ordenaron a la mitad de los prisioneros que salieran del recinto y enfilaran de nuevo la carretera. La marcha siguió adelante.

26

Anticipándose a la caída de Bataán, los japoneses planeaban utilizar la península como escala para atacar la isla cercana de Corregidor, el último baluarte estadounidense. Para ello era necesario despejar la zona de prisioneros americanos y filipinos. El plan consistía en obligarlos a caminar cien kilómetros por la vieja carretera nacional hasta la estación de clasificación de San Fernando, desde donde los transportarían en tren a diversas prisiones, entre ellas Camp O'Donnell, un antiguo fuerte filipino que los japoneses habían reconvertido en campo de prisioneros de guerra. Los planes exigían el desalojo rápido de unos cincuenta mil.

No obstante, unas horas después de la rendición, los japoneses cayeron en la cuenta de que sus cálculos se habían quedado muy cortos. Había setenta y seis mil soldados norteamericanos y filipinos, además de veintiséis mil civiles. Los japoneses se encontraban a prisioneros por todas partes, hambrientos y sedientos. ¿Cómo había sido capaz de rendirse el enemigo, contando con tantos soldados? ¿Dónde estaba su espíritu de combate? No podían disimular el desprecio ni el odio que sentían hacia sus cautivos.

A medida que la marcha se prolongaba y las filas de prisioneros seguían en aumento, los guardias japoneses recibían cada vez más presiones para imprimirle velocidad. No había tiempo para enterrar a los muertos ni para preocuparse por los rezagados. Los generales exigían a gritos a los oficiales que se dieran prisa. Los oficiales maltrataban físicamente a los soldados rasos, que a su vez descargaban su frustración contra los prisioneros. Conforme las columnas crecían y se tornaban más lentas, mayor era la presión y más caótica se volvía la marcha. Los cadáveres desparramados por las cunetas y los campos se descomponían bajo el sol abrasador. Negras nubes de moscas revoloteaban en torno a la carne putrefacta, compitiendo con cerdos y perros hambrientos. Bandadas de cuervos aguardaban con paciencia sobre las cercas, y a algunos les daba por seguir a las columnas y atormentar a los prisioneros.

Pete había perdido la pista a los miembros del Vigésimo Sexto. Sal, Ewing y él seguían juntos, pero resultaba imposible llevar la cuenta de los demás. Grupos de cautivos macilentos se incorporaban a una columna un día, solo para quedar recluidos en algún campo al siguiente. Los hombres caían, sucumbían o los mataban a centenares. Pete dejó de pensar en nadie que no fuera él mismo.

El cuarto día, entraron en Lubao. La que fuera una bulliciosa ciudad de treinta mil habitantes se hallaba desierta, o cuando menos las calles lo estaban. Desde las ventanas de las plantas superiores, sin embargo, los vecinos observaban. En el momento en que la columna se detuvo, las ventanas se abrieron y la gente comenzó a tirar pan y fruta a los prisioneros. Los japoneses, furiosos, les ordenaron que no recogieran la comida. Cuando un adolescente salió corriendo de detrás de un árbol y lanzó una hogaza, un guardia lo abatió de un tiro en el acto. A los cautivos que habían conseguido llevarse algo a la boca los apartaron de la columna y les pegaron una paliza. A uno le clavaron una bayoneta en el vientre y lo colgaron de una farola a modo de advertencia.

Continuaron andando, de alguna manera conseguían reunir la fuerza de voluntad para dar un paso más, para recorrer un kilómetro más. Estaban muriendo tantos hombres a causa de la deshidratación y el agotamiento que los japoneses se ablandaron un poco y decidieron dejar que llenaran las cantimploras, por lo general en una acequia junto al camino o en alguna charca en la que abrevara el ganado.

El quinto día, la columna de prisioneros topó con otro largo convoy de camiones pesados cargados de soldados. La carretera se estrechaba en aquel tramo, por lo que los guardias ordenaron a los hombres que avanzaran en fila india por ambos arcenes. La cercanía con los estadounidenses mugrientos y sin afeitar encendió los ánimos de los soldados de los camiones. Para algunos, era la primera vez que veían al odiado enemigo. Hostigaban a los cautivos, les tiraban piedras, les escupían y los insultaban. De vez en cuando, el conductor de un camión veía que algún prisionero se salía un poco de la fila y lo acometía con el pesado parachoques. Si el infortunado caía bajo las ruedas del camión, no tardaba en perecer. Si, por el contrario, caía en la cuneta, los pelotones de buitres se ocuparían de él más tarde. Si derribaba a otros prisioneros, los soldados prorrumpían en carcajadas mientras su vehículo se alejaba.

Pete estaba asfixiándose con el rostro recubierto de polvo cuando un soldado que asomaba de un camión le lanzó un golpe con el fusil y le acertó de lleno. La culata le impactó en la nuca y lo dejó inconsciente. Se desplomó hacia el interior de una zanja lodosa y aterrizó sobre un neumático, junto a una camioneta calcinada. Sal y Ewing, que iban unos metros más adelante, no repararon en lo que había ocurrido.

Se acabó formando un embotellamiento en la carretera, por lo que los guardias llevaron a los prisioneros hasta un arrozal para someterlos a otro tratamiento solar. Como Sal y Ewing no lograban localizar a su compañero, comenzaron a indagar entre susurros. Alguien les contó lo ocurrido. Su primer impulso fue ir en su busca, pero el segundo les paró los pies. El mero hecho de ponerse de pie sin permiso les valdría una paliza. Cualquier intento de encontrar a Pete representaría un suicidio. De modo que lloraron a su amigo en silencio, albergando un odio aún mayor, si cabía, hacia los japoneses. Para entonces, no obstante, habían visto tantos cuerpos sin vida que tenían los sentidos embotados y las emociones adormecidas o muertas.

Reanudaron la marcha hasta que oscureció, y entonces les concedieron el privilegio de dormir en un campo de arroz. No había ningún corral improvisado cerca. Los guardias les repartieron unas bolas de arroz sucio y les dieron agua. Intentaron descansar, esperando a que sonaran las inconfundibles detonaciones de las armas ligeras de los pelotones de buitres. No tardaron en oírlas, y se preguntaron cuál de aquellos disparos habría alcanzado a Pete Banning.

Cuando recobró el conocimiento, aunque seguía aturdido y mareado, mantuvo la suficiente presencia de ánimo para hacerse el muerto. Le dolía una barbaridad la cabeza y notaba que la sangre le resbalaba por el cuello. La columna avanzaba, inacabable, y Pete oyó los sonidos de los desdichados que avanzaban cerca, con paso cansino. Oyó el paso de los camiones, cargados de soldados que reían y en ocasiones cantaban. Oyó a los guardias gritar órdenes y palabrotas. Después del anochecer, se arrastró por la tierra hasta esconderse bajo la camioneta destrozada. Los convoyes se habían alejado por fin, pero el flujo de prisioneros no cesaba. Bien entrada la noche, por fin se produjo una pausa. La carretera quedó desierta y en silencio, al menos durante un rato. Pete oyó disparos de pistola cada vez más cercanos y pronto empezó a vislumbrar los destellos anaranjados de los pelotones de buitres, que descerrajaban tiros de gracia a los hombres moribundos o ya muertos. Se hizo un ovillo y dejó de respirar. Los pelotones pasaron de largo.

Decidió adentrarse a gatas en un bosquecillo espeso para intentar escapar. Pero ¿escapar adónde? No tenía la menor idea. Aunque estaba seguro de que no llegaría lejos, era hombre muerto de todos modos, así que ¿qué demonios? Esperó y esperó. Las horas se sucedían, y se sumió en un sueño profundo.

Una bayoneta interrumpió su descanso. Un soldado raso japonés estaba apretándosela contra el pecho con fuerza suficiente para despertarlo, pero no para atravesarle la piel. El sol ya había salido y destelló en la hoja de acero, que a Pete se le antojó de tres metros de largo. El soldado, sonriendo, le indicó por señas que se levantara. Llevó a Pete a empujones hasta la carretera, donde este se incorporó a otra columna interminable de almas en pena.

Estaba marchando de nuevo. Los primeros pasos le resultaron dolorosos mientras las entumecidas piernas intentaban recuperar la flexibilidad, pero consiguió mantener el ritmo. No reconoció a ningún prisionero, aunque para entonces ya todos parecían iguales.

Al cabo de seis días, llegaron a su primera escala, la ciudad de San Fernando. Los encerraron en otro campo provisional con alambrada y no les dieron nada de comer. Sufrían una inanición extrema y estaban convencidos de que, en efecto, avanzaban en una marcha hacia la muerte. Las condiciones eran las peores que Pete había experimentado hasta entonces. Cientos de prisioneros habían pasado antes por aquel campamento, de modo que el suelo estaba cubierto de excrementos y sangre humana. Cadáveres en descomposición atraían gusanos y moscas a millones.

San Fernando marcó el final de la marcha de la muerte de Bataán. Setenta mil prisioneros, sesenta mil filipinos y diez mil estadounidenses habían sido trasladados por la fuerza. Para Pete, el suplicio había durado seis días. Para muchos otros, más de una semana. Se calcula que, a lo largo del trayecto, de cien kilómetros, seiscientos cincuenta americanos y once mil prisioneros filipinos sucumbieron a causa de la enfermedad o el cansancio, cuando no directamente asesinados. Murieron incontables civiles filipinos. Solo se enterró a una pequeña parte de ellos.

Y lo peor aún estaba por llegar.

Durante su primera noche en el campo de San Fernando, Pete logró encontrar un hueco apartado de la mierda y la suciedad, y descansar con la espalda apoyada contra el alambre de espino. Los cautivos estaban tan apretujados que era imposible sentarse. A los afortunados como Pete que habían dado con un sitio los importunaban para que se hicieran a un lado y dejaran espacio. Toda apariencia de disciplina se había esfumado por completo. Algunos oficiales intentaban imponer orden, pero sus esfuerzos resultaron inútiles. Como las peleas a puñetazos quedaban descartadas porque los hombres estaban extenuados, se limitaban a insultarse y lanzarse amenazas leves. Los perturbados vagaban de un lado a otro, pisando a los demás mientras mendigaban comida y agua. La mayoría de los hombres sufría de disentería, y no había letrinas ni un trozo de suelo donde hacer sus necesidades, por lo que no les quedaba más remedio que hacérselas encima.

Al amanecer se abrieron las puertas y los guardias entraron en tropel. Bramando órdenes y apartando prisioneros a patadas, consiguieron ordenarlos en filas de esqueletos acuclillados. Les llevaron tres grandes ollas de arroz que los guardias comenzaron a servir en las manos ahuecadas de los cautivos. Los que se hallaban más cerca de las entradas obtuvieron su ración, y cuando las ollas se vaciaron, los guardias se marcharon y cerraron las puertas. Menos de la mitad de los prisioneros había recibido algo, y muy pocos lo compartieron.

A través de la cerca, los guardias prometieron volver con más alimentos y agua, pero los prisioneros sabían que era mentira. Pete se encontraba demasiado al fondo para recibir un puñado de arroz. Ya no se acordaba de cuándo había probado bocado por última vez. Se encerró en su cascarón y permaneció sentado en un estado de letargo, mientras el sol de la mañana aparecía con toda su furia. De vez en cuando, buscaba entre los rostros demacrados que lo rodeaban a Sal, Ewing o a cualquier otro conocido, pero nadie le resultaba familiar. Se maldijo para sus adentros por haberse quedado dormido bajo la camioneta y haber desperdiciado la oportunidad de huir. La herida en la cabeza aún le sangraba, pero poco. Aunque temía que se le infectara, sabía que solo se trataría de una afección más en la lista creciente de posibles causas de su muerte. Además ¿qué se suponía que debía hacer al respecto? Si encontraba a un médico, era probable que el pobre tipo estuviera aún peor que él.

Hacia el mediodía, las puertas se abrieron de nuevo, y los guardias comenzaron a sacar a los prisioneros uno a uno. Los dividieron en grupos de cien, y una vez que habían formado cinco unidades, los obligaron a marchar a través de la ciudad. Pete pertenecía a la última unidad.

Para entonces, los vecinos ya estaban acostumbrados a ver a estadounidenses cadavéricos, sucios y sin afeitar arreados por sus calles como ganado. Odiaban a los japoneses con tanto veneno como los prisioneros, por lo que estaban resueltos a echar una mano a estos. Les lanzaban pan, galletas y fruta desde las ventanas, y, por alguna razón, los guardias no intervenían. Pete recogió un plátano y se lo comió de dos bocados. Acto seguido, descubrió en el suelo una galleta grande partida. Cuando resultó evidente que a los guardias no les importaba, empezó a llover más comida sobre los cautivos, que arramblaban con todo y comían sobre la marcha sin aminorar el paso. Desde un callejón, una anciana arrojó un mango a Pete, que lo devoró con piel y todo. Como antes, quedó asombrado por la rapidez con que el alimento revitalizaba su organismo.

Llegaron a la estación de tren, donde los esperaban cinco furgones desvencijados. Conocidos como «Cuarenta y ochos», eran vagones de carga estrechos, de seis metros de largo, en los que solo cabían cuarenta personas o bien ocho caballos, mulas o vacas. Los guardias hacinaban a cien hombres en cada uno y cerraban las puertas de golpe, dejándolos en la oscuridad más absoluta. Arracimados hombro con hombro, de inmediato sintieron que se ahogaban y que les costaba respirar. Comenzaron a aporrear los costados de madera, pidiendo misericordia a gritos. Mientras aguardaban, la temperatura aumentó de forma alarmante y algunos empezaron a desmayarse. La única ventilación procedía de unas grietas en las paredes, y los hombres pugnaban por acercar la nariz a las aberturas.

Los guardias, apostados en lo alto de los vagones, golpeaban el techo con los fusiles, gritando: «¡Callaos, gilipollas!».

Al fin el tren arrancó con una sacudida y un cabeceo. Mientras los vagones se balanceaban y se mecían, a muchos prisioneros les entraron náuseas. Los alimentos que con tanta avidez habían engullido hacía una hora reaparecieron convertidos en un amasijo hediondo, y pronto el suelo quedó cubierto de vómito y restos de comida. Todo despedía una pestilencia inenarrable. El calor y los olores que impregnaban el aire hacían que respirar resultara doloroso.

Un hombre cayó a los pies de Pete y cerró los ojos. La primera reacción de Pete fue apartarlo con el pie, pero advirtió que no respiraba. Otros hombres estaban muriendo también, y algunos ni siquiera disponían de espacio para desplomarse.

Cuando el tren cobró velocidad, los guardias abrieron las puertas de tres de los furgones para que se ventilaran un poco. Los cautivos forcejearon por aproximarse a las aberturas. Uno consiguió saltar y se golpeó contra un montón de piedras. No volvió a moverse.

Durante el trayecto de tres horas, el tren pasó por varias poblaciones pequeñas. Los habitantes flanqueaban las vías para arrojar comida y latas de agua a los vagones abiertos. Los maquinistas, que eran filipinos, reducían la velocidad del tren para que los hombres pudieran acopiar todo lo posible. Compartieron casi todos los alimentos.

Cuando el tren se detuvo por fin, la multitud de prisioneros se desparramó sobre el andén. A los que aún vivían les ordenaron que sacaran a los muertos a rastras. Los cuerpos acabaron apilados como leños cerca de las vías. Decenas de ciudadanos filipinos habían acudido con comida y agua, pero los guardias los ahuyentaron con amenazas. Condujeron a los cautivos hasta un campo abierto situado a unos metros para dispensarles otro tratamiento solar de una hora. El suelo quemaba tanto que apenas se podía tocar.

Los hombres ya sabían que su destino era el campo de prisioneros de O'Donnell, donde sin duda mejorarían sus condiciones. Cuando emprendieron la caminata de once kilómetros, saltaba a la vista que muchos no llegarían al final. Pete suponía que exterminarían en masa a los más débiles, pero los guardias habían cambiado de estrategia y permitían que los cautivos más fuertes ayudaran a los demás. No obstante, quedaban pocos con energía suficiente para socorrer a otros, y ya a lo largo del primer kilómetro empezaron a caer algunos. Los lugareños, que para entonces ya habían visto a muchos prisioneros, ocultaban latas de agua y mangos en diferentes puntos del camino de tierra. Los guardias aplastaban y apartaban a patadas todo lo que podían, pero se producían algunos milagros. Pete encontró una lata de agua cristalina y la apuró sin que lo pillaran. Desde entonces, albergó la convicción de que le debía la vida a la bondad de un filipino desconocido. Cuando el hombre que tenía delante se derrumbó, Pete recogió su esquelético cuerpo, se echó su brazo a los hombros, le aseguró que no iba a morir tras haber llegado tan lejos y recorrió con él los diez kilómetros que quedaban, arrastrando los pies.

Divisaron O'Donnell por primera vez desde lo alto de una colina. Ante ellos se extendía un intimidante complejo de edificios viejos cercados por kilómetros de reluciente alambre de espino. Varias torres de vigía se alzaban amenazadoras, y en todas ellas ondeaba orgullosa la bandera japonesa.

Pete recordaría siempre ese momento con nitidez. No tardaría en descubrir que, si hubiera sabido de los horrores que lo esperaban en O'Donnell, se habría salido del sendero a toda velocidad y habría corrido como un loco hasta que lo frenara una bala.

27

Antes de la guerra, O'Donnell se había utilizado como base provisional de una división del ejército filipino formada por unos veinte mil hombres. Con muy pocas reformas, los japoneses lo habían convertido en su mayor campo de prisioneros. Ocupaba doscientas cuarenta hectáreas de arrozales y matorral, y estaba dividido en varias zonas cuadradas grandes. En cada una había varias filas de barracones y otras construcciones, algunas en ruinas, otras sin terminar. Tras la caída de Bataán, apiñaron a unos sesenta mil prisioneros, entre ellos diez mil estadounidenses, en el antiguo y destartalado fuerte. El agua era escasa, al igual que las letrinas, los medicamentos, las camas de hospital, los hornillos y las provisiones.

Pete y los demás supervivientes atravesaron cojeando el portal oriental, junto con cientos de cautivos más que afluían a O'Donnell desde todos los rincones de las islas. Los recibieron unos guardias con camisa blanca recién planchada que blandían unas porras aparentemente diseñadas con el único propósito de apalear a hombres derrotados y desarmados. Ansiosos por amedrentar a los recién llegados con su agresividad, comenzaron a golpear hombres al azar al tiempo que bramaban órdenes en un inglés macarrónico que nadie entendía. Todo aquel despliegue resultaba de lo más gratuito. Para entonces los prisioneros habían visto tanta violencia que ya no les impresionaba, y su espíritu de lucha, su voluntad de resistir, se había extinguido por completo. Los llevaron a empujones hasta una plaza de armas y les ordenaron que formaran filas perfectas y se colocaran en posición de firmes. Se asaron bajo el sol mientras llegaban los demás. Los cachearon de nuevo, como si hubieran tenido ocasión de recoger algo de valor por el camino.

Al cabo de una hora, había un hervidero de actividad delante de un edificio que hacía las veces de sede de la comandancia. El comandante, un hombretón ataviado con un uniforme ridículo que incluía un pantalón bombacho corto y unas botas de montar que le llegaban a la rodilla, salió trotando a su encuentro.

Prorrumpió en gritos y rugidos, y un intérprete filipino se esforzó por seguirle el ritmo. El comandante empezó por afirmar que no eran prisioneros de guerra honorables, sino cautivos cobardes. Se habían rendido, lo que constituía un pecado imperdonable. Y, puesto que eran unos cobardes, no se les podía tratar como a auténticos soldados. Añadió que, aunque le habría gustado matarlos a todos, se regía por el código del guerrero, y los guerreros de verdad se mostraban misericordiosos. No obstante, si desobedecían alguna de las normas del campo, los ejecutaría con gusto. Acto seguido se embarcó en una diatriba sobre raza y política, según la cual el pueblo japonés, por supuesto, era superior a ellos porque había ganado la guerra, había derrotado a Estados Unidos, su eterno enemigo, y demás. A veces el intérprete se retrasaba mucho y resultaba evidente que se inventaba las frases mientras el comandante aguardaba a que vertiera sus brillantes palabras al inglés.

Dado su penoso estado, la mayoría de los prisioneros apenas prestaba atención. En cuanto a las amenazas, se preguntaban qué más podían hacerles los japoneses a esas alturas, aparte de decapitarlos de golpe, tal vez.

El hombre continuó perorando a voz en cuello hasta que, de pronto, invadido por la fatiga, dio media vuelta y se marchó, seguido de cerca por sus acólitos. Ordenaron a los prisioneros que rompieran filas y los dividieron por nacionalidad. Había un campo para filipinos, y otro para norteamericanos.

El general Ned King, a quien el comandante había puesto al mando de los prisioneros, recibió a sus hombres frente a una segunda puerta. Les estrechó la mano, les dio la bienvenida y, una vez que se agruparon en torno a él, les dijo:

—Señores, tienen que recordar una cosa: ustedes no se rindieron. Fui yo. Yo firmé la capitulación. Me rendí en su nombre. Ustedes no. La responsabilidad por ello me corresponde a mí. Dejen que cargue yo con ella. Solo les pido que obedezcan las órdenes de los japoneses para no provocar más aún al enemigo.

A continuación dejaron a los recién llegados a cargo de sus oficiales para que estos los orientaran y les expusieran las reglas. El Vigésimo Sexto Regimiento de Caballería se había dispersado, y reinaba cierta confusión respecto a quién había sido su último comandante. A Pete le habían asignado un grupo del Trigésimo Primer Regimiento de Infantería, y lo guiaron hasta su nuevo hogar. Era un edificio desvencijado de cuatro metros de ancho por seis de largo, con un tejado de bambú al que parecía que una tormenta le hubiera arrancado una parte. Los hombres quedaban desprotegidos contra el sol y la lluvia. No había catres ni esteras donde dormir, solo dos largas superficies conformadas por cañas de bambú partidas por la mitad y atadas entre sí con ratán. La mayoría no disponía de mantas. Pete preguntó a un sargento qué sucedía cuando llovía, y este le respondió que los hombres se resguardaban bajo las cañas.

En O'Donnell solo había un pozo artesiano con una bomba operativa, que suministraba agua a ambos campos, el americano y el filipino, a través de una tubería de media pulgada. La bomba funcionaba de vez en cuando, pero el motor de gasolina a menudo petardeaba y se calaba. Por otro lado, puesto que siempre había escasez de gasolina, los japoneses solían dejar que el depósito se vaciara por completo para ahorrar.

Pete, desesperado por llenar su cantimplora, como los demás, acabó por encontrar la cola del agua, una interminable y lastimosa sucesión de hombres. Cuando caminaba a lo largo de ella en busca del final, pasó junto a cientos de hombres, todos con la misma mirada distante y derrotada. Ninguno abría la boca mientras esperaban y esperaban y esperaban. La cola apenas avanzaba. Pete tardó siete horas en llenar la cantimplora.

Al anochecer les ordenaron que se colocaran en fila y se sentaran. Les sirvieron la cena: una cucharada de arroz. No había carne, pan ni fruta. Después de comer, los hombres regresaron con paso cansino a los barracones, que no disponían de iluminación. No había otra cosa que hacer que afrontar la aventura de cada noche: dormir. A Pete le resultaba imposible dar con una postura cómoda sobre las cañas de bambú, así que cuando encontró un montón de hierbajos en un rincón, se acurrucó encima.

Tenía la boca reseca y pegajosa, y necesitaba agua de forma acuciante. Como si el hambre no causara suficiente dolor, la falta de agua estaba volviendo locos a los cautivos. La que había apenas bastaba para beber, cocinar y mantener en funcionamiento el hospital. No sobraba una gota para nada más. Pete tenía la piel sucia y en carne viva en algunas partes por la falta de agua y jabón. Hacía semanas que no se bañaba, y no se había afeitado desde antes de la rendición de Bataán. Tenía la ropa hecha jirones, y no había manera de lavarla. Los únicos calzoncillos con que contaba habían quedado tirados por el camino días atrás. No recordaba cuándo se había cepillado los dientes y las encías por última vez, y le dolían debido a la dieta deficiente. Olía como una cloaca andante, y lo sabía porque todos los demás prisioneros apestaban también.

Durante su primera noche en O'Donnell, un trueno retumbante despertó a Pete y a sus compañeros de barraca. Una tormenta estaba atravesando la zona. Cuando empezó a llover, miles de hombres salieron tambaleándose al aire libre y contemplaron el cielo. Abrieron la boca y los brazos, dejando que aquella cortina de agua fresca los empapara. Era tan deliciosa como valiosa, pero no había modo de almacenarla. El diluvio duró un buen rato y convirtió los pasajes en acequias lodosas, pero los hombres permanecieron de pie bajo la tormenta, saboreando el agua, felices ante aquella oportunidad de limpiarse.

Al alba, Pete se dirigió a toda prisa al hospital por el barro. Le habían recomendado llegar temprano. Se trataba de unas instalaciones precarias repletas de hombres desnudos y moribundos, muchos tumbados en el suelo sobre sus propios excrementos, esperando a que los ayudaran. Tras examinar la brecha que Pete presentaba en la parte posterior de la cabeza, un médico aventuró que podría curársela. Había tenido suerte: no se le había infectado. Con una maquinilla eléctrica del ejército, le rapó el cabello y, ya que estaba, las patillas. Pete se sintió aligerado y más fresco. El hospital no disponía de ningún tipo de anestésico, así que Pete apretó los dientes mientras el doctor le ponía seis puntos para cerrarle la herida. Este, que se alegraba de haber encontrado un paciente con un mal tratable, le explicó mientras trabajaba que era muy poco lo que podía hacer por los demás. Le administró unos antibióticos y le deseó lo mejor. Pete le dio las gracias y regresó a paso veloz a los barracones, en anticipación de la comida que se iba a repartir.

El desayuno consistía en arroz, al igual que el almuerzo y la cena. Era un arroz sucio que solía contener bichos, gorgojos y moho, pero daba igual, pues los hombres famélicos estaban dispuestos a comer cualquier cosa. Estaba preparado al vapor, cocido, hervido y extendido en una capa lo más fina posible. De vez en cuando aparecían rastros de carne de vaca o de búfalo de agua, pero en cantidades tan pequeñas que no sabían a nada. A veces los cocineros añadían las verduras hervidas que tuvieran a mano, pero también resultaban insípidas. Nunca había fruta. Como se morían de hambre entre comidas, los hombres mordisqueaban hojas y hierba, por lo que O'Donnell no tardó en quedar desprovisto de vegetación. Cuando no les quedaba nada que llevarse a la boca, los lánguidos prisioneros se sentaban bajo cualquier sombra que encontraban a hablar de comida.

Estaban pereciendo de inanición. Consumían una media de mil quinientas calorías al día, más o menos la mitad de las que necesitaban. La dieta en O'Donnell, sumada al hecho de que muchos habían pasado hambre en Bataán durante cuatro meses, resultaba letal, y además de forma deliberada.

Al igual que el agua, los alimentos abundaban en Filipinas. La falta de ellos agravaba las enfermedades de los cautivos. Todos padecían alguna, ya fuera malaria, dengue, escorbuto, beriberi, ictericia, difteria, pulmonía, disentería o varias de ellas a la vez. La mitad de los hombres ya sufría de disentería a su llegada al campo. Los oficiales organizaron cuadrillas para excavar letrinas, pero estas pronto se llenaron y se desbordaron. Algunos estaban tan imposibilitados por la violencia de la diarrea que no podían ni caminar y se hacían sus necesidades encima, tirados en el suelo. Algunos morían por ello. Sin medicamentos y con un régimen alimenticio tan pobre, la disentería no tardó en volverse epidémica. La prisión entera apestaba como una cloaca grande y abierta.

Pete había atravesado dos episodios leves de disentería desde Navidad, pero había conseguido elixir paregórico de los médicos. Durante su segundo día en O'Donnell, de pronto sintió que se ahogaba y que lo invadía la fatiga. Tras la aparición de las señales de alerta, se pasó unas horas autodiagnosticándose, como todos los prisioneros, y preguntándose qué afección estaba contrayendo. Cuando le dieron retortijones en el estómago, empezó a sospechar que se trataba de disentería. Su primer acceso de diarrea sanguinolenta confirmó sus sospechas. Los primeros días fueron los más duros.

Tenía un nuevo amigo llamado Clay Wampler, un vaquero de Colorado que había servido en el Trigésimo Primer Regimiento como ametrallador. Clay, que ocupaba el espacio contiguo al de Pete en el barracón, le había dado la bienvenida a su deprimente nuevo hogar. Con su ayuda, Pete acudió al hospital en busca de paregórico, pero había tanta demanda que no quedaba ni una gota en el campo. Clay cuidó de él como un enfermero diligente, porque, como decía en broma, esperaba que Pete le dispensara las mismas atenciones cuando la condenada enfermedad lo aquejara a él. El tercer día, Pete se tranquilizó un poco al percatarse de que su caso no era tan grave como muchos otros que había observado. La disentería había matado a numerosos hombres. Otros, después de soportar los retortijones y la diarrea durante una semana, lo superaban.

Esa noche, Pete despertó empapado y preso de violentos escalofríos. Había visto a suficientes enfermos de malaria para reconocer los síntomas.

Los del Vigésimo Sexto Regimiento de Caballería estaban alojados en el recinto nordeste, el más alejado de donde se encontraba Pete. Cuando se había retirado a Bataán, seguía intacto y operativo, con cuarenta y un oficiales americanos y unos cuatrocientos Exploradores Filipinos. Durante los primeros días del asedio, sin embargo, la caballería se reveló ineficaz en las traicioneras selvas de la península, y al poco tiempo destinaron a los caballos a otros usos conforme el hambre se convertía en un enemigo. El 9 de abril, el día de la rendición, el Vigésimo Sexto Regimiento había perdido a catorce oficiales y unos doscientos Exploradores. En O'Donnell, estaban juntos treinta y seis americanos, entre ellos Sal Moreno y Ewing Kane. A seis de los desaparecidos, incluido Pete Banning, los daban por muertos. Otros habían logrado evitar que los capturaran y seguían huidos, entre ellos el teniente Edwin Ramsey, que había capitaneado la última carga de caballería en Morong. Ramsey se dirigía a las montañas, donde organizaría una guerrilla.

Al mando del Vigésimo Sexto se hallaba el comandante Robert Trumpett, de Maryland, graduado en West Point. Había llegado a O'Donnell dos días antes que Pete y estaba ocupado coordinando a sus hombres para formar una unidad de supervivencia. Como todos los demás, estaban hambrientos, deshidratados, agotados, heridos y enfermos, sobre todo de fiebre y malaria. Habían sobrevivido a la marcha de la muerte e iban percatándose rápidamente de que también tendrían que sobrevivir a su reclusión en O'Donnell. Trumpett elaboró una lista de los seis hombres que habían muerto en combate o durante la marcha y consiguió entregársela a un ayudante del general Ned King. Este había encargado la misma tarea a todos los comandantes para poder notificar a los familiares de los fallecidos.

De los seis, cuatro habían perecido en combate, y se sabía que dos habían sido enterrados. Pete y otro teniente habían muerto por el camino, y sus cuerpos jamás serían recuperados.

El general King pidió al comandante que comunicara los nombres de los fallecidos y capturados al personal administrativo estadounidense que trabajaba bajo arresto domiciliario en Manila. Al principio, el comandante se negó, pero acabó por acceder cuando sus superiores se lo ordenaron. Los japoneses se enorgullecían del elevado número de bajas norteamericanas y querían darlo a conocer.

El hospital constaba de un grupo de chozas de bambú que se alzaban sobre pilotes. Había cinco pabellones, unos edificios alargados desprovistos de camas, sábanas o mantas. Los pacientes yacían hombro con hombro en el suelo, unos agonizantes, otros en coma y algunos ya muertos. En condiciones razonables, el hospital tenía cabida para doscientos pacientes. A finales de primavera, más de ochocientos hombres se hacinaban en el suelo, esperando medicamentos que nunca llegarían. La mayoría moriría.

No mucho después de que O'Donnell empezara a llenarse de prisioneros procedentes de Bataán, el hospital se convirtió más en un depósito de cadáveres que en un lugar donde recibir tratamiento. Los médicos y estudiantes de medicina, casi todos afectados de una o más dolencias, contaban con muy pocas medicinas. Incluso fármacos tan esenciales como la quinina para la malaria, el elixir paregórico para la disentería o la vitamina C para el escorbuto escaseaban de manera alarmante. Casi todo el material —esparadrapo, gasas, desinfectantes, aspirinas, etcétera— lo sacaban algunos médicos de forma clandestina de otros hospitales. Los japoneses no les proporcionaban prácticamente nada.

Los doctores se veían obligados a racionar los medicamentos y dárselos solo a quienes parecían tener más probabilidades de sobrevivir. Administrar remedios a los enfermos graves, significaba, a efectos prácticos, desperdiciarlos. Conforme menguaban las reservas, los médicos idearon un sistema de lotería sencillo para elegir a los afortunados.

Clay arrastró a Pete de vuelta al hospital y consiguió acorralar a un doctor. Le explicó que su amigo no solo padecía disentería sino también malaria, y desmejoraba a ojos vistas. El médico repuso que lo sentía, pero que no tenía nada. Clay había oído rumores —y entre tantos hombres ociosos, los rumores eran incesantes— de que existía un mercado negro para algunas de las medicinas más comunes. Clay preguntó al médico si era verdad, y este declaró que no sabía nada al respecto. Sin embargo, cuando se disponían a marcharse, les susurró: «Detrás del pabellón número cuatro».

Detrás del pabellón número cuatro, sentado a una mesa improvisada a la sombra de un árbol, había un estadounidense rollizo con una baraja de cartas. Se encontraba enfrascado en algún tipo de juego que solo requería un participante. El hecho de que no estuviera macilento era una prueba evidente de que sabía burlar el sistema. Poco después de entregarse, Clay había reparado en algunos cautivos americanos más rechonchos. En general, eran mayores y trabajaban en algún recoveco del vasto aparato administrativo del ejército. Cuando los habían obligado a marchar, muchos habían sucumbido enseguida.

Aquel tipo no había formado parte de ninguna marcha. Tampoco se había saltado muchas comidas. De complexión robusta, tenía el pecho amplio, los brazos musculosos y el cuello corto. Y una mueca desdeñosa que repelió a Clay desde el primer momento. Se dio cartas a sí mismo y alzó la vista.

—¿Se te ofrece algo? —preguntó a Clay.

Este soltó a Pete, que consiguió tenerse en pie sin ayuda, y evaluó la situación. No le gustó. De hecho, lo enfureció.

—Sí —respondió—. Aquí mi amigo necesita quinina y paregórico. Nos han dicho que tú tenías.

Encima de la mesa, junto a la baraja, había cuatro frasquitos con píldoras. El traficante les echó un vistazo.

—Quedan algunas pastillas. Salen a un dólar cada una.

—¡Pedazo de sanguijuela de mierda! —espetó Clay de improviso.

Se abalanzó hacia él y pegó una patada a la mesa, de modo que los naipes y los frascos salieron despedidos. El traficante se levantó de un salto, gritando «Pero ¿qué coño...?», y lanzó un croché a Clay, que lo estaba embistiendo. Clay se agachó para esquivar el puñetazo y le atizó un gancho de derecha en todos los testículos. Con el golpe, el hombre mordió el polvo y soltó un alarido. Después de asestarle varias patadas brutales en la cara, Clay se arrodilló y lo castigó con los puños mientras la furia ciega se imponía sobre la fatiga, el hambre, la deshidratación y cualquier otro mal que Clay padeciera en aquellos momentos. Llevaba días deseando defenderse y matar al enemigo, y había perdido el mundo de vista ante aquella oportunidad de oponer algo de resistencia y vengarse. Tras propinarle cerca de una docena de trompadas, se detuvo y se levantó despacio—. Eres puta escoria —añadió—. Mira que intentar ganar unos centavos aprovechándote de hombres moribundos... Caes más bajo que los malditos japos.

El traficante no había quedado fuera de combate. Consiguió ponerse a cuatro patas, sin duda con más dolor en la entrepierna que en el ensangrentado rostro, y se levantó, aunque tambaleante. Echó una ojeada alrededor y se percató de que se había formado una multitud en torno a ellos. No había nada más entretenido que una buena pelea a puñetazos, más que nada porque muy pocos prisioneros conservaban fuerzas suficientes para empezar o terminar una.

Sangraba por la nariz, la boca y un corte que tenía encima del ojo derecho, y sin duda le habría convenido quedarse en el suelo. Cojeando a causa de las pelotas doloridas, se acercó a Clay.

—Hijo de puta —gruñó.

No bien había brotado la palabra «puta» de sus labios cuando un puño impactó contra ellos a tal velocidad que el movimiento del brazo apenas resultó visible. Con una combinación perfecta izquierda-derecha, Clay hizo aún más sangre. El traficante, que no destacaba por sus dotes de boxeador, nunca se había enfrentado a un vaquero, y, mientras se tanteaban el uno al otro, tenía muchas dificultades para conectar algún golpe. Clay daba vueltas alrededor de él, disparando los puños al tiempo que se imaginaba que era un japo. Un fuerte derechazo a la barbilla derribó de nuevo al traficante, que cayó sobre la tabla que estaba usando como mesa. Clay, aún poseído por la rabia, la agarró y comenzó a aporrear con ella a su desventurado rival. El sonido de la madera noble al estrellarse contra el cráneo provocaba escalofríos, pero Clay no podía refrenarse. Había presenciado tantas muertes que la vida perdía valor. Además ¿a quién demonios le importaría que matara a un hombre a quien consideraba más despreciable que un japo?

Un guardia que llevaba un fusil con la bayoneta calada se le acercó y la apoyó con suavidad contra su espalda. Clay interrumpió su aporreo, volvió la vista hacia al guardia y se puso de pie. Intentó recobrar el aliento, y el cansancio se apoderó de él de repente.

—No pares —dijo el guardia, sonriente—. Sigue luchando.

Clay miró el magullado rostro del traficante. Miró a Pete, que estaba de pie bajo el árbol, negando con la cabeza. Miró a los hombres de la multitud que se habían aproximado a toda prisa para verlos. Miró al japo.

—No —replicó—. He terminado.

El guardia alzó la bayoneta, pinchó en el pecho a Clay y señaló con un movimiento de la cabeza al tipo que yacía en el suelo.

—Mátalo.

—No —contestó Clay, haciendo caso omiso del arma—. Eso es cosa vuestra.

Retrocedió un paso, convencido de que el guardia arremetería contra él y lo sometería a algún castigo espantoso, pero el soldado se limitó a bajar el fusil y contemplar con fijeza a Clay, que se dirigió al árbol para llevarse a Pete. Mientras el gentío se dispersaba lentamente, el traficante volvió en sí y empezó a moverse.

Pete había encontrado a un nuevo mejor amigo. Una hora después, los dos se ocultaban del sol detrás del barracón. Los olores que flotaban en el interior se habían vuelto tan tóxicos que intentaban evitarlos. Pete estaba sentado bajo un árbol, cerca de Clay. Charlaban con otros, matando las horas, cuando el mismo guardia dio con ellos. Dirigió unas palabras a Clay, que se levantó, le dedicó una reverencia y se situó de cara a él, preparado para una escena desagradable. El guardia, en cambio, se sacó un pequeño frasco del bolsillo, se lo entregó a Clay e inclinó la cabeza en dirección a Pete.

—Para tu amigo —dijo. A continuación, dio una media vuelta impecable y se alejó con paso marcial.

Las pastillas eran de quinina, lo que necesitaban Pete y varios compañeros del barracón para salvar la vida.

28

Fiel a su ritual, Nineva dejó la cena calentándose en la cocina y se encaminó hacia su cabaña a las seis de la tarde. Liza la observó alejarse desde la ventana de un dormitorio, aliviada de que se marchara y la familia volviera a estar sola. Durante los nueve años que Liza había vivido en la casa principal, Nineva y ella habían aprendido a coexistir, con frecuencia una al lado de la otra, mientras preparaban conservas de fruta y verdura de la huerta y hablaban de los chicos. En ausencia de Pete, se brindaban apoyo mutuo a diario, esforzándose por parecer una más fuerte que la otra. Delante de los chicos, se mostraban estoicas y seguras de que los Aliados ganarían la guerra y que él regresaría pronto a casa. Ambas compartían lágrimas a raudales, pero siempre en privado.

El martes 19 de mayo, la familia estaba en medio de la cena, y la conversación giraba en torno al verano. Joel y Stella estaban ansiosos por disfrutar de sus vacaciones de tres meses, que empezaban al día siguiente. A los dieciséis años, él, en penúltimo curso, era el más joven de su clase. Ella, de quince, había pasado a segundo. Querían viajar, quizá a Nueva Orleans o a Florida, pero en realidad no podían trazar planes definitivos. Hacía cuatro meses que no recibían noticias de su padre, y esa incertidumbre dominaba su vida.

Mack, que estaba justo al otro lado de la ventana de la cocina, se puso a ladrar cuando los haces de unos faros barrieron la cocina. Un coche había llegado y se había parado cerca del porche. Como no esperaban visitas, los tres intercambiaron una mirada temerosa. Liza se levantó como un resorte.

—Ha venido alguien —dijo—. Vamos a ver quién es.

Frente a la puerta principal había dos hombres con uniforme del ejército. Poco después, habían tomado asiento en la sala de estar, frente a la familia, que ocupaba el sofá. Liza, sentada entre Joel y Stella, los había tomado de la mano. Stella ya estaba deshecha en llanto.

—Lo lamento, pero les traigo una mala noticia —anunció el capitán Malone con solemnidad—. El teniente Banning está desaparecido y se le da por muerto. No estamos seguros al cien por cien de que haya muerto, porque su unidad no ha logrado recuperar el cuerpo. Sin embargo, dadas las circunstancias, los hombres que lo acompañaban están razonablemente seguros de su fallecimiento. Lo siento mucho.

Stella dejó caer la cabeza sobre el regazo de su madre. Liza los agarró a ambos por los hombros y los estrechó contra sí. Mientras ellos gimoteaban y lloraban, abrazándose con fuerza, los dos oficiales mantenían la vista fija en el suelo. No se habían ofrecido voluntarios para esa misión, pero habían recibido órdenes de realizar visitas aciagas como aquella casi todos los días por todo el norte de Mississippi.

Liza apretó los dientes.

—¿Qué quiere decir exactamente con que se le da por muerto? —inquirió.

—Significa que no hemos recuperado el cadáver —respondió el capitán Malone.

—Así que ¿existe la posibilidad de que siga vivo? —preguntó Joel, enjugándose las mejillas.

—Sí, existe, pero debo advertirles que, dadas las circunstancias, los hombres que acompañaban al teniente Banning abrigan la certeza razonable de que lo mataron.

—¿Puede contarnos qué sucedió? —pidió Liza.

—Conocemos algunos detalles, pero pocos, y no estoy seguro respecto a su veracidad, señora. El teniente Banning fue capturado cuando las fuerzas aliadas se rindieron a los japoneses en Filipinas. Fue el mes pasado, los días 9 y 10 de abril. Estaban obligando a los hombres a marchar hacia un campo de prisioneros cuando él resultó herido y lo abandonaron, como a muchos otros. Más tarde lo remataron soldados japoneses.

En realidad, en ese momento, la manera en que hubiera muerto carecía de importancia. Los pormenores se volvían borrosos ante la impresión causada por la noticia. La terrible realidad era que Pete Banning ya no estaba, y nunca volverían a verlo. Había sido marido, padre, patriarca, amigo, jefe, hermano, vecino y ciudadano destacado. Mucha gente compartiría el dolor de la familia. Sollozaron durante largo rato, y cuando los oficiales ya no tenían nada que añadir, expresaron sus condolencias una vez más y salieron de la casa.

Liza solo tenía ganas de encerrarse en su habitación, meterse bajo las mantas y llorar hasta quedarse dormida. Pero eso habría sido egoísta, por lo que lo descartó de entrada. Tenía dos hermosos hijos que la necesitaban más que nunca y, aunque estaba deseando venirse abajo sobre un charco de lágrimas, enderezó la espalda y tomó las riendas.

—Joel, coge la camioneta y ve a casa de Florry y tráela. A la vuelta, para e informa a Nineva. Dile a Jupe que monte en un caballo y difunda la noticia entre los negros.

La noticia se propagó con rapidez y, al cabo de una hora, el césped delantero estaba cubierto de coches y camionetas. Liza habría preferido pasar la primera noche de duelo tranquila con sus hijos y Florry, pero en el Sur rural las cosas simplemente no funcionaban así. Dexter y Jackie Bell llegaron con la primera oleada y pasaron un rato a solas con los Banning. Él leyó algunos pasajes de la Biblia y rezó una oración. Liza les explicó que la familia no estaba preparada para enfrentarse a una horda de dolientes bienintencionados, y acto seguido se acurrucaron en su habitación mientras Dexter pedía educadamente a la gente que regresara más tarde. A las diez, seguían llegando.

En Clanton no se cotilleaba sobre otra cosa. A las ocho de

la mañana, Dexter abrió la iglesia metodista para que los conocidos de Pete pudieran pasarse a orar un momento. Durante las primeras horas de la tragedia, se recalcó mucho que Banning estaba desaparecido, no oficialmente muerto. Así pues, reinaba cierta esperanza, lo que impulsaba a sus amigos y vecinos a elevar plegarias largas e intensas.

Más tarde esa misma mañana, Dexter y Jackie volvieron a la residencia Banning para hacer compañía a Liza y los chicos, que seguían sin estar de humor para recibir a la multitud. Dexter pedía con discreción a los visitantes que se marcharan, y lo hacían. Llegaban apretujados en automóviles y cargados con pasteles, tartas, guisos, alimentos que nadie necesitaba pero que dictaba la tradición. Tras intercambiar unas palabras en voz baja con Dexter, y en cuanto comprendían que no se les permitiría abrazarse ni llorar con Liza, salían de la casa en silencio, subían a sus coches y se alejaban.

Liza tomó la decisión de no celebrar exequias. Cabía la posibilidad de que su esposo aún estuviera vivo, por lo que sus hijos y ella se centrarían en eso y harían caso omiso de las malas noticias. O al menos lo intentarían. A medida que transcurrían los días, Liza empezó a verse con algunas amistades íntimas, al igual que Joel y Stella. La impresión inicial cedió poco a poco, pero el dolor y el aturdimiento causados por la pena no.

Desarrollaron rutinas para mantener la normalidad. La familia desayunaba y cenaba junta, a menudo con Nineva entre ellos, lo que constituía otra novedad. Entre semana, Dexter Bell llegaba todos los días hacia las diez para celebrar un breve oficio religioso, que consistía en la lectura de unos versículos o un pasaje bíblico, o en una oración meditada. Aunque Jackie lo acompañaba de vez en cuando, por lo general iba solo.

Dos semanas después de recibir la noticia, Florry se llevó a Joel y a Stella a Memphis para pasar un fin de semana largo. Liza los animó a ello, a fin de que se alejaran del ambiente lúgubre de su casa y se divirtieran un poco. Florry tenía algunas amistades excéntricas en Memphis capaces de arrancarle una sonrisa a cualquiera. Se alojó con los chicos en el Peabody. La habitación de Joel no estaba lejos de donde lo habían concebido, aunque él nunca lo sabría.

Durante su ausencia, Dexter Bell acudía a diario para oficiar el rezo matinal. Se sentaba junto a Liza en el cuarto de estar para conversar en voz baja. Desde la cocina, Nineva escuchaba cada palabra.

Algún elixir paregórico del mercado negro surtió efecto, y Pete mejoró de su tercera infección de disentería, aunque no se curó del todo. La malaria también persistió. Podía desenvolverse con ella, aunque en ocasiones los escalofríos y la fiebre lo obligaban a tumbarse en el suelo, temblando de los pies a la cabeza. Sufría alucinaciones que le hacían creer que había regresado a casa.

Clay y él, sentados a la sombra del barracón, contemplaban el desfile de cuerpos sin vida que acarreaban al cementerio situado al otro lado de la carretera. A finales de abril, morían veinticinco estadounidenses al día. En mayo, la cifra había aumentado a cincuenta. En junio, se había elevado a cien.

La muerte acechaba por todas partes. Los vivos pensaban en ella porque veían los cadáveres, a menudo amontonados de cualquier manera. Pensaban en la muerte porque también se cernía sobre ellos. Cada día estaban un poco más desnutridos y más cerca de un colapso del que jamás se recuperarían. Una docena de enfermedades causaba estragos y no había manera de frenarlas, por lo que era inevitable que una de ellas se manifestara en cualquier momento, trayendo consigo una muerte atroz.

Pete veía a los hombres rendirse y sucumbir, y en varias ocasiones sintió la tentación de seguir su ejemplo. De cualquier modo, la vida de todos ellos pendía de un hilo, y solo aquellos con una voluntad férrea conseguían sobrevivir. Rendirse era indoloro, mientras que vivir significaba despertar por la mañana con la perspectiva de pasar otro día en el infierno.

Algunos estaban decididos a aferrarse a la esperanza y seguir adelante por muchos obstáculos que el enemigo interpusiera en su camino, mientras que otros, cansados de sufrir, acababan por cerrar los ojos.

Pete se mantenía con vida pensando en su esposa e hijos, en la hacienda y la larga y rica historia de su familia en el condado de Ford. Recordaba las anécdotas sobre antiguas guerras, batallas y contiendas que había oído cuando era un muchacho, relatos pintorescos transmitidos de una generación a otra. Pensaba en Liza y en aquella maravillosa época en la que pasaban la noche juntos en el Peabody, algo que a ninguna pareja respetable se le ocurriría hacer en la década de 1920. Pensaba en el cuerpo de ella y su deseo incesante de placer físico. Rememoraba las excursiones de caza y pesca que realizaba con Joel en los bosques de su propiedad, y los ciervos, pavos, conejos, bremas y robaletas con los que volvían a casa. Los limpiaban junto al establo y se los daban a Nineva, que los cocinaba para la cena. Recordaba a Stella de pequeña, con aquellos ojos preciosos, acurrucada en pijama en el sofá, escuchando los cuentos que le leía su padre a la hora de acostarse. Añoraba la calidez de su suave piel. Quería estar presente cuando sus hijos terminaran los estudios y se casaran.

Pete había tomado la decisión de no morir a causa de una enfermedad o del hambre. Era un chico duro de granja, graduado de West Point y oficial de caballería con una familia estupenda que lo esperaba en casa. Quizá la suerte le hubiera proporcionado una constitución física y mental más fuerte. Era más resistente que la mayoría, o al menos eso quería creer. Quería ayudar a los más débiles, pero no estaba en su mano. Todos se morían, y él tenía que cuidar de sí mismo.

A medida que las condiciones empeoraban en O'Donnell, los hombres hablaban cada vez más de fugarse. Como prisioneros de guerra, se suponía que era su deber intentarlo, aunque, dado su estado, parecía casi imposible. Estaban demasiado débiles para correr grandes distancias, y había japos por todas partes. Les resultaría fácil salir del campo como parte de una cuadrilla de trabajo, pero no estaban lo bastante sanos para sobrevivir en la selva.

Para reprimir el impulso de huir, los japoneses instauraron algunas normas de comprensión sencillas, pero extremadamente brutales en su aplicación. Al principio, si un cautivo trataba de fugarse y lo atrapaban, debía recibir varios latigazos hasta que se desangrara. Una tarde, los guardias reunieron a varios miles de prisioneros cerca de la comandancia con el fin de llevar a cabo una demostración.

Cinco estadounidenses habían intentado escapar y los habían apresado. Los desnudaron y les ataron las manos por encima de la cabeza con unas cuerdas que pendían de una barra de modo que apenas tocaran el suelo con las puntas de los pies. En un primer momento parecía que iban a colgarlos. Los cinco estaban esqueléticos y se les marcaban las costillas. Un oficial armado con un látigo comenzó a pasearse por delante de los prisioneros con paso arrogante mientras les explicaba, por medio de un intérprete, lo que estaba a punto de ocurrir, aunque era bastante evidente. Era un experto en el manejo del látigo, y la primera vez que lo descargó contra la espalda de un soldado provocó que este soltara un alarido. El flagelo chasqueaba con cada golpe, y tanto la espalda como las nalgas del hombre pronto quedaron ensangrentadas. Cuando dio la impresión de que había perdido el conocimiento, el oficial dio unos pasos hacia el segundo soldado. El vapuleo duró media hora, bajo un sol ardiente. Una vez que los cinco estaban inmóviles y cubiertos de sangre, el comandante se dirigió al frente y anunció una nueva regla: por cada prisionero que se fugara, diez de sus camaradas serían azotados y dejados al sol hasta que perecieran.

Huelga decir que esta demostración puso punto final a muchos proyectos de fuga que estaban fraguándose.

Clay conoció a un Explorador Filipino que trabajaba como camionero y había conseguido establecer un mercado negro de alimentos en el sector americano de O'Donnell. Sus precios eran razonables y vendía latas de salmón, sardinas y atún, además de mantequilla de cacahuete, fruta y galletas.

Pete y Clay tomaron una decisión. Se llevarían el dinero oculto dentro de la funda de la cantimplora de Pete, comprarían toda la comida que pudieran permitirse, la consumirían entre los dos sin incluir a nadie más e intentarían sobrevivir. El plan requería los esfuerzos de ambos, pues ocultar y comerse a escondidas alimentos del mercado negro resultaba complicado. Todos tenían un hambre voraz y se vigilaban unos a otros. Pete y Clay se sentían culpables por no compartir con los demás, pero desde luego no podían alimentar a las sesenta mil almas hambrientas encerradas en O'Donnell. El primer alijo de Clay constaba de una lata de salmón, cuatro naranjas y dos galletas de coco. Por un dólar y cincuenta centavos, comieron como reyes.

El plan consistía en estirar el dinero lo máximo posible. Cuando se acabara, ya pensarían otra cosa. Los bocados adicionales vigorizaron a Pete, que comenzó a vagar por la prisión en busca de sus viejos amigos del Vigésimo Sexto Regimiento de Caballería.

Los japoneses rara vez entraban en el campo, y les interesaba muy poco lo que sucediera dentro. Sabían que las condiciones eran cada vez más inhumanas, pero sencillamente ignoraban a los prisioneros en la medida de lo posible. Mientras permanecieran confinados y trabajaran cuando se lo ordenaban, a los japoneses lo demás parecía darles igual.

No obstante, las pilas de cuerpos no se podían ignorar. El comandante ordenó que los incineraran, pero el general King suplicó un entierro más respetuoso. Tal vez los japoneses creyeran en la cremación, pero los estadounidenses, no.

Los americanos morían al ritmo de cien por día, y el general King comenzó a organizar ritos funerarios. Grupos de sepultureros se turnaban con la pala, mientras otras cuadrillas acarreaban los cadáveres. La mayor parte procedía del depósito del hospital, aunque había cuerpos en descomposición por toda la prisión.

Pete y Clay habían observado que quienes se mantenían ocupados vivían más que quienes se quedaban sentados y sumidos en el letargo, así que se ofrecieron voluntarios para excavar. Salieron del barracón después del desayuno y se encaminaron hacia el cementerio americano, justo enfrente del campo principal, a unos ochocientos metros del hospital. Les entregaron sus herramientas, palas viejas y unos trozos de metal doblados aquí y allá con los que apenas se podía escarbar medio kilo de tierra. Un oficial estadounidense midió con pasos los límites de la fosa común que debían excavar, de dos metros de ancho y seis de largo. Los cavadores pusieron manos a la obra. Había decenas y se trataba de una tarea urgente, porque los cuerpos se estaban pudriendo.

Llegaban en mantas tendidas entre varas de bambú o sobre camillas improvisadas con puertas viejas. Las cuadrillas de enterradores aprovechaban cualquier cosa que sirviera para transportar esqueletos de cuarenta y cinco kilos, muchos de los cuales habían empezado a descomponerse por el calor. Los cadáveres putrefactos emitían un hedor tóxico que escocía al respirar.

En cada sepultura, un oficial se ocupaba del papeleo y de registrar el nombre y la ubicación exacta de cada hombre al que enterraban. Sin embargo, a algunos de los muertos no los conocía nadie y carecían de placas de identificación. En cada fosa se depositaban veinte cuerpos o más. Cuando una se llenaba, los sepultureros acometían la tétrica labor de cubrir de tierra a sus camaradas.

El cementerio acabó siendo conocido como el Campo de Huesos, lo que resultaba de lo más adecuado. Pete podía contar las costillas de casi todos los cadáveres que enterraba, y no dejaba de maldecir a los japoneses cada vez que inhumaba a un soldado norteamericano.

Día tras día, Clay y él se prestaban voluntarios para cavar

tumbas. Para Pete era una manera de aferrarse a su humanidad. Alguien tenía que asegurarse de que todos los soldados recibieran una sepultura lo más digna posible, dadas las circunstancias. Si él moría, al menos tendría la certeza de que algún alma bondadosa excavaría una tumba de verdad para él.

A medida que aumentaban las bajas, había que acelerar el ritmo de excavación. Y tanto la mala calidad de las herramientas como el agotamiento dificultaban aún más la tarea. El Campo de Huesos se amplió a medida que se necesitaban más sepulturas. Los acarreadores llegaban en un flujo incesante.

Una fosa se llenó, y un oficial ordenó que la taparan. Pete, Clay y cuatro prisioneros más emprendieron la labor de rellenarla, de cubrir a los hombres de tierra. En plena faena, Pete se quedó helado. A sus pies, a unos pocos palmos de distancia, había un rostro que reconoció enseguida, a pesar de que tenía los ojos cerrados y un bigote poblado y negro. Le preguntó el nombre al oficial registrador. Era Salvadore Moreno, del Vigésimo Sexto Regimiento de Caballería.

Pete cerró los párpados y se quedó de pie, inmóvil. «¿Te encuentras bien, Pete?», le preguntó Clay. Pete se apartó unos pasos de la fosa y se tambaleó hasta el poste de una cerca. Se sentó, tapándose la cara con las manos, y lloró con amargura.

29

Tal como se desarrollaron las cosas, la excavación de fosas resultó no ser tan buena idea después de todo. Los japoneses observaban desde lejos. Necesitaban embarcar a algunos de los estadounidenses más «sanos» hacia Japón para que trabajaran en minas de carbón. Seleccionaron a Pete y a Clay junto con cerca de mil hombres más. El primer signo de cambio llegó a finales de junio, cuando, después del desayuno, un guardia apareció y ordenó a cinco hombres del barracón que lo siguieran. En la plaza de armas, formaron filas y asumieron la posición de firmes. Llegó una caravana de camiones, y a cada hombre que subía a uno le entregaban una bola de arroz, un plátano y una lata de agua.

Pete y Clay sabían que aquello no era una cuadrilla de trabajo normal y corriente, y durante el trayecto, de más de una hora, las conversaciones en el interior del vehículo se tiñeron de expectación. ¿Cabía la posibilidad de que estuvieran abandonando O'Donnell para siempre? Los japoneses trasladaban a los prisioneros constantemente, y su nuevo destino, fuera el que fuese, sin duda supondría una mejora respecto a O'Donnell.

Pronto se adentraron en las concurridas calles de Manila, y las conjeturas sobre adónde los llevaban se dispararon. Se detuvieron en el puerto, lo que confundió a los cautivos. ¿Debían estar encantados por haber dejado atrás O'Donnell o aterrados por que los enviaran a Japón? La ilusión no tardó en disiparse.

Los guiaron hasta un muelle, donde se quedaron esperando. Llegó un grupo de cautivos de otro campo que difundió el rumor de que la Cruz Roja había negociado un intercambio de prisioneros y que los embarcarían con rumbo a Australia, donde serían libres. Para entonces, sin embargo, ni Pete ni los demás hombres de O'Donnell se creían nada. Mientras aguardaban, él contempló el carguero, un buque vetusto y herrumbroso sin distintivos de ningún tipo; ni nombre, ni número de registro, ni nacionalidad.

Por último se colocaron en una larga fila y comenzaron a subir despacio por la pasarela. Una vez en cubierta, pasaron por el mamparo de proa y llegaron a una escotilla abierta con una escalera de mano que bajaba a la bodega. Los guardias bramaban órdenes, nerviosos. Cuando Pete empezó a descender, un olor pestilente le invadió las fosas nasales. Continuó bajando y vislumbró los rostros sudorosos de cientos de prisioneros encerrados en la bodega. Más tarde se enteraría de que habían subido a bordo a unos mil doscientos hombres procedentes de una prisión situada al norte de Manila. Los guardias les habían comunicado que los transportaban a Japón para que trabajaran en las minas de carbón.

Cuantos más prisioneros se hacinaban en la bodega, más asfixiante se volvía el ambiente. Estaban hombro con hombro, cuerpo con cuerpo, sin espacio para tumbarse, sentarse o revolverse siquiera. Rompieron a gritar y a soltar imprecaciones, y el orden se vino abajo. Los guardias no dejaban de meter cautivos, propinando culatazos a los que se resistían. La temperatura alcanzó los treinta y ocho grados, y algunos empezaron a desmayarse, aunque no había huecos donde caer. Poco después comenzaron a morir.

El emperador Hirohito se había negado a ratificar la Convención de Ginebra y, desde el principio de la guerra en Asia, su ejército imperial había tratado a los soldados capturados como esclavos. Debido a la grave falta de mano de obra en su país, los japoneses trazaron un plan para enviar a prisioneros de guerra estadounidenses a las minas de carbón de su territorio. Para ello, utilizaron todos los barcos de carga disponibles, sin importar su antigüedad o navegabilidad. Después de ponerlos en servicio, los cargaban de soldados destinados a Filipinas, y una vez allí los llenaban de muchachos americanos enfermos y moribundos para llevarlos a los campos de trabajo.

Durante la guerra, embarcaron a ciento veinticinco mil prisioneros aliados con rumbo a Japón, veintiún mil de los cuales perecieron a bordo o cuando las embarcaciones se iban a pique. El 6 de agosto de 1945, había cuatrocientos prisioneros de guerra norteamericanos bajo tierra, excavando para extraer carbón, cerca de Omine, a solo ochenta kilómetros de Hiroshima. Cuando cayó la primera bomba atómica, el suelo se balanceó y se estremeció, y supieron que se trataba de algo mucho más potente que los bombardeos diarios. Rogaron con fervor que representara el principio del fin.

Uno de los numerosos errores de cálculo cometidos por los japoneses durante el conflicto fue no construir barcos suficientes para transportar tropas y suministros. A esto había que sumar el hecho de que no consiguieran eliminar la flota de submarinos estadounidense en Pearl Harbor y otras partes durante los primeros días de la guerra. En enero de 1942, los submarinos norteamericanos rondaban como lobos solitarios por el Pacífico sur y se cebaban en los buques mercantes japoneses. Los japoneses lo compensaban en exceso apiñando más soldados en sus barcos para enviarlos a luchar, y más prisioneros de guerra para llevarlos a su país y ponerlos a trabajar. Sus cargueros, que siempre iban hasta los topes, eran lentos, obsoletos y fáciles de acechar, y no llevaban distintivos.

Se les conocía como buques del infierno. Entre enero de 1942 y julio de 1945, los japoneses hicieron llegar ciento cincuenta y seis remesas de prisioneros de guerra a Japón, donde los internaron en campos de trabajo, y los viajes resultaban peores que todos los malos tratos que los americanos habían soportado hasta entonces. Encerrados bajo cubierta sin comida, agua, luz, retretes o aire respirable, los hombres perdían el conocimiento o sucumbían a la locura y la muerte.

Y a los torpedos. Como los japoneses no marcaban sus vehículos de transporte de tropas, estos se convertían en blancos legítimos para los submarinos aliados. Se calcula que unos cinco mil prisioneros de guerra estadounidenses arracimados en las bodegas de cargueros japoneses murieron a causa de los torpedos americanos.

El buque de Pete abandonó la bahía de Manila seis horas después de que lo embarcaran, y a su alrededor ya había hombres asfixiándose y gritando. Cuando los guardias se apiadaron de ellos y abrieron las portillas, una ráfaga de aire inundó la bodega. Un coronel explicó a otro guardia que los hombres estaban cayendo como moscas y lo convenció de que los esclavos que llegaran muertos no resultarían muy útiles. Abrieron las escotillas y permitieron a los cautivos subir a cubierta, al menos para que pudieran respirar y ver la luna. El aire fresco era abundante. Nadie dijo una palabra sobre comida o agua. Los guardias los vigilaban con las armas preparadas para disparar contra cualquier pobre prisionero que tratara de saltar al mar. No obstante, aunque el suicidio era un pensamiento recurrente para muchos, a nadie le quedaban fuerzas para intentarlo.

Pete y Clay pasaron la noche en cubierta, entre cientos más, bajo un cielo cuajado de estrellas que en circunstancias normales les habría parecido hermoso. En aquellos momentos, sin embargo, solo les recordaba lo lejos que estaban de la libertad.

Como es natural, los guardias tenían órdenes de matar solo en caso necesario. Los esclavos se valoraban mucho, y el hecho de que estuvieran muriendo hombres abajo se consideraba inaceptable. Al amanecer recogieron los cuerpos sin vida de la bodega, los subieron por la escalera de mano y los enterraron en el mar sin ceremonias. Pete los observó caer al agua y flotar unos instantes antes de desaparecer, y pensó en los padres y las esposas jóvenes que en aquel momento debían de estar en Oregón, Minnesota o Florida, rezando y esperando una carta. ¿Cuánto tardaría en llamar a su puerta un hombre uniformado para hacer añicos su mundo?

El sol había salido, y no había donde resguardarse de él en cubierta. Las horas se sucedían y los prisioneros, sin sombra, comida ni agua, se quejaban cada vez más. Los guardias mantenían el dedo en el gatillo y les devolvían los insultos en su idioma. A medida que avanzaba el día, los nervios y la tensión se disiparon. Finalmente un prisionero corrió hacia la borda, pegó un salto descomunal y se lanzó al mar, veinticinco metros más abajo. Se zambulló con un gran chapuzón y bajo una lluvia de disparos. Los japoneses, aunque diestros con espadas y bayonetas, tenían fama de malos tiradores, y no había manera de saber si habían acertado al prisionero o no. Fuera como fuese, la descarga prolongada que lo había seguido hasta el agua bastó para disuadir a los demás de intentar fugarse.

Transcurrían las horas, y los hombres se abrasaban al sol. Para escapar de él, bajaban a la bodega, pero la pestilencia era tan insoportable que no aguantaban mucho allí. La mayoría aún padecía disentería, así que los guardias les permitían colgarse de unas cuerdas a proa y a popa para evacuar su diarrea sangrienta. Lo que fuera, con tal de que no ensuciaran la cubierta.

Por fortuna, a última hora de la tarde del segundo día, unas nubes taparon el sol. Obligaron a los cautivos a bajar, con la promesa de que pronto se les repartirían alimentos. Estos formaron largas colas para retrasar al máximo el descenso a los infiernos, y los guardias, demostrando cierta comprensión, no los presionaban. Cayó la oscuridad, y la comida brillaba por su ausencia. De pronto cundió el pánico entre los guardias. Algunos llegaban corriendo desde la proa, parloteando con gran agitación, sin motivo aparente.

El primer torpedo impactó por detrás, cerca de la sala de máquinas. El segundo dio en el blanco justo en el medio. Ambas explosiones estremecieron el buque. El armazón de acero resonaba y vibraba. Era una embarcación antigua que no resistiría mucho, e incluso Pete, un soldado de caballería que se había criado tierra adentro, sabía que se irían al fondo rápidamente. Clay y él, en cuclillas sobre la cubierta, observaron cómo los guardias despavoridos cerraban de golpe las escotillas, dejando encerrados a los mil ochocientos americanos que había debajo. Quedaban unos cien en cubierta, y de repente los guardias se desentendieron de ellos. El barco se estaba hundiendo. Era un sálvese quien pueda.

Un prisionero más valiente que los demás corrió hacia delante e intentó abrir una escotilla. Un guardia le pegó un tiro en la nuca y apartó su cuerpo de una patada. Hasta ahí había llegado el despliegue de heroísmo.

Un tercer torpedo los hizo caer al suelo a todos, y se desató el caos absoluto. Los guardias, frenéticos, desenganchaban los botes de goma y arrojaban chalecos salvavidas al mar. Los prisioneros se tiraban por la borda hacia el negro océano, sin la menor idea de dónde caerían. Cuando Pete y Clay se dirigían a toda prisa hacia una barandilla, pasaron junto a un guardia que había dejado el fusil en el suelo mientras forcejeaba con un bote. Pete lo agarró de forma instintiva, le disparó al hijo de puta en toda la cara, tiró el arma al mar y acto seguido saltó tras ella, riendo mientras se precipitaba en el vacío.

La zambullida fue brusca, pero el agua estaba tibia. Clay cayó cerca, y ambos empezaron a bracear al estilo perro, buscando algo a lo que agarrarse. El mar estaba negro como la pez, y por todas partes había hombres pidiendo ayuda a gritos, tanto en inglés como en japonés. Comenzaron a producirse explosiones en el buque, y Pete oyó los alaridos de angustia de los que estaban atrapados. Se alejó a nado tan deprisa como se lo permitían sus fatigadas y debilitadas extremidades. En cierto momento, perdió de vista a Clay y se puso a llamarlo.

—Estoy aquí —respondió su amigo—. Tengo un bote.

Subieron con dificultad a lo que parecía una balsa para seis personas.

—¡Le has pegado un tiro a ese cabrón! —exclamó Clay en cuanto recobraron el aliento.

—Sí —respondió Pete, orgulloso—. Y con su propia arma.

Se quedaron callados al oír unas voces en japonés. Utilizando los remos pequeños que encontraron en un bolsillo —donde también había una bengala, pero no comida ni agua—, se alejaron, impulsándose con furia, mientras veían que el barco se escoraba y empezaba a hundirse. Los chillidos lejanos les provocaban náuseas.

Remaron durante diez, quince minutos, y cuando estuvieron convencidos de que habían logrado fugarse, pararon para descansar. Más o menos a un kilómetro de distancia, la popa se inclinó con brusquedad y el barco se fue a pique en cuestión de segundos. Al cerrar las escotillas, los guardias habían matado a otros mil ochocientos muchachos estadounidenses enfermos y famélicos.

Desde la negrura del mar, se oyó una voz que gritaba, pero no en inglés. Pete y Clay se deslizaron hasta tenderse en el fondo del bote y esperaron. Al poco rato, sonó un golpe sordo contra la balsa, y una cabeza asomó por encima del borde. Asieron al guardia y lo subieron al bote. Como la mayoría de los japoneses, era menudo, de metro sesenta y cinco de estatura como máximo y cincuenta y cinco kilos de peso, y sin bayoneta, espada o fusil, parecía aún más pequeño. No llevaba cantimplora, mochila, comida o agua, así que no era más que un japo inútil que solo unos minutos antes había estado atormentando a los cautivos. Clay le propinó un puñetazo tan fuerte que le partió la mandíbula. Se turnaron para golpearlo y estrangularlo, y cuando el japo dejó de respirar lo tiraron al agua, donde sus restos yacerían para siempre junto con los de los hermanos de Pete y Clay a quienes acababa de matar.

Y se quedaron a gusto. A pesar de la deshidratación y el hambre, y a pesar de que iban a la deriva sobre una balsa, sin la menor idea de dónde se encontraban, los invadió una satisfacción enorme. Por fin habían contraatacado, habían matado al enemigo, habían hecho sangre, habían cambiado las tornas a favor de los Aliados. Por primera vez en semanas, eran libres. No había guardias brutales que los vigilasen con fusiles o bayonetas. No estaban excavando fosas comunes. No había cadáveres amontonados a su alrededor.

Estaban flotando bajo un cielo despejado y tachonado de estrellas, sin saber cuál era la dirección más prometedora. De modo que dejaron los remos y descansaron sobre las aguas tranquilas. El mar de la China meridional era muy transitado, y al día siguiente alguien los encontraría.

El primer barco que divisaron era una fragata japonesa, y en cuanto Pete reconoció la bandera, Clay y él salieron de la balsa y se escondieron debajo. El navío pareció pasar por alto la pequeña embarcación, pues no redujo la velocidad en ningún momento. Daba la impresión de dirigirse hacia el lugar del hundimiento, seguramente para buscar a supervivientes japoneses. Pete y Clay habían jurado que se ahogarían antes de permitir que los capturaran de nuevo.

El segundo barco era una embarcación de pesca filipina de doce metros que pertenecía a un señor llamado Amato, que la tripulaba junto con sus dos hijos. Eran tres de las personas más amables sobre la faz de la tierra. Cuando descubrieron que Pete y Clay eran estadounidenses, los subieron a bordo, los envolvieron en mantas y les dieron primero agua y luego café caliente solo, una exquisitez que hacía meses que no probaban. Mientras Teofilo desinflaba la balsa ligeramente para esconderla, Tomas gobernaba el barco y Amato acribillaba a los americanos a preguntas. ¿De dónde eran? ¿Dónde habían estado confinados? ¿Durante cuánto tiempo? Él tenía un primo en California y adoraba Estados Unidos. Su hermano era un Explorador Filipino que estaba oculto en las montañas. Amato odiaba a los japoneses incluso más que Pete y Clay.

¿Adónde se dirigían? No tenían idea de dónde estaban, por lo que desde luego no habían fijado un destino. Según Amato, se encontraban a unas veinte millas de tierra. Les contó que la semana anterior los estadounidenses habían torpedeado otro barco cargado con soldados norteamericanos. ¿Por qué lo hacían? Pete le explicó que los vehículos de transporte de tropas no llevaban distintivos.

Teofilo les sirvió cuencos de arroz caliente con pandesal, un panecillo esponjoso considerado alimento nacional. Lo habían probado antes de la guerra y no les había parecido nada del otro mundo. En ese momento, sin embargo, con un poco de mantequilla, se les antojó maná caído del cielo. Mientras comían y Amato les advertía de que se lo tomaran con calma para no sobrecargar su frágil organismo, Teofilo asaba a la parrilla unos pequeños filetes de caballa y sabalote sobre un hornillo de gas portátil. Pete y Clay sabían comer despacio. El hambre había formado parte de su estilo de vida durante los últimos seis meses, y habían aprendido mucho de ella. Aun así les costaba controlar el deseo de hartarse. Pete apenas masticó el primer bocado de pescado caliente, y sonrió al notar la maravillosa sensación del trozo de comida descendiendo hasta el estómago.

Amato estaba obligado por contrato a entregar al ejército japonés la pesca de todos los días, por lo que era importante que pusieran manos a la obra. Lanzaron los sedales y pescaron atunes de aleta amarilla, salmones y pargos rojos, mientras Pete y Clay dormían durante horas en el camarote. Cuando despertaron, comieron más arroz y pescado, y bebieron agua a grandes tragos. Al atardecer Tomas fregó la cubierta y guardó las cañas, y Amato abrió un tarro de fruta lleno de un licor de arroz fermentado en casa que sirvieron en sus tazas de café. Era amargo e insípido, algo que Pete jamás habría podido pedir en el bar del Peabody, pero era potente, y el alcohol se subía a la cabeza enseguida.

Después de la segunda ronda, Pete y Clay estaban algo mareados. Eran libres, habían comido bien por primera vez desde Navidad y estaban achispándose alegremente con un licor casero que sabía mejor con cada sorbo.

Amato vivía en la pequeña aldea de pescadores de San Narciso, en la costa occidental de la península de Luzón. Por tierra, Manila estaba a cuatro horas de trayecto, o a cinco o seis, dependiendo de las carreteras, los caminos de montaña y los transbordadores. Por mar, se hallaba a tres horas, y había que circunnavegar Bataán, el último lugar del mundo que querían ver. Amato les dijo que Manila estaba infestado de japoneses, así que más valía que se mantuvieran alejados. Él no llevaría allí su barco.

Al cabo de unas horas, cuando avistaron San Narciso, Tomas puso el motor al ralentí. Había llegado el momento de mantener una charla seria. Habría japoneses en el puerto esperando el pescado, pero serían cocineros, no soldados, y no inspeccionarían el barco. Pete y Clay podrían dormir esa noche a bordo sin correr peligro, pero al día siguiente debían seguir su camino. Si los descubrían o apresaban, Amato y sus hijos perderían la embarcación y seguramente también la cabeza.

Su primera opción era huir, y había un amigo de Amato con el que podían hablar. Sin embargo, eso implicaría un largo viaje por mar abierto en un barco poco seguro, y Amato veía pocas posibilidades de éxito a ese plan. Había oído historias sobre varios estadounidenses que lo habían intentado desde el principio de la guerra. Nadie sabía si lo habían conseguido. Por otro lado, estaba la cuestión de la remuneración, y la mayoría de los prisioneros estaba sin blanca. Pete le aseguró que era su caso también.

La segunda opción era luchar. Amato tenía contactos que podían guiarlos hasta las montañas, donde operaban las guerrillas. Había muchos americanos y Exploradores Filipinos organizados en las espesas selvas de Luzón. Atacaban al enemigo desde todos los flancos y en ocasiones lograban afectar de verdad al desplazamiento de tropas y suministros. El ejército imperial había declarado la guerra a las guerrillas y ofrecía recompensas por sus cabezas. La situación era más que peligrosa.

—No vamos a huir —dijo Pete—. Hemos venido a combatir.

—Y tenemos algunas cuentas que saldar —añadió Clay.

Amato sonrió y asintió con la cabeza. Era un filipino orgulloso, indignado por la invasión japonesa. Si hubiera podido envenenar de alguna manera el pescado para matar a soldados enemigos, lo habría hecho de buen grado. Rezaba porque los norteamericanos salieran vencedores algún día y liberaran su país, y anhelaba que llegara ese momento.

Como el puerto estaba a la vista, Pete y Clay se escondieron bajo la cubierta, en el camarote. En el muelle, Tomas y Teofilo desembarcaron los pesados cajones de hojalata llenos de pescado y aguardaron a su único cliente. Un japonés de baja estatura con un delantal ensangrentado se acercó y, sin saludar, se puso a inspeccionar el género. Hizo una oferta que arrancó una carcajada a Amato. La contraoferta fue rechazada de inmediato, y aquel tira y afloja continuó, como dictaba el ritual de todas las tardes. El cocinero tenía demasiada prisa para pesar el pescado. Lanzó su oferta final, una que Amato ya no podía declinar, y cerraron el trato. El dinero cambió de manos, y a juzgar por la expresión de Amato, el filipino se había llevado la peor parte de nuevo. Dos soldados rasos llegaron en una camioneta, cargaron el pescado y se alejaron mientras el cocinero regateaba con el capitán del siguiente barco de pesca.

Una vez que se marcharon, Teofilo encendió el hornillo de nuevo y preparó la cena. El menú era el mismo: arroz hervido, pandesal caliente con mantequilla y filetes de caballa a la parrilla. Habían transcurrido diez horas desde el desayuno, y ni Pete ni Clay sentían el menor malestar por comer demasiado. Habían tomado un almuerzo ligero y un par de aperitivos con el licor casero, y por el momento sus traumatizados cuerpos aguantaban bien. Cuando estaban famélicos, no pensaban más que en comida. Ahora que la tenían a mano y se les habían pasado las punzadas de hambre, su mente se desvió hacia otros asuntos.

Amato les indicó que no salieran del camarote, por mucho bochorno que hiciera en el interior. El puerto quedaría desierto durante la noche, pero no había que fiarse de nadie. Si un marinero de cubierta o algún chaval en bicicleta veía a dos americanos en un barco de pesca, podían vender esa información a los japoneses.

Los tres prepararon sus mochilas y les dieron las buenas noches. Amato, prudentemente, se llevó consigo el licor casero. Los americanos ya habían bebido suficiente.

El ambiente dentro del camarote no tardó en volverse asfixiante. Pete entreabrió la puerta y echó un vistazo al exterior. El puerto estaba sumido en la negrura más absoluta. La embarcación contigua era solo una silueta. No se oía más sonido que el leve chapoteo del agua contra los barcos.

—No hay moros en la costa —dijo, y Clay salió tras él.

Permanecieron agachados y quietos en cubierta. Las pocas ocasiones en que hablaban, lo hacían en susurros. Aunque se vislumbraban algunas luces en la ciudad, no vieron a una sola persona que rondara por ahí.

En el camarote había un pequeño lavamanos y, al lado, una pastilla de jabón que era evidente que llevaba un tiempo encogiéndose. Pete la cogió, la partió en dos trozos iguales y le tendió uno a Clay. Pete se desvistió, se descolgó con cuidado por un costado del barco y entró en el agua sin hacer el menor ruido. Supuso que estaría contaminada y sucia, como en todos los puertos, pero le daba igual. Aprovechando hasta la última pompa de jabón, disfrutó de un baño a todo lujo. Cuando terminó, Clay le tiró desde arriba la camisa, los pantalones y los calcetines, y Pete los lavó por primera vez en meses. Aunque habían quedado reducidos a harapos, no tenía otros.

En cierto momento —no tenían idea de la hora—, el calor remitió de pronto y una brisa suave les proporcionó cierto alivio. Se retiraron al camarote y cerraron la puerta con pestillo. Aunque se sentían tentados de dormir en cubierta, bajo las estrellas, el miedo a que los vieran era demasiado fuerte. Hasta entonces, habían resistido todos los embates de una guerra brutal. Sería una tragedia que los pillara un mocoso en bici.

Calculaban que era cerca del 20 de junio; no estaban seguros. No había calendario en el camarote, y hacía meses que no veían uno. Al cabo de un tiempo, los prisioneros hambrientos dejan de preocuparse por la fecha. Se habían rendido el 10 de abril. Pete había marchado hacia el norte por la península de Bataán durante seis días. En el caso de Clay, habían sido cinco. Habían pasado unos dos meses en O'Donnell y se estremecieron solo de pensar en aquel lugar infernal. Pero habían sobrevivido a él, como habían sobrevivido a la marcha de la muerte, el asedio de Bataán, las batallas, la rendición, los furgones abarrotados y los buques del infierno, además de la inanición, las enfermedades y escenarios de muerte que jamás olvidarían. Les maravillaba el aguante del cuerpo humano, así como el ingenio que desarrollaba el espíritu frente a las privaciones.

¡Habían salido adelante! La guerra no había terminado, pero desde luego había pasado lo peor. Ya no eran cautivos, y pronto podrían enfrentarse al enemigo en igualdad de condiciones.

Puesto que el tema de la comida había quedado atrás de forma temporal, la conversación se centró en sus esposas y familias. Estaban desesperados por escribir cartas y mandárselas. Se lo comentarían a Amato por la mañana.

Un muchacho paseaba en bicicleta por el embarcadero de madera, sin buscar nada, sin estar pendiente de nada. Oyó unas voces procedentes del camarote de un barco de pesca y se acercó con sigilo para escuchar. Eran forasteros que hablaban en otro idioma. Inglés.

Se alejó pedaleando y, cuando por fin llegó a casa, donde lo esperaba su madre, se lo contó. Ella, enfadada, le pegó con la mano abierta en las orejas. Qué chico tan raro, siempre inventándose cuentos y exagerando.

30

Amato y sus hijos regresaron al amanecer, cuando el puerto empezaba a cobrar vida. Teofilo, el más alto de los tres, aunque por muy poco, medía cerca de metro setenta. Su ropa le iría pequeña a Pete, que medía metro ochenta y ocho, y también a Clay, apenas unos centímetros más bajo. El problema era el largo, no la cintura. Los norteamericanos estaban tan escuálidos que casi podían dar dos vueltas al cinturón.

La noche anterior, después de la cena, Amato había visitado a un amigo, un hombre con fama de ser «el más alto de la ciudad». Había negociado con él la compra de dos pares de pantalones de trabajo y dos camisas de trabajo color caqui, además de dos pares de calcetines. Al principio, el hombre se había negado a vender sus escasas prendas, pues constituían casi todo su guardarropa, y solo había accedido a considerar la posibilidad si Amato le revelaba lo que ocurría. Al enterarse de quiénes eran los que necesitaban la ropa, el hombre alto rehusó aceptar dinero. Les envió sus mejores deseos junto con las vestimentas. Más tarde, la esposa de Amato las lavó y las planchó, y cuando él las sacó de su mochila y las depositó sobre un catre en el camarote, se le humedecieron los ojos. A Pete y Clay, también.

A continuación, Amato agregó que no había sido capaz de conseguir botas nuevas. Los estadounidenses tienen los pies largos y estrechos; los filipinos, pequeños y anchos. En la ciudad solo había una tienda de calzado, y era muy improbable que el comerciante contara con artículos para extranjeros. Amato se deshizo en disculpas.

Al final, Pete lo interrumpió para anunciarle que tenían un asunto importante que tratar. Estaban ansiosos por escribir a sus esposas. No habían tenido contacto con ellas desde antes de Navidad, y sabían que sus familias estarían muertas de preocupación. Si bien les parecía una petición sencilla, a Amato no le gustó. Les explicó que el servicio postal era poco fiable y que los japoneses lo tenían muy vigilado. Había miles de soldados estadounidenses como ellos libres por toda Filipinas, y todos querían mandar cartas a casa. El correo que se permitía que saliera de las islas era escaso. El enemigo lo controlaba todo. El empleado de correos de San Narciso era el propietario de la tienda de comestibles, y sospechaban que simpatizaba con los invasores. Si Amato le entregaba dos misivas escritas por americanos, se metería en un buen lío.

El correo resultaba demasiado arriesgado. Pete insistió y preguntó si era posible remitir las cartas desde otra ciudad. Amato cedió al fin y envió a Tomas al pueblo. El joven regresó con dos hojas de papel de cebolla fino y dos sobres cuadrados pequeños. Amato encontró el cabo de un lápiz. Sentado frente a la mesilla plegable del camarote, Pete escribió:

> Querida Liza:
> Nos rendimos el 10 de abril y he pasado más o menos los últimos tres meses como prisionero de guerra. Me he fugado, y ahora voy a luchar en una guerrilla en algún lugar de Luzón. He sobrevivido a muchas cosas, sobreviviré a las que surjan y volveré a casa en cuanto ganemos la guerra. Os quiero a Joel, a Stella y a ti, y pienso en vosotros cada minuto de cada día. Por favor, transmíteles mi amor a ellos y a Florry. Estoy con Clay Wampler. Su esposa se llama Helen. Te ruego que te pongas en contacto con ella en el 1457 de Glenwood Road, Lamar, Colorado, y le hagas llegar este mensaje.
> Con todo cariño,
> PETE

Escribió la dirección en el sobre sin incluir el remite y, tras introducir la carta, lo cerró y le pasó el lápiz a Clay.

Salieron del puerto entre los resoplidos que soltaba el viejo motor diésel como si aquel fuera su último día. Avanzaban sin dejar estela y al poco rato se encontraban en mar abierto. Justo delante, a unas mil millas al oeste, se encontraba Vietnam. A su derecha, estaba China, un poco más cerca, a unas setecientas millas.

Teofilo preparó una jarra de café cargado y, mientras lo saboreaban, cocinó un desayuno de arroz, pandesal y más filetes de caballa a la parrilla. Pete y Clay comieron con cautela. La esposa de Amato había horneado galletas de jengibre y, por primera vez en meses, probaron azúcar de verdad. Aunque no habían mencionado el tabaco, Amato sacó un paquete de Lucky Strikes, que de alguna manera habían pasado de contrabando desde Manila, y a Pete y a Clay nunca les había parecido tan delicioso un cigarrillo.

Después de dos horas, el barco encontró un banco de atunes. Amato y Tomas los sacaban del agua enrollando el sedal, y Teofilo los aporreaba con un mazo hasta que dejaban de dar coletazos, luego los destripaba y limpiaba. Pete y Clay los observaban a través de una nube de humo de tabaco, maravillados por su eficiencia.

A mediodía, Tomas puso proa de vuelta hacia Luzón. A medida que se aproximaban a sus escarpadas cordilleras, las cuales habían permanecido a la vista en todo momento, Amato les expuso el plan. El barco se detuvo por fin a unos doscientos metros de la costa, un tramo de litoral rocoso y desierto. Teofilo infló la balsa que les había salvado la vida y los ayudó a subir. Amato les entregó una mochila repleta de alimentos y agua, y les deseó lo mejor. Ellos le dedicaron un saludo militar, le expresaron de nuevo su más humilde agradecimiento y soltaron amarras. Teofilo hizo que el barco diera media vuelta y se dirigiera de nuevo hacia mar abierto.

Cuando Pete y Clay se perdieron en la lejanía, Amato cogió los dos sobres, los rompió en pedacitos y los lanzó al mar.

La armada japonesa había registrado dos veces su barco, y simplemente no podía correr ese riesgo.

Pete y Clay, soldados de caballería y de infantería, no estaban capacitados para navegar en embarcaciones de ningún tamaño. La balsa se reveló difícil de gobernar y se estrelló contra unos escollos. Pete consiguió mantener seca la mochila mientras Clay y él se salvaban a duras penas de morir ahogados y trepaban con dificultad a los peñascos. Una vez en tierra firme, se quedaron esperando. Un filipino llamado Acevedo observó su llegada escondido en el matorral. Después de situarse detrás de ellos con sigilo, pegó un silbido y les hizo señas con la mano.

Acevedo no era más que un muchacho con sombrero de paja, pero su rostro curtido y su cuerpo delgado daban la clara impresión de que se trataba de un guerrillero avezado. Y, lo más importante, iba armado hasta los dientes, con un fusil al hombro y una pistola a cada lado de la cintura. En un inglés correcto, les explicó que tendrían que adentrarse a pie en las montañas por caminos peligrosos y que, si todo salía bien, llegarían al primer campamento antes del anochecer. Había japos por todas partes, por lo que era imprescindible que avanzaran deprisa y en silencio, sin pronunciar palabra.

El matorral pronto cedió el paso a una espesa selva con senderos que solo Acevedo veía. Todos conducían hacia arriba. Al cabo de una hora de ascenso, Pete y Clay estaban agotados. El aire enrarecido tampoco ayudaba. Pete preguntó si podían fumar, y Acevedo meneó la cabeza con vehemencia, frunciendo el ceño. Estaba informado hasta cierto punto de todo lo que habían soportado, y saltaba a la vista que no se encontraban en plena forma. Prometió que aflojaría el ritmo. Mintió. Reanudaron la caminata a paso aún más veloz. De pronto alzó la mano, se paró en seco y se agachó. Al echar un vistazo por encima de una cresta, divisaron a lo lejos un camino atestado de vehículos de transporte de tropas japonesas en marcha. Contemplaron el avance del convoy jadeando, sin hablar. Siguieron adelante y, tras tomarse un respiro, descendieron hacia un valle estrecho. Se detuvieron junto a un riachuelo mientras Acevedo escudriñaba la zona en busca del enemigo. Como no había nadie, lo vadearon a toda prisa y se internaron en la jungla. El terreno cambió y comenzaron a subir de nuevo. Cuando le ardían los músculos de las pantorrillas y le faltaba el aliento, Pete pidió un descanso. Se sentaron en el matorral a comer pasteles de arroz y galletas de coco.

En voz baja, Acevedo les contó que su hermano era un Explorador Filipino que había muerto en Bataán. A raíz de esto, había jurado matar al mayor número posible de japoneses antes de que ellos lo mataran a él. Hasta la fecha, contaba con once bajas confirmadas en su haber, aunque seguramente había más. Los japoneses torturaban y decapitaban a todos los guerrilleros a los que capturaban, por lo que el código de disciplina contenía la directriz de no rendirse nunca. Era mucho mejor volarse la tapa de los sesos uno mismo que permitir que los japos se encargaran de ello a su manera. Clay preguntó cuándo les proporcionarían armas, y Acevedo respondió que había muchas en el campamento, y también alimentos y agua. Aunque las guerrillas no comían muy bien, nadie se moría de hambre.

Vigorizados por el refrigerio, prosiguieron su camino. Cuando el sol empezaba a ponerse tras las montañas, llegaron a un sendero angosto que discurría por la ladera de una montaña empinada. Era un camino traicionero sobre piedras sueltas. Un paso en falso podía precipitarlos por un barranco sin fondo. Quedaron expuestos a lo largo de unos cincuenta metros. En mitad del claro, mientras caminaban agachados intentando no tropezar, sonaron unos disparos procedentes del otro lado del barranco. Había francotiradores al acecho. Acevedo, alcanzado en la cabeza, cayó hacia atrás. Una bala desgarró la manga izquierda a Pete y le pasó rozando el pecho. Clay y él saltaron al precipicio mientras los proyectiles impactaban alrededor. Rodaron con violencia cuesta abajo, rebotando contra pequeños árboles y atravesando el matorral a toda velocidad. Clay consiguió agarrarse a una liana para frenar la caída, pero Pete continuó rodando por la ladera. Se estrelló contra el tronco de un *dao* y estuvo a punto de perder el conocimiento.

Clay apenas alcanzaba a ver la espalda de la camisa de Pete, pero logró deslizarse sobre el trasero hasta él. Una vez juntos, evaluaron la situación y llegaron a la conclusión de que no se habían roto ningún hueso, todavía. Tenían el rostro y los brazos cubiertos de arañazos y sangre, aunque no eran cortes profundos. Pete, que se había dado un golpe en la cabeza, estaba aturdido, pero al cabo de un momento se sintió listo para continuar. Oyeron unas voces que no hablaban en inglés. Era el enemigo, que los buscaba. Lo más silenciosamente posible, siguieron bajando, pero sin querer ocasionaron el desprendimiento de unas piedras, que cayeron de forma ruidosa. En el fondo, cerca de un arroyo, se escondieron entre la maleza y unos abrojos, y esperaron. Algo chapoteaba en el agua. Tres soldados rasos con los fusiles listos atravesaban el riachuelo. Pasaron a menos de tres metros de donde yacían Pete y Clay, inmóviles y casi sin respirar. Transcurrió una hora, quizá dos, y la oscuridad cayó sobre el barranco.

Discutieron entre susurros la demencial idea de escalar la ladera para buscar la mochila y tal vez también a Acevedo. No les cabía duda de que había muerto, pero necesitaban sus armas. Sabían que los japoneses no se darían por vencidos y volverían a su campamento sin más. Las cabezas de dos americanos representaban un trofeo demasiado tentador. Así pues, Pete y Clay se quedaron donde estaban. Solos, abandonados a su suerte, desarmados, convertidos en presas de caza, sin la menor idea de dónde estaban ni de adónde debían encaminarse, se pasaron la noche en vela cubiertos de insectos, bichos, lagartos y rasguños causados por los abrojos, y rezando porque no se acercara una pitón o una cobra. En cierto momento, Pete preguntó a quién se le había ocurrido la brillante idea de convertirse en guerrilleros. Clay soltó una risita y juró que a él jamás se le habría pasado por la cabeza semejante ridiculez.

Al amanecer tuvieron que ponerse en marcha. El hambre volvía a atormentarlos. Bebieron agua del arroyo y decidieron seguir su curso, aunque ignoraban por completo adónde los llevaría. Durante el día avanzaban entre las sombras, sin quedar al descubierto ni un segundo. En dos ocasiones oyeron voces, y pronto comprendieron que tendrían que caminar de noche y descansar durante el día. Pero ¿caminar hacia dónde, exactamente?

El arroyo desembocaba en un río angosto. Desde unos arbustos, vieron pasar una patrullera japonesa. Estaba formada por seis hombres con fusiles y dos con prismáticos que escrutaban las márgenes en busca de alguien. Luego, por la tarde, toparon con una senda y decidieron seguirla cuando oscureciera. No estaban seguros de adónde ir, pero su ubicación en aquellos momentos era demasiado peligrosa.

Les resultó imposible avanzar por el camino en la negrura de la noche. No tardaron en perderse, luego anduvieron en círculos hasta que volvieron a encontrar la senda y se dieron por vencidos al perderse de nuevo. Se acostaron bajo una formación rocosa e intentaron dormir.

Cuando despertaron a primera hora de la mañana, una densa niebla se había asentado por toda la selva. Protegidos por ella, no tardaron en dar con otro sendero que apenas resultaba visible. Tras un ascenso de dos horas, el sol disipó la niebla y advirtieron que el sendero se ensanchaba. Agotados y muertos de hambre, llegaron a un precipicio que se alzaba sobre una cañada abrupta y peñascosa. Unos treinta metros más abajo, corría un arroyo entre las rocas. Descansaron a la sombra, bajaron la vista hacia la cañada y se plantearon la posibilidad de saltar sin más. La muerte sería preferible a la tortura que estaban soportando. En aquel momento, morir les habría parecido grato. De todos modos, sus posibilidades de sobrevivir eran nulas. Si saltaban, al menos perecerían por voluntad propia.

De pronto se oyeron unos disparos no muy lejanos, y se olvidaron del suicidio de inmediato. El intercambio de tiros significaba que los dos bandos se habían encontrado. Había guerrilleros cerca. El tiroteo duró solo un minuto, pero los animó a seguir caminando. El sendero comenzaba a descender, y lo siguieron sigilosamente, con la cabeza gacha, asegurándose en todo momento de que no hubiera algún hueco en la vegetación que los delatara. Toparon con un riachuelo de agua transparente y pararon a refrescarse. Descansaron una hora y siguieron adelante.

Cuando el sol se encontraba justo por encima de sus cabezas, llegaron a un claro. En el centro había una pequeña hoguera que aún ardía. Recostado contra una roca grande había un soldado japonés que daba la impresión de estar echándose una siesta. Desde el matorral, Pete y Clay lo espiaron durante largo rato y se percataron de que tenía sangre en las piernas. Resultaba evidente que lo habían herido y que su unidad lo había abandonado. De vez en cuando, movía el brazo derecho, señal de que estaba vivo. Sin hacer ruido, Pete avanzó al abrigo de la maleza mientras Clay se acercaba ocultándose tras los árboles. Pete trepó a la roca y, justo encima del objetivo, levantó una piedra de cinco kilos y la bajó con violencia, estampándola contra la cabeza del japo. Al instante Clay se abalanzó sobre él. Pete golpeó de nuevo con la piedra al tiempo que Clay agarraba el fusil y le clavaba la bayoneta en el vientre. Lo arrastraron hasta el matorral y le rasgaron la mochila para abrirla. Dentro había latas de sardinas, salmón y caballa, además de un paquete de cecina. Comieron a toda prisa, con la camisa y las manos manchadas de sangre del soldado. Escondieron el cadáver entre unas matas y se alejaron del prado con sigilo.

Por primera vez en meses, iban armados. Clay portaba el fusil Arisaka con la bayoneta, además de su cantimplora. Pete se había puesto la pistolera, con una Nambu semiautomática. Había sujetado al cinturón treinta cartuchos, dos cargadores y un cuchillo de quince centímetros. Corrieron durante una hora antes de parar a descansar y devorar otra lata de sardinas. Si los capturaban entonces, los torturarían y decapitarían en el acto. Aunque eso no sucedería. Acordaron que ninguno de los dos se dejaría atrapar con vida y sellaron el pacto con un apretón de sus manos ensangrentadas. Si se veían rodeados, se matarían con la pistola. Primero Pete, luego Clay.

Siguieron adelante, de nuevo cuesta arriba. Volvieron a oír un intercambio de fuego, más graneado en ocasiones, una escaramuza más prolongada que la anterior. Incapaces de decidir si debían avanzar hacia ella o alejarse, optaron por aguardar ocultos a un lado del sendero. Los disparos se espaciaron hasta cesar por completo. Transcurrió una hora, y el sol empezó a desvanecerse por el oeste.

En un recodo del camino toparon de frente con un joven filipino que corría en dirección contraria. Era menudo, delgado, estaba sudado por la carrera y desarmado. Paró en seco y miró a los desconocidos con recelo.

—Americanos —dijo Pete.

El adolescente dio un paso hacia ellos y examinó sus armas.

—Japoneses. —Señaló la bayoneta con un movimiento de cabeza.

Sonriendo, Clay le mostró la sangre que le cubría las manos y los brazos.

—No, esta sangre es japonesa —repuso.

El muchacho le devolvió la sonrisa.

—¿Soldados americanos?

Ambos asintieron.

—Necesitamos encontrar a los guerrilleros —explicó Pete—. ¿Podrías llevarnos hasta ellos?

La sonrisa del chico se ensanchó.

—Joder, tíos, ¿de dónde sois? —preguntó, orgulloso, con un marcado acento sureño.

Pete y Clay estallaron en carcajadas. Este se dobló en dos y dejó caer su nuevo fusil. Sin dejar de reír, Pete sacudió la cabeza con incredulidad. Le vino a la mente la imagen del chico filipino sentado frente a una hoguera con un puñado de estadounidenses que lo pasaban en grande enseñándole su pintoresca variedad del inglés. No cabía la menor duda de que en el grupo había muchachos de Texas o Alabama.

—Seguidme —dijo el joven cuando dejaron de reírse—. Una hora más o menos.

—Vamos —respondió Pete—. Pero no tan deprisa.

El chico era un «corredor» de los cientos que utilizaban los guerrilleros para comunicarse, dada la escasez de radiotransmisores. Los corredores a menudo llevaban mensajes y órdenes por escrito. Conocían a fondo los senderos y rara vez los atrapaban, pero cuando ocurría los torturaban para sacarles información y los mataban.

Continuaron ascendiendo durante largo rato, y el aire siguió enrareciéndose. Aunque agradecían el ambiente un poco más fresco, a Pete y a Clay les costaba mantener el ritmo. Cuando se aproximaban al primer vivac, el muchacho silbó tres veces, esperó, oyó algo que Pete y Clay no alcanzaron a percibir y continuó avanzando. Se encontraban en territorio de la guerrilla, lo más a salvo que podían estar unos soldados estadounidenses en aquella parte del mundo. De la nada aparecieron dos filipinos armados hasta los dientes y les indicaron por señas que podían pasar.

Atravesaron una aldea minúscula donde la gente apenas se fijó en ellos. La senda conducía al primer campamento, donde otros guerrilleros filipinos cocinaban frente a una pequeña hoguera. Eran unos veinte, dormían en cobertizos y estaban preparándose para la noche. En cuanto repararon en los dos norteamericanos, se pusieron de pie y realizaron un saludo militar.

Media hora después, mientras proseguían el ascenso, se encontraron con un pequeño campamento oculto bajo una densa bóveda selvática. Los recibió un estadounidense con uniforme desteñido y botas de combate nuevas. Era el capitán Darnell Barney, antiguo miembro de la Decimoprimera Brigada de Infantería que había pasado a luchar en la Fuerza de Resistencia de Luzón Occidental, una unidad no oficial. Una vez concluidas las presentaciones, Barney dio una voz, y otros americanos salieron de una fila de chozas de bambú. Entre sonrisas, apretones de manos, palmadas en la espalda y enhorabuenas, guiaron a Pete y a Clay hasta una mesa de bambú partido, donde les sirvieron arroz, patatas y chuletas de cerdo a la parrilla, una delicia que se reservaba para las ocasiones especiales.

Mientras comían, sus compañeros de mesa los asediaron a preguntas. El más parlanchín era Alan DuBose, de Slidell, Luisiana, que reconoció con orgullo que, en efecto, estaba enseñando a los filipinos toda clase de coloquialismos americanos. En total, había seis estadounidenses, además de Pete y Clay, que eran los únicos que habían estado en Bataán. Después de la capitulación, habían huido a las montañas desde otras zonas de las islas. Estaban mucho más sanos, a pesar de la proliferación de la malaria.

Los norteamericanos, que habían oído hablar de la marcha de la muerte, querían conocer todos los pormenores. Pete y Clay hablaron sin parar durante horas, encantados con la seguridad del entorno. A aquellos dos soldados que habían visto tantas cosas, a veces les costaba asimilar que se encontraban entre militares americanos que seguían combatiendo.

Aunque Pete saboreó el momento, no podía evitar que le asaltaran recuerdos de O'Donnell. Pensó en los hombres que había conocido allí, muchos de los cuales no saldrían con vida. Aún estarían muriendo de hambre, mientras él se daba un festín. Pensó en el Campo de Huesos y en los cientos de cadáveres escuálidos que había enterrado allí. Pensó en el buque del infierno y oyó los alaridos de los hombres atrapados durante el hundimiento. En un momento dado estaba disfrutando con la comida, la charla y la relajante variedad de acentos estadounidenses, y al siguiente se quedaba callado, incapaz de comer mientras otra pesadilla le invadía la memoria.

Los recuerdos, las pesadillas y los horrores jamás desaparecerían.

Más tarde, al anochecer, les mostraron las duchas y les dieron unas pastillas de jabón. El agua, que estaba tibia, les resultó de lo más agradable. Al principio querían afeitarse, pero los demás americanos lucían barbas pobladas, así que dejaron pasar la oportunidad. Les proporcionaron ropa interior y calcetines limpios, así como atuendos militares desparejos, aunque en la selva no había uniformes establecidos. El médico, también americano, los examinó y señaló los problemas evidentes. Disponía de un botiquín surtido y les prometió que, en un par de semanas, estarían listos para luchar. Los condujeron a una choza de bambú, su nuevo barracón, donde había catres de verdad con mantas. Por la mañana, se reunirían con su comandante y les facilitarían más armas de las que podían llevar encima.

Solos en la oscuridad, hablaron en susurros de sus hogares, que se les antojaban más cercanos que nunca.

31

La Fuerza de Resistencia de Luzón Occidental estaba dirigida con mano firme por el general Bernard Granger, un héroe británico de la Primera Guerra Mundial. Era un hombre de unos sesenta años, esbelto, duro y marcial hasta la médula. Había residido en Filipinas los últimos veinte años y había sido propietario de una extensa plantación de café que los japoneses habían confiscado, después de matar a dos de sus hijos y obligarlo a huir a las montañas con su esposa y lo que quedaba de su familia. Vivían en un búnker en el corazón de la selva, desde donde comandaba su unidad. Sus hombres, que lo adoraban, se referían a él como Lord Granger.

Estaba sentado a su escritorio bajo un toldo de malla de camuflaje cuando un soldado hizo pasar a Pete y a Clay y los presentó. El general despidió a sus ayudantes, aunque su escolta permaneció cerca. Tras dar la bienvenida a los americanos con su cadencia aguda y su formalidad británicas, les ofreció una ronda de té. Pete y Clay se sentaron en sillas de bambú, llenos de admiración hacia él desde el primer momento. En ocasiones, su ojo izquierdo quedaba oculto en parte por una arruga del elegante sombrero de safari. Cuando hablaba, retiraba la boquilla de una pipa de mazorca, y cuando escuchaba, la sujetaba entre los dientes mordisqueándola como si rumiara cada palabra.

—Tengo entendido que han sobrevivido a esos hechos tan desagradables de Bataán —comentó con su tono cantarín—. Seguramente es peor de lo que creemos.

Asintieron con la cabeza y dedicaron un momento a describírselo. La situación en Bataán era brutal, pero la de O'Donnell era peor.

—Y me han contado que los nipones están enviando muchachos a las minas de carbón de su país —dijo Granger mientras servía el té en tazas de porcelana.

Pete narró lo sucedido en el buque del infierno y su rescate en el mar.

—Venceremos a esos sucios bastardos al final —aseveró Granger—. Si no nos vencen ellos primero. Espero que tengan presente que, aunque sus posibilidades de supervivencia han mejorado, en el fondo somos todos hombres muertos.

—Más vale morir luchando —observó Clay.

—Bien dicho. Nuestro deber es causar suficientes daños para paralizar a los nipones y demostrar que vale la pena salvar estas islas. Tememos que los Aliados intenten derrotarlos sin tenernos en cuenta. El alto mando cree que puede atacar Japón directamente desentendiéndose de estas islas, y es de todo punto posible, ¿saben? Pero MacArthur prometió regresar, y eso es lo que nos mantiene en pie. Nuestros muchachos filipinos deben tener un motivo por el que luchar. Se trata de su territorio, para empezar. ¿Leche y azúcar?

Pete y Clay declinaron. Habrían preferido un café cargado, pero seguían agradecidos por el copioso desayuno. Granger continuó charlando, aunque se interrumpió de golpe y miró a Pete.

—Bueno, ¿cuál es su historia?

Pete le hizo un relato breve de su vida. Le habló de su formación en West Point, sus siete años de servicio en el Vigésimo Sexto Regimiento de Caballería, seguidos por una especie de retiro forzoso por motivos personales. Tenía que salvar la hacienda familiar. Le habló de su esposa y sus dos hijos, que vivían en Mississippi. Del rango de teniente primero que le habían concedido.

A Granger le bailaban los ojos, y no pestañeó ni una vez mientras captaba y analizaba cada palabra.

—Así que ¿sabe montar a caballo?

—Con silla y a pelo —contestó Pete.

—He oído hablar del Vigésimo Sexto. Es usted un tirador experto, sin duda.

—En efecto, señor.

—Necesitamos francotiradores. Nunca son suficientes.

—Deme un rifle.

—¿Estuvo usted en el fuerte Stotsenburg?

—Sí, pero solo unos días, antes de diciembre.

—Los condenados nipones están utilizando la base para sus Zero y sus bombarderos en picado. Material más pesado que retiraron después de lo de Corregidor. Me gustaría atacar algunos aviones en tierra, pero aún no hemos elaborado un plan. ¿Y usted? —inquirió, dirigiéndose a Clay.

Se había alistado en 1940, en el Trigésimo Primer Regimiento de Infantería. Era especialista en morteros. Ostentaba el rango de sargento. Era un vaquero de Colorado que también sabía cabalgar y disparar.

—Estupendo. Me gustan los hombres con ganas de luchar. Aunque me entristece reconocerlo, tenemos aquí a algunos americanos que simplemente están escondiéndose y quieren volver a casa. Algunos han perdido la razón. Otros están demasiado enfermos. Otros se ausentaron sin permiso de sus unidades para vagar por la selva, sospecho. Son un lastre, para serles sincero, pero no podemos expulsarlos sin más. Lo primero que aprenderán aquí será a no hacer preguntas sobre los demás. Todo el mundo tiene un pasado, y los cobardes nunca cuentan la verdad. —Tomó un sorbo de té y sacó un mapa—. Un par de cosas sobre nuestras operaciones. Estamos aquí, en medio de los montes Zambales, un terreno muy accidentado, como sin duda ya habrán notado. En algunos puntos, supera los dos mil setecientos metros de altitud. Contamos con unos mil combatientes, dispersos en un área de más de doscientos cincuenta kilómetros cuadrados. Si nos atrincheráramos y nos escondiéramos, podríamos aguantar mucho tiempo, pero atrincherarnos no es nuestro estilo. Somos guerrilleros y peleamos sucio, nunca atacamos de frente ni a pecho descubierto. Lanzamos ataques rápidos y desaparecemos. Los nipones asaltan nuestros campamentos de las zonas de menor altitud, que son muy peligrosas. Lo comprobarán ustedes muy pronto. Nuestras filas están creciendo, pues cada vez más filipinos huyen a las montañas, y después de un comienzo difícil, por fin estamos asestando algunos golpes.

—Así que ¿no les preocupa que los japoneses suban hasta aquí? —preguntó Pete.

—Nos preocupa todo. Vamos ligeros de equipaje y siempre estamos listos para retroceder ante el menor peligro. No podemos enfrentarnos a ellos cara a cara. Apenas tenemos artillería, salvo por algunos morteros y cañones ligeros, unos juguetitos que le robamos al enemigo. Disponemos de un montón de fusiles, pistolas y ametralladoras, pero no de camiones u otros vehículos. Somos soldados de a pie, lo que supone una ventaja en este terreno. Nuestro principal problema son las comunicaciones. Contamos con unas pocas radios antiguas, pero no son portátiles ni podemos utilizarlas porque los nipones siempre están a la escucha. De modo que nos valemos de corredores para coordinarlo todo. No tenemos contacto con MacArthur, aunque él sabe que estamos aquí, luchando. En respuesta a su pregunta, aquí estamos relativamente a salvo, pero siempre en peligro. Los nipones nos bombardearían desde el aire si pudieran vernos. Acompáñenme y les enseñaré nuestros juguetes.

Granger se levantó de un salto, agarró su bastón y echó a andar. Dijo una frase atropellada en tagalo a sus guardias, que arrancaron a correr delante de él. Otros los siguieron cuando salieron del campamento y empezaron a subir por un sendero angosto.

—El Vigésimo Sexto, menuda panda —comentó Granger mientras caminaban—. ¿No conocerá por casualidad a Edwin Ramsey?

—Era mi comandante —afirmó Pete, orgulloso.

—No me diga. Un soldado condenadamente bueno. Se negó

a capitular y se echó al monte. Está a unos ciento cincuenta kilómetros de aquí, organizando la guerrilla como un poseso. Corre el rumor de que cuenta con más de cinco mil hombres en Luzón Central y con numerosos contactos en Manila.

Doblaron una esquina, y dos centinelas retiraron un muro de lianas y raíces. Entraron en una cueva.

—Coged las antorchas —bramó Granger, y dos guardias iluminaron el camino.

La cueva se convirtió en una caverna, un espacio amplio con estalactitas que goteaban desde lo alto. Encendieron unas velas colocadas a lo largo de las paredes, y la magnitud del arsenal se hizo patente.

Granger no dejó de hablar en ningún momento.

—Material abandonado por los yanquis y arrebatado a los nipones. Me gustaría pensar que tenemos una bala para cada uno de esos sucios bastardos.

Había palés repletos de munición. Cajones llenos de fusiles. Montones de comida y agua en lata. Gruesos sacos de arroz. Bidones de gasolina. Pilas de cajas de provisiones no identificadas.

—Siguiendo por el pasadizo, se llega a otra cueva donde guardamos dos toneladas de dinamita y TNT. No tendrán experiencia con explosivos, supongo.

—No —reconoció Pete.

Clay negó con la cabeza.

—Lástima. Nos vendría de perlas un buen artificiero. El último saltó por los aires. Era filipino, y condenadamente bueno. Pero ya aparecerá alguno. ¿Han visto suficiente?

Antes de que pudieran responder, giró sobre los talones. La visita guiada había terminado. Pete y Clay habían quedado atónitos ante el alijo, pero también reconfortados. Salieron de la cueva en pos de Granger e iniciaron el descenso. Se detuvieron en un mirador para contemplar la asombrosa vista de la sucesión de crestas de montañas que parecía extenderse hasta el infinito.

—En realidad, los nipones no llegarán hasta aquí. Les da

miedo —aseguró el general—. Además, saben que estamos obligados a bajar para combatir. Así que bajamos. ¿Alguna pregunta?

—¿Cuándo lucharemos? —quiso saber Clay.

Granger soltó una risotada.

—Así me gusta. Enfermos y desnutridos, pero listos para la batalla. Dentro de una semana, más o menos. Den un tiempo a los médicos para que los engorden un poco y pronto verán toda la sangre que quieran.

Pete y Clay se pasaron los dos días siguientes tumbados a cuerpo de rey, comiendo y bebiendo toda el agua que les entraba en el estómago. Los médicos los atiborraron de pastillas y vitaminas. Cuando por fin se aburrieron, los equiparon con fusiles y pistolas, y los llevaron a un campo de tiro para una sesión de práctica. Les asignaron como instructor a un veterano filipino llamado Camacho, que les enseñó los secretos de la selva: cómo encender una pequeña hoguera para cocinar, siempre de noche para que el humo pasara inadvertido; cómo construir un cobertizo con lianas y arbustos para dormir resguardados de la lluvia; cómo preparar una mochila con solo lo más esencial; cómo mantener secas las armas y la munición; cómo lidiar con una cobra furiosa y también con una pitón hambrienta; cómo realizar un centenar de técnicas básicas que algún día podrían salvarles la vida.

Al tercer día, Lord Granger hizo llamar a Pete para tomar el té y jugar a las cartas. Sentados ante un tablero, entablaron conversación; el general llevaba la voz cantante.

—¿Ha jugado alguna vez al cribbage? —preguntó, al tiempo que sacaba una baraja.

—Claro. En Fort Riley.

—Estupendo. Juego una partida todas las tardes, a las tres, mientras tomo el té. Relaja el espíritu. —Mientras hablaba, barajó y repartió las cartas—. Hace dos noches, los nipones atacaron un puesto de avanzada en la falda de la montaña, uno que estaba bien defendido. Nos sorprendieron con una unidad grande. Fue un combate encarnizado; perdimos. Buscaban a Bobby Lippman, un aguerrido comandante de Brooklyn, y lo encontraron, junto con otros dos americanos. A los filipinos de la unidad que no murieron en batalla los decapitaron allí mismo. Les encanta a los nipones, eso de cortar cabezas y dejarlas cerca del cuerpo para asustar a los vecinos. En fin, el caso es que a Lippman y a los otros americanos los llevaron a una prisión de Manila para que tuvieran una charla con algunos de los interrogadores nipones más salvajes. Me han dicho que algunos de esos oficiales hablan un inglés más correcto que la mayoría de los británicos. Lippman va a pasarlo mal. Durante unos días lo flagelarán y le infligirán quemaduras, pues dominan una gran variedad de métodos, y si canta, notaremos las consecuencias aquí, aunque lo dudo mucho. Si no, le organizarán una pequeña ceremonia en la que usarán una de esas espadas largas que ha visto usted. Es una guerra, Banning, y, como ya se habrá dado cuenta, existen muchas maneras de matar.

—Creía que había vivacs y círculos de centinelas en torno a cada puesto —observó Pete—. ¿Cómo consiguieron sorprenderlos?

—Nunca lo sabremos. Su truco favorito consiste en sobornar a algún lugareño, un filipino que necesite dinero o arroz y esté dispuesto a vender información. A medida que los nipones estrechan el cerco, escasean cada vez más los alimentos. En algunas aldeas, los campesinos se saltan comidas. Los nipones son expertos en sobornos. Contamos con muchos puestos en estas montañas. A veces nos alojamos en ellos, a veces no, pero son nuestro refugio. Si pasamos allí una noche, o incluso una semana, los lugareños acaban por enterarse. Es bastante fácil encontrar a un nipón y darle el soplo a cambio de algo. ¿Está usted preparado para luchar?

—Vaya que si lo estoy.

—Según el médico, están en una forma aceptable. Qué diablos, todos pesamos menos de lo que deberíamos y estamos enfermos de algo, pero Clay y usted tienen un aspecto especialmente demacrado. Supongo que ya han pasado lo peor.

—Estamos bien, pero aburridos. Denos una misión.

—Irán con DuBose, en un pelotón de unos diez hombres. Camacho les acompañará en todo momento. Es el mejor. Partirán en mitad de la noche, caminarán durante tres o cuatro horas y echarán un vistazo. Será una misión en parte de reconocimiento, en parte de ataque. Si Lippman ha hablado bajo coacción, sin duda lo advertiremos en el comportamiento y los movimientos de los nipones. Después de un par de días en los senderos, se encontrarán con otra unidad, los muchachos que tenemos en otra montaña. Han tomado prestado a un artificiero para que tienda unos cables y demás. El objetivo es un convoy. Sin duda será un trabajo sencillo, y les brindará la oportunidad de disparar a algunos nipones. Diversión de la buena.

—Me muero de ganas.

—Suponiendo que todo salga bien, el artificiero está dispuesto a pasar un tiempo con ustedes para enseñarles a jugar con el TNT. Así que escúchenlo bien y aprendan. —Mientras Pete barajaba y repartía, Granger rellenaba su pipa de tabaco, y consiguió hacerlo sin interrumpir su discurso un solo instante—. Pobre Lippman. Todos hemos jurado que no nos dejaremos coger con vida. Siempre es mejor pegarse un tiro en la cabeza que dejar que los nipones hagan de las suyas. Pero no siempre es tan fácil. A menudo los hombres resultan heridos y no pueden dispararse. En ocasiones los sorprenden mientras duermen. Y creo, Banning, que con frecuencia nos volvemos tan expertos en supervivencia que nos creemos capaces de sobrevivir a cualquier cosa, así que tiramos las armas, levantamos las manos y dejamos que se nos lleven. Supongo que, por lo general, al cabo de unas horas nos invade un terrible arrepentimiento. ¿Alguna vez ha estado usted a punto de acabar con todo?

—Muchas veces —respondió Pete—. La sed y el hambre, junto con las muertes constantes, nos hacían perder la razón a todos. Yo me repetía para mis adentros que, si conseguía conciliar el sueño, ya no me importaría no despertar. Ahora estamos decididos a sobrevivir. Pienso volver a casa, general.

—Buen chico. Pero no deje que los nipones lo cojan vivo, ¿entendido?

—Descuide.

32

Salieron del campamento poco después de medianoche, diez guerrilleros en total, a la zaga de dos corredores capaces de encontrar los senderos con los ojos cerrados. Seis filipinos y cuatro estadounidenses, todos bien armados y cargados con mochilas repletas de comida y agua enlatada, mantas, lonas impermeables y toda la munición que podían llevar encima. Por fortuna la primera parte del trayecto era de bajada. Lo primero que aprendieron Pete y Clay fue a concentrarse en las botas del hombre que tuvieran delante. Mirar alrededor era inútil, porque en la oscuridad no había nada que ver. Un paso en falso podía ocasionar un tropiezo seguido de una caída y un aterrizaje precario.

Durante la primera hora, nadie dijo una palabra. Cuando se hallaban cerca de la primera aldea, un vigía acudió a su encuentro. En un dialecto desconocido, informó a Camacho de que todo iba bien. Hacía días que no avistaban al enemigo. El pelotón rodeó las chozas y siguió adelante. En la segunda aldea no había vigías y reinaba un silencio absoluto. Después de tres horas, el terreno se allanó y se detuvieron en un puesto de avanzada, cuatro refugios desiertos construidos en la espesura del matorral. Descansaron media hora y tomaron un tentempié de sardinas y agua. DuBose se acercó a Pete y a Clay con paso tranquilo.

—¿Vais bien? —les preguntó por lo bajo.

Ellos le aseguraron que lo estaban pasando bien, aunque

ya se sentían algo cansados. Los otros tenían aspecto de estar entrando apenas en calor. Reanudaron la marcha y comenzaron a ascender, y al cabo de una hora, hicieron otra pausa. DuBose estaba al tanto de todo lo que los dos novatos habían soportado y quería protegerlos. El pelotón bajó a una cañada, vadeó un arroyo y llegó a una aldea grande. Tras inspeccionar la zona durante unos minutos desde la maleza, Camacho se aventuró a salir y encontró al vigía, quien le confirmó que no había rastro del enemigo. Mientras esperaban, DuBose se movió con sigilo para colocarse junto a Pete.

—Aquí estamos bastante a salvo —le explicó con su acento sureño—. Cada aldea está gobernada por un jefe, y el de aquí es un tío de fiar. Pero a partir de aquí, será tierra de nadie.

—¿Dónde está el camino? —inquirió Pete.

—No muy lejos.

Al romper el alba, se escondieron en una zanja junto a un camino de tierra claramente frecuentado. Oyeron que se movía algo al otro lado, luego silencio.

—DuBose —dijo alguien.

—Aquí —respondió él.

De pronto asomaron varias cabezas de entre los arbustos, y un estadounidense llamado Carlyle avanzó hacia ellos. Comandaba a una docena de hombres, incluidos tres yanquis de barba rala y el mismo aspecto curtido. Se apresuraron a sacar unas cajas de madera llenas de más TNT y dedicaron una hora a colocar los explosivos y tender cables hasta los detonadores. El artificiero era un veterano filipino que saltaba a la vista que había preparado muchas trampas. Una vez colocado el TNT, los hombres se retiraron al matorral, a las posiciones que les había asignado DuBose. Pete, el francotirador, se ocultó tras unas rocas, con instrucciones de disparar a cualquier cosa que se moviera. Clay, a quien habían dado una ametralladora ligera, se apostó a unos cincuenta metros de distancia.

Camacho permaneció cerca de Pete y habló en susurros mientras salía el sol. Los japoneses estaban transportando toneladas de suministros tierra adentro por diversas rutas, y su misión era hostigar y cortar las líneas. Unos espías del puerto habían avisado de que se había puesto en marcha un convoy de cuatro o cinco camiones. No tenían idea de qué carga llevaba, pero volarlos por los aires sería emocionante. Ya lo vería.

Mientras aguardaba, Pete notaba un hormigueo en el dedo del gatillo y el estómago revuelto de expectación. Hacía meses que no entraba en combate, y la espera le destrozaba los nervios. Cuando se oyó el rumor de los motores, Camacho le indicó que se preparara.

Eran cuatro. El que encabezaba y el que cerraba la marcha estaban llenos de tropas para proteger la carga de los dos de en medio. Los guerrilleros esperaron y esperaron, y durante largo rato, Pete creyó que los explosivos no funcionarían. Sin embargo, cuando estallaron, el suelo se estremeció con tanta furia que se vio proyectado contra las rocas. El camión delantero dio una vuelta en el aire, y los soldados que transportaba salieron despedidos. Las explosiones volcaron el tercero y el cuarto. De repente se produjo una descarga brutal desde la vegetación cuando dos docenas de guerrilleros abrieron fuego. Los japoneses que habían sobrevivido a los bombazos se arrastraban y tambaleaban, y la mayoría cayeron acribillados antes de poder disparar un solo tiro. El conductor del segundo camión salió a rastras por el parabrisas destrozado, y Pete lo remató. Clay se encontraba detrás del convoy, en un nido, con el vehículo de transporte de tropas en su línea de fuego. Con una ametralladora ligera japonesa tipo 99, abatió a un japo tras otro mientras intentaban alejarse gateando para buscar sus armas. Varios se parapetaron tras los camiones, pero los guerrilleros del otro lado de la carretera les dispararon por la espalda. No tenían dónde resguardarse. La implacable lluvia de disparos se prolongó al menos cinco minutos. Un japonés logró ocultarse entre el segundo y el tercer camión y rociar de balas los árboles antes de que lo alcanzaran por todas partes.

Poco a poco, el tiroteo cesó. Durante una pausa, se quedaron observando, con la esperanza de que alguno de los japos tirados en el suelo se moviera para empuñar un arma. Sin embargo, todos permanecían inmóviles mientras el polvo comenzaba a asentarse. DuBose y Carlyle se acercaron con sigilo e indicaron por señas a sus hombres que volvieran a la carretera. Todos los japoneses, los moribundos y los ya muertos, recibieron un tiro adicional en la cabeza. Los prisioneros no eran más que un lastre. No tenían dónde encerrarlos ni sobraba comida para alimentarlos. En aquella versión de la guerra, ninguno de los bandos hacía prisioneros, salvo en el caso de oficiales americanos. Su muerte se aplazaba.

DuBose y Carlyle bramaban órdenes en tono apremiante. Pidieron a dos filipinos que regresaran a la carretera y estuvieran atentos a la llegada de más camiones. A otros dos los enviaron de avanzada. Los cadáveres —treinta y siete en total— fueron despojados de armas y mochilas. Por fortuna, el segundo camión de suministros no había quedado inutilizado. Estaba cargado de cajas de fusiles, granadas, ametralladoras y, aunque pareciera mentira, cientos de kilos de TNT. En todas las emboscadas se producía un milagro, y el hecho de que una bala perdida no hubiera alcanzado los explosivos era un golpe de suerte. El primer camión de pertrechos había quedado volcado y reducido a chatarra. Estaba lleno de cajas de provisiones. DuBose tomó la decisión de cargar todos los alimentos y armas posibles en el segundo camión y utilizarlo para huir.

Los guerrilleros pasaron por encima de los cuerpos sin vida, los apartaban a patadas, y consiguieron empujar el primer camión hasta la cuneta. Con un filipino al volante, el segundo arrancó a trompicones. Pete y otros cinco iban sentados en lo alto, con toneladas de explosivos a apenas unos centímetros de sus traseros. Mientras tomaban una curva, los hombres se volvieron para contemplar con gran satisfacción la escena de destrucción que dejaban atrás: los restos humeantes de tres camiones, montones de cadáveres y ni un solo herido entre sus filas.

Los cazas Zero japoneses realizaban vuelos rutinarios de vigilancia de los caminos a tan baja altura que parecía que pasaran rozando los árboles, y solo era cuestión de tiempo que aparecieran. DuBose quería salir de la carretera antes de que un Zero los avistara y los hiciera saltar en pedazos. En cuanto descubrieran la matanza, los pilotos comprenderían lo que había ocurrido y atacarían con saña.

El conductor se adentró en un claro y aceleró. El camión estuvo expuesto hasta que encontraron un lugar donde aparcarlo bajo una cubierta de follaje espeso. Se detuvo, y DuBose ordenó a los hombres que se apresuraran a taparlo con enredaderas y maleza. Cuando el vehículo resultaba invisible a seis metros de distancia, los hombres se retiraron a la sombra y abrieron con avidez las mochilas de los japoneses. Se dieron un atracón de pescado enlatado y pan de arroz duro. Un japonés, un tipo que a todas luces tenía problemas con la bebida, llevaba cuatro latas de sake, y el descanso acabó convirtiéndose en un cóctel.

Mientras sus tropas echaban un trago, DuBose y Carlyle charlaban entre sí junto al camión. Su conversación se vio interrumpida por el inconfundible y agudo zumbido de unos cazas que se aproximaban. Dos pasaron volando bajo por encima de la carretera antes de iniciar un ascenso pronunciado. Viraron en redondo para echar otro vistazo antes de desaparecer.

Se plantearon la posibilidad de enfilar de nuevo el camino y regresar a donde se encontraban los restos del convoy. El lugar se había revelado perfecto para una emboscada, y los japos sin duda enviarían a un grupo grande de búsqueda. El ataque había sido tan sencillo y había ocasionado un número tan impresionante de bajas que la idea de volver a por más resultaba tentadora. DuBose, sin embargo, se mostró en desacuerdo. Su deber era lanzar ataques relámpago, no planear ofensivas. Además, en aquel momento el contrabando era mucho más importante que liquidar a unos japos más.

Como el camión no estaba en condiciones de circular por los caminos de montaña, DuBose optó por descargarlo e idear un sistema para transportar el material hasta la base. Puesto que era de todo punto imposible que sus hombres lo acarrearan todo, envió a una docena de filipinos a las aldeas más cercanas para «alquilar» unos bueyes y mulas de carga a cambio de abundantes víveres.

La fiesta terminó de golpe cuando DuBose ordenó a los hombres que quedaban que acometieran la ardua tarea de descargar. Después del mediodía, empezaron a llegar bueyes y mulas. No eran suficientes ni por asomo, pero un buen número de vecinos de la zona habían accedido a trabajar por comida. Los primeros elementos de la caravana acababan de internarse en la espesura cuando un corredor salió a la carrera de un sendero con la noticia de que había una unidad nutrida de soldados japoneses a la vuelta de la esquina. Sin vacilar, DuBose ordenó al artificiero que manipulara el camión y los explosivos que aún contenía. Tanto Carlyle como él creían que los vehículos destruidos bloqueaban la carretera, lo que significaba que disponían de unos minutos más. Tras destapar el camión para que lo encontraran los japoneses, los guerrilleros se retiraron a la maleza a esperar.

La avanzada llegó en motocicletas y se alborotó al divisar el camión. Poco después, tres vehículos de transporte de tropas se detuvieron y decenas de soldados bajaron de ellos, agachados por temor a otra emboscada. Esta no se produjo, así que avanzaron despacio hacia el camión. Comprendieron que el enemigo se había marchado, y se relajaron y se arremolinaron en torno al vehículo, parloteando con gran preocupación. Cuando el oficial al mando se aproximó con paso arrogante y subió al camión para echar una ojeada rápida, el artificiero, que estaba a unos treinta metros de allí, tiró de un cable. La explosión, magnífica, proyectó docenas de cuerpos por los aires.

DuBose y sus hombres la admiraron riendo unos instantes antes de escabullirse de nuevo por los senderos. Cada hombre acarreaba todos los pertrechos y armamento que podía, y el camino volvía a ser cuesta arriba. Pete y Clay estaban agotados, al borde del colapso, pero continuaban su penosa marcha. Habían caminado en condiciones mucho peores y sabían que su organismo era capaz de soportar las adversidades.

Bien entrada la noche, llegaron al primer puesto de avanzada, y todos se desplomaron. Los corredores habían informado a Lord Granger, que había enviado más hombres a ayudar con el transporte. DuBose dio por finalizada la jornada y ordenó que montaran el campamento. Llegaron más corredores con la grata noticia de que no los seguían.

Los hombres comieron hasta saciarse e incluso les quedó hueco para un trago de sake. Pete y Clay encontraron un rincón en el suelo de tierra de una choza y se recrearon rememorando los triunfos del día. Sus susurros no tardaron en apagarse y se quedaron como troncos.

Durante dos días, la caravana ascendió por la montaña, parando a menudo para descansar y comer. Se desviaron en dos ocasiones, cuando los corredores les advirtieron de que el enemigo estaba cerca, buscándolos con todos sus efectivos. Varios cazas Zero patrullaban los cielos como avispas furiosas, ansiosos por ametrallar a alguien, pero sin divisar a nadie. Los hombres se guarecían en cuevas y cañadas.

Cuando por fin llegaron a la base, Lord Granger recibió a cada uno con una sonrisa y un abrazo. Magnífico trabajo, muchachos. Magnífico. Salvo por las ampollas en los pies y músculos doloridos, todos estaban ilesos.

Descansaron durante días, hasta que el aburrimiento volvió a apoderarse de ellos.

La temporada de lluvias comenzó con violencia cuando un tifón barrió el norte de Filipinas. Trombas de agua azotaban las montañas, y los vendavales arrancaron los tejados de las chozas de bambú. En el momento álgido, los hombres se refugiaron en las cuevas, donde permanecieron dos días agazapados. Los senderos se convirtieron en barrizales, y muchos quedaron impracticables.

No obstante, la guerra continuaba, y a los japoneses no les quedaba más remedio que seguir transportando hombres y provisiones. A menudo sus convoyes se quedaban atascados en un fango que les llegaba hasta las rodillas. Esto hacía de ellos un blanco fácil para la guerrilla, que se desplazaba a pie, aunque con mayor lentitud. Granger mantenía a sus pelotones ocupados golpeando objetivos con ataques brutales antes de desaparecer en la espesura. Los japoneses respondían con represalias despiadadas, y los civiles sufrían las consecuencias.

A Pete le asignaron un pelotón, la unidad G, integrada por veinte hombres, entre ellos Clay y Camacho, y lo ascendieron al rango de comandante de la Fuerza de Resistencia de Luzón Occidental. Las fuerzas armadas auténticas no reconocerían oficialmente este nombramiento, pero, por otro lado, estas se habían replegado a Australia con MacArthur. Lord Granger capitaneaba su propio ejército y concedía ascensos a quien consideraba oportuno.

Tras el éxito de un asalto a un convoy, el comandante Banning y sus hombres se retiraban cuando se aproximaron a una aldea. Percibieron el olor a humo desde el sendero y no tardaron en encontrarse con una escena dantesca. Los japoneses habían atacado y arrasado la aldea. Todas las chozas estaban en llamas, y los niños corrían y gritaban por todas partes. En el centro había unos quince hombres muertos, todos con las manos atadas a la espalda. Tenían el cuerpo ensangrentado y mutilado; las cabezas cortadas se hallaban a unos metros, dispuestas en una hilera ordenada. Varias mujeres yacían allí donde las habían abatido a tiros.

Un adolescente salió disparado de la maleza hacia a ellos, entre sollozos y chillidos. Camacho lo agarró y habló con él en algún dialecto. El muchacho gemía, agitando el puño con rabia en dirección a los guerrilleros.

—Nos culpa a nosotros —tradujo Camacho—. Dice que hemos traído a los japoneses hasta aquí. —Intercambió unas palabras más con el chico, que estaba inconsolable—. Dice que los japoneses se han presentado hace unas horas y han acusado a la gente de ayudar a los americanos. Querían saber dónde se escondían los yanquis y, como ellos no lo sabían y no podían decírselo, han hecho esto. Han asesinado a sus padres. Se han llevado a su hermana y a otras jóvenes. Las violarán y matarán también.

Pete y sus hombres se habían quedado sin habla. Contemplaban boquiabiertos el resultado de la carnicería mientras escuchaban el diálogo.

—Dice que su hermano ha ido en busca de los japoneses para contarles que estáis aquí —prosiguió Camacho—. Todo es culpa vuestra, todo. Los americanos tenéis la culpa.

—Dile que luchamos contra los japoneses —le pidió Pete—, que los aborrecemos también. Estamos de parte de los filipinos.

Aunque Camacho continuó parloteando, el muchacho estaba fuera de sí. Vociferaba sin dejar de amenazar a Pete con el puño. Al final se soltó de un tirón y arrancó a correr hacia los hombres muertos. Señaló un cadáver, aullando.

—Es su padre —explicó Camacho—. Los han obligado a mirar cómo los japos los decapitaban, uno a uno, mientras amenazaban con matarlos a todos si no les daban la información que querían.

El chico se alejó corriendo hasta desaparecer entre la vegetación. Los niños se aferraban al cadáver de sus madres. Las chozas seguían ardiendo. Los guerrilleros deseaban ayudar de alguna manera, pero la situación era demasiado peligrosa.

—Larguémonos —dijo Pete.

Se marcharon a paso veloz, chapoteando por el barro. Caminaron hasta el anochecer, cuando se desató una lluvia torrencial, y montaron el campamento bajo cobertizos y lonas con goteras. Como no amainaba, durmieron poco.

Pete tuvo pesadillas sobre la macabra escena.

Cuando llegaron a la base, se presentó ante Lord Granger y le describió el ataque contra la aldea. Aunque Granger se resistió a dar muestras de emoción, sabía que el comandante Banning tenía los nervios deshechos. Le ordenó que descansara unos días.

Esa noche, junto al fuego, Pete y Clay relataron lo sucedido a los otros estadounidenses. Estos, que habían vivido sus propias experiencias, se habían insensibilizado a esa clase de historias. La capacidad del enemigo para la brutalidad se había revelado ilimitada, lo que motivaba a las guerrillas a luchar con más fuerza.

33

Durante la ausencia de Pete, el algodón creció de todos modos, y a mediados de septiembre se inició la cosecha. El tiempo colaboró, los precios se mantuvieron firmes en la lonja de Memphis, los peones trabajaban de sol a sol, y Buford consiguió que se quedaran suficientes temporeros en la hacienda. La recogida confirió un grado de normalidad a un territorio y unas gentes que vivían bajo los nubarrones de la guerra. Todos conocían a algún soldado que aguardaba a que lo enviaran al frente o que ya estaba allí. Pete Banning fue la primera víctima mortal del condado de Ford, pero después de él otros muchachos murieron, resultaron heridos o desaparecieron en combate.

El cuarto mes de viudedad, Liza logró establecer algo similar a una rutina. Cuando los chicos se iban al colegio, se tomaba el café con Nineva, que poco a poco se convirtió en su faro y su pilar. Liza se entretenía trabajando en la huerta con Amos y Jupe, se reunía todas las mañanas con Buford para hablar de las cosechas e intentaba evitar la ciudad. No tardó en hartarse de los interrogatorios interminables sobre su estado de ánimo, sobre cómo lidiaba con la situación, sobre cómo lo llevaban los chicos. Cuando se la encontraban por la calle, se veía forzada a soportar abrazos y lágrimas por parte de personas a las que apenas conocía. Por el bien de sus hijos, obligaba a la familia a ir a la iglesia, pero los tres acabaron por cobrarle aversión al ritual dominical. Empezaron por saltarse algunos oficios para ahorrarse las incesantes condolencias, y en lugar de eso iban a pie a la casita de Florry para almorzar en el patio. A nadie le parecía censurable que hicieran novillos.

Casi todas las mañanas entre semana, Dexter Bell llegaba en coche para visitar a Liza. Tomaban café, celebraban un breve oficio y rezaban. Sentados en el estudio de Pete con la puerta cerrada, hablaban en voz baja. Nineva, como siempre, rondaba por ahí.

Pete se había marchado hacía casi un año, y Liza sabía que no volvería a casa. De haber estado vivo, habría encontrado la manera de hacerle llegar una carta o un mensaje, pero los días y las semanas se sucedían sin que ella recibiera noticias de él, así que acabó por aceptar la insoportable realidad. Lejos de confesárselo a nadie, siguió adelante con su sombría existencia como si aún se aferrara a la esperanza. Era importante para Joel y Stella, para Nineva y Amos, y para todos los demás, pero a solas en su habitación oscura, se pasaba horas llorando.

Joel tenía dieciséis años, cursaba el último año de bachillerato y estaba planteándose alistarse. Pronto cumpliría los diecisiete y, después de graduarse, podría enrolarse en el ejército si contaba con el consentimiento de su madre. Ella le aseguraba que no se lo daría, y esas conversaciones la alteraban. Había perdido a su esposo y no estaba dispuesta a perder a su hijo también. Stella reñía con Joel para quitarle esas tonterías de la cabeza, hasta que él, a regañadientes, abandonó la idea de ser soldado. Su futuro estaba en la universidad.

A principios de octubre, cesaron las lluvias y el cielo se despejó. El terreno empapado engendró una nueva oleada de mosquitos, y la malaria se cebó con los guerrilleros. Aquejó a casi todos en mayor o menor medida, a muchos por tercera o cuarta vez, y convivir con ella se convirtió en algo normal. Llevaban frascos de quinina y cuidaban de los camaradas más enfermos.

Cuando los caminos volvieron a ser transitables, los convoyes japoneses empezaron a circular con mayor frecuencia, pero los guerrilleros a menudo estaban demasiado débiles para atacar. Pete había engordado un poco —aunque suponía que aún le faltaban más de veinte kilos para recuperar su peso de combate ideal— cuando lo acometieron fiebres y escalofríos que lo dejaron postrado una semana. Durante un momento de remisión, envuelto en una sábana y en estado de semilucidez, cayó en la cuenta de que era 4 de octubre y hacía justo un año que se había marchado de casa. No cabía duda de que había sido el año más memorable de su vida.

Dormía cuando un corredor lo despertó y le comunicó la orden de presentarse ante Lord Granger. Clay y él salieron tambaleándose de su choza y se dirigieron a la oficina del general. La red de inteligencia había informado de que un convoy grande de camiones cisterna avanzaba tierra adentro desde un puerto. Al cabo de una hora, la unidad G descendía por la vertiente de la montaña en la oscuridad. Acampó con la unidad D de DuBose, y después cuarenta guerrilleros se pusieron en marcha, casi todos debilitados por la malaria pero entusiasmados por tener una misión. Ni las lluvias ni los mosquitos habían parado la guerra.

Los ingenieros del ejército imperial habían excavado una nueva carretera de abastecimiento sobre la que Granger había oído rumores. Fue DuBose quien la descubrió y, junto con Pete y sus hombres, hizo una excursión por la zona en busca de un lugar donde tender una emboscada. No lo encontraron, de modo que empezaron a desandar el camino cuando cuatro cazas Zero aparecieron de golpe, volando a la altura de las copas de los árboles. Los comandantes Banning y DuBose ordenaron a sus hombres que se retiraran a una ladera y se ocultaran en la maleza para esperar. Al punto llegó una unidad de reconocimiento, dos secciones de japoneses a pie. Empuñaban machetes con los que se abrían paso a través de la vegetación a un lado de la carretera, buscando guerrilleros. Se trataba de una táctica nueva que ponía de relieve la importancia del convoy.

Pronto se oyó el sonido de camiones, de un gran número de ellos. Los primeros tres eran vehículos descubiertos repletos de soldados listos para entrar en acción. Detrás avanzaban seis camiones cisterna cargados hasta los topes de gasolina y gasóleo. La retaguardia se hallaba protegida por otros tres vehículos de transporte de tropas.

El plan consistía en atacar con granadas de mano para provocar una bola de fuego gigantesca, pero los guerrilleros no estaban lo bastante cerca. Aunque el objetivo resultaba tentador, el comandante Banning tomó la prudente decisión de retroceder. Hizo señas a DuBose, que se encontraba a unos cien metros de distancia. Este se mostró de acuerdo, y la guerrilla se alejó aún más selva adentro. El convoy continuó su lento avance y no tardó en desaparecer.

El desánimo imperó durante la caminata de vuelta a la base.

Los cielos despejados no solo llevaron consigo enjambres de mosquitos, sino también de cazas Zero y de aviones de reconocimiento. Granger temía que los japoneses conocieran su posición y estuvieran cercándolos, aunque seguía sosteniendo que era poco probable que atacaran por tierra. El enemigo había mostrado escaso interés en subir a la parte alta de la montaña para entablar un combate prolongado en terreno inhóspito. Lo que preocupaba a Granger, sin embargo, era la amenaza aérea. Consultaba a diario a sus comandantes sobre la posibilidad de trasladar la base, pero ellos no eran partidarios de hacerlo. Estaban bien camuflados. Las provisiones y el armamento se encontraban a salvo en las cuevas. Trasladar la base requeriría desplegar una actividad excesiva que podía detectarse desde el aire. Estaban en casa y se sentían capaces de defender lo que hiciera falta.

Un informador había transmitido la noticia de que los japoneses habían puesto un precio de cincuenta mil dólares a la cabeza de Lord Granger, quien, como era de esperar, lo consideró un honor. Se ofrecían recompensas de hasta cinco mil dólares por la captura de cualquier oficial estadounidense involucrado en la resistencia.

Una tarde, mientras jugaban una partida de cribbage y tomaban una taza de té, Granger entregó a Pete una cajita de metal verde, del tamaño de un ladrillo, pero mucho más ligera. En
un extremo tenía un botón y un interruptor.

—Es lo que se conoce como «bomba Lewes» —explicó
Granger—. Es un nuevo juguete fabricado por un artificiero
de Manila. Lleva dentro medio kilo de explosivo plástico, cien
gramos de termita, un poco de gasóleo y un detonador. La
parte de atrás está imantada. Lo pegas al costado de un avión,
cerca del depósito de combustible, haces girar el botón, enciendes el interruptor, echas a correr como alma que lleva el
diablo y, unos minutos después, a disfrutar de los fuegos artificiales.

Pete admiró el artilugio unos instantes antes de dejarlo encima de la mesa.

—Qué ingenioso.

—La ideó un británico llamado Jock Lewes, miembro de
un comando del norte de África. Nuestros muchachos han
destrozado flotas enteras de aviones italianos y alemanes allí.
Una idea condenadamente buena, en mi opinión.

—¿Así pues...?

—Así pues, en el fuerte Stotsenburg, los nipones tienen cien
cazas Zero, esos cacharros de mierda que nos hacen la vida
imposible. Estoy contemplando la posibilidad de una incursión. Tengo entendido que conoces bien el lugar.

—Muy bien. Era la sede del Vigésimo Sexto Regimiento de
Caballería. Pasé un tiempo allí antes del inicio de las hostilidades.

—¿Es factible, comandante? Los nipones ni siquiera lo verán venir. Pero será endiabladamente peligroso.

—¿Es una orden?

—Aún no. Piénselo. Su unidad y la de DuBose suman cuarenta hombres. Contarían con cuarenta más de una base situada
por encima de Stotsenburg. Las bombas Lewes se enviarían de

Manila a un puesto cercano al fuerte. Desde allí hay una caminata agotadora de tres días. Estoy pensando en que vaya usted preparado para la incursión y eche un vistazo. La seguridad es extrema; hay nipones por todas partes sobre el terreno. Si llega usted a la conclusión de que es imposible, se retira y vuelve sin exponerse a mayor peligro.

—Me gusta el plan —aseguró Pete sin dejar de contemplar la bomba Lewes.

—Disponemos de mapas, incluso de un plano del fuerte. Tenemos una buena red de inteligencia sobre el terreno. Estará usted al mando; la operación es toda suya. Y seguramente no regresarán.

—¿Cuándo partimos?

—¿Está usted en forma? ¿Se le ha pasado la tiritera?

—Todos tenemos fiebre, pero me estoy recuperando.

—¿Seguro? No es una orden; puede rehusar. Como sabe, nunca obligo a nadie a embarcarse en misiones suicidas.

—Regresaremos, se lo prometo. Además, me aburro.

—Estupendo, comandante. Estupendo.

Salieron al anochecer, con media hora de ventaja sobre Du-Bose y la unidad D. Caminaron durante diez horas y, al alba, se detuvieron por encima de una aldea. Descansaron durante el día y avistaron varias patrullas de japoneses que recorrían la zona. Cuando oscureció, siguieron adelante. Las montañas cedieron el paso a colinas, y la vegetación se volvió menos densa. Al amanecer del tercer día, coronaron una pendiente y divisaron el fuerte Stotsenburg, que se extendía ante ellos, a algo más de un kilómetro, en el centro de una amplia llanura.

Desde su posición, Pete asimiló las enormes dimensiones de su antiguo fuerte. Antes de la guerra, no solo había albergado al Vigésimo Sexto Regimiento de Caballería, sino cuatro regimientos de artillería, dos estadounidenses y dos filipinos, además del Duodécimo Regimiento de Intendencia. Las filas de barracones alojaban a ocho mil soldados. Se alcanzaban a ver los majestuosos postes de la entrada principal. Entre dos largas pistas de aterrizaje, se alineaban decenas de edificios que antes utilizaban los buenos y para entonces eran un hervidero de enemigos. Detrás se encontraba la extensa plaza de armas donde Pete había jugado al polo, pero no era momento para la nostalgia. Aparcados en filas ordenadas a lo largo de las pistas había más aviones Zero de los que podía contar, junto con unos veinte cazas biplazas que los Aliados llamaban Nicks. No había muralla en torno al fuerte, ni cerca ni barreras de alambre de espino. Solo miles de japos que iban y venían, ocupándose de sus asuntos. Las tropas se ejercitaban en la plaza de armas mientras varios Zero despegaban y aterrizaban.

Los corredores los guiaron hasta un puesto de avanzada donde se reunieron con un pelotón dirigido por el capitán Miller, un soldado raso de rostro aniñado, natural de Minnesota. Su pelotón estaba formado por diez hombres, todos ellos filipinos que conocían bien la zona. Miller aguardaba otro pelotón que debería haber llegado el día anterior. En el puesto, los hombres se pusieron a esperar y a estudiar los mapas. A medianoche, cuando reinaba el silencio en el fuerte, Pete, DuBose y Miller se acercaron con sigilo y estuvieron reconociendo el terreno hasta el amanecer. Regresaron al puesto agotados, pero con un plan.

El envío de bombas Lewes no llegó cuando estaba previsto, así que aguardaron noticias de Manila durante dos días. También esperaron a la otra guerrilla que había prometido Granger, pero no apareció. A Pete le preocupaba que los hubieran capturado y que la misión entera estuviera en peligro. En total tenía a su disposición a cincuenta y cinco hombres para causar daños al enemigo. Al tercer día, la comida empezaba a escasear en el puesto, y los hombres estaban cada vez más irritables. El comandante Banning los reprendía y mantenía la disciplina.

Las bombas de Lewes por fin llegaron a lomos de tres mulas conducidas por unos adolescentes delgaduchos que difícilmente despertarían sospechas. Pete se quedó maravillado una vez más por el alcance de la red de Granger.

El fuerte se hallaba a las afueras de la ciudad de Ángeles, una urbe en expansión de cien mil habitantes, con suficientes bares y burdeles para mantener entretenidos a los oficiales japoneses. La operación comenzó a la una de la madrugada con el robo de un coche cuando dos capitanes borrachos salieron de un club nocturno dando traspiés y se encaminaron hacia su sedán para regresar al fuerte. Tres guerrilleros filipinos disfrazados de campesinos locales les rebanaron el cuello en un callejón, los despojaron de sus uniformes y se cambiaron la ropa con ellos. Efectuaron tres disparos a modo de señal y, diez minutos después, los centinelas les dejaron pasar en el coche por la puerta principal del fuerte Stotsenburg. Una vez dentro, aparcaron delante de la residencia del comandante y desaparecieron en la oscuridad. Tres bombas Lewes quedaron adheridas a los bajos del automóvil. La explosión hendió el silencio de la noche. Los guerrilleros que se hallaban escondidos detrás del gimnasio comenzaron a disparar al aire, y cundió el pánico entre los guardias.

Por la noche, los centinelas vigilaban con celo los aviones. Al oír la detonación y la orgía de disparos, rompieron filas y arrancaron a correr en dirección al alboroto. El comandante Banning irrumpió con sus hombres desde el norte, DuBose desde el este y Miller desde el oeste. Tras abatir a tiros a todos los centinelas que había a la vista, se apresuraron a fijar las bombas Lewes a la panza de ochenta de los odiados cazas Zero. A oscuras las valiosas y pequeñas bombas no resultaban visibles.

Durante la retirada, Don Bowmore, un camorrista de Filadelfia, fue alcanzado por una bala en la cabeza. Pete, que se encontraba cerca, dejó caer de inmediato al centinela que sujetaba y corrió en auxilio de su amigo. Camacho lo ayudó a arrastrarlo a lo largo de unos cien metros hasta un lugar resguardado, pero Bowmore había muerto al instante. Cuando se hizo patente que ni respiraba ni podía hablar, Pete decidió abandonar el cadáver. Las leyes de la selva no contemplaban la recuperación de cuerpos. La velocidad era un elemento clave de la guerra de guerrillas. Pete recogió el fusil de Bowmore y se lo pasó a Camacho. Desenfundó el Colt 45, un revólver que utilizaría durante el resto de la guerra y se llevaría consigo a Mississippi.

En cuestión de minutos, los guerrilleros se refugiaron en las sombras mientras se encendían focos y sirenas y cientos de soldados japoneses correteaban de un lado a otro, despavoridos. La mayoría se aglomeró cerca del coche en llamas en espera de instrucciones. Los aturdidos oficiales bramaban órdenes contradictorias, señalando aquí y allá. El tiroteo había cesado. Los centinelas convencieron al fin a los oficiales de que habían manipulado de alguna manera los aviones. Se organizaron patrullas para registrarlos, pero entonces comenzaron los fuegos artificiales.

Cinco minutos después de la colocación de las bombas Lewes, Pete ordenó a sus hombres que se detuvieran. Se volvieron y observaron. Las explosiones no fueron estruendosas, pero sí muy vistosas y de una eficacia notable. En rápida sucesión, los cazas Zero empezaron a saltar por los aires a medida que las pequeñas bombas estallaban e inflamaban los depósitos de combustible. Cada aparato de la pulcra hilera de aviones acababa consumido por una bola de fuego. Bajo el espectacular resplandor de las llamas, los soldados retrocedían, asombrados.

Pete saboreó su obra solo un momento antes de ordenar a sus hombres que se retiraran a toda prisa. Los japoneses no tardarían en enviar pelotones en su busca, y no había tiempo que perder embobados. No estarían a salvo hasta que se adentraran en la espesura.

Las bajas habían sido sorprendentemente escasas, pero cruciales. Tres guerrilleros habían sufrido heridas leves que no les impedían huir. Además de Bowmore, un filipino había muerto a manos de un centinela, y dos habían recibido disparos y, al no poder huir, habían caído prisioneros. En cuanto los agarraron, los llevaron al calabozo, donde comenzó el tormento.

En el puesto de avanzada, un recuento reveló que había cincuenta y un supervivientes. Estaban eufóricos por la victoria y la adrenalina aún les corría por las venas, pero cuando Pete se enteró de que habían dejado atrás a dos heridos, supo que eso acarrearía problemas. Los torturarían sin piedad. Nunca resultaba prudente dar por sentado que los hombres no hablarían bajo coacción. Algunos eran capaces de soportar un dolor inhumano sin desmoronarse. Otros resistían hasta que no podían más, y entonces desvelaban información. A veces se trataba de datos falsos, a veces no.

Fuera como fuese, eran hombres muertos.

Pete ordenó a sus hombres que aligeraran las mochilas lo máximo posible y se pusieran en marcha. Tras despedirse de Miller y de sus hombres, se internó en la oscuridad a la cabeza de las unidades D y G.

El primer prisionero filipino sangraba profusamente de una herida en el pecho. El japonés la examinó y dictaminó que se moría. Tras atarlo a una mesa, le cortaron la ropa para quitársela y le aplicaron cables en los genitales. Con la primera descarga, profirió un alarido y suplicó que pararan. En la habitación contigua, el segundo filipino, también sujeto con correas a una mesa, oyó a su camarada implorar piedad.

El primero no reveló ninguna información. Cuando perdió el conocimiento, lo llevaron afuera y lo decapitaron con una espada. Recogieron su cabeza y la llevaron dentro, donde un oficial la depositó sobre el pecho del segundo. El oficial explicó una obviedad: si se negaba a hablar, pronto se llevaría sus secretos a la tumba. Le ajustaron unos cables en torno a los testículos y el pene, y, al cabo de media hora, empezó a hablar. Le quitaron del pecho la cabeza cercenada y la dejaron en un rincón. Le retiraron los cables de los genitales y dejaron que se incorporara y bebiera un poco de agua. Un médico echó una ojeada a su peroné destrozado y se marchó sin tratarlo. El prisionero les dio el nombre del general Bernard Granger y una ubicación falsa de la base en las montañas. Les dio el nombre de todos los oficiales estadounidenses a los que conocía y reveló que la incursión la había dirigido el comandante Pete Banning. No tenía idea de quién fabricaba las pequeñas bombas, pero las había enviado alguien de Manila. Que el supiera, no estaban planeando otros ataques.

El médico regresó. Tras limpiar la herida, la cubrió con una venda y dio al prisionero unas pastillas para el dolor. El interrogatorio duró toda la noche. Cuando el prisionero desconocía la respuesta a alguna pregunta, simplemente se la inventaba. Cuanto más hablaba, más amigables se mostraban los japoneses. Al amanecer le llevaron un café caliente y un panecillo, y le aseguraron que, en vista de su colaboración, le dispensarían un trato especial. Cuando terminó de comer, lo arrastraron hasta una esquina de la plaza de armas, donde el cuerpo desnudo y sin cabeza de su compañero pendía de un patíbulo por los pies. No muy lejos, seguían humeando los esqueletos carbonizados de setenta y cuatro cazas Zero.

Al prisionero lo colgaron por las manos y lo azotaron con un látigo mientras un corro de soldados reía y disfrutaba el vapuleamiento. Cuando quedó inconsciente, lo dejaron asándose al sol y comenzaron a limpiar el estropicio.

34

Cuando la noticia de la incursión en Stotsenburg llegó a Australia, la euforia se apoderó del general MacArthur. Envió de inmediato un cable al presidente Roosevelt y, fiel a su estilo, se atribuyó todo el mérito de una operación de la que no sabía nada hasta una semana después de concluida. Escribió que «mis comandos» habían ejecutado «mi elaborado plan» con intrepidez y valentía, y apenas habían sufrido bajas. Sus guerrilleros estaban efectuando ataques similares contra los japoneses por todo Luzón, y él estaba orquestando acciones de todo tipo con el fin de causar estragos tras las líneas enemigas.

La incursión humilló y enfureció a los japoneses, de modo que, cuando los hombres de las unidades D y G llegaron tambaleándose a la base, extenuados y muertos de hambre, los zumbidos de los nuevos Zero surcaban el cielo. Los japoneses, que disponían de una flota interminable, redoblaron sus esfuerzos por localizar a Granger. Aunque no lo lograron, su costumbre de ametrallar cualquier cosa que se moviera en las montañas impulsó a la guerrilla a reforzar el camuflaje y adentrarse aún más en la selva para refugiarse. Además, sus movimientos se vieron muy limitados.

Los japoneses intensificaron su patrullaje por las aldeas situadas a menor altitud y comenzaron a tratar a los lugareños con brutalidad. Los alimentos escaseaban y el resentimiento hacia los americanos aumentaba. Granger, poco dado a cruzarse de brazos, empezó a mandar pelotones para que tendieran emboscadas a las patrullas japonesas. Las carreteras y los convoyes estaban muy vigilados, por lo que atacarlos resultaba demasiado peligroso. Sus hombres, en cambio, acechaban los senderos y permanecían a la espera. Los ataques eran rápidos y desembocaban en tiroteos encarnizados que aniquilaban a las patrullas. Los soldados de a pie japoneses no eran rivales para los guerrilleros, expertos en ocultarse y excelentes francotiradores. Conforme transcurrían las semanas y las bajas se incrementaban, los japoneses fueron perdiendo interés en encontrar a Granger y acabaron por retirarse a los valles, donde custodiaban las carreteras. Ni la guerrilla ni su red de inteligencia habían descubierto un solo indicio de que se estuviera planeando un asalto a gran escala contra su base de operaciones.

Aunque Granger y su creciente ejército se encontraban a salvo en las montañas, la guerra continuaba en otros frentes. En la primavera de 1943, Japón seguía controlando el Pacífico sur y amenazaba Australia.

Al fondo de una cañada abrupta e imponente, un puente salvaba el río Zapote. A ambos lados se elevaban unos precipicios tan escarpados que resultaba imposible cruzarlos a pie. El río, aunque angosto, era profundo y rápido, por lo que los ingenieros japoneses no habían sido capaces de construir pontones adecuados para vadearlo, así que en cambio habían edificado un puente con madera de narra, un árbol robusto y abundante. Fue un proceso peligroso, decenas de esclavos filipinos perecieron durante la construcción.

Cuando Granger recibió la orden de destruirlo, envió a los comandantes Banning y DuBose a echar un vistazo con un pelotón de diez hombres. Caminaron durante dos días por terreno complicado hasta que al fin encontraron una cresta segura que les sirvió de atalaya. El puente se divisaba a lo lejos, en el fondo del valle, a al menos un kilómetro y medio de distancia. Lo observaron con prismáticos durante horas y comprobaron que los convoyes nunca paraban allí. De vez en cuando, lo atravesaba algún camión o vehículo de transporte de tropas en solitario, y avistaron varios sedanes en los que viajaban oficiales de alto rango. La importancia del puente quedaba de manifiesto por el número de soldados que lo custodiaban. A cada lado se alzaba un puesto en torno al que pululaban docenas de guardias, y encima de cada cabaña había ametralladoras instaladas. Más abajo, a ambas orillas del río, había aún más japoneses, acampados en torno a los estribos, matando el tiempo. La corriente era demasiado impetuosa y violenta para navegar.

Después del atardecer, el tránsito de convoyes disminuyó. Hacia las ocho de la noche, todo estaba mucho más tranquilo en el puente. Los japoneses, que habían descubierto que el enemigo actuaba con más eficacia por la noche, evitaban el transporte de suministros a partir de cierta hora. Algún que otro camión, presumiblemente vacío, cruzaba hacia el oeste para recoger una nueva carga.

Banning y DuBose convinieron en que sería imposible destruir el puente con explosivos. Realizar un asalto por tierra con hombres armados constituiría un suicidio. Salvo por algunos lanzagranadas, los guerrilleros no disponían de ninguna artillería.

Regresaron al campamento y dieron parte a Granger, el cual no pareció sorprenderse. Los corredores confirmaron sus observaciones. Tras un día de descanso, los comandantes se reunieron con el general bajo su toldo y, mientras tomaban el té, discutieron sus opciones, que eran muy pocas. Concibieron un plan que resultó ser la única idea con posibilidades de éxito, si bien remotas.

La mayor parte de los convoyes transportaba armamento, comida, combustible y otras provisiones procedentes de varios puertos de la costa occidental de Luzón, desde donde los distribuían por las montañas a través una red de carreteras y puentes en cuyo mantenimiento invertían mucho esfuerzo los japoneses. La primera parada para casi todos los vehículos era un extenso almacén de municiones situado a las afueras de la ciudad de Camiling. Allí, en incontables naves, el enemigo guardaba suficientes reservas para ganar la guerra. Una vez inventariados y puestos a buen recaudo, los pertrechos se repartían a todos los rincones de Luzón. Camiling ocupaba el primer lugar de la lista de deseos de todas las guerrillas, y los japoneses lo sabían. Incluso Granger había decidido que era inexpugnable.

El tráfico de camiones en Camiling y alrededores era caótico. Las carreteras no resultaban adecuadas, así que los japoneses se apresuraron a construir más. Como el populacho siempre sigue a los militares, en torno a la ciudad surgieron estaciones de servicio, cafeterías, bares, burdeles, pensiones de mala muerte y fumaderos de opio.

Lo que el comandante Banning necesitaba era un camión de carga vacío con una cubierta de lona, y había muchos aparcados, casi pegados unos a otros, delante de los bares y cafés de la carretera principal que conducía a Camiling. Camacho y Renaldo vestían sendos uniformes de oficiales del ejército imperial. Sus disfraces eran tan detallados que incluían hasta las gafas redondas con montura metálica que prácticamente todos los oficiales japoneses llevaban y todos los norteamericanos detestaban. El camión de carga que vigilaban estaba vacío, lo que significaba que se dirigía hacia el oeste en busca de más suministros. Tenía el depósito lleno.

Con unas cervezas encima, los dos conductores, ambos soldados rasos, salieron del bar y se encaminaron hacia sus vehículos. Se toparon con Camacho y Renaldo, que de pronto comenzaron a lanzarles puñetazos. Las peleas a la salida de los bares eran tan habituales —a fin de cuentas, eran militares jóvenes— que apenas llamaban la atención de los transeúntes. La riña terminó de forma brusca cuando Camacho los degolló a los dos y arrojó los cuerpos en la parte de atrás del camión, donde se ocultaba Pete. Sin ninguna piedad, este contempló cómo se desangraban mientras Camacho se sentaba al volante y arrancaba. Acamparon con las unidades G y M a las afueras de una aldea, donde repostaron cuarenta y cinco kilos de TNT y setenta y cinco litros de gasolina. Después de tirar a los dos soldados muertos por un barranco, los guerrilleros se apretujaron dentro del camión. Una hora más tarde, una vez iniciado el pronunciado descenso hacia el valle, el vehículo se detuvo y los guerrilleros se apearon. Un corredor los guio por un camino peligroso que bordeaba un precipicio sobre el Zapote.

Cuando el camión se aproximaba al puente y su puesto de guardia, Camacho y Renaldo empuñaron las armas y contuvieron la respiración. Tras horas de observación, sabían que los guardias nunca revisaban sus propios camiones. ¿Por qué habrían de hacerlo? Pasaban cientos por allí día y noche. Pete iba en la trasera, en cuclillas, con el dedo en el gatillo de la ametralladora. Los guardias, que apenas se habían fijado en el camión, le hicieron señas para que pasara.

Camacho se había ofrecido voluntario porque no tenía miedo a nada, tampoco al agua. Renaldo aseguraba ser un excelente nadador. Como comandante, Pete jamás se habría planteado encomendar a otras personas una misión tan peligrosa.

El camión paró en medio del puente. Camacho y Renaldo se despojaron de sus armas, se abrocharon unos chalecos salvavidas improvisados y se dirigieron a toda prisa hacia la parte posterior del vehículo. Pete, que se había vuelto bastante competente en el manejo de explosivos, conectó el detonador y se limitó a ordenar: «Saltad».

Los tres se zambulleron en las aguas del Zapote, negras, frías y turbulentas, y se vieron arrastrados por la corriente. En un meandro que se hallaba a poco menos de un kilómetro, DuBose aguardaba encaramado a una peña. Sus hombres estaban en el agua, atados entre sí formando una cuerda de salvamento humana, listos para pescar a sus camaradas y sacarlos del río.

La explosión fue hermosa, una sacudida violenta en medio de aquella noche de luna, por lo demás serena. Una bola de fuego envolvió el camión y un tramo de puente de quince metros hacia cada lado. Presos del pánico, los guardias se acercaron corriendo desde ambos extremos hasta que cayeron en la cuenta de que no podían hacer nada. Acto seguido, al percatarse de que el derrumbe era inminente, se retiraron para ponerse a salvo.

Pete se agitaba en la corriente, intentando orientarse. El chaleco salvavidas era lo bastante efectivo para mantenerlo a flote. Oyó gritos de los guardias y disparos, pero se sentía a salvo en las furiosas aguas. Aunque nadar era imposible, trató de estabilizarse. La fuerza del caudal lo sumergió varias veces, pero luchó por respirar. En una fracción de segundo, volvió la cabeza y atisbó el camión en llamas. Cerca del meandro, el río lo arrojó contra unas rocas que no había visto, y se le astilló la pierna izquierda. Experimentó un dolor inmediato y casi insoportable, pero logró apartarse de las rocas. Poco después oyó voces y respondió a gritos. En la curva, la velocidad de la corriente disminuía. Las voces sonaban más cerca. Alguien lo agarró y tiró de él hasta la orilla. Camacho ya estaba allí, pero Renaldo no. Mientras transcurrían los minutos, contemplaron las llamas a lo lejos. Una segunda explosión abrió un boquete enorme en el puente, y el esqueleto en llamas del camión se precipitó en el río.

DuBose y Clay sujetaron a Pete por debajo de los brazos y echaron a andar por el sendero. Un dolor atroz le subía desde las puntas de los pies hasta la cadera. Estaba mareado a causa del traumatismo, al borde del desmayo. Tras una breve caminata, hicieron un alto y DuBose le puso una inyección de morfina. Los guerrilleros, que habían armado muchas camillas en la selva, se apresuraron a cortar dos varas de bambú a las que ataron unas mantas. Mientras trabajaban, los demás escudriñaban el río en busca de Renaldo, pero nunca apareció.

Durante dos días, el comandante Banning se retorció de dolor, pero no se quejó ni una sola vez. La morfina lo ayudaba bastante. Los corredores pusieron sobre aviso a Granger, y cuando los hombres acometieron el ascenso final hacia la base, un estudiante de medicina llegó con más morfina y con una camilla de campaña auténtica. Unos soldados descansados lo transportaron hasta el campamento, donde fue recibido como un héroe. Granger se pavoneaba de un lado a otro, abrazando a sus hombres y prometiéndoles medallas.

Un médico entablilló la pierna a Pete y le informó de que sus días de combate habían terminado por unos meses. Tenía el fémur fracturado en al menos dos puntos, y la tibia, partida en dos. Presentaba una fisura en la rótula. Había que operarlo para colocárselo todo en su sitio, pero no era posible. Le prohibieron moverse de su catre en dos semanas, y disfrutaba lo indecible pidiendo cosas a Clay.

Enseguida se aburrió, y comenzó a pasearse por el campamento en cuanto Clay encontró unas muletas. Aunque el médico le ordenó reposo, Pete hizo valer su rango y lo mandó al diablo. Todas las mañanas se plantaba bajo el toldo de Granger y se dedicaba a incordiarlo. Sin que el general le pidiera su opinión, él le daba consejos sobre todos los aspectos de la guerra de guerrillas y las operaciones. Para cerrarle el pico, Granger sacaba el tablero de cribbage. Al cabo de poco tiempo, Pete le ganaba casi a diario y le exigía que le pagara en dólares americanos. Granger no le ofrecía más que pagarés.

Transcurrían las semanas, y Pete ayudaba al general a planear un ataque tras otro. Miraba con melancolía a los guerrilleros mientras limpiaban sus armas, preparaban sus mochilas y partían en sus misiones. A Clay lo ascendieron a teniente y lo pusieron al mando de la unidad G.

Una mañana húmeda y neblinosa de principios de junio, un corredor llegó a la carrera al toldo de Granger para comunicarle que los japoneses habían caído sobre DuBose y la unidad D mientras dormían. Habían matado a tiros a los guerrilleros filipinos y habían capturado a DuBose y a dos norteamericanos antes de que pudieran suicidarse. Después de pegarles una paliza brutal, se los habían llevado.

Pete regresó cojeando a su choza, se sentó en su catre y rompió a llorar.

En el verano de 1944, las fuerzas estadounidenses se hallaban a menos de quinientos kilómetros de Filipinas, lo bastante cerca para atacar a los japoneses con bombarderos B-29. Aeronaves de combate con base en portaaviones americanos arrasaban las bases aéreas japonesas.

Los guerrilleros escrutaban el cielo con satisfacción sombría. La invasión estadounidense era inminente, y MacArthur exigía cada vez más información a las redes de inteligencia de la selva. Los japoneses estaban reuniendo tropas y construyendo plazas fuertes a lo largo de la costa occidental de Luzón, y la situación, al menos para las guerrillas, era más peligrosa que nunca. No solo se esperaba que continuaran con sus asaltos y emboscadas, sino también que estudiaran los movimientos de las tropas enemigas y sus puntos fuertes.

Granger había conseguido al fin una radio que funcionaba y establecía contactos esporádicos con el cuartel general americano. Le ordenaban con insistencia que localizara al enemigo y presentara un parte diario. La información que proporcionaba la Fuerza de Resistencia de Luzón Occidental se volvió crucial para la invasión estadounidense. Granger se vio obligado a dividir a sus hombres en grupos aún más pequeños y enviarlos cada vez más lejos.

La unidad G de Pete quedó reducida a Clay, Camacho, tres filipinos más, tres corredores y él mismo. Su pierna había sanado lo suficiente para andar, pero cada paso le resultaba doloroso. En el campamento, iba de un lado a otro cojeando con un bastón, pero por los senderos apretaba los dientes y, apoyándose en una vara ligera y con la ayuda de sus menguantes reservas de morfina, lideraba a sus hombres. Iban aún menos cargados, se desplazaban aún más rápido y mantenían informado a Granger por medio de los corredores. Patrullaban durante días y a menudo se quedaban sin víveres y sin munición suficiente.

Los japoneses estaban fortificando Luzón con divisiones

de infantería, que pululaban por todas partes. Evitaban las emboscadas, porque los disparos atraían a fuerzas enemigas a las que no podían vencer.

El 20 de octubre de 1944, el Sexto Ejército de Estados Unidos desembarcó en la costa de Leyte, al este de Luzón. Con el apoyo de bombardeos navales y aéreos, las fuerzas norteamericanas y australianas aplastaron a los nipones y se dirigieron hacia el oeste. El 9 de enero de 1945, el Sexto Ejército llegó a Luzón, derrotó a los japoneses de forma arrolladora y avanzó rápidamente tierra adentro. Granger volvió a cambiar de táctica y acrecentó los pelotones. Una vez más, les dio rienda suelta para que tendieran emboscadas a los japos en retirada y atacaran los convoyes.

El 16 de enero, tras una incursión contra un pequeño almacén de municiones que había salido bien, Pete y la unidad G tropezaron con un batallón japonés entero. De inmediato empezaron a lloverles disparos desde tres direcciones sin apenas un resquicio por donde huir. Los japos estaban tan agotados como ellos, pero los superaban en número y armamento. Pete ordenó a sus hombres que se pusieran a cubierto tras unas peñas, y desde allí lucharon por sus vidas. Dos de los filipinos de su unidad fueron alcanzados. El enemigo comenzó a disparar morteros. Una granada de mano cayó cerca de Camacho y lo mató al instante. Detrás de Pete cayó un obús, y la metralla penetró en su pierna derecha, la sana. Se vino abajo, gritando, y el fusil se le resbaló de las manos. Clay lo agarró, se lo cargó sobre los hombros y desapareció entre la vegetación. Los demás los cubrieron durante un rato, antes de abandonar la lucha y retroceder. Solo había un sendero y nadie sabía adónde conducía, pero lo siguieron a trompicones. Resultaba evidente que los japoneses estaban demasiado cansados para perseguirlos, y el tiroteo cesó.

Clay pronto acabó empapado en la sangre que manaba de la pierna de Pete, pero no se detuvo. Llegaron a un arroyo, lo cruzaron con cautela y finalmente se desplomaron en un matorral. Clay se quitó la camisa, la hizo jirones y cubrió las heridas a Pete apretando todo lo posible. Se fumaron unos cigarrillos mientras hacían un recuento de bajas. Habían muerto cuatro hombres, incluido Camacho. Pete ya lloraría su pérdida más tarde. Dio unos golpecitos con el dedo a su Colt 45 para recordar a Clay que no dejarían que los capturaran vivos. Clay se lo prometió. A lo largo de la tarde, los hombres se turnaron para llevar a hombros a Pete, pese a que este insistía en que lo ayudaran a caminar. Por la noche, durmieron cerca de una aldea que no habían visto nunca. Un joven lugareño señaló en una dirección y luego en la otra. Aunque se encontraban lejos de la base de Granger, el muchacho creía que había americanos cerca. Soldados de verdad, no guerrilleros.

Al amanecer, se pusieron en marcha de nuevo y no tardaron en llegar a una carretera. Esperaron ocultos entre los arbustos, vigilantes, hasta que oyeron el rumor de unos vehículos. Entonces los divisaron: unos camiones preciosos, repletos de soldados estadounidenses. Cuando Pete vio la bandera de las barras y las estrellas ondeando en la antena del todoterreno que encabezaba el convoy, le entraron ganas de llorar. Caminó sin ayuda hasta el centro de la carretera, con el uniforme desgarrado y manchado de sangre, y aguardó a que parara el todoterreno. Un coronel se apeó y se le acercó. Pete le dedicó un saludo militar.

—Teniente Pete Banning, del Vigésimo Sexto Regimiento de Caballería del Ejército de Estados Unidos —anunció—. West Point, clase de 1925.

El coronel lo miró de arriba abajo. Estudió a la cuadrilla de desharrapados que lo rodeaban. Sin afeitar, escuálidos, algunos heridos, todos equipados con un batiburrillo de armas, en su mayoría japonesas.

El coronel no llegó a saludar. En lugar de eso, dio un paso al frente y abrazó con fuerza a Pete.

Llevaron a los miembros de la unidad G que quedaban al puerto de Dasol, donde continuaba el desembarco del Sexto

Ejército. Decenas de lanchas descargaban a los soldados recién llegados en la playa mientras varios cañoneros deambulaban por la costa. El puerto estaba invadido por personal del ejército. Reinaba el caos, pero era un desorden monumental y hermoso.

Trasladaron a toda prisa a los hombres a un puesto de primeros auxilios donde les proporcionaron comida, duchas con agua caliente, jabón y navajas de afeitar. Los reconocieron unos médicos acostumbrados a tratar heridas de guerra sufridas por jóvenes sanos, no a guerrilleros de la selva plagados de enfermedades. A Pete le diagnosticaron malaria, disentería amebiana y desnutrición. Pesaba sesenta y dos kilos, aunque, a pesar de su delgadez, había conseguido recuperar algo de peso en los últimos dos años y medio. Calculaba que, cuando había salido de O'Donnell, pesaba diez kilos menos. Los médicos de un hospital adyacente lo examinaron a él y a otros tres hombres con heridas. Dictaminaron enseguida que Pete necesitaba una operación para extraerle la metralla de la pierna y le dieron prioridad. El hospital empezaba a llenarse de heridos procedentes del frente.

A Clay y a los demás les proporcionaron uniformes nuevos y bien planchados. Su talla de cintura era de setenta y un centímetros, quince menos que cuando estaba en el campo de entrenamiento. Los llevaron a una tienda de campaña con catres, les indicaron que descansaran y les entregaron un pase para la cafetería, donde comieron hasta hartarse.

Al día siguiente, Clay visitó a su comandante en una sala del hospital y respiró aliviado al enterarse de que la operación había salido bien. Los médicos podían tratar las heridas, pero carecían del instrumental necesario para colocar a Pete los huesos rotos. Eso tendría que esperar a que regresara a Estados Unidos. Pete y Clay estaban preocupados por los camaradas a los que habían dejado en la base y elevaron una oración por Camacho, Renaldo, DuBose, y los otros compañeros a los que habían perdido. Pensaron en los que seguían sufriendo en O'Donnell y los demás campos, y rezaron por que los rescataran pronto. También lograron reírse de sí mismos y de sus delirantes aventuras en la jungla.

Clay regresó al día siguiente y le comunicó que le habían ofrecido la opción de luchar con el Sexto Ejército o de ser reasignado a una base en Estados Unidos. Pete le insistió en que se marchara a casa, y Clay se sentía inclinado a aceptar. Ya habían luchado bastante.

Tres días después, Pete se despidió de sus hombres, a la mayoría de los cuales nunca volvería a ver. Clay y él se abrazaron y prometieron seguir en contacto. Lo acomodaron con cuidado en un pontón médico junto con otros diez hombres malheridos y los trasladaron hasta un gran buque hospital del ejército. Tras esperar dos días a que se llenara, zarparon con rumbo a casa. Las bonitas enfermeras que lo atendían le daban de comer cuatro veces al día y lo trataban como a un héroe. Sus torneadas piernas, su bien formado trasero y el aroma de su perfume le infundían el anhelo de estar entre los brazos de Liza.

Cuatro semanas después, el buque recaló en la bahía de San Francisco, y Pete se acordó de la última vez que había visto el Golden Gate, en noviembre de 1941, solo unos días antes del ataque a Pearl Harbor.

Lo transportaron al hospital militar de Letterman, en el Presidio. Como todos los soldados que viajaban a bordo, lo único que quería era un teléfono.

35

La noticia de que Pete Banning estaba vivo causó incluso más revuelo que la de su muerte. Nineva fue la primera en enterarse, porque estaba en la cocina cuando sonó el teléfono. Siempre reacia a cogerlo, porque lo consideraba un juguete para blancos, acabó por descolgar el auricular de todos modos.

—Residencia de los Banning —dijo.

Oyó la voz de un fantasma, la voz del señor Banning. Como la mujer se negaba a creerlo, Pete elevó la voz una o dos octavas y le pidió que fuera a buscar a su esposa y que se diera prisa.

Liza estaba delante del establo, sujetando las riendas de su caballo mientras Amos arreglaba un estribo. Ambos se sobresaltaron al oír un chillido procedente de la puerta trasera y corrieron a ver qué le ocurría a Nineva. Se encontraba en el porche, presa de un ataque de histeria.

—¡Es el señor Pete! —gritaba—. ¡Es el señor Pete! ¡Está vivo! ¡Está vivo!

Aunque a Liza no le cabía la menor duda de que la criada había perdido la cabeza, corrió hasta el teléfono de todos modos. Al oír su voz, estuvo a punto de desmayarse, pero consiguió dejarse caer en una silla de la cocina. No sin cierto esfuerzo, Pete la convenció de que, en efecto, estaba vivo y reposando cómodamente en un hospital de San Francisco. Tenía varias heridas, pero conservaba las extremidades enteras y se recuperaría. Quería que ella tomara un tren lo antes posible. Al principio Liza apenas podía articular palabra y pugnaba por no estallar en lágrimas. Cuando se recobró de la impresión, recordó que su conversación seguramente no era privada. Siempre había alguien escuchando en la línea colectiva rural. Convinieron en que ella se dirigiría a toda prisa a la ciudad con Florry y lo llamaría desde un teléfono privado. Mientras se cambiaba de ropa, mandó a Amos a buscar a Florry.

Era bien sabido que Agnes Murphy, que vivía a kilómetro y medio, escuchaba a hurtadillas todas las llamadas. Los vecinos sospechaban que no tenía nada mejor que hacer que quedarse sentada junto al teléfono y cogerlo de inmediato cada vez que sonaba. En efecto, había escuchado la llamada de Pete, boquiabierta, y acto seguido se había puesto a telefonear a sus amistades de la ciudad.

Florry llegó corriendo, y las dos mujeres subieron de un salto al Pontiac de Liza. Detestaba conducir y se le daba incluso peor que a su cuñada, pero en aquel momento le traía sin cuidado. Se dirigieron a toda velocidad hacia la ciudad, serpenteando por la carretera y salpicando grava. Ambas lloraban y balbucían a la vez.

—Dice que lo hirieron pero que se encuentra bien, que lo capturaron, pero se fugó, y que ha estado combatiendo en una guerrilla durante los últimos tres años —explicó Liza.

—¡Dios bendito! —repetía Florry una y otra vez—. ¿Qué diantres es una guerrilla?

—No tengo ni idea. Ni la más remota idea.

—Dios bendito.

Se aproximaron por la calle con el motor rugiendo, aparcaron y entraron a la carrera en casa de Shirley Armstrong, la mejor amiga de Liza. Estaba trasteando en la cocina cuando Liza y Florry irrumpieron para darle la noticia. Tras una ronda de abrazos y sollozos, Liza le pidió permiso para usar el teléfono y llamó a través de la línea privada al hospital de San Francisco. Mientras esperaba y esperaba, se enjugaba las lágrimas e intentaba recuperar la compostura. Florry, sin hacer el menor esfuerzo en ese sentido, estaba sentada en el sofá con Shirley, y ambas berreaban como bebés.

Después de conversar con Pete durante diez minutos, Liza pasó el teléfono a Florry. Salió de la casa, condujo hasta el colegio, encontró a Stella en clase, la arrastró hasta el pasillo y le comunicó la inconcebible noticia. Cuando comunicó a las autoridades del centro que se llevaba a su hija, los profesores y el director se habían congregado en torno al despacho para otra ronda de abrazos y enhorabuenas.

Entretanto Florry hacía una llamada tras otra. Llamó a la rectoría de Vanderbilt y pidió que localizaran a Joe de inmediato. Llamó a la iglesia para hablar con Dexter Bell. Llamó a la cárcel para hablar con Nix Gridley. En calidad de sheriff principal, Nix ejercía de forma no oficial como punto de contacto del condado para las noticias importantes.

Antes de que transcurriera una hora desde la llamada de Pete, todos los teléfonos de la ciudad estaban sonando.

Liza y Florry regresaron a casa e intentaron trazar un plan. Era finales de febrero, y nadie estaba trabajando en los campos. Los negros se acercaban al patio de atrás para comprobar si el rumor era cierto. Liza, de pie en el porche trasero, se lo confirmaba. Dexter y Jackie Bell fueron los primeros en llegar para compartir el momento, y pronto los siguió un desfile de coches de amistades que acudían en tropel al hogar de los Banning.

Al cabo de dos días, Florry llevó a Liza a la estación de tren, donde las recibió un comité de despedida. Tras darles las gracias y abrazarlos a todos, emprendió un viaje de tres días hasta San Francisco.

La primera operación duró ocho horas, el tiempo que necesitaron los médicos para llevar a cabo la compleja tarea de romper y recolocar casi todos los huesos de la pierna izquierda de Pete. Cuando terminaron, le aplicaron una gruesa férula de yeso desde la cadera hasta el tobillo, atravesada por clavos y varillas. Le pusieron la pierna en un ángulo doloroso y la sujetaron en alto con correas, poleas y cadenas. Le envolvieron la derecha con una gasa, lo que también le dolió mucho. Las enfermeras atiborraron al paciente de calmantes, por lo cual los dos días siguientes a la intervención rara vez estaba despierto.

Lo que supuso una bendición para él. Durante el mes que había pasado a bordo del buque hospital, lo asaltaban pesadillas y recuerdos traumáticos, de modo que apenas dormía. Los horrores de los últimos tres años lo atormentaban día y noche. Un psiquiatra se sentaba a su lado y lo animaba a hablar, pero revivir aquellas terribles experiencias solo empeoraba las cosas. La medicación no hacía más que aturdirlo. En un momento lo invadía una euforia tan extrema que le provocaba carcajadas, y al siguiente se sumía en la depresión más profunda. Dormía de forma irregular de día y a menudo gritaba por la noche.

En Letterman, las enfermeras le rebajaron la dosis de calmantes cuando se enteraron de que su esposa estaba a punto de llegar. Pete tenía que estar lo más alerta posible.

Liza siguió a una enfermera hasta la sala, donde vio dos largas filas de camas separadas por cortinas finas. Mientras caminaba, no podía evitar mirar a los pacientes, en su mayoría muchachos que hasta no hacía mucho iban al instituto. Cuando la enfermera se detuvo, Liza respiró hondo y descorrió la cortina. Con cuidado de no tocar las cadenas, las poleas ni las piernas lesionadas, se dejó caer sobre el pecho de Pete para darle un abrazo intenso que había creído imposible. Pete, en cambio, llevaba años soñando con él.

Estaba más bella que nunca. Vestida de punta en blanco, y perfumada con una fragancia que él nunca había olvidado, lo besó mientras susurraban, lloraban y reían, y el tiempo se detenía por completo. Él le manoseó el trasero delante de los otros pacientes, pero a ella no le importó. La estrechó contra su pecho, y todo iba bien en el mundo.

Charlaron durante largo rato en la voz más baja posible. Ella le habló de Joel, Stella, Florry, la hacienda, sus amigos, todos los cotilleos del condado. Llevaba casi todo el peso de la conversación porque él no tenía ningunas ganas de describir aquello por lo que había pasado. Cuando llegaron los médicos para visitarlo, proporcionaron a Liza un resumen rápido del estado del paciente y lo que cabía esperar. Preveían varias operaciones más y una convalecencia larga, pero con el tiempo quedaría como nuevo.

Un camillero le llevó una silla cómoda con una almohada y una manta, y ella se instaló. Consiguió un montón de libros y revistas, y se dedicó a leer, y, sobre todo, a hablar. Solo se apartó de su lado después del anochecer, para regresar a su hotel.

Liza no tardó en aprenderse los nombres de los otros pacientes y comenzó a flirtear descaradamente con ellos. Se animaban cuando ella andaba por allí, encantados de que una mujer tan alegre y hermosa los colmara de atenciones. Prácticamente se hizo dueña de la sala. Escribía cartas a sus novias y llamaba a sus madres, siempre para transmitirles noticias positivas y optimistas, al margen de la gravedad de las heridas. Les leía las cartas que les enviaban de casa, a menudo conteniendo las lágrimas. Les llevaba bombones y caramelos, siempre que encontraba dónde comprarlos.

Pete era uno de los más afortunados. No había quedado paralítico ni desfigurado, y conservaba enteras las extremidades. Algunos de los chicos se encontraban en un estado lastimoso, y Liza los mimaba aún más que al resto. Pete estaba más que complacido de compartir a su esposa, y lo maravillaba su capacidad para levantar los ánimos en una sala de hospital.

Ella permaneció allí dos semanas, y solo se marchó porque Stella estaba sola en casa con Florry y Nineva. En su ausencia, la tristeza volvió a apoderarse de la sala. Todos los días, los pacientes preguntaban a Pete desde sus camas cuándo volvería Liza.

Regresó a mediados de marzo, y llevaba a la familia consigo. Joel y Stella, que tenían vacaciones de primavera, estaban ansiosos por ver a su padre. Durante tres días, acamparon alrededor de su cama y en general pusieron la sala patas arriba. Cuando se fueron, Pete durmió dos días seguidos, con la ayuda de unos sedantes.

El 4 de mayo, lo llevaron en ambulancia a la estación de ferrocarril y lo subieron a un furgón médico militar que atravesaría el país. Hizo varias paradas en las que descargaban a algunos pacientes para transportarlos a hospitales más cercanos a sus hogares. El 10 de mayo, llegó a Jackson, Mississippi, donde lo esperaban Liza, Stella y Florry. Siguieron a la ambulancia a través de la ciudad hasta el hospital general Foster, donde Pete se pasó los tres meses siguientes en convalecencia.

TERCERA PARTE

La traición

36

Dos semanas más tarde de la ejecución de Pete Banning, se validó su testamento en el tribunal de equidad del condado de Ford. John Wilbanks lo había redactado no mucho después del juicio. Era un texto sencillo que depositaba el grueso de los activos de Pete en un fideicomiso para Liza, y en el que Wilbanks constaba como administrador o fiduciario. La posesión más preciada de Pete era su finca, cuya propiedad ya se había repartido a partes iguales entre Joel y Stella, e incluía su bonita casa. Pete había insistido en añadir la condición de que permitieran a Liza residir en la casa durante el resto de su vida, siempre que no contrajera segundas nupcias y siempre que saliera de Whitfield algún día. John le había advertido de que una cláusula así podía resultar difícil de ejecutar si los hijos, en calidad de propietarios, quisieran por alguna razón impedir que su madre viviera allí. El testamento presentaba otros problemas que el abogado había señalado con detenimiento y el cliente había rechazado con obstinación.

En el momento de su muerte, Pete era propietario del equipo agrícola, vehículos y cuentas bancarias, que habían dejado de estar a nombre de Liza tras su internamiento. Hasta entonces, habían sido cuentas conjuntas, pero Pete no quería que ella tuviera acceso al dinero. En su cuenta corriente personal tenía mil ochocientos dólares. En la de la finca, cinco mil trescientos. Además, guardaba siete mil cien en una de ahorro. Una semana antes de que lo ejecutasen, transfirió dos mil doscientos dólares a la cuenta de Florry para cubrir los gastos de la universidad de Joel y Stella. Entregó también a su hermana una pequeña caja fuerte de metal que contenía poco más de seis mil dólares en efectivo y monedas de oro, un dinero cuyo origen jamás podrían rastrear. No tenía préstamos ni deudas, salvo por los gastos corrientes generados por el normal funcionamiento de la hacienda.

Ordenó a John Wilbanks que validara la herencia lo antes posible y presentara la declaración de la renta. Nombró albacea a Florry, le dejó instrucciones por escrito para que pagara al bufete de Wilbanks la suma que se le debiera y le dio una lista de otros asuntos de los que debía ocuparse.

En 1947, las buenas tierras de labranza en el condado de Ford valían unos cuarenta dólares la hectárea. A grandes rasgos, Pete legó a sus hijos un patrimonio de unos cien mil dólares, casa incluida. A su esposa le dejó cerca de una cuarta parte de esa cantidad, depositada en un fideicomiso que, como John Wilbanks señalaba una y otra vez, se prestaba a problemas si Liza decidía impugnar el testamento.

Pete albergaba la certeza de que no lo haría.

Al abrir el proceso sucesorio, Wilbanks cumplió con el requisito legal de publicar un anuncio en el periódico del condado durante tres semanas consecutivas para avisar a los posibles acreedores de que todas las reclamaciones contra la herencia debían presentarse en un plazo de noventa días. No ofrecía más información sobre la sucesión, pues no era obligatorio.

Mientras tanto, en Rome, Georgia, Errol McLeish recibía por correo su ejemplar semanal de *The Ford County Times*. Lo escudriñaba cada semana para estar al día de las noticias, pendiente de que apareciera el aviso a los acreedores.

Poco después del entierro, Joel y Stella abandonaron la casita rosa. Había sido un hogar agradable al que volver de la universidad, con comida caliente en la cocina, una chimenea encendida en invierno, música en el tocadiscos y Florry, con todas sus excentricidades y sus animales, pero con una presencia tan arrolladora que las paredes se les habían venido encima enseguida.

Se acomodaron en sus antiguas habitaciones y emprendieron la tarea imposible de intentar insuflar un poco de vida a la casa. Abrieron puertas y ventanas para que circulara un poco de aire fresco; era verano, y el calor y la humedad resultaban sofocantes. El teléfono sonaba a todas horas, pues una legión de amistades y extraños llamaba para dirigirles palabras amables, preguntas ridículas o peticiones impertinentes. Acabaron por no cogerlo. Habían recibido un aluvión de cartas, que abrieron y leyeron. Casi todas eran de veteranos de guerra que decían cosas agradables de Pete, aunque pocos lo habían conocido en persona. Durante unos días, Joel y Stella intentaron responder a las misivas con mensajes breves, pero pronto se cansaron y comprendieron que era una labor inútil. Su padre ya no estaba. ¿De qué servía contestar a perfectos desconocidos? El correo se amontonaba en el estudio abandonado de Pete. Algunos vecinos de buen corazón de la ciudad les llevaban platos y postres, el ritual acostumbrado tras una defunción, pero cuando Joel y Stella cayeron en la cuenta de que la mayoría de las visitas acudía solo por curiosidad, dejaron de abrir la puerta.

Los periodistas iban y venían, buscando un nuevo enfoque o una declaración, pero no conseguían nada. Un reportero de una revista estuvo rondando por ahí hasta que Joel lo ahuyentó con una escopeta.

Nineva no ayudaba mucho. Desconsolada por la muerte de su jefe, no paraba de llorar. Por las mañanas se mantenía ocupada cocinando y limpiando con desgana, pero cuando llegaba el mediodía estaba demasiado agotada para trabajar. A esa hora, Stella solía enviarla a casa, aliviada por librarse de ella.

Todas las tardes, después de la cena y justo antes de que anocheciera, cuando el calor remitía, Joel y Stella caminaban por el sendero de tierra hasta el Sicomoro Viejo para dedicarle unas palabras a su padre. Tocaban su lápida, derramaban alguna lágrima, rezaban una oración y regresaban a casa, del brazo, conversando en voz baja y preguntándose qué diablos le había pasado a su familia. A medida que se sucedían los largos días, asimilaban la realidad de que nunca sabrían por qué había matado su padre a Dexter Bell, del mismo modo que no sabrían por qué había sufrido su madre una crisis mental tan devastadora.

Intentaron convencerse de que no querían saberlo, de que solo ansiaban escapar de esa pesadilla y seguir adelante con su vida, lo más lejos posible de allí.

Joel llamó por tercera vez al director de Whitfield y le pidió que los dejara ver a su madre. El hombre prometió que consultaría a sus médicos, y al día siguiente le devolvió la llamada para comunicarle que no habían autorizado la visita. Se trataba de la tercera negativa, y, como en las dos primeras, la razón alegada era que ella no estaba en condiciones de recibir a nadie. No añadieron nada, y la familia conjeturó que Liza se había enterado de la muerte de Pete y se había sumido aún más en su oscuro mundo.

Antes de morir, Pete no había dispuesto que se designara un tutor sucesor para su esposa. Joel se reunió con John Wilbanks y le insistió en que pidiera al juez que lo nombrara a él o a Stella, pero Wilbanks quería dejar pasar algún tiempo.

Esto enfureció a Joel, que amenazó con contratar a otro abogado para que los representara a él y los intereses de su madre. Bajo presión, se reveló como un letrado eficiente, de lengua rápida y razonamiento acertado. John Wilbanks quedó lo bastante impresionado para comentar a su hermano Russell que el chico podría tener futuro en la abogacía. Tras dos días de acoso constante, John cedió y cruzó la calle con Joel para reunirse con el juez Abbott Rumbold, antiguo magistrado del tribunal de equidad. Durante muchos años, el juez Rumbold había hecho todo lo que John Wilbanks le pedía, así que, al cabo de una hora, Joel había sido nombrado nuevo tutor de su madre. En cuanto obtuvo una copia certificada de la nueva orden judicial, llamó a Whitfield.

El 7 de agosto, cuatro semanas después de la muerte de su padre, Joel y Stella viajaron al sur en coche para ver a su madre por primera vez desde hacía más de un año. Florry había mostrado sentimientos encontrados respecto a acompañarlos, por lo que Joel, el nuevo hombre de la casa, le había sugerido que mejor lo dejara para la siguiente visita. Florry había acabado por aceptarlo.

Frente a la verja esperaba el mismo guardia con el que habían tenido que lidiar meses atrás con una tabla sujetapapeles, pero los trámites les parecieron menos engorrosos. Joel condujo directamente hasta el edificio cuarenta y uno y, orden judicial en mano, entró con paso decidido para entrevistarse con el doctor Hilsabeck. Había hablado con él el día anterior, y todo estaba en orden. El doctor los recibió con cierta amabilidad, para variar, y tras examinar la resolución del viejo Rumbold, juntó las manos sobre la mesa y les preguntó en qué podía ayudarles.

Stella fue la primera en responder.

—Queremos saber qué le ocurre a nuestra madre. ¿Cuál es su diagnóstico? Lleva más de un año aquí, así que seguro que puede explicarnos qué le pasa.

Hilsabeck esbozó una sonrisa tensa.

—Por supuesto. La señora Banning padece una aflicción psíquica intensa. La expresión «crisis nerviosa» no es en realidad un diagnóstico médico, pero se emplea con frecuencia para describir a pacientes como su madre. Sufre depresión, ansiedad y estrés agudo. La depresión le mina las esperanzas y la induce a pensar en el suicidio y las autolesiones. La ansiedad se manifiesta en forma de presión arterial elevada, tensión muscular, mareo y temblores. En ocasiones padece insomnio durante una semana, y a la semana siguiente duerme horas y horas. Sufre alucinaciones, ve cosas que no existen y a menudo grita por la noche, cuando tiene pesadillas. Experimenta cambios de humor extremos, aunque casi siempre tienden a lo negativo. Si tiene un buen día en el que se muestra más o menos contenta, por lo general luego atraviesa dos o tres días de negatividad. A veces cae prácticamente en un estado de catatonia. Sufre de paranoia y cree que la acechan. Esto suele desembocar en ataques de pánico en los que el miedo se apodera de ella y le cuesta respirar. Normalmente se le pasan al cabo de un par de horas. Come poco y se niega a cuidarse. No mantiene una buena higiene. No pone mucho de su parte como paciente y durante la terapia de grupo se encierra totalmente en sí misma. Aunque habíamos observado una ligera mejoría antes del asesinato de Dexter Bell, este suceso tuvo consecuencias catastróficas. Pasaron los meses y Liza volvió a mejorar, pero entonces ejecutaron a su marido y ella experimentó una regresión considerable.

—¿Eso es todo? —preguntó Stella, enjugándose los ojos.

—Lo siento.

—¿Es esquizofrénica? —quiso saber Joel.

—No lo creo. Por lo general es consciente de la realidad y no asume creencias falsas, salvo por algún que otro brote de paranoia. No oye voces en su cabeza. Cuesta determinar cómo se comportaría en un entorno social, puesto que no se le ha permitido salir de aquí. Pero no, no diagnosticaría a su madre como esquizofrénica. Padece una depresión aguda.

—Hace dieciocho meses, nuestra madre se encontraba bien —terció Stella—, o desde luego eso parecía. Ahora, por lo visto, sufre una crisis nerviosa grave. ¿Qué sucedió, doctor? ¿Cuál fue la causa?

Hilsabeck negaba con la cabeza.

—No lo sé. Pero estoy de acuerdo con usted en que fue algo traumático. Por lo que tengo entendido, Liza y la familia consiguieron superar la noticia de que su padre había desaparecido y se le daba por muerto. Su reaparición fue un acontecimiento venturoso que sin duda trajo consigo una gran alegría, no una depresión aguda. Algo ocurrió. Sin embargo, como ya he dicho, no pone mucho de su parte y se niega a revivir el pasado. Resulta bastante frustrante, la verdad, y temo que no podamos ayudarla hasta que esté dispuesta a hablar.

—En fin, ¿qué tratamiento recibe? —inquirió Joel.

—Orientación, terapia, una dieta mejor, sol. Intentamos convencerla de que salga al aire libre, pero casi siempre se niega. Creo que, si no se le dan más malas noticias, progresará de forma gradual. Es importante que les vea a ustedes.

—¿Y qué hay de la medicación? —preguntó Stella.

—En nuestro campo siempre corren rumores sobre fármacos antipsicóticos en desarrollo, pero al parecer faltan años para eso. Cuando no está dormida o demasiado afectada por la ansiedad, le administramos barbitúricos. Y, de vez en cuando, alguna pastilla para la tensión.

Se produjo una larga pausa mientras Joel y Stella asimilaban las palabras que tan desesperados estaban por escuchar desde hacía mucho tiempo. No eran palabras alentadoras, pero quizá constituían un comienzo. O el final del comienzo.

—¿Pueden curarla, doctor? —preguntó Joel—. ¿Hay alguna posibilidad de que vuelva a casa algún día?

—No estoy seguro de que su hogar sea apropiado para ella, señor Banning. Deduzco que últimamente es un lugar más bien oscuro y lúgubre.

—Sería una manera de describirlo —admitió Stella.

—No creo que su madre soporte más malas noticias.

—Nosotros tampoco —farfulló Stella.

El señor Hilsabeck se levantó de golpe.

—Vayamos a ver a Liza. Síganme, si son tan amables.

Avanzaron por un largo pasillo y se detuvieron frente a una ventana. Abajo, a lo lejos, se divisaban un bosquecillo y una serie de senderos anchos en torno a un pequeño estanque. Cerca de un bonito cenador, había una señora sentada a la sombra, en una silla de ruedas, con una enfermera al lado. Parecían charlar.

—Esa es Liza —dijo Hilsabeck—. Sabía que vendrían ustedes hoy y está ansiosa por verles. Pueden salir por esa puerta. —Señaló con la cabeza y ellos se alejaron.

Liza sonrió al verlos. Primero le tendió la mano a Stella y la atrajo hacia sí. Después hizo lo mismo con Joel. La enfermera les dedicó una sonrisa cortés y desapareció tras una esquina.

Acercaron la silla hasta un banco y se sentaron frente a ella. Joel le tomó una mano, y Stella la otra. Como se habían mentalizado para verla muy deteriorada, intentaron disimular la sorpresa ante su terrible aspecto. Estaba pálida, extremadamente delgada y demacrada, sin maquillaje, carmín, joyas ni ningún otro detalle que les recordara a la mujer hermosa y llena de vida a la que conocían y amaban. Su cabellera de color rubio rojizo empezaba a encanecer, y la tenía recogida hacia atrás en un moño. Llevaba una fina bata blanca de hospital y los pies descalzos.

—Mis niños, mis niños, mis niños —repetía una y otra vez, apretándoles las manos e intentando sonreír. Sus ojos resultaban de lo más inquietantes. Su brillo y viveza se habían esfumado, dejando paso a una mirada vacía y ausente que, al principio, ni siquiera cruzaba con las de ellos. Mantenía la vista ligeramente baja, como si observara el pecho de sus hijos.

Liza se pasó varios minutos murmurando acerca de sus niños mientras Joel y Stella le daban palmaditas suaves, pensando en algo que decirle. Al final Joel supuso que cualquier tema de conversación valdría.

—El doctor Hilsabeck dice que estás estupendamente, mamá —comentó.

Ella asintió.

—Supongo —murmuró—. Tengo días buenos. Solo quiero irme a casa.

—Y te llevaremos a casa, mamá, pero hoy no. Primero tienes que ponerte buena, comer mejor, tomar un poco el sol, hacer lo que los médicos y las enfermeras te indiquen, y entonces, muy pronto, podremos llevarte a casa.

—¿Estará allí Pete?

—Pues la verdad es que... No, papá no estará allí. Ha fallecido, mamá. Creía que te lo habían contado los médicos.

—Sí, pero no les creo.

—Pues deberías creerles, porque papá ya no está.

Stella se puso de pie despacio, dio un beso a su madre en la coronilla y se fue detrás del cenador, donde se sentó en los escalones y se tapó la cara las manos.

Gracias por nada, hermanita, dijo Joel para sus adentros. Se embarcó en un monólogo interminable acerca de nada, o al menos nada relacionado con el hecho evidente de que estaban sentados en el jardín de un manicomio con su madre, una enferma mental. Habló de Stella y su inminente regreso a Hollins para cursar el penúltimo año, y de sus planes de buscar trabajo en Nueva York. Habló de su propia decisión de matricularse en la facultad de derecho. Lo habían aceptado en Vanderbilt y en la universidad de Mississippi, pero estaba contemplando la posibilidad de tomarse un año sabático, quizá para viajar. Liza escuchaba su parloteo y, en cierto momento, alzó los ojos, como si el sonido de su voz la aliviara. Sonrió y comenzó a asentir con movimientos leves.

Él no estaba muy seguro respecto a lo del derecho, así que tal vez haría un paréntesis en los estudios. Stella y él habían pasado tiempo en Washington y habían disfrutado. Joel había hecho un amigo que tenía un restaurante allí y le había ofrecido un empleo.

Tras llorar a lágrima viva, Stella regresó y se sumó a la conversación unidireccional. Peroró sobre la época en que había trabajado como niñera en Georgetown, el curso siguiente y sus planes de futuro. De vez en cuando, Liza sonreía y cerraba los ojos, como si las voces de sus hijos surtieran un agradable efecto narcótico.

Las nubes desaparecieron, y el sol de mediodía empezó a castigarlos. Empujaron la silla de ruedas hasta una zona sombreada al pie de unos árboles. La enfermera los observaba, pero se mantenía a distancia.

—Seguid hablando —susurró Liza en un momento en que se habían quedado callados. Y así lo hicieron.

Un celador les llevó sándwiches y vasos de té helado. Tras disponer el almuerzo sobre una mesa de picnic, animaron a

Liza a comer. Ella tomó unos bocados de un sándwich, pero demostró escaso interés. Quería escuchar sus adorables voces jóvenes, así que los dos continuaron hablando, colaborando como un equipo, procurando en todo momento mantener la conversación alejada de Clanton.

Un buen rato después del almuerzo, el doctor Hilsabeck apareció y les dio a entender que la paciente necesitaba descansar un poco. Encantado con la visita, preguntó a Joel y Stella si podían volver al día siguiente para otra sesión. Por supuesto que podían.

Tras despedirse de su madre con un beso y prometerle que volverían pronto, se dirigieron en coche a Jackson, donde consiguieron habitaciones en el señorial hotel Heidelberg, del centro. Tras registrarse, salieron a dar un paseo por el capitolio del estado, pero el calor y la humedad eran excesivos. Se refugiaron en la cafetería, preguntaron al camarero dónde podían encontrar alcohol, y les indicó cómo llegar a un bar clandestino situado detrás del hotel. Una vez allí, pidieron una copa e intentaron no hablar de su madre. Estaban cansados de hablar.

37

Como carecía de licencia para practicar la abogacía en Mississippi, Errol McLeish necesitaría ayuda de un letrado local para poner en práctica sus planes, cuidadosamente trazados. En ningún momento se planteó contratar a alguien de Clanton. De cualquier modo, todos los buenos abogados del lugar eran parientes de los Wilbanks. McLeish quería contar con los servicios de un profesional con fama de agresivo que fuera conocido en el norte de Mississippi, pero que no tuviera vínculos estrechos con el condado de Ford. Tomándose su tiempo, realizó indagaciones y preguntó por ahí hasta que al fin eligió a un abogado de Tupelo llamado Burch Dunlap. Se reunió con él un mes antes de la ejecución de Pete y juntos comenzaron a trabajar en los preliminares. A Dunlap le seducía el caso por el posible revuelo periodístico que causaría y porque, al menos en su opinión, no le costaría ganarlo.

El 12 de agosto, Dunlap, en nombre de su cliente Jackie Bell, interpuso una demanda por homicidio doloso contra la sucesión de Pete Banning. El texto de la demanda exponía los hechos tal y como casi todo el mundo los conocía, y reclamaba una indemnización de medio millón de dólares por daños y perjuicios. En un giro inesperado, la presentó en el tribunal federal de Oxford, en lugar de en el tribunal del estado en Clanton. Jackie Bell alegaba que había trasladado su residencia a Georgia, lo que le daba derecho a buscar desagravio en el tribunal federal, donde el jurado estaría formado por personas de treinta condados distintos, y la simpatía hacia un asesino condenado sería más bien escasa.

Puesto que Florry era la albacea de la herencia, correspondía notificarle la demanda a ella. Se encontraba en el patio trasero, cuidando de sus pájaros, cuando Roy Lester apareció de la nada con expresión de profunda preocupación.

—Malas noticias, Florry —dijo, al tiempo que se levantaba el sombrero. Le entregó un sobre grueso y añadió—: Más problemas legales, por lo visto.

—¿De qué se trata? —preguntó ella, convencida de que tanto él como Nix y seguramente todo el mundo en la cárcel ya habían leído lo que contenía el sobre.

—Una demanda presentada por Jackie Bell ante el tribunal federal.

—Muy amable, gracias.

—¿Puedes firmar aquí? —le pidió él, tendiéndole un papel y una pluma.

—¿Qué es?

—Una confirmación de que se te ha hecho entrega de la demanda.

Florry firmó, le dio las gracias y entró en casa con los papeles. Al cabo de una hora, irrumpió en la oficina de John Wilbanks y subió las escaleras en tromba. Le arrojó el escrito de demanda al abogado y se derrumbó en el sofá, deshecha en llanto. John se encendió un puro mientras leía con calma las tres páginas.

—Tampoco es una gran sorpresa —declaró al tiempo que se sentaba en una silla, frente al sofá—. Creo recordar que ya habíamos hablado de esta posibilidad.

—¿Medio millón de dólares?

—Una exageración típica de la profesión. Los abogados solemos pedir mucho más de lo que esperamos recibir.

—Pero podrás encargarte de esto, ¿verdad, John? ¿No hay nada de qué preocuparse?

—Oh, ya lo creo que puedo encargarme de ello, en el sentido de asumir la defensa, pero hay mucho de qué preocuparse,

Florry. Para empezar, están los hechos, que han quedado acreditados. En segundo lugar, Burch Dunlap es un buen abogado que sabe lo que se hace. Interponer la demanda ante un tribunal federal ha sido una jugada brillante y, para serte sincero, no me la esperaba.

—¿Me estás diciendo que veías venir el pleito?

—Florry, hablamos de esto hace meses. El marido de Jackie Bell murió asesinado, y el asesino era un hombre con propiedades, algo muy poco frecuente.

—Pues para serte sincera, John, no recuerdo esa conversación. Me he pasado el último año con los nervios destrozados, y mi pobre cerebro no puede asimilar mucho más. ¿Qué se supone que debemos hacer ahora?

—Tú, nada. Yo me ocuparé de la defensa. Y esperaremos el próximo embate.

—¿Habrá más?

—No me extrañaría.

Esperaron dos días. Burch Dunlap interpuso su segunda demanda ante el tribunal de equidad del condado de Ford, y Joel y Stella Banning figuraban como demandados. Errol McLeish, que suponía que los dos se marcharían para continuar con sus estudios, decidió hacerles llegar la notificación antes de que abandonaran la ciudad. Roy Lester condujo de nuevo hasta la finca de los Banning y entregó los papeles a Joel, Stella y Florry.

Como si recibir una demanda por parte de un abogado prestigioso no fuera ya bastante inquietante, enfrentarse a dos pleitos con muy pocos argumentos de defensa resultaba terrorífico. Los tres demandados se reunieron con John y Russell Wilbanks, y, aunque la presencia de unos amigos leales que además eran buenos letrados los reconfortó, se respiraba un inconfundible ambiente de incertidumbre.

¿Existía un peligro real de que los Banning perdieran sus tierras? Las de Florry estaban a salvo, por supuesto, pero la transmisión en vida a Joel y a Stella estaba siendo impugnada por un abogado que sabía lo que se traía entre manos. Era evidente que Pete había planeado el asesinato y que, como parte del plan, había transmitido a sus hijos la titularidad de su propiedad más valiosa con la intención de evitar reclamaciones de acreedores reconocidos.

Los hermanos Wilbanks explicaron qué sucedería en los meses siguientes. Estaban de acuerdo en que Dunlap seguramente presionaría para que la demanda por homicidio doloso se dirimiera en juicio. Si ganaba —y, a decir verdad, costaba imaginar que no ganara—, llevaría el caso al tribunal de equidad del condado de Ford para intentar arrebatarles sus propiedades. En función de quién ganara y quién perdiera en cada juicio, cabía que el litigio y los recursos de apelación se alargaran durante años. El gasto en abogados podía llegar a ser sustancioso.

John Wilbanks les prometió una defensa vigorosa en todos los frentes, pero sus alardes de seguridad no resultaban del todo creíbles.

Los Banning salieron deprimidos del despacho y, dejándose llevar por un impulso, decidieron ir en coche hasta Memphis, entrar en el elegante bar del Peabody para ahogar sus penas, tomar una buena cena y pasar la noche libres de preocupaciones y lejos del condado de Ford. Más les valía gastar un poco mientras aún tuvieran dinero.

Joel iba al volante, solo en la parte delantera como un chófer, con las chicas sentadas en la de atrás. Guardaron silencio a lo largo de varios kilómetros hasta que cruzaron el límite del condado de Van Buren. Stella rompió el hielo.

—En realidad no quiero volver a Hollins. Las clases empiezan dentro de tres semanas, y no me veo entrando en un aula para intentar atender a un rollo sobre algo tan banal como Shakespeare cuando acaban de ejecutar a mi padre y mi pobre madre está en un hospital psiquiátrico. En serio, ¿cómo se supone que voy a estudiar y aprender algo en este estado?

—O sea que ¿vas a dejar la universidad? —preguntó Florry.

—No pienso dejarla, solo tomarme un descanso.

—¿Y tú, Joel?

—Pues tengo las mismas dudas. El primer año de derecho es como un campamento de reclutas, y no me siento capaz de afrontarlo. Me inclinaba por ir a Vanderbilt, pero ahora que el dinero puede convertirse en un problema, estaba planteándome Mississippi. La verdad es que no me veo sentado en un aula aguantando las palizas de un puñado de profesores de derecho viejos y gruñones.

—Qué interesante —comentó Florry—. Si no vais a estudiar ni a trabajar, ¿a qué os dedicaréis en los próximos meses? ¿Os pasaréis el día en casa, volviendo loca a Nineva? ¿O a lo mejor saldréis a echar una mano en los campos y a cosechar algodón con los negros? A Buford siempre le viene bien un poco de ayuda extra. Y si os aburrís en los campos, siempre podéis arrancar malas hierbas y recoger verduras de la huerta para que tengamos algo que llevarnos a la boca este invierno. Amos os enseñará con mucho gusto a ordeñar las vacas todos los días a las seis de la mañana. A Nineva le encantaría teneros estorbando en la cocina mientras hace la comida y prepara conservas. Y cuando os aburráis de estar en la finca, siempre podréis aventuraros a ir a la ciudad, donde toda la gente con la que os crucéis os preguntará cómo lo lleváis y fingirá estar apenada por vuestro padre. ¿Es eso lo que queréis?

Ni Joel ni Stella respondieron.

—Os contaré un plan mejor —prosiguió Florry—. Dentro de tres semanas, os largaréis de aquí porque tenéis que terminar los estudios antes de que nos quedemos sin un centavo. Vuestro padre me puso al cargo de vuestra educación, así que yo extenderé los cheques. Si no os tituláis ahora, nunca lo haréis, así que no tenéis más remedio que marcharos a la universidad. Stella, tú volverás a Hollins, y tú, Joel, irás a la facultad de derecho. Me da igual adónde, pero largaos de aquí.

Avanzaron unos kilómetros en silencio mientras los jóvenes asumían la rotundidad de la decisión.

—Bueno, pensándolo bien —dijo Stella al cabo—, Hollins no es mal sitio donde esconderme durante un tiempo.

—Si al final decido estudiar derecho —añadió Joel—, seguramente será en la universidad de Mississippi. Así podré visitar a mamá los fines de semana, y también pasarme por la oficina de Wilbanks para echar una mano con los pleitos.

—Estoy segura de que lo tiene todo bajo control —aseveró Florry—. Podemos pagar la matrícula en Vanderbilt, si es lo que quieres.

—No, cuatro años allí son suficientes. Necesito ampliar horizontes. Además, en Mississippi hay más chicas.

—¿Desde cuándo es eso tan importante?

—Desde siempre.

—Pues creo que va siendo hora de que salgas en serio con una chica. Al fin y al cabo, tienes veintiún años y una carrera universitaria.

—¿Me estás dando consejos amorosos que no te he pedido, tía Florry?

—No, en realidad, no.

—Bien. Pues puedes guardarte tu opinión.

Antes de marcharse en otoño, Joel y Stella realizaron tres viajes más a Whitfield para pasar un rato con Liza. El doctor Hilsabeck los alentaba a ello y les aseguraba que sus visitas eran de gran ayuda, aunque ellos no percibían ninguna mejoría. El aspecto físico de Liza no había cambiado. Una vez incluso se negó a salir de su pequeña y oscura habitación y apenas abrió la boca. En las otras, dejó que la pasearan por los jardines en silla de ruedas buscando una sombra en la que resguardarse del calor de agosto. Sonreía, pero solo de vez en cuando, hablaba muy poco y nunca hilaba suficientes palabras para articular una oración completa. En lugar de eso, escuchaba a sus hijos turnarse para referirle las mismas historias interminables. Con el fin de romper la monotonía, Joel le leía artículos de la revista *Time*, y Stella le leía el *Saturday Evening Post*.

Las visitas resultaban agotadoras desde el punto de vista emocional, por lo que en el trayecto de vuelta apenas conversaban. Tras cuatro viajes a Whitfield, estaban cada vez más convencidos de que su madre nunca saldría de allí.

El 3 de septiembre, a primera hora de la mañana, Joel cargó el equipaje de su hermana en el maletero del Pontiac 1939 familiar, y juntos se dirigieron a la casita rosa para un desayuno de despedida con tía Florry. Marietta los atiborró de panecillos y tortilla, y les preparó un almuerzo para el camino. Dejaron a Florry en el porche, deshecha en lágrimas, y se apresuraron a marcharse. Tras hacer un alto luctuoso en el Sicomoro Viejo para rezar ante la tumba de su padre, se dirigieron a toda velocidad a la estación de ferrocarril, donde Stella estaba a punto de perder el tren de las 9.40 a Memphis. Se abrazaron, esforzándose por no llorar, y prometieron permanecer en contacto.

Cuando el tren se hubo alejado, Joel subió al coche, dio una vuelta a la plaza, se adentró por calles laterales y pasó por delante de la iglesia metodista, antes de regresar por fin a casa. Hizo las maletas sin ayuda, se despidió de Nineva y Amos, y condujo durante una hora hasta Oxford, donde lo esperaba la facultad de derecho. A través del amigo de un amigo, se había enterado de que había un apartamento diminuto disponible cerca de la plaza, encima del garaje de una viuda, que lo alquilaba barato solo a alumnos de posgrado. La mujer le mostró el piso de tres habitaciones minúsculas, le expuso las normas, que prohibían el alcohol, las fiestas, el juego y, por supuesto, las mujeres. Le dijo que el alquiler sería de cien dólares en efectivo por cuatro meses, de septiembre a diciembre. Joel aceptó las normas, pese a que no albergaba la menor intención de cumplirlas, y le entregó el dinero. Una vez que la viuda se hubo marchado, deshizo las maletas y colocó su ropa en un armario.

Después del anochecer, caminó por North Lamar hacia el juzgado, que se alzaba a lo lejos. Encendió un cigarrillo y fumó mientras se paseaba entre antiguas casas señoriales en terrenos sombreados. Los porches estaban repletos de familias y vecinos que cotilleaban mientras aguardaban a que remitieran el calor y la humedad del día. Aunque los estudiantes habían vuelto de vacaciones, la plaza estaba muerta, ¿y cómo no iba a estarlo? No había bares, clubes, salones sociales, salas de baile, ni siquiera un solo restaurante decente. Oxford era una ciudad pequeña y árida, muy alejada de las relumbrantes luces de Nashville.

Joel se sentía muy alejado de todo.

38

La querella estaba relacionada con una colisión mortal entre un sedán en el que viajaba una familia joven y un vagón abierto cargado con varias toneladas de madera para pasta de papel. El accidente se había producido a altas horas de la noche en una carretera principal entre Tupelo y Memphis, en un paso a nivel que, por razones que nunca se conocerían, se había construido al pie de una larga cuesta, de modo que los vehículos que descendían por la noche no siempre veían los trenes hasta el último momento. A fin de evitar las colisiones, y se habían producido varias, la compañía ferroviaria había instalado luces rojas intermitentes a ambos lados, al este y al oeste, pero no gastó un centavo en barreras que pudieran bajarse para cortar el tráfico. El vagón abierto era el undécimo de un largo tren de sesenta, con dos máquinas y un furgón de cola rojo.

Los abogados que defendían a la compañía hacían hincapié en que cualquier conductor que prestara atención suficiente a la carretera sin duda vería algo tan grande como un vagón de veinticinco metros de largo con una carga de madera de cinco metros de alto. Hicieron circular fotos del vagón descubierto, al parecer convencidos de la contundencia de la prueba.

Sin embargo, no eran rivales para el honorable Burch Dunlap, abogado de la familia fallecida, una pareja y sus dos hijos pequeños. Durante los dos días que había durado el juicio, el señor Dunlap había criticado a quienes habían diseñado el paso a nivel, había puesto en evidencia el deficiente historial de seguridad de la compañía ferroviaria, había demostrado que se habían lanzado advertencias de que el cruce era peligroso, había desacreditado a otros dos conductores que afirmaban haber sido testigos del suceso y había enseñado al jurado una serie de fotografías ampliadas que mostraban con claridad la falta de mantenimiento por parte de la compañía.

El jurado le dio la razón y concedió a la familia una indemnización de sesenta mil dólares, cifra inédita para un tribunal federal del norte de Mississippi.

Agazapado en la última fila, Joel Banning presenció el juicio de principio a fin, y el malestar se apoderó de él. Burch Dunlap dominaba la sala con su presencia y había subyugado al jurado desde el primer momento. Había preparado su intervención de forma meticulosa, hablaba con desenvoltura y siempre iba dos pasos por delante de los testigos y los abogados de la defensa.

E iba a por los Banning y sus tierras.

Joel estudiaba la lista de casos de Oxford con detenimiento, de modo que había descubierto que, casualmente, estaba a punto de celebrarse el juicio relacionado con el choque ferroviario. Movido por la curiosidad, había decidido faltar a clase para verlo. Y se arrepintió de haber sido tan curioso.

Una vez emitido el veredicto, Joel pensó en llamar a Stella, pero ¿por qué fastidiarle el día? Pensó en llamar a Florry, pero su línea de teléfono no era privada. Además, ¿por qué molestarse? Aunque necesitaba hablar con alguien, durante sus primeras semanas en la facultad de derecho, había estado retraído y había tratado con pocos compañeros. Se mostraba indiferente, distante, casi descortés en ocasiones, y siempre a la defensiva, pues temía que en cualquier momento algún bocazas le preguntara por su padre. Casi alcanzaba a oír los cuchicheos a sus espaldas.

Tres meses después de la ejecución, las heridas seguían abiertas y en carne viva. Joel estaba convencido de que era el único estudiante en la historia de la universidad de Mississippi cuya familia había tenido que soportar la vergüenza de un espectáculo semejante.

El 9 de octubre, hizo novillos y fue en coche hasta un lago, donde se sentó bajo un árbol a beber bourbon de una petaca. Hacía un año que su padre había asesinado a Dexter Bell.

Joel se aplicaba en los estudios, pero las clases le parecían aburridas. Los sábados, cuando no se hablaba de otra cosa que de fútbol americano, conducía hasta Whitfield para pasar un rato con su madre, o hasta casa, para ver cómo se encontraba Florry y echar una ojeada a los cultivos. Su hogar se había convertido en un lugar vacío y espantoso donde solo podía conversar con Nineva. Ella, sin embargo, también estaba deprimida, así que se pasaba el día en la cocina con cara mustia, sin gran cosa que hacer. Qué caray, daba la impresión de que el mundo entero estaba deprimido. Casi todos los viernes por la tarde, Joel se pasaba por la oficina de John Wilbanks para discutir con él los problemas legales de la familia o bien para entregarle un escrito o memorándum que se había ventilado en la facultad. Wilbanks estaba impresionado con el joven Joel y había mencionado más de una vez que al bufete no le iría mal contar con su talento cuando terminara los estudios. Joel replicaba con cortesía que no tenía idea de dónde quería vivir y practicar la abogacía.

Clanton sería el último lugar del mundo que escogería, decía para sus adentros.

Conforme se acercaban las vacaciones de Navidad, Florry empezó a lanzar indirectas sobre otro viaje por carretera a Nueva Orleans. Sus planes, no obstante, empezaron a desmoronarse casi tan rápido como los había concebido. Joel y Stella sospechaban que era por dinero. En plena incertidumbre de la economía familiar, habían detectado algunos recortes aquí y allá. La cosecha de algodón de 1947 había sido buena, pero no espectacular, y sin Pete, la recogida había resultado poco intensa e ineficiente.

Stella llegó a casa el 21 de diciembre, y esa noche adornaron el árbol mientras sonaban villancicos en el tocadiscos. También estaban ingiriendo alcohol, algo más de lo habitual. Joel y Stella bebían bourbon, y Florry, ginebra. Marietta no bebía; estaba escondida en el sótano, convencida de que todos estaban perdiendo la cabeza y a punto de irse al infierno.

A pesar del panorama poco halagüeño, se esforzaban por alimentar el espíritu navideño con pequeños regalos, grandes comilonas y mucha música. En ningún momento salieron a relucir las dos querellas que se cernían sobre ellos y amenazaban su futuro.

El día de Navidad, subieron una vez más al Lincoln de Florry y se pusieron en marcha hacia Whitfield. Un año antes, habían viajado hasta allí solo para que les impidieran ver a Liza. Esos días habían quedado atrás, porque Pete ya no se interponía y Joel era el tutor legal de su madre. Se sentaron junto a ella en un rincón de una espaciosa sala de actividades y le entregaron unos obsequios y bombones que le habían enviado Nineva y Marietta. Liza sonreía mucho, hablaba más y parecía agradecer la atención.

En cada rincón había una familia pequeña y discreta deshaciéndose en mimos con un ser querido, un paciente de piel pálida y mejillas hundidas. Algunos eran muy ancianos y parecían medio muertos. Otros, como Liza, eran mucho más jóvenes, pero tampoco daban la impresión de estar recuperándose. ¿De verdad era ese el futuro que le esperaba a ella? ¿Estaría algún día en condiciones de volver a casa? ¿Estaban condenados a realizar esas visitas patéticas durante décadas?

Aunque el doctor Hilsabeck seguía declarándose satisfecho por sus progresos, ellos no habían percibido mejoras en los últimos cuatro meses. Ella no había engordado un gramo, y las enfermeras la llevaban a todas partes en una silla de ruedas para que no quemara calorías andando. Solía quedarse largos ratos callada. De vez en cuando, el brillo asomaba a su mirada, pero nunca persistía.

Durante el trayecto de regreso, Joel y Stella discutieron sobre si los viajes a Whitfield valían la pena.

Después de Navidad, la música cesó y llegaron las lluvias frías. La diversión se convirtió en una tarea rutinaria, e incluso la casita rosa, con sus excentricidades, se sumió en un ambiente taciturno. Stella tuvo que regresar de pronto a Hollins para terminar algún proyecto impreciso. Florry se pasaba más tiempo en su cuarto, leyendo y escuchando ópera.

Un día, para huir de aquel ambiente taciturno, Joel salió temprano por la mañana con rumbo a Oxford. Cuando la facultad de derecho abrió sus puertas, entró ilusionado para consultar sus notas del primer semestre y quedó complacido al verlas.

A finales de enero, se encontró de nuevo en un tribunal federal como representante de la familia. Un magistrado había fijado una vista preliminar, y todos los abogados estaban presentes. Se suponía que Florry debía asistir, en calidad de albacea de la herencia de Pete Banning, pero, en un gesto típico de ella, llamó para avisar de que había contraído la gripe. Por otro lado, Joel ya estaba en Oxford y podía ocuparse del asunto.

Sentado a una mesa entre John y Russell Wilbanks, observaba con nerviosismo a Burch Dunlap y a su socio, que ocupaban la otra mesa. El hecho de estar en la misma palestra que él lo aterraba.

El juez leyó la lista de todos los posibles testigos para el juicio y pidió un resumen de la declaración de cada uno. Los letrados hablaron de pruebas, listas de jurados y otros detalles habituales previos al juicio. Tras estudiar su agenda, el magistrado señaló la fecha del juicio para el 24 de febrero. Faltaba solo un mes. A continuación, preguntó si existía alguna posibilidad de cerrar el caso sin ir a juicio. Los abogados se miraron y resultó evidente que aún no habían llegado a ese punto.

Burch Dunlap se puso en pie.

—Verá, señoría —dijo—, yo siempre estoy más que dispuesto a llegar a acuerdos, siempre que las condiciones sean aceptables, por supuesto. Como bien sabe, tenemos otra querella pendiente de admisión en el tribunal de equidad del condado de Ford, por medio de la cual intentamos anular la transmisión de las tierras del acusado a sus hijos. Ocurrió tres semanas antes del asesinato. Hemos pedido una tasación del terreno. —Cogió una carpeta y la agitó ligeramente—. Vale unos cuarenta dólares por hectárea, es decir, sesenta y cinco mil en total. Tenemos la firme convicción de que este terreno forma parte del patrimonio de Pete Banning y por tanto está sujeto al pago de posibles responsabilidades civiles a favor de nuestra cliente, la señora Jackie Bell. La casa está valorada en treinta mil dólares, y hay otros bienes.

John Wilbanks se levantó, sonriendo y meneando la cabeza como si Dunlap fuera un idiota.

—Esas cifras son desmedidas, señoría, y no voy a rebajarme a debatir sobre ellas. Por otra parte, resulta prematuro hablar de un acuerdo. Esperamos ganar el litigio en el condado de Ford y proteger las tierras. Además, ¿quién sabe qué decidirá el jurado en este caso? Dejemos que el pleito siga su curso, ya discutiremos esto entonces.

—Tal vez sea demasiado tarde, señor Wilbanks —señaló el magistrado.

Oír a Burch Dunlap hablar de unas tierras compradas, despejadas y aradas por el tatarabuelo de Joel hacía que le hirviera la sangre. ¿Cómo se atrevía ese picapleitos listillo a airear el valor de bienes obtenidos con mucho esfuerzo y el dinero de otra persona como si pujara en una subasta o apostara en una partida de cartas? ¿De verdad pretendía exprimir a los Banning hasta el último centavo? ¿Y qué parte del botín acabaría en sus pringosas manos?

Los abogados intercambiaron comentarios, pero no hicieron ningún progreso. El magistrado pasó al siguiente caso de su lista. Una vez fuera del juzgado, Joel y John Wilbanks se pusieron a pasear por la plaza mientras Russell se escabullía para entrar en una cafetería.

—Por lo menos deberíamos plantearnos la posibilidad de un acuerdo —aseveró Wilbanks.

—Vale. Soy todo oídos —dijo Joel.

—Dunlap exagera sus números, pero no de forma desorbitada. Podríamos ofrecerles veinte mil dólares en efectivo y ver qué pasa. Eso es mucho dinero, Joel.

—Ya lo creo que es mucho. ¿De dónde sacaríamos semejante suma?

—En las cuentas bancarias hay unos quince mil dólares en total. Stella y tú podríais hipotecar las tierras. Seguramente yo podría conseguiros un préstamo.

—¿De modo que quieres ofrecerles veinte mil?

—Háblalo con Florry. No es necesario que te recuerde que en este caso los hechos juegan en nuestra contra. Tu padre hizo lo que hizo, y eso no tiene justificación. El jurado empatizará con la familia Bell, y la empatía será nuestro peor enemigo.

39

A Errol McLeish le pareció ridículo que pretendieran que Jackie aceptara un acuerdo a cambio de una suma tan irrisoria. Tampoco pensaba conformarse con veinticinco mil. McLeish quería quedarse con todo —las tierras, la casa, el ganado, los empleados—, y tenía un plan para conseguirlo.

A finales de febrero, Jackie y él fueron en coche a Oxford y se registraron en un hotel de la plaza. Compartían habitación, a pesar de que aún no estaban casados.

El juicio comenzó la mañana del día 24. Sentada al lado de Dunlap y sus abogados se encontraba Jackie, la demandante, atractiva con un vestido negro liso. Florry, que había tomado tranquilizantes, se hallaba entre John y Russell Wilbanks, con Joel justo detrás.

En cuanto se había presentado la oportunidad, Joel había hablado con Jackie, le había estrechado la mano y había intentado mostrarse amable. Ella no. Se había ceñido a su papel de viuda afligida en busca de justicia y venganza. Florry, que la detestaba, no dio la menor señal de reparar en su presencia.

Mientras el juez Stratton repasaba los prolegómenos con los cerca de cincuenta candidatos al jurado, Joel volvió la vista hacia ellos y el público. Había un puñado de reporteros en primera fila. Se abrieron las puertas, y Joel, desalentado, vio entrar a un profesor de derecho y varios de sus alumnos de tercer año. Se trataba de una clase de derecho procesal federal y, dado que aquel juicio sería bastante sonado, valía la pena estudiarlo. Joel avistó entre la multitud a otros estudiantes que lo observaban todo atentamente. En aquel momento, deseó haber elegido una universidad de otro estado.

La selección del jurado ocupó toda la mañana, y a mediodía había seis miembros confirmados, y un séptimo elegido como suplente. Puesto que se trataba de un caso civil, harían falta cuatro votos para alcanzar un veredicto. Un empate a tres obligaría a la celebración de un nuevo juicio.

Después del almuerzo, Burch Dunlap caminó hacia al estrado por delante de la tribuna del jurado, se arregló la corbata de seda fina, desplegó una gran sonrisa y dio la bienvenida a los jurados a aquel templo de la justicia. Joel observaba cada uno de sus movimientos, absorbía cada palabra y, en su sesgada opinión, Dunlap adoptó un tono demasiado sensiblero al agradecer a los integrantes del jurado su tiempo y sus servicios, pero enseguida entró en materia. Expuso los hechos y aseguró que la responsabilidad civil era evidente. Un asesinato a sangre fría había conducido a la justa ejecución de un hombre al que no conocerían. Como el demandado real estaba muerto, la ley forzaba a la demandante a emprender acciones contra su sucesión. Gran parte del juicio giraría en torno al valor de la vida de Dexter Bell, un valor que en realidad no podía medirse. Dunlap no aventuró una cifra; eso sin duda llegaría más tarde. Sin embargo, dejó muy claro que el reverendo Bell era un hombre extraordinario, un padre excelente, un pastor devoto y demás, y que su vida valía mucho dinero, a pesar de que ganaba poco como sacerdote.

Al oír a Dunlap hablar con tal elocuencia, Joel casi sentía cómo se evaporaba el patrimonio de la familia. En varias ocasiones durante su discurso de apertura, el abogado se refirió a Pete Banning como un «agricultor adinerado» y «rico terrateniente». Cada vez que Joel lo oía, se estremecía y dirigía la mirada al jurado. Ni a Stella ni a él los habían criado para creer que su familia era acaudalada, y el hecho de que un orador con pico de oro la describiera así le causaba malestar. Los miembros del jurado, todos de clase media o inferior, parecían haberse subido al carro. Rico agricultor asesina a pastor pobre. El leitmotiv había quedado establecido desde el principio del juicio, y el jurado lo retendría en la memoria hasta el final.

John Wilbanks pronunció un breve alegato de apertura en el que preguntaba al jurado si de verdad les parecía justo obligar a la familia de un condenado por asesinato a pagar por sus pecados. La familia de Pete Banning no había hecho nada malo, absolutamente nada. Sin culpa alguna, sus hijos habían perdido también a un padre. ¿Por qué había que castigarlos? ¿Acaso los Banning no habían sufrido ya castigo suficiente? La querella no era más que un intento descarado de apropiarse de un dinero ganado con sumo esfuerzo por una familia que había labrado la tierra durante décadas; personas buenas, honradas y trabajadoras que no eran ricas ni adineradas, ni merecían una demanda como aquella. Bajo el punto de vista poco objetivo de Joel, John Wilbanks había conseguido de forma sobresaliente retratar a la demandante como una mujer oportunista y codiciosa. El abogado estaba al borde de la indignación cuando se sentó.

La primera testigo fue Jackie Bell, que, tal como había hecho cerca de trece meses atrás en Clanton, subió al estrado con un vestido muy ajustado y no tardó en echarse a llorar. Mientras describía cómo había encontrado a su marido muerto, los miembros del jurado, todos ellos hombres, permanecían pendientes de cada palabra con expresión comprensiva. John Wilbanks renunció a interrogarla.

Nix Gridley fue el siguiente. Describió la escena del crimen como la había encontrado, mostró las mismas fotos ampliadas del pobre Dexter desangrándose, enseñó al jurado el Colt 45 que pertenecía al acusado y dio fe de que Pete Banning, un hombre al que conocía bien, había muerto, en efecto, en la silla eléctrica. Nix había estado presente durante la ejecución y también cuando el forense había confirmado su muerte.

Una vez que Nix bajó del estrado, Burch Dunlap presentó como pruebas unas copias certificadas de las órdenes judiciales que declaraban a Pete culpable del asesinato en primer grado de Dexter Bell, así como las órdenes del tribunal supremo que ratificaban la condena y se aceptaron sin objeción.

Al final de la primera larga jornada del juicio, había quedado establecido que Pete Banning había asesinado a Dexter Bell y lo había pagado con la vida. Por fin, pensó Joel. Aunque para él era un tema tan manido como deprimente, el jurado lo encontraba fascinante.

Una vez aclarada la causalidad de los hechos, el proceso se centró en la cuestión de los daños y perjuicios. El jueves a las nueve de la mañana, Jackie Bell regresó al estrado de los testigos y mostró las declaraciones de la renta familiares de los años comprendidos entre 1940 y 1945. En el momento de su muerte, Dexter cobraba de la iglesia metodista de Clanton un sueldo de dos mil cuatrocientos dólares al año y no había recibido un aumento desde 1942. No tenía otros ingresos, y ella tampoco. La familia vivía en una casa parroquial que la iglesia les proporcionaba gratis, con los servicios incluidos. Obviamente llevaban una existencia frugal, pero era la que ellos habían elegido y estaban satisfechos.

Cuando se le concedió permiso para retirarse, Dunlap llamó a declarar como perito a un profesor de economía de la universidad de Mississippi, un tal doctor Potter. Ostentaba varios títulos, había escrito unos cuantos libros y enseguida se hizo patente que sabía más de dinero y finanzas que nadie en la sala. John Wilbanks lo pinchó con algunas preguntas sobre su especialidad, procurando no pasarse para no quedar en ridículo.

Interrogado por Burch Dunlap, el doctor Potter detalló el historial salarial de Dexter Bell como pastor, lo comparó con el de otros clérigos de trayectoria similar y barajó toda clase de cifras. En el momento de su muerte, a la edad de treinta y nueve años, la retribución total de Dexter, en opinión de Potter, era de tres mil trescientos dólares al año. Suponiendo que la tasa de inflación anual fuera del dos por ciento, un cálculo muy conservador, y que Dexter habría trabajado hasta los setenta años, lo más habitual entre los pastores en 1948, sus ingresos futuros previstos ascendían a ciento seis mil dólares.

Dunlap exhibió unos grandes gráficos en color y repasó los números con la ayuda del doctor Potter, transmitiendo al jurado la impresión de que las sumas de las que hablaban eran dinero contante y sonante que la muerte prematura de Dexter había arrebatado a la familia Bell.

Durante el turno de repreguntas, John Wilbanks arremetió contra algunas de las suposiciones del doctor Potter. ¿Era justo dar por sentado que Dexter habría trabajado hasta los setenta? ¿Que tendría empleo siempre? ¿Que su esposa no se casaría con un hombre que ganara mucho más? Wilbanks consiguió sembrar dudas y anotarse algunos tantos, pero, al menos a ojos de Joel, estaba cuestionando cifras ya de por sí bastante modestas. Los pastores ganaban poco. ¿Qué sentido tenía hacer que sus humildes sueldos parecieran aún más exiguos?

El siguiente testigo era un tasador inmobiliario de Tupelo. Después de detallar su currículum, Dunlap le preguntó si había tasado la finca de los Banning. El hombre respondió que sí y le tendió una carpeta. John Wilbanks, a punto de explotar, se opuso a que prosiguiera la declaración. Esta rencilla estaba prevista y no se había zanjado antes del juicio.

Wilbanks alegó con vehemencia que las tierras no pertenecían a Pete Banning y que, por tanto, no podían considerarse parte de la herencia. Las había cedido a sus hijos, del mismo modo que sus padres, abuelos y bisabuelos las habían transmitido a su descendencia. Wilbanks sacó unas copias certificadas de la escritura de transmisión de la titularidad a Joel y a Stella.

Dunlap replicó a gritos que dicha transmisión había sido fraudulenta, lo que disgustó al juez Stratton. Reprendió a Dunlap por emplear términos tendenciosos como «fraudulento» cuando aún no se había demostrado nada. Wilbanks recordó al magistrado y a Dunlap que había otra querella pendiente de admisión en el tribunal de equidad del condado de Ford relacionada con la transmisión de las tierras. El juez Stratton le dio la razón y dictaminó que no correspondía a Dunlap intentar demostrar que Pete Banning era propietario de las tierras en el momento de su muerte. Esa cuestión no había quedado establecida.

Fue una victoria crucial para la defensa, y al parecer Dunlap había cometido un error de cálculo. No obstante, como un actor en el escenario, enseguida recobró la serenidad. Cuando el tasador se retiró, llamó a declarar a Florry como testigo hostil. Wilbanks, que ya había previsto esta jugada, había intentado prepararla para el mal trago. Aunque le aseguró que no pasaría mucho tiempo en el estrado, la mujer seguía siendo un manojo de nervios.

Tras formularle unas preguntas preliminares, Dunlap le preguntó si era la albacea de la herencia de su hermano. Sí. ¿Y cuándo la habían designado como tal? Haciendo caso omiso de las miradas del jurado y fijando la vista en el amigable rostro de su sobrino, Florry explicó que su hermano Pete había otorgado un nuevo testamento después de que lo condenaran a muerte. Dunlap presentó una copia certificada del documento y le pidió que lo identificara, lo cual hizo.

—Gracias —dijo Dunlap—. Y ahora, con arreglo a la ley y siguiendo el consejo del señor Wilbanks, aquí presente, ¿ha presentado usted un inventario de los activos y pasivos de la sucesión de Pete Banning?

—Sí. —Wilbanks había insistido en que diera respuestas cortas.

Dunlap cogió otros papeles y se los entregó a Florry.

—¿Es este el inventario de la herencia que presentó usted en noviembre del año pasado?

—Sí.

—Una vez presentado, pasa a ser de libre consulta, ¿verdad?

—Supongo. El abogado es usted.

—Cierto. Bien, señorita Banning, si es tan amable, ¿podría echar un vistazo al párrafo C de la segunda página de este inventario y leer al jurado la lista de activos en voz alta?

—¿Por qué no la leen ellos mismos?

—Por favor, señorita Banning.

Con gestos ostentosos que denotaban su frustración, Florry se ajustó las gafas de cerca, pasó una hoja y localizó el párrafo C.

—Bien. En primer lugar, está la cuenta corriente personal de Pete en First State, con un saldo de mil ochocientos dólares. En segundo lugar, la cuenta de la hacienda, en el mismo banco, con un saldo de cinco mil trescientos. En tercer lugar, su cuenta de ahorros, en el mismo banco, con un saldo de siete mil cien. ¿Está bien así?

—Por favor, siga leyendo, señorita Banning —repuso Dunlap pacientemente.

—Una camioneta de 1946. Pete la compró nueva cuando regresó de la guerra. Valor aproximado: setecientos cincuenta dólares. Supongo que también querrán llevársela ustedes.

—Por favor, continúe, señorita Banning.

—Su coche, un Pontiac de 1939, valorado en seiscientos dólares. —Joel se removió en su asiento, cavilando sobre la posibilidad de perder el coche que llevaba conduciendo desde el verano anterior.

A continuación Florry declaró que la herencia incluía dos tractores John Deere, y algunos remolques y arados, entre otros materiales agrícolas, que en conjunto estaban valorados en nueve mil dólares. Se trataba, en efecto, de una hacienda, con su colección de cerdos, gallinas, vacas, cabras y caballos. Un subastador había justipreciado los animales en tres mil dólares.

—Gallina arriba, gallina abajo —añadió ella como una listilla—. Y eso es todo —concluyó—. A menos que quieran quedarse también con sus botas y su ropa interior.

Acto seguido explicó que Pete no tenía deudas en el momento de su muerte y que no había reclamaciones registradas sobre su patrimonio.

—¿Y cuánto vale la mansión Banning? —inquirió Dunlap en voz muy alta.

John Wilbanks se levantó como un rayo.

—¡Protesto, señoría! —gruñó—. La casa forma parte de la finca, que fue cedida a los hijos. Acabamos de discutirlo.

—Así es —convino el juez Stratton, visiblemente irritado con Dunlap, que farfulló algo como «retiro la pregunta».

Retirada o no, la palabra «mansión» quedó flotando en el aire. Cuando Florry se retiró del estrado, Joel volvió la mirada hacia el jurado, y las caras que vio no lo reconfortaron. El ricacho que vivía en la mansión había matado a un humilde siervo de Dios, y eso clamaba justicia.

En los juicios por responsabilidad civil derivada de un homicidio, la defensa normalmente citaba a un desfile de testigos que declaraban que el acusado no había ocasionado la muerte o que el fallecido era responsable al menos en parte por su propia negligencia. Esto no ocurrió en el caso «Bell contra la sucesión de Banning». John Wilbanks no tenía ningún argumento para despertar la más mínima duda respecto a la causa de la muerte y, de haber realizado un intento tan desesperado, se habría arriesgado a perder su ya escasa credibilidad.

Optó en cambio por minimizar los daños en la medida de lo posible y amortiguar el impacto del veredicto. Llamó al estrado a su único testigo, otro experto en economía, que procedía nada menos que de California. Wilbanks creía en la vieja máxima según la cual, al menos en un litigio, cuanta más distancia hubiera tenido que recorrer un experto, más válida sería su declaración.

Se llamaba Satterfield y daba clases en Stanford. Había escrito libros y declarado en muchos juicios. El punto esencial de su testimonio era que la suma total de los ingresos futuros de Dexter Bell, con independencia de la cifra que aceptara el jurado, debía reducirse de manera significativa para reflejar su valor actual de forma justa. Sirviéndose de un gran gráfico de colores, intentó explicar al jurado que, por ejemplo, mil dólares al año durante diez años sumaban diez mil dólares. Esto era sencillo de entender. Sin embargo, si alguien cobraba diez mil dólares a tocateja, podía invertir ese dinero al instante, con lo que las ganancias a largo plazo serían mucho mayores. Por lo tanto, era de justicia rebajar el monto del pago inmediato —es decir, de la indemnización—, a un valor actual.

El doctor Satterfield aseguró que tribunales de todo el país habían adoptado este método en casos similares. Dio a entender que tal vez Mississippi estaba un poco atrasado en ese aspecto, lo que no sentó bien a los integrantes del jurado. Concluyó que, si se aplicaba «una tasa de inflación más realista», la pérdida de ingresos futuros de la familia Bell podía cifrarse en cuarenta y un mil dólares.

En opinión de John Wilbanks, cualquier indemnización fijada que estuviera por debajo de cincuenta mil dólares sería asumible. Podían hipotecar la finca para costearla. Al fin y al cabo, casi todos los agricultores estaban cargados de deudas y, si trabajaban mucho, el tiempo se comportaba y los precios no bajaban —la plegaria cotidiana de los cultivadores—, los Banning podrían liquidar la hipoteca a la larga. Wilbanks contaba también con el consabido conservadurismo de los jurados rurales. La gente a la que no le sobraba el dinero solía mostrarse más reacia a otorgar grandes sumas a otros.

En el turno de repreguntas, Burch Dunlap se puso a regatear con el doctor Satterfield por aquellas cifras, y al cabo de unos minutos todo el mundo estaba hecho un lío sobre los valores actuales, los valores descontados, la inflación proyectada y los pagos estructurados. Los miembros del jurado parecían especialmente desconcertados, y, al contemplar su confusión, Joel comprendió que Dunlap estaba enmarañando las cosas a propósito.

A última hora de la tarde, cuando la declaración del testigo había finalizado y los abogados habían terminado con sus peticiones y gesticulaciones legales, Burch Dunlap se puso en pie para dirigirse al jurado. Sin notas y apariencia de no haber preparado el discurso, habló de la gravedad de aquel homicidio doloso, que no había sido fruto de una negligencia. Todo el mundo muestra un comportamiento negligente en ocasiones, por lo que es comprensible que se produzcan accidentes. Todos somos humanos. Pero la muerte del reverendo Bell no fue un accidente, sino un asesinato bien planeado, premeditado, perpetrado a sangre fría; una agresión letal contra un hombre desarmado por parte de un soldado que sabía matar.

Joel no era capaz de despegar la vista de los miembros del jurado, que escuchaban a Dunlap embelesados.

¿Daños y perjuicios por un acto tan monstruoso? Olvidémonos de los muertos —el reverendo Bell y Pete Banning— y hablemos de las personas a quienes han dejado atrás. Él, Dunlap, no estaba muy preocupado por la familia Banning. Los dos hijos estaban recibiendo una educación envidiable. En cuanto a Florry, era propietaria de una parcela de terreno, libre de cargas y problemas legales. Llevaban vidas privilegiadas. ¿Podía decirse lo mismo de Jackie Bell y sus tres hijos?

En este punto, Dunlap se embarcó en una digresión de todo punto brillante. Al borde del llanto, contó al jurado que su padre había muerto cuando él contaba apenas seis años, lo que había supuesto una tragedia devastadora para su madre y sus hermanos. Continuó con el relato y, cuando comenzó a describir el entierro y cómo había contemplado el descenso del ataúd hacia el interior de la fosa, John Wilbanks se levantó por fin.

—Por favor, señoría —protestó—, esto no guarda relación alguna con el caso que nos ocupa.

—Es el alegato final, señor Wilbanks —replicó el juez Stratton, encogiéndose de hombros—. Suelo conceder manga ancha en estos casos.

Tras dar las gracias a su señoría, Dunlap de pronto se puso desagradable y ridiculizó a los «acaudalados Banning» por fingir que estaban arruinados. Poseían «cientos de hectáreas de fértiles tierras de cultivo», mientras que sus clientes, los Bell, no tenían nada. No había que dejarse engañar por los Banning y sus abogados.

Se burló del profesor Satterfield, de Stanford, y preguntó a los miembros del jurado quién comprendía mejor la vida en el

Mississippi rural, si «un profesor izquierdoso de California con pajarita y la cabeza cuadrada, o el doctor Potter, de la universidad de Mississippi».

Cuando Dunlap se sentó, después de su magistral interpretación, Joel sentía náuseas.

John Wilbanks optó por no mencionar en ningún momento la cuestión de la responsabilidad y centrarse en rebatir las cifras. Por más que se esforzaba por calcularlo todo a la baja, no parecía conmover al jurado.

Durante su refutación, Burch Dunlap se desmelenó y exigió el pago de daños punitivos, lo cual se reservaba para las ofensas más graves. En este caso estaba justificado por el cruel desprecio de Pete Banning hacia la vida humana y por su absoluta irresponsabilidad.

El juez Stratton, que había presidido muchos juicios, tenía la corazonada de que el jurado no tardaría en tomar una decisión. Los envió a deliberar a las seis de la tarde y levantó la sesión. Al cabo de una hora, el jurado estaba listo.

El veredicto unánime declaraba a Pete Banning y a sus herederos responsables de la muerte de Dexter Bell, y los condenaba a pagar cincuenta mil dólares en daños compensatorios y otros cincuenta mil en daños punitivos. Por segunda vez en menos de un año, Burch Dunlap había establecido el récord de la indemnización más cuantiosa jamás fijada por un jurado en el distrito norte de Mississippi.

40

A medida que el primer año de Joel en la facultad de derecho se acercaba a su fin, su actitud se tornaba cada vez más reservada, incluso antisocial. En los círculos legales se hablaba mucho del veredicto contra la sucesión de su padre, por no mencionar la ya tristemente célebre ejecución. La familia Banning estaba en caída libre, y Joel sospechaba que la gente cuchicheaba a sus espaldas. Envidiaba a Stella, que se encontraba a más de mil kilómetros de distancia.

Fue a Whitfield en coche para hacer compañía a su madre durante un fin de semana largo. Antes, sin embargo, el doctor Hilsabeck quería tener una charla con él, así que aprovecharon aquel magnífico día de primavera para pasear juntos por los jardines, entre azaleas y cornejos en flor. Hilsabeck encendió su pipa y entrelazó las manos a la espalda, avanzando con paso cansino, como abrumado por una pesada carga.

—No está haciendo muchos progresos —dijo con gravedad—. Lleva aquí dos años, y no estoy contento con su estado.

—Gracias por reconocerlo —contestó Joel—. Yo tampoco he notado una gran mejoría en los últimos ocho meses.

—Colabora hasta cierto punto, luego se encierra en sí misma. Vivió una experiencia traumática, Joel, algo a lo que no puede o no quiere enfrentarse. Hasta donde sabemos, tu madre era una mujer fuerte con una personalidad desbordante, pero sin el menor signo de desequilibrio mental o depresión. Aunque sufrió varios abortos, eso es algo bastante común. Con cada uno, se retraía y atravesaba períodos de oscuridad, seguramente de depresión temporal, pero siempre acababa por recuperarse. La noticia de que vuestro padre había desaparecido y lo daban por muerto fue espantosa, como hemos comentado muchas veces. Stella, Florry, tú y yo hemos tratado el tema. Fue en mayo de 1942. Transcurrieron casi tres años y, como bien dices, la familia hizo lo único que podía: sobrevivir. Sin embargo, algo le sucedió en esa época, Joel. Algo traumático, y sencillamente no consigo que me lo revele.

—¿Insinúa que debería intentarlo yo?

—No. Fue algo tan terrible que no sé si querrá hablar de ello algún día. Y mientras se lo guarde dentro, será muy difícil que mejore.

—¿Cree que se trata de algo relacionado con Dexter Bell?

—Sí. De lo contrario, ¿por qué iba a hacer tu padre lo que hizo?

—Esa es la gran pregunta. Siempre he dado por sentado que fue Bell, pero el misterio es cómo se enteró mi padre de los secretos entre mi madre y él. Ahora él está muerto, Bell también, y ella no quiere hablar. Parece que estamos en un callejón sin salida, doc.

—En efecto, eso parece. ¿Has indagado entre las personas que trabajan para la familia?

—No mucho. Nineva venía con la casa y no se le escapa nada. Pero también es leal hasta decir basta, por lo que jamás se iría de la lengua. Prácticamente nos crio a Stella y a mí, así que la conocemos bien. Nunca dice una palabra.

—¿No lo haría, aunque fuera para ayudarnos?

—¿Ayudarnos en qué sentido?

—Es posible que sepa algo, que viera algo o que oyera algo. Si te confiara el secreto y tú me lo contaras a mí, eso me brindaría la oportunidad de plantearle la cuestión a Liza. Tal vez le provocaría una conmoción fuerte, lo que podría ser positivo.

Es importante que se enfrente al problema. Estamos estancados, Joel, y la situación tiene que cambiar.

—Supongo que vale la pena intentarlo. ¿Qué podemos perder?

Pasaron por delante de un anciano encorvado en una silla de ruedas, a la sombra de un olmo. Aunque los miró con suspicacia, permaneció callado. Joel y el médico le sonrieron e inclinaron la cabeza a modo de saludo.

—Hola, Harry —dijo Hilsabeck, pero Harry no respondió, porque hacía diez años que no hablaba.

Joel a menudo lo saludaba también. Lamentablemente, conocía por su nombre a muchos de los residentes permanentes del edificio cuarenta y uno. Suplicaba a Dios que su madre no pasara a engrosar sus filas.

—Hay otra cosa —agregó Hilsabeck—. Han sacado un medicamento nuevo, llamado clorpromazina, que se está abriendo paso poco a poco en el mercado. Es un antipsicótico que se usa para tratar la esquizofrenia y la depresión, entre varios trastornos más. Creo que Liza sería una buena candidata para probarlo.

—¿Me está pidiendo mi aprobación?

—No, solo quería que lo supieras. Empezaremos a administrárselo la semana que viene.

—¿Tiene efectos secundarios?

—Por el momento, el más habitual es el aumento de peso, lo que en su caso sería una buena noticia.

—Pues entonces por mí adelante.

Llegaron a la orilla de un pequeño lago y encontraron un banco en un lugar sombreado y fresco. Se sentaron a contemplar unos patos que chapoteaban en el agua.

—¿Con qué frecuencia habla ella de volver a casa? —quiso saber Joel.

Hilsabeck reflexionó un momento y dio una calada a la pipa.

—No todos los días, aunque desde luego es algo que le ronda siempre la cabeza. Liza es demasiado joven para que la consideremos una residente permanente, así que la tratamos como si pensáramos que algún día estará lo bastante sana para recibir el alta. No se obsesiona con ellos, pero da por sentado, como nosotros, que ese día llegará. ¿Por qué lo preguntas?

—Porque podría ser un problema que volviera a casa. Ya le he comentado lo de las querellas presentadas por la familia de Dexter Bell. Acabamos de perder la primera. Recurriremos las veces que haga falta y lucharemos hasta el final. Tenemos otro pleito sobre nosotros, y es posible que lo perdamos también. Podría haber embargos, sentencias, incluso una declaración de quiebra. Muchas maniobras legales, pero existe la posibilidad real de que, cuando pase la tormenta, hayamos perdido las tierras y la finca.

—¿Y cuándo podría pasar esta tormenta?

—Es difícil saberlo. Este año, no, y seguramente tampoco el que viene. Pero es posible que todos los pleitos y recursos se hayan resuelto en menos de dos años.

Hilsabeck dio unos golpecitos a la pipa contra el borde del banco y raspó la ceniza. Con dedos ágiles, la llenó de nuevo del tabaco que llevaba en un saquito, encendió una cerilla, la acercó a la cazoleta y dio una larga calada.

—Eso sería catastrófico para ella —afirmó al fin—. Sueña con estar en casa con Stella y contigo. Habla de trabajar en la huerta con Amos, de montar en sus caballos, de llevar flores a la tumba de vuestro padre, de cocinar y preparar conservas con Nineva. —Otra calada profunda—. ¿Adónde podría ir?

—No tengo ni idea, doc. No lo hemos discutido aún. Solo intento ser precavido de cara al futuro. Contamos con buenos abogados, pero la familia de Dexter Bell también. Y, por si fuera poco, también tienen los hechos y la ley de su parte.

—Sería demoledor para ella, totalmente demoledor. No alcanzo a imaginar qué tratamiento requeriría Liza si se enterara de que ha perdido su hogar.

—Pues vaya pensándolo. Mientras tanto, seguiremos plantando cara en los tribunales.

Un viernes por la mañana temprano, cuando se suponía que debía estar en Oxford, Joel despertó en su casa, se dirigió a toda prisa a la cocina, puso la cafetera, se duchó y se vistió mientras se hacía el café y se sentó a esperar frente a la mesa de la cocina con una taza recién servida hasta que, a las siete en punto, llegó Nineva. Se dieron los buenos días.

—Tómate un café conmigo, Nineva —le pidió Joel—. Tenemos que hablar.

—¿No quieres desayunar? —preguntó ella, atándose un delantal.

—No, ya pillaré algo en la ciudad luego. No tengo demasiado apetito.

—Nunca lo has tenido por las mañanas, ni cuando eras un niño pequeño. Comías un par de bocados de huevo y te marchabas. ¿Qué te preocupa?

—Sírvete el café.

Ella se tomó su tiempo, echándose leche en abundancia y aún más azúcar, hasta que por fin se sentó a la mesa, frente a él, visiblemente nerviosa.

—Tenemos que hablar de Liza —anunció Joel—. El médico no está contento con sus progresos en Whitfield. Guarda muchos secretos en su mundo, Nineva, pequeños misterios que no hemos conseguido desvelar. Si no averiguamos qué le ocurrió, es muy probable que nunca pueda volver a casa.

Nineva ya estaba negando con la cabeza, como si no supiera nada.

—Pete se ha ido para siempre, Nineva. Y tal vez Liza también. Hay una posibilidad de que su médico la ayude, pero solo si la verdad sale a la luz. ¿Cuánto tiempo pasaba ella con Dexter Bell cuando creíamos que papá había muerto?

Ella levantó la taza con ambas manos y bebió un pequeño sorbo. La depositó en el platillo y meditó unos instantes.

—Él venía muy a menudo. No era ningún secreto. Yo siempre andaba por aquí, y también Amos, incluso Jupe. A veces lo acompañaba la señora Bell. Se reunían en el estudio del señor Banning para leer la Biblia y rezar. Nunca se quedaba mucho rato.

—¿Pasaban tiempo a solas?

—A veces, supongo, pero, como ya te he dicho, yo siempre estaba aquí. No ocurrió nada entre ellos, al menos en esta casa.

—¿Estás segura, Nineva?

—Mira, Joel, no lo sé todo. No me metía ahí con ellos. ¿Tú crees que tonteaba con el pastor?

—Está muerto, ¿no, Nineva? Dame otra buena razón para que Pete lo matara. ¿Se veían cuando tú no estabas?

—¿Cómo voy a saberlo, si no estaba?

Como de costumbre, su lógica era impecable.

—Entonces ¿no notaste nada sospechoso? ¿Nada de nada?

Con el rostro crispado, Nineva se frotó las sienes como para sonsacar un recuerdo doloroso a su memoria.

—Un día pasó algo.

—Suéltalo ya, Nineva —la acució Joel, ansioso ante la inminente revelación.

—Me dijo que tenía que ir a Memphis, que su madre se encontraba fatal y estaba hospitalizada allí. Dijo que tenía cáncer. El caso es que quería que el pastor visitara a su madre en sus últimos días. Decía que la mujer se había distanciado de la iglesia y que ahora que se acercaba el fin tenía muchas ganas de hablar con un pastor, ya sabes, para hacer las paces con Dios. Y como Liza tenía a Dexter Bell en un pedestal, quería que fuera a cumplir su labor divina con su madre en Memphis. Como ya sabes, a Liza no le gustaba nada conducir, así que un día me avisó de que a la mañana siguiente temprano saldría con el pastor hacia Memphis, después de que Stella y tú os fuerais al colegio. Iban a viajar ellos dos solos. Y eso hicieron. Y no le di mayor importancia. El reverendo Bell se presentó esa mañana solo, le preparé un café, nos sentamos los tres a la mesa y él incluso rezó un poco para pedirle a Dios que cuidara de ellos durante los viajes de ida y vuelta, y que pasara su mano sanadora sobre la madre de Liza. Recuerdo que fue de lo más conmovedor. Pero no le di mayor importancia. Liza me pidió que no os comentara nada a vosotros porque no quería que os preocuparais por la abuela, así que no os dije una palabra. Se marcharon y pasaron todo el día fuera. No regresaron hasta la noche. Liza dijo que se había mareado en el coche y que tenía el estómago revuelto, así que se fue a acostar. Estuvo pachucha durante unos días, porque según ella había pillado alguna enfermedad en el hospital de Memphis.

—Yo no me acuerdo de eso.

—Estabas ocupado con el colegio.

—¿Cuándo ocurrió?

—¿Cuándo? No llevo un diario, Joel.

—Vale, ¿cuánto tiempo después de que recibiéramos la noticia sobre papá? ¿Un mes, seis meses, un año?

—Mucho tiempo. ¿Cuándo nos enteramos de lo del señor Banning?

—En mayo de 1942.

—Ah, sí, recuerdo que hacía fresco y estaban recogiendo el algodón. Fue al menos un año después de que nos dieran la noticia.

—¿En otoño de 1943, entonces?

—Supongo. Las fechas y las horas no son lo mío.

—Pues qué raro, porque su madre no murió. La abuela Sweeney sigue viva y coleando en Kansas City. Recibí una carta suya la semana pasada.

—Tienes razón. Le pregunté a Liza cómo seguía su madre, pero nunca le apetecía hablar de eso. Más tarde me comentó que la visita del reverendo Bell debía de haberle hecho mucho bien, porque el Señor la había tocado con su mano y la había curado.

—Así que pasaron el día juntos y Liza llegó enferma a casa. ¿No te pareció sospechoso?

—No pensé mucho en ello.

—Lo dudo, Nineva. En esta casa no se te escapa nada.

—Me ocupo de mis asuntos.

—Y de los de los demás. ¿Dónde estaba Jackie Bell ese día?

—No estoy pendiente de lo que hace Jackie Bell.

—Pero ¿nadie la mencionó?

—Yo no les pregunté por ella, y ellos no me dijeron nada.

—Cuando recuerdas ese día, ¿nunca te da la impresión de que algo no cuadraba?

—¿Como qué?

—Pues como que hay un montón de pastores en Memphis y también de camino allí. ¿Por qué iba a necesitar la madre de Liza un pastor de Clanton? Ella es miembro de una iglesia episcopaliana de Memphis; Stella y yo la visitamos varias veces antes de que se trasladaran. ¿Por qué no nos dijo Liza a Stella y a mí que su madre, nuestra abuela, estaba enferma e ingresada en un hospital de Memphis? Nadie nos contó nunca que tuviera cáncer, y desde luego no murió por eso. Toda esta historia huele a gato encerrado, Nineva, ¿y a ti no te pareció sospechoso en ningún momento?

—Supongo.

—¿Qué supones?

—Pues te lo voy a decir. Nunca entendí por qué era un gran secreto, lo del viaje a Memphis. Recuerdo que pensé que, si de verdad estaba tan enferma su madre, debería haberos llevado a vosotros a verla. Pero no, no quería que os enterarais. Eso fue raro. Era como si el pastor y ella quisieran pasar el día fuera y necesitaran ponerme una excusa. Sí, de acuerdo, luego me pareció sospechoso, pero ¿a quién iba a comentárselo? ¿A Amos? Se lo cuento todo, pero le entra por un oído y le sale por el otro. Qué hombre este.

—¿Se lo dijiste a Pete?

—Nunca me lo preguntó.

—¿Se lo dijiste a Pete?

—No. No se lo he contado a nadie, aparte de a Amos.

Joel la dejó sentada a la mesa y salió a dar un largo paseo en coche por las carreteras secundarias del condado de Ford. Le daba vueltas la cabeza mientras intentaba atar cabos. Se sentía como un investigador privado que acababa de descubrir la primera pista importante para esclarecer un misterio que parecía condenado a no resolverse.

Sin embargo, a pesar de su confusión, estaba convencido de que Nineva no se lo había contado todo.

41

Además de estudiar para los exámenes finales, Joel redactó los escritos de alegaciones y pulió el recurso de apelación contra el veredicto del jurado emitido en el tribunal federal. Puesto que ganar tiempo formaba parte integral de su estrategia, John Wilbanks y él esperaron hasta el último día del plazo para presentar el escrito de alegaciones final en el tribunal de apelación del quinto circuito, el primero de junio de 1948.

Dos días después, el 3 de junio, el juez de equidad Abbott Rumbold por fin pudo estudiar la segunda querella interpuesta por Jackie Bell, su petición de anular la cesión supuestamente fraudulenta de las tierras de Pete Banning a sus hijos.

Burch Dunlap llevaba meses exigiendo un juicio, y la lista de casos pendientes de Rumbold no era tan larga. Sin embargo, la gestión de esa lista era competencia exclusiva del juez de equidad, que llevaba décadas manipulándola. Rumbold solía hacer todo lo que John Wilbanks le pedía, y además sentía un gran aprecio por la familia Banning. Si lo que quería Wilbanks era que todo se demorara, el caso estaba sin duda en manos del tribunal más adecuado.

Dunlap suponía que el juez favorecería descaradamente al abogado local. Solo quería llevarse los palos que le tocaran, acabar cuanto antes, pulir su alegato y recurrir al tribunal supremo del estado, donde la ley pesaba mucho más que las viejas amistades.

En los tribunales de equidad no se celebraban juicios con

jurado. Los jueces ostentaban el poder absoluto, como reyes, y, por regla general, cuantos más años llevaran ejerciendo, más dogmáticos se volvían. El procedimiento variaba de un distrito a otro, y a menudo lo modificaban a conveniencia.

Rumbold ocupó el estrado de la sala principal sin grandes ceremonias y saludó a los asistentes. Las estridentes llamadas al orden de Walter Willy se reservaban para las sesiones del tribunal de circuito. Rumbold no las toleraba.

Reparó en el nutrido público y le dio la bienvenida al festival. Además de los habituales —los jubilados aburridos que pasaban el rato fuera, a la sombra, los funcionarios del condado durante su pausa, las secretarias que trabajaban en el edificio, Ernie Dowdle, Hop Purdue y Penrod, que estaban sentados arriba, en la galería, junto con un puñado de negros más—, se encontraban presentes varias decenas de espectadores.

La noticia de la indemnización de cien mil dólares fijada por el tribunal federal tres meses antes no había sido bien recibida en la ciudad, y a muchos vecinos les picaba la curiosidad. La leyenda de Pete Banning seguía creciendo en el condado de Ford, y la mayoría de la gente no veía con buenos ojos que Jackie Bell pretendiera robar unas tierras que habían pertenecido a una familia desde hacía más de cien años.

Puesto que Joel y Stella figuraban como demandados en el caso, estaban obligados a comparecer. Sentados a la mesa de la defensa con un Wilbanks a cada lado, intentaban que no los afectara la presencia de Jackie Bell en la otra mesa. Intentaban que no los afectaran muchas cosas —la multitud que tenían detrás, las miradas de funcionarios y abogados, el miedo que les causaba aquel proceso judicial—, pero lo más terrible de la situación era que se encontraban a solo unos siete metros de donde habían electrocutado a su padre once meses atrás. La sala, el juzgado entero, se les antojaba un lugar oscuro y espantoso que deseaban no volver a ver jamás.

Rumbold clavó la vista en Burch Dunlap con el ceño fruncido.

—Voy a permitirles unos comentarios iniciales muy breves. El letrado de la parte demandante tiene la palabra.

Burch se puso en pie, con un bloc de notas en la mano.

—Sí, gracias, señoría. Bien, la mayor parte de los hechos ha quedado acreditada, de modo que no he citado a muchos testigos. El 16 de septiembre de 1946, unas tres semanas antes del desafortunado fallecimiento del reverendo Dexter Bell, difunto marido de mi cliente, el señor Pete Banning otorgó una escritura de renuncia a su porción de terreno, doscientas sesenta hectáreas, para repartirla a partes iguales entre sus hijos, los demandados, Joel y Stella Banning. Se ha presentado como prueba una copia de dicha escritura.

—La he leído —gruñó Rumbold.

—Sí, señoría. Y demostraremos que se trata de la primera escritura de transmisión utilizada por los Banning desde 1818 para transmitir las tierras a la siguiente generación. La familia siempre las había legado por medio de testamentos, nunca en vida. Salta a la vista que la intención de Pete Banning al tomar esta medida era proteger sus tierras porque estaba tramando el asesinato de Dexter Bell. Simple y llanamente.

Cuando Dunlap se sentó, John Wilbanks ya estaba de pie.

—Con la venia del tribunal, señoría, no estoy seguro de que el señor Dunlap sea lo bastante listo para explicarnos qué pensaba Pete Banning en el momento en que firmó la escritura. No obstante, tiene razón al señalar que estas tierras pertenecen a la familia desde 1818, cuando Jonas Banning, tatarabuelo de Pete Banning, comenzó a construir su hacienda. La familia no solo ha conservado el terreno, sino que lo ha ampliado siempre que ha sido posible. Para serle sincero, me horroriza que alguien que no reside en Mississippi, o cualquiera, en realidad, quiera arrebatárselo a la familia. Gracias.

—Llame a su primer testigo —indicó Rumbold a Dunlap—. La carga de la prueba recae sobre la parte demandante.

—Llamo a declarar al honorable Claude Skinner, abogado.

El aludido, que estaba en la zona del público, se levantó,

cruzó el estrado, juró decir la verdad y ocupó la silla de los testigos.

—Por favor, díganos su nombre y profesión.

—Claude Skinner, abogado. Tengo mi despacho en Tupelo y estoy especializado en bienes raíces.

—¿Y cuándo conoció a Pete Banning?

—Fue a verme a mi despacho en septiembre de 1946, para pedirme que redactara una escritura de propiedad. Tenía titularidad plena sobre una porción de terreno situada aquí, en el condado de Ford, así como sobre la casa construida en él, y quería cedérsela a sus dos hijos.

—¿Lo había visto antes de ese día?

—No, señor. Llevaba consigo un mapa catastral y una descripción detallada del terreno y la casa. Le pregunté quién se encargaba de sus asuntos legales en este condado. Me respondió que el bufete Wilbanks, pero que prefería no acudir a ellos para esto.

—¿Le explicó por qué no recurría a los servicios del bufete Wilbanks?

—No, y tampoco se lo pregunté. Me dio la impresión de que el señor Banning era hombre de pocas palabras.

—Así que ¿redactó usted la escritura, tal como él deseaba?

—En efecto. Regresó al cabo de una semana para firmarla. Mi secretaria la notarizó, después la envió por correo junto con la tasa de registro a la oficina del catastro, que está justo al otro lado del pasillo. Le cobré quince dólares por mi trabajo y me pagó en efectivo.

—¿En algún momento le preguntó por qué estaba cediendo la propiedad a sus hijos?

—Bueno, más o menos. Al estudiar el tracto sucesivo, caí en la cuenta de que la familia nunca había cedido las tierras en vida. Siempre las dejaban en herencia. Cuando se lo comenté, el señor Banning me respondió, y son palabras textuales: «Solo estoy protegiendo mi patrimonio».

—¿Protegiéndolo de qué?

—No me lo aclaró. No se lo pregunté.

—No hay más preguntas.

John Wilbanks parecía bastante preocupado cuando se levantó y miró a Skinner con el entrecejo arrugado.

—Cuando descubrió que mi bufete había representado al señor Banning durante muchos años, ¿no se le ocurrió que tal vez habría sido apropiado llamarme?

—No, señor. Resultaba bastante evidente que el señor Banning no quería recurrir a ustedes ni a ningún otro abogado de este condado. Por eso fue en coche hasta Tupelo para contratarme.

—Así que no se planteó llamarme, ni por cortesía profesional.

—No era necesario, en mi opinión.

—No hay más preguntas.

—Puede retirarse —dijo Rumbold—. Llame a su siguiente testigo.

Dunlap se puso de pie.

—Señoría, nos gustaría llamar al estrado al señor Joel Banning, como testigo hostil.

—¿Alguna objeción? —preguntó Rumbold a John Wilbanks. Era una jugada previsible, por lo que este había preparado a fondo a Joel para la declaración.

—No, señoría —contestó Wilbanks.

Joel juró decir la verdad y tomó asiento en el estrado de los testigos. Tras dedicar una sonrisa fugaz a su hermana y contemplar la sala desde aquella posición única y privilegiada, saludó con una inclinación de cabeza a Florry, que estaba en la primera fila, y se armó de valor para ser interrogado por uno de los mejores abogados litigantes del estado.

—Señor Banning —comenzó Dunlap—, ¿dónde estaba usted cuando le dieron la noticia de que habían detenido a su padre por el asesinato de Dexter Bell?

—¿Qué relación guarda eso con el caso? —saltó Joel de forma instintiva.

—Por favor, responda a la pregunta, señor —replicó Dunlap, algo sorprendido por su reacción.

—¿Y por qué no responde usted a la mía? —contraatacó Joel como un auténtico sabihondo.

John Wilbanks se había levantado.

—Señoría, al testigo no le falta razón. La pregunta formulada por el señor Dunlap es de todo punto irrelevante para el caso de autos. Es improcedente.

—Se admite la protesta —dijo Rumbold en voz muy alta—. No me parece relevante.

—Da igual —murmuró Dunlap.

A Joel le entraron ganas de sonreírle como diciendo «chúpate esa», pero consiguió mantener una expresión ceñuda.

—Antes de que su padre les cediera dichas tierras en septiembre de 1946, ¿le habló a usted de ello? —inquirió Dunlap.

—No.

—¿Y a su hermana?

—Eso tendrá que preguntárselo a ella.

—¿No lo sabe?

—Creo que no, pero no estoy seguro al cien por cien.

—¿Dónde estaba usted por esas fechas?

—En la universidad.

—¿Y ella?

—También.

—Y, después de esas fechas, ¿le comentó su padre algo acerca de esa escritura?

—No, hasta el día anterior a su muerte.

—¿Y eso cuándo fue?

Joel vaciló por unos instantes y carraspeó.

—Mi padre fue ejecutado en esta sala el 10 de julio del año pasado —dijo de forma pausada y con voz sonora.

Tras este breve momento dramático, Dunlap cogió una carpeta y comenzó a sacar documentos. Fue pasándole a Joel copias de viejos testamentos firmados por sus antepasados y pidiéndole que confirmara su autenticidad. Aunque ya los había presentado todos como pruebas, Dunlap necesitaba algunas declaraciones de viva voz para adornar un poco sus argumentos. Su intención era clara, y expresaba muy bien lo que quería transmitir: la familia Banning había legado religiosamente sus tierras a la generación siguiente por medio de últimas voluntades y testamentos. La propiedad de las doscientas sesenta hectáreas y la casa había pasado a manos de Pete en 1932, cuando murió su madre. Ella, a su vez, la había heredado tres años antes, al quedarse viuda. De forma lenta y meticulosa, Joel expuso el tracto sucesivo junto con una buena parte de la historia de la familia. Se la había aprendido bien y prácticamente había memorizado las antiguas últimas voluntades. En todas las generaciones, los hombres habían muerto antes —a edades preocupantemente tempranas—, y habían dejado las tierras a sus esposas, ninguna de las cuales había contraído segundas nupcias.

—Por lo tanto, su padre fue el primer hombre en la historia de su familia que privaba de la herencia a su esposa en beneficio de sus hijos, ¿estoy en lo cierto?

—Correcto.

—¿Y no le llama la atención?

—No es ningún secreto, señor, que mi madre tiene problemas. Prefiero no entrar en detalles.

—No se lo he pedido.

Transcurrieron las horas, y fue Dunlap afianzando su tesis poco a poco. La escritura de transmisión de Pete era sospechosa en muchos aspectos. Joel, Stella, Florry e incluso John Wilbanks reconocían en privado que Pete había otorgado la escritura para proteger la finca, pues planeaba matar a Dexter Bell, algo que había quedado patente.

A mediodía, habían acabado de interrogar a los testigos. Los letrados expusieron unas conclusiones breves, y Rumbold aseguró que dictaría una resolución «en el futuro».

—¿Cuándo conoceremos su decisión, señoría? —preguntó Dunlap.

—No tengo fechas límite, señor Dunlap —le espetó Rumbold, irritado—. Examinaré los documentos y mis notas, y emitiré el fallo a su debido tiempo.

Dunlap aprovechó que tenía público para plantarse.

—La verdad es que no creo que le lleve mucho tiempo, señoría. El juicio ha durado menos de cuatro horas. Los hechos y los argumentos han quedado claros. ¿Por qué habría de tardar?

Rumbold, con las mejillas encendidas, señaló a Dunlap con un dedo torcido.

—Aquí mando yo, señor Dunlap, y no necesito consejos sobre cómo hacer mi trabajo. Ya le he escuchado bastante.

Dunlap sabía lo que era *vox populi* entre los abogados locales: Rumbold podía tardar una eternidad en resolver un caso. Las normas no establecían un marco temporal para los magistrados de su especialidad, y el tribunal supremo del estado, que siempre contaba entre sus miembros con varios exjueces de equidad, nunca se había mostrado dispuesto a imponer plazos.

—Se levanta la sesión —dijo Rumbold, sin dejar de mirar a Dunlap con cara de pocos amigos, y dio un golpe con el mazo.

Jackie Bell y Errol McLeish salieron del juzgado sin cruzar una palabra con nadie y caminaron sin detenerse hasta el coche. Se dirigieron a una casa situada a varios kilómetros de la ciudad y almorzaron con la que fuera la amiga más íntima de Jackie en la época en que vivía en Clanton. Myra era su fuente de cotilleos e información sobre lo que decía la gente en la iglesia y en la ciudad, y no le caía bien el nuevo pastor, el sustituto de Dexter. De hecho, pocos feligreses lo apreciaban, y ella había elaborado una lista de motivos de queja contra él. Lo cierto era que todos echaban de menos a Dexter, a pesar de que ya habían transcurrido dos años desde su muerte.

A Myra tampoco le caía bien Errol McLeish. Tenía la mirada esquiva, apenas apretaba la mano al saludar y manipulaba a Jackie de forma taimada. Aunque era un abogado con propiedades y se daba aires de gran señor, Myra sospechaba que su objetivo real era Jackie y lo que ella lograra sacar a los Banning.

Ejercía demasiada influencia sobre Jackie, quien, en opinión de Myra, seguía en un estado vulnerable debido a su tragedia. Myra había expresado sus inquietudes a otras señoras de la iglesia, a título confidencial, por supuesto. Ya corría el rumor de que Jackie había puesto el punto de mira en las tierras y la hermosa casa de los Banning, y de que detrás de todo se encontraba McLeish.

Su fuente en el hotel Bedford le había contado el chisme de que los dos se habían registrado una noche como el señor y la señora McLeish, pese a que Jackie había asegurado a Myra que no tenía intenciones de volver a casarse.

Dos adultos que no estaban casados, alojados en la misma habitación de un hotel del centro de Clanton. Y uno de ellos era la viuda del pastor.

42

El trayecto en tren de Memphis a Kansas City duraba siete horas y media, con tantas paradas que ya habían perdido la cuenta. Pero no les importaba. Era verano. Estaban de vacaciones, lejos de la hacienda, viajando en primera clase, donde los mozos les servían vino fresco cada vez que les hacían una seña. Stella leía los relatos completos de Eudora Welty mientras Joel batallaba con *¡Absalón, Absalón!* Había visto un par de veces al señor Faulkner en Oxford, donde su presencia pasaba casi inadvertida. No era un secreto que le gustaba cenar tarde en un restaurante llamado The Mansion, próximo a la plaza, y en una ocasión Joel se había sentado cerca de él mientras comía solo. Estaba decidido a armarse de valor para abordarlo y presentarse antes de terminar los estudios de derecho. Soñaba con beberse un bourbon en el porche de aquel gran hombre y contarle la triste historia de su padre. A lo mejor la incluía en una novela.

En la estación de Kansas City, tomaron un taxi que los llevó a una casa modesta del centro. Los abuelos Sweeney se habían mudado allí desde Memphis después de la guerra, y ni Joel ni Stella los habían visitado nunca. Lo cierto era que habían pasado poco tiempo con los padres de Liza, porque, tal como descubrieron con el paso de los años, Pete no tenía en muy alta estima a los Sweeney, y el sentimiento era mutuo.

Aunque los Sweeney no tenían dinero, siempre intentaban codearse con la alta sociedad. Esa era una de las razones por las que Liza frecuentaba el Peabody cuando cursaba el bachillerato. Sus padres la presionaban para que lo hiciera. Sin embargo, en lugar de pescar un marido rico de Memphis, se había quedado embarazada de un agricultor, que para colmo era de Mississippi.

Como la mayoría de la gente de Memphis, los Sweeney miraban por encima del hombro a los naturales de Mississippi. Habían tratado con cortesía a Pete cuando Liza lo había llevado por primera vez a su casa, esperando en su fuero interno que no fuera el elegido, a pesar de su gallardía y su trayectoria en West Point. Sin embargo, antes de que pudieran oponerse de manera contundente, Pete la arrastró a una boda que los dejó traumatizados. Si bien no estaban seguros de que ella ya se encontrara en estado de buena esperanza cuando se fugó, el pequeño Joel llegó poco más tarde. Durante años, se vieron obligados a asegurar a sus amistades que había nacido nueve meses después del «casamiento».

Cuando dieron por muerto a Pete, los Sweeney ofrecieron escaso consuelo a su hija, al menos en opinión de Liza. Visitaban la hacienda con muy poca frecuencia, y cuando se dignaban bajar al quinto pino, siempre estaban ansiosos por marcharse cuanto antes. En privado se avergonzaban de que su hija hubiera optado por vivir en un lugar tan atrasado. Como urbanitas ignorantes, no apreciaban la tierra, el algodón, el ganado o los huevos y hortalizas frescos. Los escandalizaba que los Banning tuvieran a «personas de color» trabajando en la casa y los campos. Cuando Pete reapareció de entre los muertos, mostraron poco interés y tardaron varios meses en verlo después de su regreso.

Tras el final de la guerra, trasladaron al señor Sweeney a Kansas City, decisión que él describió como un ascenso importante, pero que en realidad constituía un esfuerzo desesperado por conservar el empleo. Su nuevo hogar era aún más pequeño que el de Memphis, pero como las dos chicas ya no vivían con ellos, no necesitaban mucho espacio. Entonces Liza había sufrido la crisis nerviosa y la habían enviado a Whitfield.

Los Sweeney no le contaron a nadie que su hija menor estaba recluida en un manicomio del Mississippi más profundo. La visitaron una vez y quedaron horrorizados tanto por su estado como por el entorno.

Luego sobrevinieron la detención, el juicio y la ejecución de Pete, y los Sweeney se alegraron de haberse mudado aún más lejos de Clanton.

El único contacto que mantenían con los Banning era a través de las cartas que les escribían de vez en cuando Joel y Stella, que se hacían mayores mientras los años pasaban volando, así que pensaron que tal vez había llegado el momento de invitarlos a pasar unos días con ellos. Les dieron la bienvenida a su casa y parecían emocionados de corazón porque hubieran viajado hasta Kansas City. Durante una larga cena increíblemente insulsa, porque a la abuela nunca le había gustado cocinar, hablaron de la universidad, de la facultad de derecho y de sus planes de futuro. Hablaron de Liza. Stella y Joel, que acababan de pasar dos días con ella, aseguraban haber notado una mejoría. Los médicos se mostraban optimistas respecto a la eficacia de algunos de los fármacos nuevos. Ella había recuperado unos kilos. Los Sweeney querían viajar al sur para verla, pero el abuelo tenía una barbaridad de compromisos laborales.

Nadie mencionó la avalancha de problemas legales que se les había venido encima a los Banning, aunque a los abuelos no les importaría mucho de todos modos. Preferían hablar de sí mismos y de todos los amigos maravillosos y adinerados que habían hecho en Kansas City. Estaban mucho mejor allí que en Memphis. Esperaban que los chicos no se plantearan siquiera la posibilidad de instalarse en Mississippi.

Stella durmió en la habitación de invitados, y Joel, en el sofá. Tras una mala noche, despertó al percibir ruidos en la cocina y olor a café. El abuelo estaba sentado a la mesa, comiendo tostadas y hojeando con prisa el periódico matinal, mientras la abuela batía masa para tortitas. Charlaron unos minutos, y el abuelo cogió su maletín y se marchó a paso veloz, ansioso por llegar a la oficina para salvar un acuerdo importante.

—No para de trabajar —comentó la abuela en cuanto salió su marido—. Sentémonos a hablar un poco.

Stella se unió a ellos poco después, y los tres disfrutaron de un largo desayuno de tortitas con salchichas. En cierto momento, Stella sacó el tema de un trabajo que le habían encargado para cuando volviera a la universidad, en otoño. Debía recabar toda la información posible sobre el historial de salud y la forma física de sus parientes cercanos. Estudiarían los perfiles en clase con el fin de hacer predicciones sobre la longevidad de cada alumno. Por el lado de los Banning, las cosas no pintaban muy bien. El padre de Pete había muerto de un infarto a los cuarenta y nueve años; su madre, de neumonía a los cincuenta. La tía Florry tenía cincuenta y parecía gozar de una salud razonablemente buena, pero ni un solo Banning del último siglo, hombre o mujer, había vivido hasta los setenta.

Joel, que aseguró que estaba ayudándola con el proyecto, tomaba notas. Hablaron de los padres de la abuela, ambos fallecidos, así como de los del señor Sweeney.

La señora Sweeney, de sesenta y seis años, aseguraba estar sana como una manzana. No padecía dolencia alguna ni se medicaba. Nunca había tenido cáncer, enfermedades cardíacas ni otras afecciones graves. Solo había estado hospitalizada dos veces en Memphis, y había sido por el nacimiento de sus hijas. Detestaba los hospitales, por lo que los evitaba a toda costa. Joel y Stella se mostraron aliviados por haber heredado unos genes más prometedores del lado Sweeney.

Si Nineva había dicho la verdad, y casi nunca mentía, ¿por qué habían mentido Liza y Dexter Bell con el pretexto de que iban a visitar a su madre, que se moría de cáncer en un hospital de Memphis? ¿Por qué se lo habían ocultado a sus hijos y al resto del mundo?

Lo que daba pie a otra pregunta: ¿qué hicieron en realidad ese día?

Dos noches en Kansas City fueron suficientes. La abuela los llevó en coche a la estación, y todos se abrazaron. Se prometieron que volverían a verse pronto y mantendrían el contacto. En el vagón restaurante, Joel y Stella respiraron hondo y pidieron vino.

Bajaron en Saint Louis y se registraron en un hotel del centro. Joel quería ver jugar a los Cardinals en Sportsman's Park e insistió en que su hermana lo acompañara. A ella no le interesaba el béisbol, pero no le quedó más remedio que acceder. El equipo iba en segundo lugar. Stan Musial estaba en racha y era líder de la liga en bateo y cuadrangulares, lo que significaba mucho para su hermano. Los dos disfrutaron el partido.

Desde Saint Louis continuaron hacia el este, hicieron transbordo en Louisville y Pittsburgh, y por fin llegaron a Union Station, en Washington, el 17 de junio por la tarde. El lunes siguiente, Stella iba a empezar sus dos meses de prácticas en una editorial de libros de texto y necesitaba encontrar una habitación barata.

Joel reanudaría su azaroso trabajo no remunerado en el bufete de los Wilbanks cuando regresara a Clanton. No le hacía mucha ilusión. Estaba harto de las leyes y de la facultad de derecho, y se planteaba saltarse un año, quizá dos. Quería irse lejos, partir hacia el oeste en busca de aventuras, huir de toda la inmundicia a la que se enfrentaba. ¿Por qué no podía pasarse unos meses pescando trucha en arroyos poco profundos de las montañas, en vez de asistir a clases aburridas, conducir hasta Whitfield para realizar otra visita deprimente, preocuparse por la siguiente barrabasada que estuviera tramando Burch Dunlap o pasarse por la casita rosa para tomar a Florry de la mano mientras se oían los gritos de la ópera de fondo?

Iba mal de dinero, de modo que renunció a viajar en primera clase y compró un billete normal para Memphis. Estaba en Union Station, sentado en un taburete del bar, tomándose una cerveza, cuando ella pasó caminando. Tenía el cabello negro y corto, los ojos oscuros y unas facciones perfectas. De unos veinte años, era una auténtica belleza, y Joel no era el único hombre en el bar que se había fijado en ella. Era alta, esbelta, bien proporcionada. Cuando la perdió de vista, volvió a concentrarse en su cerveza y sus problemas, resistiéndose a creer que hubiera decidido no comprar un billete de primera clase por sus preocupaciones económicas.

Tras apurar el vaso, se dirigió hacia el vestíbulo de salidas, y allí estaba ella otra vez. Se acercó con disimulo, esperando que viajara en la misma dirección que él. Así fue, y Joel reparó en un par de tipos que se la comían con los ojos. Subió al tren detrás de ella y consiguió pillar el asiento contiguo al suyo. Sin prestarle la menor atención, se acomodó, abrió una revista y se la acercó a la cara. Con el codo casi tocando el de ella, la miró de reojo mientras el tren arrancaba con una sacudida. Se evidenciaba una mezcla étnica exótica, y el resultado era despampanante. Joel nunca había visto un rostro tan bello. Ella leía un libro de bolsillo, comportándose como si estuviera sola en el tren. Él supuso que se trataba de un mecanismo de defensa. Seguramente la acosaban cada vez que salía de casa.

A las afueras de Washington, la temperatura empezó a subir, por lo que Joel se levantó y se quitó la chaqueta. La joven alzó la vista. Él sonrió; ella no.

—¿Adónde te diriges? —preguntó él al sentarse.

Ella esbozó una sonrisa que hizo que le flaquearan las rodillas.

—A Jackson.

En el sur había varias poblaciones con ese nombre, pero por fortuna todas se encontraban a más de mil kilómetros. Con un poco de suerte, pasaría horas a su lado.

—¿Mississippi?

—Sí.

—Conozco bien el sitio. ¿Vives allí?

—No, soy de Biloxi, pero me quedaré un par de noches en Jackson.

Tenía la voz suave y sensual, y hablaba con un deje de la

costa del golfo de México. Para los naturales del resto de Mississippi, la zona de la costa era otro mundo. Eminentemente católica, con influencia francesa, española, criolla, india y africana, se había convertido en un crisol donde se mezclaban italianos, yugoslavos, libaneses, chinos y, como en todas partes, irlandeses.

—Me gusta Jackson —comentó él, lo que solo era cierto en parte, pero algo tenía que decir.

—No está mal —contestó ella. Había dejado el libro en sus rodillas, señal clara de que le apetecía charlar—. ¿Por qué parte de Jackson sueles andar?

Por Whitfield, porque mi madre está encerrada en el manicomio. Estaba dispuesto a decirle su nombre de pila, pero no su apellido. Ese era su mecanismo de defensa.

—Hay un pequeño bar clandestino detrás del Heidelberg al que me gusta ir. Me llamo Joel.

—Y yo Mary Ann. Malouf.

—¿De dónde viene ese apellido?

—Mi padre es libanés; mi madre, irlandesa.

—Y los genes dominantes ganan. Eres muy guapa. —No podía creer lo que acababa de decir. ¡Menudo idiota estaba hecho!

Ella sonrió de nuevo, y a Joel le dio un vuelco el corazón.

—¿Adónde vas tú? —preguntó ella.

—Bajo en Memphis. —Pero haría un viaje de ida y vuelta hasta Marte en este tren si tú no te movieras del asiento—. Estudio en la universidad de Mississippi. Derecho. —Una de las razones para seguir en la facultad de derecho era que a las muchachas les gustaba conversar con jóvenes que estaban a punto de convertirse en abogados. Había aprendido ese ardid durante su primer año en la universidad de Mississippi, y recurría a él cuando convenía.

—¿Cuánto tiempo llevas allí? —quiso saber ella.

—Este será mi segundo año.

—Pues no te he visto.

—¿No me has visto? ¿No me has visto dónde?

—Por el campus. Este otoño empezaré segundo en la universidad de Mississippi.

El centro contaba con cuatro mil alumnos, y solo el quince por ciento eran mujeres. ¿Cómo había podido pasarla por alto? Sonrió.

—Vaya, el mundo es un pañuelo. Los estudiantes de derecho tendemos a quedarnos en un solo lugar. —Se maravilló de su buena suerte. No solo la tendría para él solo durante las siguientes diez horas, sino que estarían juntos en el mismo campus en un par de meses. Por primera vez en mucho tiempo, tenía un motivo para sonreír.

—¿Qué hacías en Washington? —preguntó ella.

—Estaba ayudando a mi hermana a mudarse, para un trabajo de verano allí. Somos de una ciudad pequeña cercana a Oxford. ¿Y tú?

—He ido a ver a mi prometido. Trabaja para una comisión del senado.

Y así, de sopetón, se acabó la fiesta. Joel esperaba no haber fruncido el ceño, torcido el gesto o hecho pucheros. Esperaba haber conseguido mantener buena cara y haber adoptado una expresión comprensiva, aunque, frente a aquella calamidad, lo dudaba.

—Qué bien —logró murmurar—. ¿Cuándo será el gran día?

—Aún no hemos fijado la fecha. Después de que me gradúe. No tenemos prisa.

Una vez descartados tanto una aventura amorosa como un futuro en común, hablaron de sus planes para el resto del verano, de la universidad, de la facultad de derecho y de lo que les gustaría hacer después de titularse. A pesar de su hermosura, Joel acabó por perder el interés en ella y se quedó dormido.

43

Como Rumbold llevaba tres meses dando largas al caso sin decir nada, Burch Dunlap tomó medidas, aunque su maniobra era ineficaz y tenía el único propósito de humillar al juez de equidad. A principios de septiembre, solicitó al tribunal supremo del estado una orden que exigiera a Rumbold una resolución en un plazo de treinta días. Ningún artículo del reglamento contemplaba, ni mencionaba siquiera, esa clase de solicitudes, y Dunlap lo sabía. En su petición acusaba a Rumbold de parcialidad e insistía en que debería haberse inhibido. Resumía los testimonios y pruebas presentados en aquel juicio que había durado apenas unas horas. Después de exponer de forma clara y sencilla todas las cuestiones legales, escribió, a modo de recapitulación: «La lista de casos pendientes del tribunal de equidad del vigésimo segundo distrito es más bien breve. Basta una ojeada superficial para comprobar que el juez que lo preside no maneja un volumen de trabajo desmedido. Resulta inconcebible que un jurista tan sensato, respetado y experimentado como el honorable Abbott Rumbold no haya podido tomar una decisión sobre el caso ni emitido una resolución en cuestión de días. Un retraso de tres meses es injusto para las partes. La justicia demorada es justicia denegada».

La desfachatez de Dunlap dejó admirado a John Wilbanks, que encontró la treta brillante. El tribunal supremo desestimaría la petición sin comentarios, pero habría recibido una advertencia, por medios poco convencionales, de que pronto tendría que ocuparse de un caso importante, posiblemente relacionado con un acto de favoritismo en el condado de Ford. Wilbanks presentó una contestación de una página en la que recordaba al tribunal que las normas procesales no contemplaban esa clase de peticiones ni permitían que los abogados se inventaran reglas nuevas.

El tribunal supremo no solo no admitió la petición, sino que ni siquiera la consideró digna de respuesta.

Un mes después, cuando el viejo Rumbold seguía sin dar señales de vida, Dunlap presentó otra petición idéntica. La contestación de John Wilbanks incluía un recordatorio de que las peticiones frívolas de Dunlap estaban ocasionando que los litigantes incurrieran en gastos legales innecesarios. Dunlap contraatacó. Wilbanks presentó otra contestación. Al tribunal supremo no le hacía gracia el rifirrafe. Rumbold seguía mirándose el ombligo.

Los miércoles la última clase de Joel terminaba a mediodía, de modo que adquirió la costumbre de ir en coche al condado de Ford a almorzar. Marietta siempre le preparaba algo delicioso, y él se lo comía con la tía Florry en el porche de esta, mientras las aves graznaban a lo lejos. Más allá de la pajarera, los campos estaban henchidos de algodón, y la recogida comenzaría en cuanto empezara a refrescar. Mantenían las mismas conversaciones sobre Stella, Liza y los estudios de derecho, pero no se explayaban en el tema de las querellas y demás líos legales. Jamás mencionaban la posibilidad de perder las tierras.

Tras un largo almuerzo, Joel pasaba por su casa para ver a Nineva y a Amos, y asegurarse de que nada hubiera cambiado. Nada cambiaba. Por lo general se reunía con Buford para consultarlo sobre el algodón. Después se dirigía a la ciudad, aparcaba en la plaza y entraba en el bufete Wilbanks con el fin de trabajar unas horas. John y Russell le encargaban escritos, para que se documentara y los redactara en sus ratos libres en la universidad. Más tarde, echaban un trago de bourbon en la terraza; luego Joel cargaba todas sus carpetas en el coche y emprendía el trayecto de vuelta a Oxford.

Al cabo de un par de intentos, había concluido que no era capaz de pasar la noche en su casa. Se le antojaba en extremo silenciosa, solitaria y deprimente. Contenía demasiadas fotografías de la familia en momentos más felices, demasiados recuerdos. En el estudio de su padre, de la pared más próxima al escritorio, colgaba un retrato grande que habían hecho a Pete el día de su graduación en West Point. Joel siempre lo había admirado. En ese momento mirarlo le resultaba muy doloroso.

Había discutido con Stella la posibilidad de retirar todas las fotografías, libros y medallas, meterlos en cajas y guardarlos en un trastero, pero no habían reunido las fuerzas suficientes para hacerlo. Además, tal vez Liza regresase un día con la intención de rehacer su vida, y esos recuerdos serían importantes para ella.

De modo que su bonita casa se había convertido en un lugar lúgubre, oscuro y desierto, salvo por Nineva, que todos los días entraba con paso sigiloso para quitar un poco el polvo aquí y allá, y hacer lo menos posible.

Cada vez que Joel visitaba la hacienda, se notaba ansioso por marcharse. Su vida allí nunca volvería a ser la misma. Su padre había muerto. El futuro de su madre era incierto. Stella estaba decidida a irse a una gran ciudad del norte para llevar una existencia lo más apartada posible del condado de Ford. Los hermanos Wilbanks iban lanzando serias indirectas a Joel para que se uniera al bufete cuando se titulara, pero eso no iba a ocurrir. En Clanton, él siempre sería «el chico de Pete Banning», el hijo del tipo al que habían achicharrado en la silla eléctrica allí mismo, en la sala principal del juzgado.

¿En serio? ¿De verdad esperaban que Joel ejerciera la abogacía en la sala en la que habían matado a su padre? ¿De verdad esperaban que llevara una vida normal y próspera en una ciudad donde la mitad de los vecinos consideraba a su padre un asesino y la otra mitad sospechaba que su madre había tonteado con el pastor?

Clanton era el último lugar del mundo donde viviría.

Biloxi, por otro lado, prometía más. Joel no estaba acosando a Mary Ann Malouf, pero averiguó en qué residencia se alojaba y su horario de clases. Provisto de estos datos, logró toparse con ella un par de veces en el campus. La chica parecía alegrarse de aquellos encuentros. De vez en cuando, la observaba desde lejos y le irritaba comprobar que muchos otros chicos hacían lo mismo. Cuando el equipo de fútbol americano de Kentucky llegó a la ciudad para disputar un partido, el primero de octubre, Joel la invitó a salir. Ella rehusó y le recordó que estaba prometida. Su novio también había estudiado en la universidad de Mississippi y seguía teniendo amigos allí. No podían verla con otro.

No dijo que no quisiera salir con otro, solo que no quería aparecer en público con otro. Joel tomó buena nota de tan importante matiz. Repuso que, al menos en su opinión, era injusto que una alumna tan guapa llevara una vida social tan restringida cuando sin duda su prometido estaba pasándolo en grande en Washington. Le preguntó por qué no llevaba anillo de pedida. Ella le contestó que no tenía.

Joel insistió hasta que ella accedió a cenar tarde con él. No sería una cita, solo una cena. La recogió frente al liceo después del anochecer, condujo hasta el centro, aparcó delante de los grandes almacenes Neilson's y caminó con ella por South Lamar hasta The Mansion, el único restaurante que permanecía abierto a esas horas. Cuando entraron, Joel vio a William Faulkner sentado a su mesa de siempre, solo, comiendo y leyendo una revista.

Acababa de publicar *Intruso en el polvo*, su decimocuarta novela. Un crítico que escribía para el *Memphis Press-Scimitar* le había dedicado una reseña poco entusiasta, pero otro artículo del periódico revelaba algo más importante: que Faulkner había vendido los derechos cinematográficos a MGM. Joel había comprado el libro en una tienda pequeña de Jackson cuando había ido a ver a su madre. Por aquel entonces no había librerías en Oxford, y a los vecinos les interesaba poco lo que su hijo más ilustre estuviera escribiendo o publicando. Por regla general, él los ignoraba, y ellos a él.

Joel llevaba dos libros de tapa dura en una bolsa de papel: *Intruso en el polvo*, que estaba nuevo y sin leer, y el gastado ejemplar de *Mientras agonizo* que había pertenecido a su padre.

Como era tarde, el restaurante estaba vacío, y Joel y Mary Ann se sentaron lo más cerca que se atrevieron del señor Faulkner sin invadir su intimidad. Joel esperaba que el escritor se fijara en la despampanante estudiante y, fiel a su fama, le entraran ganas de coquetear con ella, pero estaba demasiado absorto en la lectura, ajeno a cuanto lo rodeaba.

Tras pedir té helado y unos platos de verduras, conversaron en voz baja, esperando que surgiera la oportunidad de romper el hielo. Joel se sentía emocionado por estar contemplando el bello rostro de la chica de sus sueños y a la vez sentado tan cerca de Faulkner, con el firme propósito de saludarlo.

Cuando el escritor se había comido la mitad de su pollo a la brasa, empujó el plato a un lado, tomó un bocado de pastel de melocotón y sacó su pipa. Echó un vistazo alrededor y por fin reparó en Mary Ann. A Joel le hizo gracia que la mirara dos veces y que mostrara un interés tan evidente. Faulkner la repasó de arriba abajo mientras manipulaba su pipa. Joel ya se había levantado. Se le acercó y, tras pedir al gran hombre disculpas por molestar, le preguntó si tendría la bondad de autografiarle la copia de *Mientras agonizo* de su padre, un libro que encantaba a Joel, y también su ejemplar nuevo de *Intruso en el polvo*.

—Por supuesto —respondió el señor Faulkner con tono cortés y voz aguda. Se sacó una pluma del bolsillo de la americana y cogió los dos libros.

—Me llamo Joel Banning. Estudio derecho aquí.

—Mucho gusto, joven. ¿Y su amiga? —inquirió Faulkner, sonriendo a la chica.

—Mary Ann Malouf, estudiante también.

—Cada año parecen más jóvenes. —Abrió el primer libro, escribió únicamente su nombre en letra pequeña, lo cerró y lo devolvió, sonriente, antes de proceder a firmar el segundo.

—Gracias, señor Faulkner —dijo Joel. Como no se le ocurría nada que añadir y saltaba a la vista que Faulkner había dado la conversación por terminada, el muchacho se retiró y regresó a su asiento. No había conseguido estrecharle la mano, y estaba convencido de que Faulkner no había retenido su nombre.

A pesar de todo, Joel había mantenido el encuentro que buscaba y hablaría de ello durante el resto de su vida.

En noviembre, Burch presentó su tercera petición, y en diciembre, la cuarta. Después de dar largas al caso durante seis meses, el juez Rumbold decidió que había llegado el momento de pronunciarse. En una resolución de dos páginas, establecía que la transmisión de las tierras de Pete Banning a sus dos hijos se había realizado conforme a derecho y no era en modo alguno fraudulenta. Le denegaba una indemnización a Jackie Bell.

Burch Dunlap, que ya se lo esperaba, pulió sus argumentos casi de la noche a la mañana, presentó su escrito de alegaciones y se apresuró a remitir el caso a Jackson, a un tribunal supremo que ya estaba familiarizado en cierta medida con los hechos.

Durante las vacaciones de Navidad, Joel se alojaba en casa de Florry y se pasaba el día en el bufete Wilbanks redactando el escrito de contestación al recurso de apelación de Dunlap. Su investigación, ya muy avanzada, era tan exhaustiva y meticulosa como preocupante. Por norma general, en todas las jurisdicciones, la jurisprudencia tendía a favorecer la transmisión metódica de tierras entre generaciones de una familia. Sin embargo, la ley no veía con buenos ojos que personas implicadas en actividades criminales transmitieran bienes para blindarlos frente a posibles reclamaciones por parte de sus víctimas. Cabían pocas dudas de que Pete había intentado deshacerse de sus tierras antes de matar a Dexter Bell.

Mientras Joel trabajaba durante horas en su investigación y en el escrito, a menudo lo asaltaba la sensación de que generaciones de antepasados se encontraban a su lado. Ellos habían despejado los campos, arrebatándoselos a la maleza, habían arado la tierra con bueyes y mulas, perdido cosechas a causa de inundaciones y plagas, adquirido más hectáreas cuando habían podido permitírselo, pedido préstamos, sobrellevado años de vacas flacas y pagado sus deudas tras cosechas extraordinarias. Habían nacido en aquellas tierras, allí los habían enterrado, y entonces, más de un siglo después, todo dependía del joven Joel y sus habilidades legales.

Yacían en el Sicomoro Viejo, bajo hileras de lápidas ordenadas. ¿Estaban sus espectros observando a Joel, rezando por que ganara?

Estas preguntas pesaban sobre él como una losa, y afrontaba cada jornada con un nudo apretado en el estómago. Bastantes humillaciones había sufrido la familia. Si perdían las tierras, eso los atormentaría de por vida.

También pesaba sobre Joel la evidente realidad de que Stella y él contaban con seguir obteniendo aquellos ingresos durante muchos años. Aunque aspiraban a labrarse una carrera profesional de éxito, les habían inculcado desde pequeños la creencia de que la hacienda familiar siempre les proporcionaría cierto grado de seguridad económica. Criados en aquellas tierras, sabían que habría años buenos y malos, cosechas excelentes e inundaciones, subidas y bajadas de los mercados, por lo que nada estaba garantizado. Sin embargo, aquellas tierras eran de su entera propiedad y estaban libres de carga, lo que permitía salir adelante en épocas de malas cosechas. Su pérdida sería muy difícil de aceptar.

Por otro lado, estaba Liza. Hablaba cada vez más a menudo de volver a casa, de recuperar su vida en la hacienda. Aseguraba que echaba de menos a Nineva, cosa que Joel dudaba.

No obstante, sí añoraba sus rituales, el trabajo en la huerta, sus caballos, sus amigos. Si todo ello desaparecía, las consecuencias serían catastróficas. En todas sus visitas, el doctor Hilsabeck preguntaba a Joel por la marcha de los pleitos, los recursos y todo ese embrollo legal que para él era indescifrable.

Así que el joven se dedicaba a investigar y escribir. John Wilbanks revisaba sus borradores, los corregía y le hacía comentarios. Presentó su escrito de alegaciones el 18 de enero, y comenzó el período de espera. El tribunal supremo podría ver el caso tanto tres como doce meses después.

Esa tarde, Joel guardó sus documentos, despejó su mesa y ordenó el pequeño despacho en el que había pasado tantas horas. Ya se había despedido de Florry y planeaba regresar a Oxford esa noche para iniciar su cuarto semestre en la facultad de derecho. Salió a la terraza para tomar una copa con John Wilbanks. Hacía un calor más propio de primavera que de aquella época.

John se encendió un puro y le ofreció otro a Joel, que rehusó. Comentaron el tiempo mientras bebían sorbos de Jack Daniels.

—Nos da pena que te marches, Joel —dijo Wilbanks—. Nos ha gustado tenerte en el despacho.

—Lo he pasado muy bien —aseguró Joel, si bien era una ligera exageración.

—Nos gustaría que volvieras en verano para otro período de prácticas.

—Gracias. Son ustedes muy amables. —Aunque no albergaba la menor intención de volver en verano, ni al año siguiente ni al otro, era demasiado pronto para informar de ello a John Wilbanks—. Es posible que este verano me quede en la universidad —dijo en cambio—. Para acabar en diciembre.

—¿Por qué tanta prisa? Deberías disfrutar tus días de universitario, muchacho.

—Estoy harto de esos días. Quiero salir ahí fuera y abrirme camino.

—Pues espero que te plantees aceptar nuestra oferta de incorporarte al bufete como miembro asociado.

¿Por qué andarse con rodeos? Su padre nunca había tenido pelos en la lengua, y su franqueza le había valido la admiración de muchos. Joel tomó un largo trago de whisky.

—Señor Wilbanks, creo que no sería capaz de ejercer la abogacía en esta ciudad. Cada vez que veo ese juzgado, y resulta difícil no verlo, me vienen a la mente los últimos momentos de mi padre. Lo recuerdo a él, avanzando con valentía por la calle, con multitudes a ambos lados y todos aquellos veteranos venidos para darle apoyo. Lo veo entrar en el edificio y subir las escaleras hacia su muerte. El largo paseo que lo llevaría a la tumba. Y cuando pongo un pie en esa sala, una imagen me invade el pensamiento: la de mi padre cuando lo estaban sujetando a esa silla.

—Lo entiendo, Joel.

—Estoy convencido de que jamás podré borrar esa imagen de mi mente. ¿Cómo voy a representar clientes en esa sala?

—Lo entiendo.

44

El 28 de marzo, trece meses después del juicio celebrado en Oxford, el tribunal de apelaciones del quinto circuito, en Nueva Orleans, ratificó la condena de cien mil dólares por responsabilidad civil derivada del homicidio. La opinión emitida fue breve y unánime. Aunque los jueces estaban asombrados por la cuantía de la indemnización, les preocupaban poco los intereses de un hombre de buena posición que había asesinado a sangre fría a su propio pastor. Había sido un crimen premeditado. La familia de la víctima había sufrido mucho. El jurado siguió el caso, escuchó a los testigos, estudió los documentos y deliberó con detenimiento. Los jueces no tuvieron que hacer prevalecer su opinión sobre la del jurado. La sentencia fue ratificada en todos los aspectos.

La decisión resultó demoledora para los Banning. Los hermanos Wilbanks y Joel se convencieron a sí mismos de que con la apelación no conseguirían la revocación del veredicto, pero sí una reducción de la indemnización. Cincuenta mil dólares en concepto de daños punitivos era una suma sin precedentes. Dado el valor de las tierras y otros bienes de Pete, era concebible que su patrimonio pudiera absorber el pago de una cifra menor, tal vez del orden de cincuenta mil dólares. El propietario definitivo de las tierras, ya fuera Joel o Stella, o la sucesión de Pete, podría pedir un préstamo con aval hipotecario por dicha suma y satisfacer el fallo. En cambio, parecía improbable que un banco aceptara la finca como garantía de un crédito de cien mil dólares.

El futuro de las tierras ya solo estaba en manos del tribunal supremo de Mississippi. Si este confirmaba la resolución de Rumbold de que la transmisión había sido correcta, Joel y Stella conservarían la finca. Burch Dunlap y su ya inseparable compinche Errol McLeish se verían obligados a atacar los demás bienes de Pete —cuentas bancarias, maquinaria agrícola, ganado, automóviles— para sacar algo de dinero. Sin embargo, si el tribunal desautorizaba a Rumbold, las tierras volverían a formar parte del patrimonio de Pete y por tanto estarían sujetas al veredicto del jurado. Joel y Stella lo perderían todo, casa y muebles incluidos.

Con la ayuda de Joel, John Wilbanks apeló la decisión del quinto circuito al tribunal supremo federal, lo que suponía una pérdida absoluta de tiempo. No obstante, el recurso mantendría ocupado a Dunlap y les permitiría ganar unos meses. Este inscribió en el registro la sentencia de los cien mil dólares, que ya habían empezado a generar intereses, con el secretario de circuito del condado de Ford. Wilbanks corrió al tribunal de equidad, despertó al viejo Rumbold y le solicitó un mandamiento judicial para impedir que Dunlap intentara apoderarse de bienes mientras el caso estuviera pendiente de apelación. Tras una vista breve y reñida, Rumbold volvió a fallar en favor de los Banning. Dunlap solicitó al tribunal supremo de Mississippi una vista de urgencia. Wilbanks se opuso.

Joel seguía las ofensivas y los contraataques desde la tranquilidad de su apartamento reconvertido de Oxford. Lo alquilaba por diez dólares al mes y, con la camioneta Ford de su padre, había empezado a trasladar discretamente muebles y otros enseres desde su casa hasta la seguridad del garaje. A Nineva no le gustaba, pero no tenía voz ni voto en el asunto.

A mediados de mayo, Joel y Florry se montaron en el Lincoln 1939 de ella y emprendieron un largo viaje por carretera a Virginia. Se alojaron en el hotel Roanoke, donde ofrecieron un cóctel para Stella y sus amigos de Hollins. Un precioso día de primavera, sentados junto con una multitud de padres y familiares, vieron a Stella recibir su título de licenciada en literatura inglesa. Al día siguiente, mientras las mujeres tomaban el té a la sombra, Joel acarreaba cajas y maletas desde la habitación de su hermana en la residencia hasta el coche. Cuando este quedó abarrotado y él agotado, Stella se despidió de la universidad, de la facultad que adoraba y de sus amigos. Joel nunca había visto tantas lágrimas, ni siquiera en un buen entierro.

Con las mujeres gritándole instrucciones desde el asiento trasero y la vista de todos los retrovisores tapada por el equipaje y las cajas, se alejaron a toda velocidad de Hollins en dirección norte. Al cabo de tres horas, se habían perdido en Richmond, pero pararon de todos modos para comer en un asador en un barrio modesto de la ciudad. Un vecino les dio indicaciones y, después de un almuerzo rápido, reanudaron la marcha, con destino Washington.

El plan maestro de Stella seguía consistiendo en vivir en Nueva York, trabajar para una revista y en sus ratos libres escribir ficción seria. Sin embargo, lograrlo le llevaría mucho más tiempo del que creía. Los trabajos en el mundo editorial eran escasos, mientras que todos los colegios necesitaban profesores jóvenes. Saint Agnes, en Alexandria, era una escuela e internado episcopaliano para niñas. Ofrecieron a Stella un contrato para impartir clases de literatura inglesa a alumnas de noveno curso y vigilar el dormitorio por las noches. Mientras Florry y ella se tomaban otro té con la directora, Joel arrastró sus maletas y cajas hasta un dormitorio aún más pequeño y asfixiante que el de la residencia de estudiantes.

El colegio le facilitó un aparcamiento seguro para el coche. A cambio de diez dólares, un conserje se comprometió a mantener los neumáticos inflados y arrancar el motor una vez al día. Llamaron un taxi y cruzaron el Potomac para adentrarse en Washington. Una vez en Union Station, tomaron el tren a Nueva York.

Habían decidido que, antes de que Burch Dunlap y sus codiciosos clientes se apoderaran de su dinero, gastarían una parte de lo que les quedaba. Stella ya no pagaba matrículas y tenía un empleo. A Joel le faltaba solo un año para terminar los estudios de derecho y empezar a trabajar. Las tierras de Florry estaban a salvo de los buitres, y ella guardaba algo de dinero bajo el colchón. Tal vez el verano de 1949 sería el último en el que estarían juntos, así que ¿por qué no pasarlo con estilo?

En el puerto del sur de Manhattan, embarcaron en un transatlántico con destino a Londres, y durante dos deliciosas semanas no hicieron otra cosa que descansar, leer e intentar olvidarse de los problemas que los agobiaban en casa. En cubierta, Joel y Stella se fijaron por primera vez en la lentitud con que se movía Florry. Cargaba con mucho peso, como de costumbre, pero siempre había sido vigorosa y activa. Ahora, en cambio, daba traspiés y parecía que le faltaba el aire incluso después de un paseo corto. Aunque solo tenía cincuenta años, se la veía avejentada y fatigada.

En Londres se alojaron en el hotel St. Regis y se dedicaron al turismo durante una semana. A continuación viajaron a Edimburgo, donde tomaron el Royal Scotsman para pasar una semana en las Highlands. Cuando se cansaron de visitar castillos, casas señoriales, escenarios históricos y destilerías, regresaron a Londres para descansar un par de días antes de proseguir viaje a París.

Stella y Joel estaban tomándose un café en el vestíbulo del Hôtel Lutetia cuando recibieron la noticia. Florry, que no se encontraba bien, había decidido pasar la mañana descansando en lugar de recorrer la ciudad a toda marcha. Un botones se acercó y entregó un cablegrama a Joel. Era de John Wilbanks. El tribunal supremo de Mississippi había decidido, por siete votos a dos, revocar la resolución de Rumbold. La cesión de las tierras a Joel y a Stella había sido declarada nula y sin efecto. La finca seguiría formando parte del patrimonio de su padre y, por tanto, respondería por los daños y perjuicios derivados del crimen cometido por él.

—Revocada de forma definitiva —murmuró Joel con incredulidad.

—¿Y eso qué significa? —preguntó Stella.

—Significa que el caso está cerrado. Que el tribunal supremo está tan convencido de que Rumbold se equivocó que ha decidido dar carpetazo al asunto sin celebrar más vistas.

—¿Podemos apelar?

—Sí, presentaremos otro recurso de apelación al tribunal supremo federal e intentaremos ganar algo de tiempo. Consultaré con Wilbanks la posibilidad de declararnos en quiebra.

Tomando sorbos de café, contemplaron a la gente que entraba y salía del suntuoso vestíbulo.

—Voy a preguntarte algo, y quiero una respuesta sincera —dijo Stella—. ¿Significa esto que Jackie Bell y sus hijos podrían instalarse algún día en nuestra casa?

—Es posible, pero sigue pareciéndome poco probable. En algún momento, Wilbanks se sentará con su abogado y hará todo lo posible por llegar a un acuerdo.

—¿Y eso cómo funciona?

—Ofreciéndoles dinero contante y sonante.

—Creía que eso ya lo habíamos intentado.

—Así es, y rechazaron veinticinco mil dólares. Esta vez nos saldrá más caro.

—¿Cuánto?

—No lo sé. Dependerá de cuánto quede en las cuentas y cuánto podamos pedir prestado con las tierras como aval.

—¿De verdad quieres hipotecar la finca, Joel? Sabes cuánto detestaba papá a los bancos.

—Es posible que no tengamos alternativa.

La resolución del tribunal supremo del estado establecía que la conducta de Pete había sido fraudulenta en varios aspectos. En primer lugar, mantenía intereses en la finca, ya que vivía en ella, la cultivaba y obtenía beneficios de sus productos. En segundo lugar, no había recibido nada a cambio de transferir la titularidad a sus hijos. En tercer lugar, había realizado la transmisión en vida a miembros de su familia, algo que siempre despertaba sospechas. Y en cuarto lugar, en el momento de firmar la escritura tenía motivos para creer que algún día los acreedores emprenderían acciones contra él debido a sus actos.

John Wilbanks leyó la opinión una docena de veces, y la lógica del tribunal le pareció incontestable. Inició la inútil rutina de apelar la decisión al único tribunal que quedaba, el supremo federal, pero sabía que no existía la menor posibilidad de que el caso fuera admitido a trámite. Consultó el asunto con un buen amigo de Memphis especializado en bancarrotas, que no se mostró muy optimista. Declarar insolvente la sucesión de Pete parecía una táctica dilatoria astuta, pero sería muy complicado que obtuviera un resultado satisfactorio.

Wilbanks regresó al tribunal de equidad para solicitar otra orden con objeto de impedir un embargo mientras el caso estuviera pendiente de apelación, y, por supuesto, Rumbold se la concedió. Dunlap volvió a encajar el golpe y presentó un recurso. Sin embargo, ni siquiera un juez tan parcial como Rumbold podía retrasar lo inevitable durante mucho tiempo.

Después de la vista, un Dunlap sereno y seguro de sí mismo mantuvo una charla con Wilbanks y le hizo una propuesta. Había llegado el momento de dejar de acumular facturas legales y enfrentarse a lo evidente. Los recursos no funcionarían, y tampoco una declaración de insolvencia. ¿Por qué no cedía sin más la propiedad de las doscientas sesenta hectáreas, junto con la casa y los enseres, a Jackie Bell? Si los Banning aceptaban el trato, Jackie renunciaría a las cuentas bancarias.

La propuesta enfureció a Wilbanks.

—Los Banning quemarían la casa y las cosechas antes de firmar esa escritura de cesión —aseguró.

—Estupendo —replicó Dunlap—, pero no olvides recordar a tus clientes que provocar incendios sigue siendo un delito penado con largas condenas de cárcel.

Cuando, a finales de julio, Joel y Florry cruzaron la frontera estatal y se adentraron en Mississippi, empezaron a fijarse, como siempre, en los campos de algodón, y lo que vieron no les resultó alentador. Las lluvias torrenciales de la primavera habían retrasado la siembra, y saltaba a la vista que, durante los dos meses que habían pasado en Inglaterra y Europa dándose la gran vida, el tiempo no había acompañado. En los años buenos, las plantas florecían antes del 4 de julio y, a principios de septiembre, llegaban a la altura del pecho.

No recordaban haber visto una cosecha con tan mal aspecto y, conforme avanzaban entre los algodonales del norte de Mississippi, la cosa empeoraba. No había flores. Los tallos a duras penas llegaban a la rodilla. En zonas bajas, hectáreas enteras habían quedado anegadas.

Mientras preparaba café, Nineva les pidió que le contaran qué tal les había ido el viaje. Después, cuando ellos le preguntaron por el tiempo, ella se despachó a gusto. Al parecer durante su ausencia había llovido todos los días, y cuando no llovía, el cielo estaba nublado. El algodón necesitaba días y días de tiempo seco y soleado, y, en fin, resultaba obvio que la humedad estaba matando las cosechas. Los esfuerzos de Amos estaban logrando salvar la huerta, pero el rendimiento era muy inferior al habitual.

Como si la vida en la finca de los Banning no fuera ya bastante deprimente.

Joel llevó a su tía a la casita rosa y descargó su equipaje. Tomaron una copa en el porche, contemplando la lastimosa cosecha y deseando no haberse marchado de Escocia.

John Wilbanks quería hablar con él y, pese a que Joel habría dado el brazo derecho por evitar el bufete, el juzgado y el centro de Clanton en general, no le quedó más remedio que ir. Se reunieron en la espaciosa sala de juntas de la planta baja, señal de que iban a tratar un tema de importancia capital. Otra señal de ello era que Russell también se encontraba presente.

Los hermanos se pusieron a fumar enseguida, John un puro negro corto, y Russell un cigarrillo. Joel rehusó acompañarlos, alegando que para disfrutar del tabaco le bastaba con respirar el aire de la sala.

John hizo un resumen de la situación legal. Habían presentado dos apelaciones carentes de fundamento ante el tribunal supremo federal, y era de esperar que este las rechazara en cuestión de un par de meses, en cuanto algún secretario judicial se pusiera con el papeleo. No había un solo motivo para que el tribunal mostrara el menor interés por ninguno de los dos recursos. Burch Dunlap, que había inscrito en el edificio de enfrente la sentencia de cien mil dólares, aguardaría con paciencia a que los Banning y sus abogados se cansaran de realizar maniobras legales inútiles y tiraran la toalla.

—¿Qué opináis de la declaración de insolvencia? —preguntó Joel.

—Que no dará resultado, porque la sucesión no es insolvente. Deberíamos hacerlo para retrasar el procedimiento, pero Dunlap no perdería un segundo en solicitar audiencia al juez de bancarrota. Además, no hay que olvidar que si declaramos insolvente la sucesión, el administrador asumirá el control sobre el patrimonio. Y nombrar al administrador no nos corresponde a nosotros, sino al tribunal.

Russell exhaló una nube de humo.

—Es muy probable que el administrador ordene a la albacea, Florry, que entregue todos los bienes a la acreedora de la indemnización, Jackie Bell.

—Nada de esto me sorprende demasiado —comentó Joel.

—Y eso no es todo —prosiguió Russell—. Tenemos que cobrar. Nuestra minuta asciende ya a más de siete mil dólares, y no estoy seguro de que el patrimonio cubra ese importe. Hemos estado presentando peticiones y solicitudes a diestro y siniestro con la esperanza de que se produzca un milagro, y eso nos ha consumido mucho tiempo. Declarar la quiebra como táctica dilatoria no haría más que aumentar las horas facturadas.

—Entiendo.

—Estamos en una vía muerta, Joel. No tenemos otra salida

que hacer un esfuerzo de buena fe por llegar a un acuerdo con esa gente. Aún nos queda una idea, la única que puede salvar las tierras. Consiste en hipotecar las dos partes de la finca, la de Pete y la de Florry. Las cuatrocientas ochenta y cinco hectáreas. Pedís prestado todo el dinero que podáis y se lo ofrecéis a Dunlap para zanjar el pleito.

—¿Cuánto? —preguntó Joel con cautela.

—La casa está valorada en treinta mil. La tierra vale unos cuarenta dólares por hectárea, tirando por lo alto, pero no te resultará fácil conseguir tanto, tal como está el mercado. Como sabes, solo unas cuatrocientas hectáreas están cultivadas. Ningún banco te concederá un préstamo por su valor total, por el riesgo que supone. Piénsalo bien. Pete conseguía cubrir gastos o incluso obtener beneficios casi todos los años porque las tierras eran de su entera propiedad y estaban libres de carga, y además él se dejaba el pellejo trabajando, exigía mucho a sus empleados y cuidaba cada centavo. Si gravas la finca con una hipoteca, de pronto tendrás que lidiar con el banco. Un par de cosechas malas, como la de este año, bastaría para que te retrasaras en los pagos. De un día para otro, el banco empezaría a amenazarte con una ejecución hipotecaria. Es algo que sucede todos los años por aquí, incluso cuando las cosechas son buenas.

Russell tomó el relevo.

—Hemos hablado con nuestro hermano, que trabaja en el banco, y la idea no le entusiasma. Si Pete siguiera vivo y al mando, la finca resultaría más atractiva. Pero él ya no está, tú no eres agricultor y Florry está como una cabra. Me temo que los bancos te darían con la puerta en las narices.

—¿Cuánto estaría dispuesto a prestarme vuestro hermano?

—Setenta y cinco mil, como máximo —respondió John.

—Y yo tampoco estaría seguro respecto a eso —terció Russell—. Hay otro problema bastante evidente. Representamos a tu familia, y también al banco. ¿Qué ocurriría en caso de impago? El bufete de pronto se vería involucrado en un conflicto de intereses que podría meternos en un gran lío.

—Por otro lado, no hemos hablado de esto con el otro banco de la ciudad —añadió John—. Como bien sabes, existe una rivalidad considerable entre las familias. Dudo que quieran implicarse, pero tal vez podríamos llevarlo a un banco más grande en Tupelo.

Joel se levantó y comenzó a pasearse por la habitación.

—No puedo pedirle a Florry que hipoteque sus tierras. Sería demasiado. No tiene nada más, y si lo perdiera, no sé dónde acabaría. No puedo hacer eso. No se lo pediré.

John tiró la ceniza del puro en un platito.

—Se me ocurre un plan. Ya me dirás qué te parece. Me sentaré a negociar con Dunlap. Seguramente aceptó el caso bajo un pacto de cuotalitis y aún no ha cobrado un centavo, así que es posible que le interese un acuerdo económico. Empezaré tanteando el terreno con cincuenta mil. Eso puedes permitírtelo, ¿verdad?

—Supongo —contestó Joel—. Pero la perspectiva de deber tanto dinero me pone malo.

—Normal, pero os permitiría a Stella y a ti conservar las tierras y la casa.

—¿Y si piden demasiado?

—Ya veremos. Por el momento, comencemos la primera ronda de negociaciones. Intentaré convencerlo de que no tenemos dónde caernos muertos.

45

En el calor sofocante de agosto, la pequeña habitación de Liza resultaba insoportable. No había una sola ventana por la que entrara un poco de corriente, nada que hiciera más llevadera la humedad asfixiante salvo un endeble ventilador cuadrado que Joel le había comprado el verano anterior. Al cabo de unos minutos, ambos estaban sudando, así que decidieron salir en busca de un lugar sombreado. Liza caminaba mejor últimamente; había mejorado, al menos en cuanto a su estado físico. Había recuperado unos kilos, aunque seguía comiendo poco. En ocasiones la clorpromazina le abría el apetito. Y desde luego la tranquilizaba, de modo que ya no se removía inquieta ni se tironeaba del cabello como antes. Lo llevaba corto y se lo lavaba más a menudo, y había cambiado las batas de hospital de color claro y siempre manchadas por vestidos de algodón sencillos que le enviaba Stella. Un mes antes se había marcado un hito cuando esta le había llevado tres barras de labios, y Liza se había entusiasmado. A partir de entonces, recibía a todas sus visitas con una sonrisa de color rojo vivo.

Aunque el doctor Hilsabeck seguía manifestándose satisfecho con sus progresos, Joel había perdido la esperanza de que su madre llegara a recobrarse lo suficiente para marcharse de allí. Tras pasar tres años en aquel centro, este se había convertido en su hogar. Sí, había mejorado, pero le quedaba mucho camino por recorrer.

Al salir del edificio, se dirigieron hacia el estanque y se sentaron a una mesa de picnic, a la sombra de un roble. El calor era implacable, y el aire, tan denso que permanecía del todo inmóvil, sin el menor asomo de brisa. A diferencia de otras veces, Joel había estado deseando visitarla porque tenía muchas cosas que contarle. Le refirió con lujo de detalles sus viajes a Nueva York, Londres, Escocia y París.

Liza lo escuchaba con una bonita sonrisa que partió el corazón a Joel, porque era lo máximo a lo que podía aspirar. Su madre jamás volvería a su hogar, y Joel no podía hablar de ese hogar con ella.

En Biloxi encontró una habitación sórdida en un motel barato para turistas cercano a la playa y fue en busca de Mary Ann Malouf, que ya no estaba prometida con el tipo de Washington. El año anterior se había visto mucho con Joel, más que nada porque se pegaba a ella como una lapa.

En la universidad de Mississippi se escabullían para cenar a altas horas de la noche. Habían ido dos veces en coche a Memphis, donde nadie los conocía. Él la había presionado para que plantara al tipo de Washington y saliera con un hombre de verdad.

Durante el verano, la joven trabajaba unas horas por semana en una tienda de ropa de la calle principal, y cuando Joel se presentó, ella se llevó una sorpresa agradable. Joel se quedó allí hasta que empezó a recibir miradas hostiles del jefe, y entonces se marchó. Quedaron para tomar un refresco después del trabajo y hablaron de la posibilidad de que Mary Ann lo presentara a su familia. Él insistió en ello. Ella no lo tenía muy claro. Sus padres tenían aprecio a su exprometido y no verían con buenos ojos que la rondara un nuevo pretendiente.

Sintiéndose un poco rechazado, Joel vagó por la costa durante unos días, intentando eludir tanto la vuelta a casa como cualquier cosa mínimamente parecida a un empleo serio. Llamó a la puerta de varios bufetes y consiguió un par de entrevistas rápidas pero ninguna oferta de trabajo. Cuanto más tiempo pasaba en Biloxi, más le gustaba, por su mezcla étnica, sus cafés, que ofrecían toda clase de mariscos frescos, sus salones sociales, que de alguna manera conseguían servir alcohol sin que los pillaran, los barcos que cabeceaban en el puerto y el ambiente despreocupado que suele imperar en zonas costeras. Por otro lado, cuanto más perseguía a Mary Ann Malouf, más decidido estaba a conquistarla.

Burch Dunlap había pasado el mes de agosto en Montana, huyendo del calor. Saltaba a la vista que le habían sentado bien las vacaciones. Regresó a la oficina después del Día del Trabajo, lleno de energía y resuelto a ganar más dinero. El medio que tenía más a mano para lograrlo era el caso Banning.

En el tribunal de equidad, que continuaba siendo y siempre sería el dominio indisputado del juez Abbott Rumbold, interpuso una demanda para conseguir el embargo judicial de la finca de los Banning. No le quedó más remedio que presentarla en el condado de Ford. La ley era clara al respecto. Tan clara, de hecho, que Burch tenía curiosidad por ver cómo la manipularía el viejo juez a favor de los Banning.

Una semana después, recibió en su sala de juntas a su amigo John Wilbanks, que se había desplazado a Tupelo para iniciar las negociaciones de cara a un acuerdo. O, como le había dicho Dunlap en privado a su eterno confidente, Errol McLeish, para implorarle piedad.

Pero él no la tendría.

Tras servir un café a John, le ofrecieron un asiento a un lado de la elegante mesa. Frente a él estaba sentado Dunlap, y a su derecha se encontraba McLeish, un hombre que se había ganado enseguida el desprecio de John.

Dunlap encendió un puro y, al cabo de unos minutos de charla trivial, entró en materia.

—Tienes el dinero, John. ¿Por qué no nos cuentas qué tienes en mente?

—Claro. Como es natural, a mis clientes les gustaría conservar la finca familiar. Por otra parte, están hartos de pagarme.

—Has realizado muchas gestiones innecesarias —señaló Dunlap, casi con brusquedad—. Para serte sincero, nos preocupan tus honorarios. Ese dinero sale del patrimonio.

—Oye, Burch, tú preocúpate de tus honorarios, que ya me preocuparé yo de los míos. ¿Estamos?

Burch soltó una fuerte carcajada, como si su colega le hubiera pegado de verdad un buen rapapolvo.

—Estamos. Continúa.

—El patrimonio cuenta con poca liquidez, así que lo que os ofrezcamos tendrá que salir de un préstamo con la casa y las tierras como garantía.

—¿De cuánto estamos hablando, John?

—Depende de los beneficios que pueda generar la hacienda cada año para pagar los intereses de la hipoteca. Este año ha sido un desastre. Como ya sabrás, es un negocio inestable. Mi familia lleva décadas cultivando algodón, y me pregunto si de verdad vale la pena.

—A tu familia le ha ido bien, John.

—En algunas de las cosas que han emprendido, sí. Los Banning creen que pueden garantizar un préstamo de cincuenta mil dólares con sus propiedades y sobrevivir a la hipoteca. Es lo máximo que pueden ofrecer.

Dunlap le dedicó una sonrisa bobalicona, como si le hubiera encantado el primer asalto.

—Vamos, John —dijo—. Poseen cuatrocientas ochenta y cinco hectáreas de su entera propiedad y libres de cargas, y cuatrocientas de ellas son tierras de cultivo fértiles. Su casa es la mejor del condado. Disponen de media docena de anexos, construcciones de buena calidad, además de la maquinaria agrícola, el ganado y... ¿cuántos negros?

—Por favor, Burch, esas personas no les pertenecen.

—A efectos prácticos, sí. Cincuenta es una oferta demasiado baja, John. Creía que habíamos acordado mantener una conversación seria.

—Pues no me parece serio incluir los campos que pertenecen a Florry Banning. Ocupan la mitad del terreno, y ella no está implicada en el litigio. Nada de esto le concierne.

—Para el carro, John. Pete Banning cultivaba las tierras de su hermana, además de las suyas propias, y le daba la mitad de los beneficios. Todas tienen el mismo origen: la herencia de sus padres, sus abuelos y demás.

—Es absurdo, Burch. Florry no tuvo nada que ver con el asesinato de Dexter Bell, y lo sabes. Insinuar que las tierras de ella están en juego es ridículo. Si opinas lo contrario, intenta conseguir que se las embarguen.

—No podemos embargar nada mientras tengas al viejo Rumbold en el bolsillo.

—Es un jurista brillante —aseveró John con una sonrisa—. Uno de los mejores.

—Puede ser, pero los del supremo en Jackson no lo encuentran tan genial. Por cincuenta mil no hay trato, John.

—He puesto una cifra sobre la mesa. Ahora os toca a vosotros.

—Cien mil como mínimo —dijo McLeish con frialdad—. La verdad es que Jackie merece más, porque tenemos que pagarle al señor Dunlap.

—Ciento veinte, John —intervino el señor Dunlap—. Llevo el caso bajo pacto de cuotalitis, y me lo he ganado a pulso. He trabajado mucho por mi cliente, y no quiero que mis honorarios salgan de su compensación.

—Has desempeñado una labor magnífica, Burch, de eso no cabe la menor duda. Pero tus números superan con creces lo que podemos permitirnos. Ningún banco concederá un préstamo de más de setenta y cinco mil dólares por las tierras y la casa de Pete. Las tierras de Florry no se tocan.

—¿Estás ofreciendo setenta y cinco mil? —inquirió Dunlap.

—Todavía no, pero ¿los aceptaríais si estuvieran encima de la mesa?

McLeish sacudió la cabeza.

—No.

Ambos abogados eran buenos negociadores, y resultaba evidente cuál de los dos llevaba las de ganar. John sabía que, cuando se nadaba a contracorriente, a veces convenía enturbiar las aguas.

—Oye, Burch —dijo—, a los chicos les gustaría mucho conservar la casa, el único hogar que han conocido. Seguro que estás al tanto de los problemas de su madre. Existe la posibilidad de que le den el alta algún día, y es esencial que tenga una casa a la que regresar. ¿Podemos plantearnos separarla de los campos de cultivo, junto con los otros edificios? Estoy trabajando en un mapa catastral que solo delimita la hectárea y media que ocupan la casa, los jardines, los establos y cobertizos, y tu cliente podría quedarse con el resto.

—¿Una escritura de cesión de la finca entera, menos hectárea y media? —preguntó Dunlap.

—Algo así. Solo estoy explorando las alternativas.

—¿Cuánto están dispuestos a pagar por esa hectárea y media?

—La casa está tasada en treinta mil, sin duda por encima de su valor. Estamos hablando de dos buenos muchachos que intentan aferrarse a algo.

—¿Cómo piensan pagar los intereses de una hipoteca sobre la casa?

—Buena pregunta. Ya encontraremos la manera. Tal vez Florry les eche una mano.

Nadie mencionó el mayor obstáculo a esta propuesta: Jackie Bell quería la casa. De hecho, le interesaba mucho más que las tierras. Su novio se creía un hacendado distinguido y ya estaba contando el dinero, pero Jackie solo quería una casa bonita.

McLeish negó con la cabeza.

—Ni hablar. Esa hectárea y media vale casi tanto como todo el terreno de cultivo. No podemos aceptar eso. —Hablaba con el orgullo de un hombre convencido de que merecía una recompensa, en este caso las codiciadas propiedades de unas de las mejores personas que John Wilbanks había conocido. Despreciaba a McLeish por su arrogancia y autocomplacencia.

—Bien —dijo John—. Al parecer no hay más que hablar.

A finales de septiembre, en dos jornadas consecutivas, el tribunal supremo de Estados Unidos echó por tierra una serie de peticiones de audiencia. Un día puso el último clavo en el ataúd de la apelación de los Banning contra el veredicto en el tribunal federal, y justo al siguiente hizo caso omiso de la apelación de estos contra la revocación del fallo de Rumbold por parte del tribunal de Mississippi.

El camino hacia una vista sobre la petición de embargo judicial presentada por Dunlap había quedado despejado. O, mejor dicho, debería haber quedado despejado. Sin embargo, se interponía en él nada menos que su señoría, el viejo Rumbold, aunque cada mes estaba más decrépito. Dunlap chillaba y berreaba, exigiéndole una audiencia lo antes posible. Rumbold, que estaba casi sordo, no lo oía.

Y entonces se murió. El 9 de octubre de 1949, la ancianidad venció a Abbott Rumbold, que falleció, a los ochenta y un años de edad. Se fue al otro mundo mientras dormía, o como preferían decir las personas de color, «amaneció muerto». Tras treinta y siete años de servicio, era el principal juez de equidad del estado. Joel llegó en coche desde la universidad de Mississippi para asistir a su funeral, que se oficiaba en la primera iglesia baptista, con John y Russell Wilbanks.

La ceremonia fue un homenaje a un hombre que había llevado una vida larga, feliz y productiva. Hubo pocas lágrimas y mucho humor, todo presidido por la cálida sensación de que un alma bendita sencillamente había vuelto a casa.

El siguiente entierro al que asistiría Joel sería muy distinto.

46

Para huir de la monotonía y devolver poco a poco a los pacientes más sanos a la normalidad, los médicos y administradores de Whitfield organizaban visitas semanales al cine Paramount, en East Capitol Street, en el centro de Jackson. Siempre que había sesión matinal, un autobús sin distintivos se detenía en una calle lateral, a una manzana del cine, y unos veinte pacientes se apeaban de él. Los acompañaban celadores y enfermeras, y una vez fuera del autobús, se esforzaban por dar la impresión de que solo eran unos espectadores más. Llevaban ropa de calle, de modo que pasaban inadvertidos en la multitud. Ningún observador poco experimentado habría sospechado que estaban en tratamiento por toda clase de enfermedades mentales graves.

A Liza le encantaba el cine, así que se presentaba voluntaria siempre que surgía la oportunidad. Se peinaba con cuidado, se maquillaba, se aplicaba varias capas de carmín y se ponía uno de los vestidos que le había enviado Stella.

El Paramount estaba proyectando *La costilla de Adán*, una comedia con Spencer Tracy y Katharine Hepburn, y a la una del mediodía ya había mucho movimiento en el vestíbulo. La enfermera jefe compró las entradas y los acompañó hasta sus dos filas de asientos. Liza tenía a su izquierda a una mujer mayor llamada Beverly, una conocida que llevaba años internada, y a su derecha, a Karen, una joven triste que solía quedarse dormida durante la proyección.

Quince minutos después de que empezara la película, Liza susurró a Beverly que tenía que ir al aseo. Se abrió paso hasta el pasillo, musitó lo mismo a una enfermera y salió de la sala. Acto seguido salió del cine.

Caminó dos manzanas por East Capitol hasta Mill Street y entró en la estación central de Illinois, donde compró un pasaje de segunda clase para el tren de las 13.50 con destino a Memphis. Le temblaba la mano cuando cogió el billete. Como la estación estaba prácticamente desierta, encontró un asiento vacío apartado del resto de la gente. Respiró hondo hasta serenarse y se sacó de un bolsillo pequeño un papel doblado. Era una lista de «qué hacer a continuación», que llevaba días elaborando. Temía que se agobiaría con facilidad y necesitaría orientación. La leyó, la plegó y se la guardó de nuevo en el bolsillo. Salió de la estación, recorrió una manzana por Mill Street hasta unos grandes almacenes, compró un bolso barato, un sombrero de paja aún más barato y una revista. Después de meter en el bolso el dinero que le quedaba, junto con un pequeño frasco de pastillas y una barra de labios, regresó a toda prisa a la estación. Volvió a repasar la lista mientras esperaba, sonriéndose porque de momento todo marchaba bien, pendiente de la entrada por si aparecía alguien del hospital. Nadie apareció.

A la enfermera le estaba gustando tanto la comedia que se había olvidado de Liza y de su excursión al servicio. En cuanto se acordó, fue en su busca. Como no la encontró, acorraló a dos celadores, que se pusieron a registrar el cine, prácticamente lleno. En el vestíbulo, nadie recordaba haber visto a una señora delgada con un vestido amarillo que se hubiera marchado una vez empezada la película. Continuaron buscando, pero pronto ya no quedaron sitios donde buscar. Los dos celadores comenzaron a deambular por las calles del centro de Jackson, y finalmente uno de ellos se paseó por la estación de ferrocarril. Para entonces, ya hacía una hora que Liza se alejaba hacia el norte, sentada sola junto a la ventanilla, con la lista apretada entre los dedos, contemplando con la mirada vacía la campiña que desfilaba al otro lado del cristal. Había pasado encerrada tres años y medio.

La enfermera llamó a la policía y notificó al doctor Hilsabeck. Todo el mundo estaba preocupado, pero no cundió el pánico. Liza no representaba una amenaza para los demás y estaba lo bastante equilibrada para cuidar de sí misma, al menos durante unas horas. El médico no quería alarmar a la familia ni que sus subordinados quedaran como unos incompetentes, así que optó por no llamar aún a Joel, Florry o el sheriff Nix Gridley.

Liza había comprado el billete en efectivo, y no existía un registro de pasajeros. Sin embargo, un taquillero se acordaba de una mujer que respondía a la descripción de Liza y explicó que se dirigía hacia el norte, a Memphis. Eran más o menos las tres de la tarde. La película había terminado y el autobús debía regresar a Whitfield.

Cuando el tren llegó a Batesville, su sexta parada, a las cuatro y cuarto, Liza decidió bajarse. Suponía que la estaban buscando y sospechaba que vigilaban los trenes y autobuses. Delante de la estación había dos taxis, sedanes de antes de la guerra que parecían aún menos fiables que los conductores, los cuales estaban apoyados en un parachoques. Ella le preguntó al primero si podía llevarla a Clanton, a una hora y media de allí. Le ofreció diez dólares, pero al hombre le preocupaba el estado de sus neumáticos. El segundo accedió a llevarla por quince dólares. Sus neumáticos tenían aún peor aspecto, pero a Liza no le quedaban muchas opciones.

—¿No lleva maletas? —preguntó el conductor cuando ella subió al asiento trasero.

—No. Viajo ligera de equipaje.

El hombre arrancó y se alejaron de la estación.

—Bonito vestido, ese que lleva —comentó él, mirando por el retrovisor.

Liza alzó su bolso.

—Llevo un Colt a todas partes y sé cómo utilizarlo. Si se pasa de listo, lo lamentará.

—Usted perdone, señora. —Cuando salieron de la ciudad, reunió el valor suficiente para hablar de nuevo—. ¿Quiere que ponga la radio, señora?

—Claro, ponga lo que quiera.

El hombre encendió el receptor y giró el dial hasta encontrar una emisora de country de Memphis.

Ya había anochecido cuando Hilsabeck se puso por fin en contacto con Joel. Tras explicarle lo ocurrido, reconoció que la busca estaba resultando infructuosa. El joven se quedó pasmado al pensar que su madre andaba suelta, haciendo algo que evidentemente había planeado con antelación. Petrificado de miedo, no sabía muy bien adónde ir. ¿A Jackson, para participar en la búsqueda? ¿A Memphis, el supuesto destino de Liza? ¿O a Clanton? ¿O quizá sería mejor que se quedara en casa, esperando? Telefoneó a Stella y le aseguró que todo saldría bien. Tenía que llamar a Florry, pero decidió dejarlo para más tarde. Su teléfono seguía conectado a una línea colectiva rural que compartía con una docena de personas, y los fisgones enloquecerían al enterarse de que Liza Banning se había fugado de Whitfield.

Joel se pasó una hora caminando de un lado a otro de su apartamento, lleno de incertidumbre, aguardando la llamada que le informara de que habían localizado a su madre y se encontraba bien. Llamó a la oficina del sheriff en Clanton, pero nadie le contestó. Supuso que Tick Poley debía de estar como un tronco. Podían estar fugándose todos los presos y Tick no se daría ni cuenta.

Por fin consiguió contactar con Nix Gridley en la línea privada de su casa, y contarle la noticia sobre Liza. Nix le expresó su solidaridad y le aseguró que iría a avisar a Florry.

Cuando el taxi abandonó la carretera y enfiló el largo camino de acceso a la finca Banning, Liza pidió al conductor que se detuviera. Le pagó quince dólares, le dio las gracias y se apeó. Una vez que el vehículo se perdió de vista por el camino oscuro y desierto, ella echó a andar envuelta en aquella negrura en la que apenas vislumbraba el sendero de grava. No había una sola luz encendida en la casa, los establos o los edificios anexos. A lo lejos se divisaba un brillo tenue procedente de una ventana de la casita donde Nineva y Amos habían vivido desde siempre. Avanzó a tientas por la grava hasta que la silueta de la casa apareció más adelante. Atravesó el patio delantero, luego el porche y agitó el pomo de la puerta. Estaba cerrada con llave, algo poco habitual en el campo. Nadie cerraba con llave.

Tenía ganas de inspeccionar los arriates y arbustos para ver cuánto habían cambiado en tres años y medio, pero no había claridad suficiente, pues las nubes ocultaban la luna. Se dirigió a un costado y vio la camioneta de Pete, aparcada en el mismo sitio donde él la había dejado. Liza sabía que Joel había tomado posesión del Pontiac. En el patio posterior, caminó despacio sobre el césped muerto. Sintió un escalofrío cuando empezó a soplar una brisa del oeste y se frotó los brazos. La puerta trasera no estaba cerrada con llave. Entró en su hogar y se paró en seco en la cocina al percibir un aroma tan intenso y familiar que le embargó los sentidos: una combinación de humo de tabaco y café, grasa de tocino, tartas y pasteles de fruta, espesos estofados de ternera y venado que Nineva hervía a fuego lento durante días, vapor del proceso de conserva de compota de tomate y una docena de hortalizas, el cuero mojado de las botas de Pete en un rincón, el olor dulce y jabonoso de la propia Nineva. Mareada por las densas fragancias, Liza se apoyó en una encimera.

En la oscuridad, oyó las risitas de sus hijos durante el desayuno y la voz de Nineva al ahuyentarlos de los fogones. Vio a Pete sentado allí, a la mesa de la cocina, con su café y sus cigarrillos, leyendo el diario de Tupelo. Una nube se desplazó en el cielo, y un rayo de luna se coló por una ventana. Liza se concentró hasta que empezó a distinguir las formas de la cocina. Respiró lo más despacio posible, inhalando las agradables fragancias de su vida anterior.

Se enjugó las lágrimas y decidió dejar la cocina a oscuras. Nadie sabía que se encontraba allí, y si encendía la luz no haría más que llamar la atención. Por otro lado, deseaba explorar la casa palmo a palmo y con lupa para comprobar qué había estado haciendo Nineva. ¿Estaban todos los platos limpios y colocados ordenadamente en su lugar? ¿Había una capa de polvo sobre las mesas de centro? ¿Qué había ocurrido con las cosas de Pete, la ropa de su armario, los libros y papeles de su estudio? Tenía la vaga idea de haber mantenido una conversación con Joel al respecto, pero había olvidado los detalles.

Pasó al cuarto de estar y se dejó caer sobre el suave sofá de piel, cuyo tacto y olor eran como los recordaba. El primer recuerdo de aquel mueble que le vino a la mente era tal vez el peor. Joel a su derecha, Stella a su izquierda, los tres con la mirada fija en el capitán del ejército que les comunicaba la noticia de que Pete había desaparecido y se le daba por muerto. El 19 de mayo de 1942. Hacía toda una vida.

Se sobresaltó cuando los haces de unos faros penetraron por las ventanas. Al echar una ojeada entre las cortinas, observó que un coche patrulla del condado de Ford avanzaba con lentitud por el camino de acceso antes de tomar el desvío hacia la casa de Florry y perderse de vista. Supo que la buscaban a ella. Esperó y, veinte minutos después, el vehículo reapareció, pasó de nuevo por delante de la casa y se alejó hacia la carretera.

Liza se recordó a sí misma que estaba en su propia casa y que no había cometido delito alguno. Si la descubrían, lo peor que podían hacerle era enviarla de vuelta a Whitfield. Pero no pensaba darles la oportunidad.

Comenzó a mecerse, moviendo los hombros adelante y atrás, un impulso odioso que la asaltaba a menudo y que no era capaz de controlar. Cuando estaba preocupada o tenía miedo, se ponía a balancearse, a tararear y a retorcerse mechones de pelo. Muchos de los locos de Whitfield se entregaban a toda clase de bamboleos, sacudidas y gruñidos cuando estaban sentados a solas en la cafetería o junto al estanque, pero ella siempre había sabido que no sería como ellos. La curarían pronto, y podría recuperar su vida.

Al cabo de una hora, más o menos —había perdido toda noción del tiempo—, se percató de que ya no estaba meciéndose y también había dejado de llorar. Tenía demasiadas penas que desahogar.

Fue a la cocina, donde se hallaba el único teléfono de la casa, y llamó a Florry.

—Florry, estoy aquí —dijo, para confundir a los curiosos.

—¿Qué? ¿Quién? —preguntó Florry, sorprendida, y con razón.

—Estoy en casa —dijo Liza y acto seguido colgó.

Salió al porche trasero y aguardó. Transcurrieron apenas unos minutos antes de que avistara las luces de unos faros que se aproximaban botando por el terreno. Florry aparcó junto a la casa.

—Aquí, Florry —le indicó Liza—. En el porche.

La aludida se encaminó hacia la parte de atrás y estuvo a punto de tropezar en medio de la oscuridad.

—¿Por qué no enciendes las condenadas luces? —preguntó. Se detuvo en los escalones y alzó la vista hacia su cuñada—. ¿Qué diablos estás haciendo, Liza?

—Ven y dame un abrazo, Florry.

Pues sí que debe de estar chiflada si quiere que yo la abrace, pensó Florry, aunque desde luego no lo dijo. Subió los escalones y la estrechó contra sí.

—Te lo vuelvo a preguntar: ¿qué haces aquí?

—Solo quería venir a casa. El médico ha dicho que no había problema.

—Eso es mentira, y lo sabes. Los médicos están preocupados. Los chicos están que se suben por las paredes. La policía te está buscando. ¿Por qué has hecho tamaña tontería?

—Me he cansado de Whitfield. Vayamos dentro.

Entraron en la cocina.

—Enciende la luz —dijo Florry—, no veo un carajo.

—Prefiero estar a oscuras, Florry. Además, no quiero que Nineva se entere de que estoy aquí.

Florry encontró un interruptor, lo pulsó y la cocina se iluminó. Había visitado varias veces a Liza en Whitfield y, al igual que a Stella y a Joel, siempre le había inquietado su apariencia. Aunque había mejorado un poco, seguía estando delgada, demacrada, descarnada en un grado lastimoso.

—Tienes buen aspecto, Liza. Me alegro de verte.

—Me alegro de estar en casa.

—Ahora vamos a llamar a Joel para decirle que estás sana y salva, ¿de acuerdo?

—Acabo de hablar con él. Llegará dentro de una hora.

Florry se relajó.

—Bien, ¿has comido algo? Pareces hambrienta.

—No como mucho, Florry. Sentémonos a charlar en el cuarto de estar.

Lo que tú quieras, cielo. Florry le seguiría la corriente hasta que llegara Joel, y entonces ya decidirían qué hacer.

—¿No convendría que llamáramos a los médicos? —inquirió—. Para informarles de que estás bien.

—Le he pedido a Joel que los llame. Él se ocupará. Todo está en orden, Florry.

Pasaron al cuarto de estar, y Liza encendió una lámpara pequeña. Su brillo mortecino confirió un aspecto inquietante y tenebroso a la habitación. Florry habría preferido más luz, pero guardó silencio. Se sentó en un extremo del sofá, mientras Liza amontonaba cojines en el otro y se recostaba sobre ellos. Se miraron en la penumbra.

—¿Te apetece un café? —preguntó Liza.

—La verdad es que no.

—A mí tampoco. Ya casi nunca lo tomo. La cafeína no sienta bien con todas las pastillas que me dan y me provoca dolor de cabeza. No te creerías la cantidad de fármacos con los que intentan atiborrarme. Unas veces me los trago; otras me los guardo en la boca y los escupo. ¿Por qué no me has visitado más a menudo, Florry?

—No lo sé. El viaje es largo, y el lugar no eleva el espíritu precisamente.

—¿Elevar el espíritu? ¿Pretendes elevar tu espíritu con una visita al manicomio? Esto no tiene que ver contigo, Florry, sino conmigo, la paciente. La loca. La enferma soy yo, y se supone que debes visitarme y mostrarme un mínimo de apoyo.

Nunca habían mantenido una relación muy cercana, y Florry recordó por qué. Sin embargo, en aquel momento estaba dispuesta a encajar algunos golpes si con eso la ayudaba. Con un poco de suerte, irían a buscarla al día siguiente y se la llevarían.

—¿De verdad vamos a ponernos a discutir, Liza?

—¿No es lo que hemos hecho siempre?

—No. Solo al principio, hasta que caímos en la cuenta de que la mejor manera de llevarnos bien era respetar el espacio personal de la otra. Eso es lo que recuerdo, Liza. Siempre hemos mantenido una amistad prudente, por el bien de la familia.

—Si tú lo dices... Quiero que me cuentes una historia, Florry. Una historia que no he oído nunca.

—Haré lo posible.

—Quiero conocer tu versión de lo que sucedió el día que Pete mató a Dexter Bell. Sé que seguramente no tienes ganas de hablar de ello, pero todo el mundo lo sabe todo respecto a lo ocurrido; todos menos yo. Durante mucho tiempo no quisieron contarme nada en el psiquiátrico. Supongo que creían que empeoraría las cosas, y tenían razón, pues cuando finalmente me lo contaron me pasé una semana en coma y estuve a punto de morir. En fin, el caso es que me gustaría oír tu versión.

—¿Por qué, Liza? No es una historia agradable.

—¿Que por qué? Maldita sea, porque se trata de una parte importante de mi vida, ¿no crees, Florry? Mi marido asesina al pastor, lo ejecutan por ello, y yo desconozco los detalles. Vamos, Florry, tengo derecho a saberlo. Cuéntame la historia.

Florry se encogió de hombros, y la historia empezó a fluir.

Una cosa llevó a la otra. La vida en la cárcel; las vistas ante el tribunal, las reacciones de los vecinos de la ciudad; las crónicas de los periódicos; el juicio; la ejecución; el entierro; los veteranos que aún acudían a visitar la tumba.

En algunos momentos, Liza lloraba y se enjugaba el rostro con el dorso de las manos. En otros escuchaba con los ojos cerrados, como para asimilar cada uno de aquellos horrores. De vez en cuando, gemía y se mecía ligeramente. Formuló algunas preguntas y solo hizo un par de comentarios.

—¿Sabías que pasó a verme el día antes de que lo mataran?

—Sí, de eso me acuerdo.

—Me dijo que seguía queriéndome pero que no podía perdonarme. ¿Qué te parece, Florry? Destilaba amor por los poros, pero no el suficiente para concederme el perdón. Ni siquiera ante la certeza de una muerte inminente fue capaz de perdonarme.

—¿Perdonarte por qué? —Y así, por fin, Florry había planteado la gran pregunta.

Liza cerró los párpados y descansó la cabeza sobre un cojín. Movía los labios como si murmurara algo que solo ella alcanzaba a entender. Luego se quedó inmóvil y callada del todo.

—¿Perdonarte por qué, Liza? —repitió Florry con suavidad.

—Tenemos tanto de que hablar, Florry, y quiero hacerlo ahora porque no me queda mucho tiempo de vida. No estoy bien, Florry, y no es solo de la cabeza. Tengo una enfermedad que me corroe las entrañas y se está agravando. Podría ser cáncer o podría ser otra cosa, pero sé que está ahí. Aunque los médicos no la encuentran, sé que está ahí. Pueden darme medicamentos para aliviarme la crisis nerviosa, pero no tienen nada con que tratar mi enfermedad.

—No sé qué decir, Liza.

—No hace falta que digas nada, solo escucha.

Habían transcurrido varias horas, y Joel no aparecía. Aunque Liza parecía haberse olvidado de él, Florry era muy consciente de que ya debería haber llegado.

De pronto Liza se levantó.

—Creo que voy a cambiarme de ropa, Florry —anunció—. He estado pensando en ponerme un pijama de lino y una bata de seda que le encantaba Pete. —Se alejó hacia la puerta de su dormitorio mientras Florry se ponía de pie y estiraba las piernas.

Fue a la cocina y se sirvió un vaso de agua. El reloj de pared marcaba las 11.40. Descolgó el teléfono para llamar a Joel, y en ese instante comprendió cuál era el problema. El cable que discurría desde el aparato hasta el zócalo se hallaba seccionado de forma limpia, como si lo hubieran cortado con unas tijeras. El teléfono estaba inutilizado, y era poco probable que se hubiera usado esa noche para llamar a Joel.

Regresó al cuarto de estar y se puso a esperar. Liza, que se encontraba en su habitación con la puerta abierta, comenzó a llorar cada vez con más fuerza. Yacía en el lecho que había compartido con Pete, con el pijama de lino blanco por debajo de una bata de seda de color crema. Estaba descalza.

Florry se inclinó sobre ella.

—Tranquila, Liza. Estoy aquí contigo. ¿Qué ocurre, cielo?

—Por favor —dijo Liza, señalando una silla. Se secó el rostro con un pañuelo desechable, pugnando por controlarse.

Florry tomó asiento y aguardó a que se calmara. Liza no había llamado a Joel. Joel no había llamado ni a los médicos ni a Stella. Todos estaban desesperados por recibir alguna noticia, y allí estaba Liza, en su casa, en su cama.

Florry quería preguntarle por qué había cortado el cable del teléfono, pero sabía que esa conversación no llevaría a ninguna parte. Liza estaba a punto de abrirse a ella y, quizá, revelarle secretos que todos creían que permanecerían ocultos para siempre. Más valía no distraerla. Era mejor que Joel no estuviera presente.

—¿Habló Pete contigo antes de morir? —preguntó Liza al fin.

—Claro. Conversamos sobre muchas cosas; los chicos, la hacienda, los típicos temas que una persona al borde de la muerte querría despachar.

—¿Te comentó algo sobre nosotros, sobre nuestros problemas?

Algo le había comentado, pero Florry no pensaba morder el anzuelo. Quería oírlo todo de boca de la fuente más cercana.

—Por supuesto que no. Ya sabes lo reservado que era. ¿Qué clase de problemas?

—Oh, Florry, hay tantos secretos, tantos pecados... La verdad es que no puedo reprocharle a Pete que no me perdonara.

Se echó a llorar de nuevo, y luego a sollozar. El arranque cedió el paso a un lamento intenso, prolongado y desgarrador que sobresaltó a Florry. Jamás había oído un llanto tan lastimero. Unas arcadas recorrieron el cuerpo de Liza, como si estuviera a punto de vomitar con violencia, y luego sufrió espasmos y convulsiones, presa de unos sollozos incontrolables. Así siguió y siguió, hasta que Florry no aguantó más. Se acercó a la cama, se tumbó a su lado y la sujetó con fuerza.

—Tranquila, Liza. Tranquila, cielo. Todo está bien.

La abrazó, le susurró, la arrulló, le hizo promesas, la acarició, se meció con ella y susurró un poco más hasta que empezó a calmarse. La respiración se le normalizó, y dio la impresión de que Liza se encerraba en su consumido cuerpecito mientras lloraba con suavidad.

—Hay cosas que deberías saber —musitó.

—Te escucho, Liza. Estoy aquí.

Despertó en una habitación sombría, bajo las sábanas, con la puerta abierta. La casa se hallaba a oscuras, y la única luz procedía de la pequeña lámpara del cuarto de estar. Liza apartó las mantas sin hacer ruido, se levantó y salió de su dormitorio. Florry estaba en el sofá, tapada con una colcha, durmiendo como un tronco. En silencio, Liza pasó por su lado y entró en la cocina, franqueó la puerta, atravesó el porche y bajó los escalones. Avanzó con paso leve por la hierba y enfiló el sendero que conducía a los establos, con la bata de seda ondeando tras de sí.

La luna aparecía y desaparecía entre las nubes, bañando los edificios anexos y los campos con su resplandor azulado antes de ocultarse de nuevo. Sabía adónde se dirigía y no necesitaba luz. Cuando dejó atrás el último establo, vislumbró las siluetas de los caballos en un potrero. Nunca había pasado de largo sin hablarles, pero no tenía nada que decir.

Tenía los pies mojados, embarrados y helados, aunque le daba igual. El dolor era completamente irrelevante en aquel momento. Tiritando de frío, caminaba con una determinación clara. Tras remontar la ligera cuesta hasta el Sicomoro Viejo, pronto se encontró entre los muertos, todos esos Banning difuntos de los que tanto había oído hablar. Como la luna estaba tapada, no alcanzaba a leer los nombres en las lápidas, pero no le costaría localizarlo, porque sabía dónde estaban enterrados los otros. Apretó los dedos contra la piedra caliza y palpó las letras de su nombre.

Había encontrado a su esposo.

Aunque el dolor, el sentimiento de culpa y la vergüenza la abrumaban, estaba harta de llorar. Aterida de frío, rezaba por que llegara el fin.

Dicen que la gente encuentra la paz cuando llega a ese punto. Es mentira. Ella no sentía paz ni consuelo ni la seguridad de que lo que iba a hacer se consideraría otra cosa que el acto desesperado de una demente.

Se agachó con cuidado y se sentó con la espalda apoyada contra la lápida, lo más cerca posible de él. Su cuerpo estaba solo unos palmos por debajo del de ella. Le dijo que lo quería y que pronto se reuniría con él, y rogó al cielo que, cuando volvieran a estar juntos, él pudiera perdonarla al fin.

Se llevó la mano a un bolsillo de la bata y sacó un pequeño frasco de pastillas.

47

Amos la encontró al alba y, cuando se acercó lo suficiente a las lápidas para cerciorarse de que sus ojos no lo engañaban, dio media vuelta y se dirigió a toda velocidad a la casa, gritando y corriendo más deprisa de lo que había corrido en décadas. En el momento en que Florry se enteró de que estaba muerta, se desmayó en el porche trasero. Cuando volvió en sí, Nineva la ayudó a sentarse en el sofá e intentó consolarla.

Nix Gridley y Roy Lester llegaron para participar en la búsqueda, y en cuanto Amos describió lo que había descubierto en el cementerio, lo dejaron en la casa y se dirigieron allí en coche. El frasco vacío era prueba más que suficiente. No había escena del crimen que inspeccionar. Lloviznaba, y Nix decidió que no convenía que Liza se mojara. Con la ayuda de Lester, la subieron al asiento de atrás y regresaron a la casa. Nix entró para ocuparse de la familia mientras Lester la llevaba a la funeraria.

Hacia las cinco de la mañana, Florry se había despertado y había reparado en que Liza no estaba. Presa del pánico, había corrido hasta la casa de Nineva, donde Amos acababa de empezar a desayunar. Nineva y él registraron desesperados la casa y los establos mientras Florry conducía hasta la casita rosa. Al llegar telefoneó a Joel y al doctor Hilsabeck para resumirles la situación.

Joel iba de camino desde Oxford cuando se cruzó con el coche del sheriff, que acababa de marcharse de su casa. Una vez dentro, le refirieron el resto de la historia. Florry, destrozada, se culpaba a sí misma sin piedad y respiraba de forma entrecortada. Después de hablar por fin con Stella, Joel insistió a su tía en que lo dejara llevarla al hospital. La ingresaron por dolores en el pecho y la calmaron con tranquilizantes. Joel la dejó allí y fue a la oficina del sheriff para utilizar la línea privada de Nix. Habló con el doctor Hilsabeck, que quedó consternado por la noticia. A continuación Joel se obligó a sí mismo a telefonear a los abuelos Sweeney, en Kansas City, para comunicarles la noticia de que su hija había muerto. Llamó a Stella de nuevo y juntos intentaron elaborar un plan para los días siguientes.

Salió de la oficina del sheriff y condujo hasta la funeraria de Magargel. En una habitación fría y lóbrega situada en la parte de atrás del edificio, contempló el hermoso rostro de su madre por última vez. Luego eligió un ataúd.

Logró regresar a su coche antes de venirse abajo. Sentado en el aparcamiento, con la vista fija en los limpiaparabrisas que se movían de un lado a otro, se dejó invadir por la pena y lloró durante largo rato.

El funeral se ofició en la iglesia metodista, la que había construido el padre de Pete, y donde habían bautizado a Joel y Stella cuando eran pequeños. El pastor era nuevo, pues acababa de trasladarse a Clanton en virtud de la rotación impuesta por la jerarquía metodista. Aunque conocía la historia, no la había vivido, así que estaba resuelto a reconciliar a los bandos y sanar las heridas de su feligresía.

Al principio, Joel y Stella habían decidido celebrar un entierro íntimo, parecido al que Pete había planeado para sí en el Sicomoro Viejo, pero algunas amistades los convencieron de que su madre merecía unas exequias como mandaba la tradición. Se retractaron y hablaron con el pastor.

La concurrencia doblaba el aforo de la iglesia, por lo que mucha gente aguardaba sentada en su coche, en el aparcamiento, con la esperanza de alcanzar a ver el féretro aunque solo fuera un instante. Los amigos y conocidos a quienes habían negado la oportunidad de decir adiós a Pete procuraron llegar temprano para despedirse de Liza.

El señor y la señora Sweeney, sentados entre Joel y Stella, no apartaban la vista del ataúd cerrado, a dos metros de distancia. La señora Sweeney, inconsolable, se enjugaba las lágrimas sin parar. El señor Sweeney mantenía una actitud estoica, casi enfadada, como si culpara a aquel estado tan atrasado del fallecimiento de su hija. Joel y Stella, cansados de llorar, estaban aturdidos, incrédulos, ansiosos por que pasara ya esa hora. La ocasión era demasiado lúgubre para esforzarse por restarle gravedad. En aquella iglesia nadie mencionó a Pete. La pesadilla de los Banning continuaba, ante la mirada impotente de muchos.

Tras unos himnos, un breve sermón y la lectura de algunos pasajes de la Biblia, la ceremonia finalizó antes de que transcurriera una hora, tal como había prometido el pastor. Cuando la señorita Emma Faye Riddle empezó a tocar su última y luctuosa pieza, los asistentes se pusieron de pie, y los portadores empujaron el féretro cerrado por el pasillo central, seguido por Joel y Stella, que caminaban del brazo. Tenían detrás a los abuelos Sweeney, inclinados el uno contra el otro, intentando conservar la entereza. A la zaga iban otros miembros de la familia Sweeney, pero ningún Banning. Florry se había quedado en casa, guardando cama. El resto de la pequeña familia se estaba extinguiendo con rapidez. Por supuesto, no se permitía la entrada a la iglesia a ninguna persona de color.

Mientras Joel avanzaba en pos del ataúd entre los acordes del órgano y el llanto de las señoras, era consciente de todas las miradas puestas sobre él. Cerca del vestíbulo, desvió los ojos hacia la derecha y, en la última fila, vislumbró el rostro más hermoso que había visto jamás. Mary Ann Malouf había viajado hasta allí desde Oxford con una compañera de hermandad para presentar sus respetos. Avistarla fue el único momento agradable del día. Cuando salió al vestíbulo, se prometió a sí mismo que algún día se casaría con esa chica.

Al cabo de una hora, una pequeña multitud se había reunido en el Sicomoro Viejo para presenciar la inhumación. Estaba integrada por la familia, un puñado de amigos, Amos y Nineva, Marietta y una docena de negros más que vivían en la hacienda. Florry había insistido en asistir, pero Joel le había pedido que se quedara en la casita rosa. El joven estaba al mando de casi todo, tomando decisiones que no tenía ningunas ganas de tomar. Después de una oración, unos pasajes sagrados y otra conmovedora interpretación de *Amazing Grace* por parte de Marietta, cuatro hombres bajaron la caja de Liza a la fosa, a solo unos centímetros de aquella en la que yacían los restos de su esposo. Por fin el uno al lado del otro, podrían descansar para toda la eternidad.

Ella era tan responsable de la muerte de Pete como de la suya propia. Dejaban huérfanos a sus hijos, dos buenos chicos que no merecían que los castigaran por los pecados de sus padres.

La semana siguiente al funeral era el día de Acción de Gracias. Joel necesitaba regresar con urgencia a la facultad de derecho a fin de ponerse a empollar para los exámenes finales, aunque, como estudiante de tercero, iba desenvolviéndose sin mucho esfuerzo porque tenía un calendario mucho más relajado. El lunes partió con Stella hacia Oxford. Se reunió con el decano y puso las cartas sobre la mesa. Tenía que encargarse de unos asuntos familiares complicados, por lo que necesitaba unos días más. El decano, que estaba al corriente de todo, se mostró comprensivo y le prometió encontrar alguna solución. Joel, que figuraba entre el diez por ciento de sus alumnos más aventajados, se graduaría en mayo.

En Oxford, Joel invitó a Mary Ann a almorzar en The Mansion para que conociera a su hermana. Durante el trayecto en coche, le había confesado a Stella lo que sentía por la chica, y ella se alegró mucho de que su hermano por fin hubiera entablado una relación seria. Desde la crisis nerviosa de su madre y la muerte de su padre, los dos habían hablado más a menudo y de forma más abierta. Se apoyaban el uno al otro y se ocultaban pocas cosas. Como buenos Banning, los habían educado para que fueran reservados, pero esos días habían quedado atrás. Siempre había habido demasiados secretos en la familia.

Las dos jóvenes hicieron buenas migas desde el primer momento. De hecho, congeniaron tan deprisa y charlaron y se rieron tanto que Joel se quedó atónito. Casi no metió baza durante el almuerzo porque no lo dejaban. Durante el viaje de vuelta a casa, Stella le advirtió de que más valía que le pidiera matrimonio antes de que lo hiciera otro. Joel contestó que no estaba preocupado. El almuerzo los había sacado de su humor taciturno, pero una vez que cruzaron el límite del condado de Ford, volvieron a pensar en su madre y la conversación se apagó. Cuando Joel giró por el camino de acceso a la finca, avanzó despacio por la grava y se detuvo en mitad del sendero. Apagó el motor y ambos contemplaron su hogar.

Stella fue la primera en romper el silencio.

—Creía que nunca diría esto, pero la verdad es que ya no me gusta este sitio. Todos los recuerdos felices han quedado destruidos por lo ocurrido. No quiero volver a poner un pie en esa casa.

—Creo que deberíamos quemarla —aseveró Joel.

—No digas tonterías. ¿Hablas en serio?

—En cierto modo. No soporto la idea de que Jackie Bell se instale aquí con sus hijos y ese asqueroso de McLeish. Se convertiría en un hacendado de altos vuelos, en todo un pez gordo. Eso me resultaría muy difícil de tragar.

—Pero no tienes ninguna intención de volver a vivir aquí, ¿verdad, Joel?

—No.

—Yo tampoco. Así que ¿qué más da? Vendremos cuando haga falta para visitar a Florry, pero, cuando ella ya no esté, no pienso volver.

—¿Y qué me dices del cementerio?

—¿Qué pasa con el cementerio? ¿Qué ganamos con mirar

lápidas viejas y secarnos las lágrimas? Están muertos, y resulta doloroso porque no deberían estarlo, pero se han ido, Joel. Intento olvidar cómo murieron y recordar cómo vivieron. Quedémonos solo con los buenos recuerdos, si podemos.

—Ahora mismo me parece imposible.

—Sí, a mí también.

—Estamos discutiendo sobre el sexo de los ángeles, Stella. De todas formas, vamos a perder la finca.

—Lo sé. Tú firma la escritura y acaba con esto. Yo me vuelvo a la gran ciudad.

La directora de Saint Agnes también se mostró comprensiva y dio permiso a Stella para que se tomara la semana libre. Debía volver el domingo después de Acción de Gracias.

Se alojaron en la casita rosa para evitar su antiguo hogar. Marietta asó un pavo y preparó todas las guarniciones y tartas, mientras ellos se esforzaban por mantener un espíritu de agradecimiento. Florry, que estaba recuperándose, intentaba disfrutar del tiempo que pasaba con ellos.

El viernes a primera hora, Joel metió el equipaje de Stella en el Pontiac, y los dos se despidieron de su tía con un abrazo. Pararon en el Sicomoro Viejo y derramaron unas lágrimas. Stella hizo una visita fugaz a su casa para abrazar a Nineva; luego se pusieron en marcha.

Ella había insistido en tomar el tren a Washington, pero Joel no se lo permitió. Su hermana se encontraba en un estado vulnerable —como todos— y no quería que se pasara horas y horas sentada sola en un tren. Necesitaban estar un rato juntos, así que un viaje por carretera era lo más indicado. Cuando dejaron atrás la finca y enfilaron el camino, Stella contempló la casa y los campos que la rodeaban. Esperaba no regresar nunca.

Y nunca regresaría.

El responsable de nombrar sustitutos de los magistrados fallecidos era el gobernador, el cual designaba jueces interinos hasta el siguiente ciclo electoral. Fielding Wright, que había asistido a la ejecución de Pete dos años y medio atrás, recibió un alud de solicitudes de apoyo tras la muerte del juez de equidad Rumbold. Uno de los mayores partidarios de Wright en el norte de Mississippi era nada menos que Burch Dunlap, que presionaba por el nombramiento de un compinche de Tupelo llamado Jack Shenault. Dunlap aspiraba a cobrar pronto unos honorarios sustanciosos por el caso Banning, para lo cual necesitaba a Shenault en el estrado.

A principios de diciembre, mientras Joel sudaba la gota gorda con los exámenes finales en la universidad de Mississippi, el gobernador Wright nombró a Shenault juez interino en sustitución de Rumbold. La decisión no complació a John Wilbanks ni a la mayoría de los otros abogados, más que nada porque Shenault no vivía en el distrito, aunque él aseguraba que iba a mudarse.

Wilbanks apoyaba a otro candidato, pero el gobernador Wright y él nunca habían estado en el mismo equipo.

Por respeto a la familia, Dunlap esperó un mes después del entierro de Liza para poner manos a la obra. Convenció a Shenault de que concertara una reunión en Clanton con John Wilbanks y Joel Banning, que había vuelto a casa por las fiestas y había sido designado administrador suplente del patrimonio de su padre. Se reunieron en el despacho del juez, detrás de la sala principal del juzgado, un sitio que Joel siempre detestaría.

En la lista de casos figuraba la querella con la que Dunlap pretendía conseguir un embargo judicial de las tierras que formaban parte de la herencia de Pete Banning, la última batalla que quedaba por librarse en aquella interminable guerra por las propiedades, y ya resultaba más que evidente que el nuevo juez de equidad albergaba la intención de despachar el asunto deprisa.

Shenault era más conocido como abogado de despacho que como litigante, y en general tenía buena fama. No cabía duda de que se había preparado para la reunión, y John Wilbanks sospechaba que Burch Dunlap lo había aleccionado bien.

Según su señoría —Shenault incluso lucía una toga negra para la ocasión—, la hoja de ruta estaba clara. La vista sobre el embargo duraría solo cerca de una hora, durante la cual ambas partes presentarían documentos y órdenes judiciales, y tal vez a un par de testigos, aunque en realidad no había casi nada en disputa. Seguramente él, Shenault, ordenaría la venta judicial de la finca, lo que implicaría una subasta en la escalinata exterior del juzgado. Se adjudicaría la propiedad al mejor postor, y el dinero de la oferta ganadora iría a parar a manos de Jackie Bell, que según la sentencia debía recibir una indemnización de cien mil dólares. Nadie esperaba una puja tan alta, de modo que el déficit probable constaría en los libros como gravamen sobre la propiedad.

No obstante, según el señor Dunlap, Jackie Bell, la demandante, estaba dispuesta a aceptar por parte de los herederos la escritura de las tierras, la casa y otros bienes en lugar de la indemnización.

Por otro lado, si Shenault fallaba a favor de Jackie Bell, como obviamente pretendía, los herederos del patrimonio Banning podían apelar al tribunal supremo de Mississippi, una táctica dilatoria a la que ya habían recurrido antes. En su opinión, sin embargo, la apelación sería inútil.

Joel lo sabía, al igual que John Wilbanks. Habían llegado al final del camino. Poner en práctica más estrategias de dilación no haría sino retrasar lo inevitable y engrosar los honorarios de los abogados.

En un clima de acuerdo generalizado, Shenault concedió treinta días a los abogados para que ultimaran los detalles y fijó la siguiente reunión para el 26 de enero de 1950.

En consonancia con el espíritu de las fiestas y ante la promesa de un futuro más esplendoroso, Jackie Bell y Errol McLeish se casaron en una ceremonia modesta dos días antes de Navidad.

Los tres hijos de ella iban de punta en blanco, orgullosos, y los acompañaban unos pocos amigos en la pequeña capilla situada detrás de una iglesia episcopal.

No habían invitado a los padres de ella. No aprobaban ese matrimonio, pues no se fiaban de Errol McLeish ni de sus intenciones. El padre le había encarecido que consultara a un abogado antes de la boda, pero ella se había negado. Según el hombre, McLeish tenía las manos metidas hasta el codo en sus querellas y su dinero, lo que parecía una receta segura para el desastre económico.

Además, ella no iba a misa últimamente, lo que disgustaba mucho a sus padres. Había intentado explicarles su crisis de fe, pero ellos no habían querido escucharla. O se estaba en el seno de la iglesia o no, y quienes se hallaban fuera se enfrentaban a la condena eterna.

A Jackie la entusiasmaba la idea de abandonar Rome y regresar a Clanton. Necesitaba alejarse de sus padres y, lo que era más importante, estaba ansiosa por tomar posesión de la casa de los Banning. La había visitado muchas veces y nunca había soñado que algún día le pertenecería. Después de pasar toda una vida en apretadas viviendas parroquiales y de alquiler, en casas que eran demasiado pequeñas y temporales, ella, Jackie Bell, estaba a punto de convertirse en propietaria de una de las mejores residencias del condado de Ford.

48

Una gélida mañana, dos días después de Navidad, Joel caminaba por los campos tras visitar el Sicomoro Viejo. Empezaron a caer copos a su alrededor. Era aguanieve, y había muchas probabilidades de que nevara a última hora de la tarde. Apretó el paso hasta casa, y se disponía a proponer un viaje por carretera a algún lugar del sur cuando la tía Florry anunció que había decidido pasar un par de meses en Nueva Orleans como invitada de la señorita Twyla. Había lanzado varias indirectas sobre su intención de marcharse. Estaba deprimida por todo: la muerte de Liza y su implicación en ella, el frío, la monotonía de los campos y el paisaje y, por supuesto, la entrega de las tierras de Pete, que ella tenía que atravesar para llegar a las suyas. Se cernían nubarrones por todas partes, y Florry solo quería alejarse de allí.

Partieron en menos de una hora, pues el estado de las carreteras empeoraba, y a duras penas lograron llegar al sur a través del condado de Polk antes de que amainara la aguanieve. A la altura de Jackson, tanto el tiempo como las condiciones de circulación mejoraron.

Durante el trayecto, trataron muchos temas importantes. Joel pensaba pedirle matrimonio a Mary Ann más adelante, en primavera. Había comprado un anillo de compromiso en Memphis y le hacía mucha ilusión dárselo. Estaba decidido a establecerse en Biloxi y creía haber conseguido un empleo en un pequeño bufete de allí. No se lo habían confirmado aún, pero era optimista al respecto. Estaban preocupados por Stella y su depresión persistente. Su hermana estaba pasando las fiestas con unas amistades en Washington y no era capaz de reunir la presencia de ánimo para regresar a casa. ¿Acaso no estaba deprimida toda la familia? Lo más urgente era decidir qué hacer con las tierras de Florry cuando llegara la primavera. Ninguno de los dos tenía estómago para hablar con McLeish y proponerle un trato. En efecto, Florry quería ausentarse unos meses para no coincidir con él. Al final acordaron que Joel negociaría un contrato de arrendamiento con Doug Wilbanks, el primo de John. Cultivaba miles de hectáreas en varios condados y no se dejaría intimidar por McLeish. No estaban seguros de qué ocurriría con los negros que trabajaban en la finca, pero esa pobre gente siempre se las había arreglado para sobrevivir. McLeish los necesitaría como peones. Nadie se moriría de hambre.

Por otro lado, no podían preocuparse por todo el mundo, ¿no? Su vida había cambiado de forma radical desde el asesinato, y no había manera de recuperar el pasado. Tenían que cuidar de sí mismos. Florry reconoció que, durante los últimos años, había estado hablando de irse a vivir una temporada a Nueva Orleans con la señorita Twyla, una amiga muy querida de su época en Memphis. Twyla era mayor y estaba cada vez más sola, y había espacio de sobra en su laberíntica casa señorial del barrio francés.

Conversaron durante horas, siempre sobre el presente o el futuro, obviando el pasado. Sin embargo, al sur de Jackson, cuando llevaban unas cuatro horas de viaje, Joel dijo:

—Stella y yo creemos que sabes mucho más de lo que nos has contado.

—¿Sobre qué?

—Sobre Pete y Dexter, sobre mamá. Sobre lo sucedido. Tú sabes algo, ¿verdad, tía Florry?

—¿A qué viene eso ahora? Están todos muertos.

—La noche que murió papá, fuiste a verlo a la cárcel. ¿De qué hablasteis?

—¿De verdad tenemos que volver a discutir sobre el tema? Fue una de las peores noches de mi vida.

—Típica reacción de los Banning, tía Florry. Eludir la pregunta e intentar escaquearse sin dar una respuesta. ¿Dónde aprendisteis Pete y tú a ser tan escurridizos?

—No me insultes, Joel.

—No te he insultado. Por favor, responde a la pregunta.

—¿Qué quieres saber?

—¿Por qué mató papá a Dexter?

—Nunca me explicó el motivo, y créeme que lo presioné para que me lo dijera. Era un hombre de lo más testarudo.

—No me digas. Supongo que mamá tenía una aventura con Dexter Bell y que mi padre se enteró de alguna manera cuando regresó de la guerra. Se lo echó en cara, y la culpa y la vergüenza se apoderaron de ella. Sufrió un ataque de nervios o lo que fuera, y mi padre no quiso que Liza siguiera viviendo en casa. Wilbanks convenció al juez Rumbold de que ella necesitaba pasar un tiempo lejos, y mi padre la llevó a Whitfield. Desde entonces, fue incapaz de aceptar que su esposa le hubiera sido infiel, sobre todo después de la pesadilla que había vivido durante la guerra. Piénsalo bien, tía Florry: mientras él estaba allí, medio muerto de hambre, consumido por la malaria y la disentería, sometido a tortura y a maltrato, ella estaba en casa, acostándose con el pastor. Esto lo llevó a perder la razón, y por eso mató a Dexter Bell. Algo se le cortocircuitó en la mente. ¿Qué respondes a esto, tía Florry?

—¿Crees que a tu padre se le fue la cabeza?

—Sí, ¿tú no?

—No, creo que Pete sabía perfectamente lo que hacía. No estaba loco. Te compro el resto de tu historia, pero Pete pensaba con lucidez.

—¿Y nunca te contó esa historia?

Ella respiró hondo y miró por la ventana. La respuesta real estaba en su silencio, no en sus palabras.

—No, nunca.

Joel sabía que mentía.

No había la menor probabilidad de nieve en Nueva Orleans. La temperatura era de más de diez grados, y el ambiente estaba despejado y seco. La señorita Twyla los recibió con una ráfaga de abrazos fogosos y sonoros saludos, y les sirvió bebidas mientras su criada descargaba el coche. Florry había embutido a toda prisa en las maletas ropa suficiente para quedarse un año. Cuando Joel comentó que tal vez se alojaría en el hotel Monteleone, en Royal Street, Twyla replicó que de eso nada. La elegante casa señorial contaba con habitaciones de sobra, y a ella le iría bien un poco de compañía. Sentados en el patio, junto a una antigua fuente en la que el agua goteaba de un tigre de cemento, charlaron sobre esto y aquello. En cierto momento, Florry se disculpó y dijo que volvía enseguida.

—Tiene un aspecto horrible —le susurró Twyla a Joel.

—Han sido unos días muy duros. Se culpa por la muerte de mi madre.

—Siento mucho lo de tu madre, Joel. Florry estuvo hospitalizada después de eso, ¿verdad?

—Sí, unos días. Por dolores en el pecho. Me tiene preocupado.

—Se la ve muy pálida y delgada.

—Pues supongo que lo que necesita es una buena sopa de quingombó, arroz criollo y ostras fritas. Yo la he traído hasta aquí; alimentarla es cosa tuya.

—Tranquilo, yo me ocupo. Además, tenemos mejores médicos aquí. Le pediré a uno que la visite. Los genes familiares no son demasiado prometedores, por decirlo de alguna manera.

—Gracias. Sí, somos proclives a morir jóvenes.

—¿Y cómo está la adorable Stella?

—Bastante bien. No quería regresar tan pronto, así que se ha quedado en Washington. Ha sido una época difícil.

—Ya lo creo. Lo que os hace falta es un poco de buena suerte.

Florry reapareció arrastrando los pies, con el vestido, voluminoso como una carpa, ondeando tras ella. Ya se la notaba más contenta por estar con Twyla en la gran ciudad. Una criada colocó una fuente de ostras crudas sobre una vieja mesa de madera que en teoría procedía de una casa de labranza situada en algún lugar de Francia y sirvió unas copas de vino fresco.

Comieron, bebieron y rieron hasta altas horas de la noche. Una vez más, el condado de Ford se les antojaba en otro mundo.

Al día siguiente, a media mañana, Joel salió tambaleándose de su dormitorio con dolor de cabeza y la boca seca. Encontró agua y sació la sed, pero necesitaba un café con urgencia. Una sirvienta lo acompañó en silencio hasta la puerta principal, y Joel salió al sol radiante de otro esplendoroso día en el Vieux Carré. Tras estabilizarse y recuperar el equilibrio, avanzó con paso tranquilo por Chartres hasta Jackson Square, donde se encontraba su cafetería favorita, que servía un café cargado mezclado a partes iguales con achicoria. Se tomó una taza, pidió otra para llevar y cruzó Decatur, atravesó el mercado francés y subió las escaleras hacia el paseo del dique, donde se sentó en un banco. Era su lugar preferido de la ciudad, y le encantaba holgazanear allí durante horas, contemplando el paso de las embarcaciones por el río.

En la biblioteca de su padre, en casa, había un libro ilustrado de Nueva Orleans. Una foto de 1870 mostraba decenas de barcos de vapor amarrados uno al lado del otro en el puerto, cargados de pacas de algodón procedente de las haciendas y plantaciones de Arkansas, Mississippi y Luisiana. Cuando era un crío propenso a fantasear, Joel se había convencido de que el algodón de la finca de Banning se encontraba a bordo de alguno de aquellos vapores y que lo habían transportado a Nueva Orleans para exportarlo. Su algodón era importante, y el mundo lo necesitaba. Las personas que trabajaban en las embarcaciones y los muelles se ganaban la vida gracias a su algodón.

Por aquel entonces, los embarcaderos eran ruidosos y caóticos, pues cuando los vapores llegaban en tropel desde río arriba, cientos de estibadores se acercaban corriendo para descargarlos. Todo eso era cosa del pasado. El río seguía estando muy transitado, pero los barcos de vapor se habían visto sustituidos por barcazas de poco calado y fondo plano que transportaban cereales y carbón. A lo lejos se divisaban acorazados que descansaban de la guerra.

Joel, fascinado por el río, se preguntaba cuál sería el destino de cada barco. Algunos se dirigían más al sur, al golfo de México; otros regresaban. No tenía ningunas ganas de volver a casa. En su caso, volver significaba afrontar el último tedioso semestre de sus estudios de derecho. Significaba reunirse con abogados y jueces, así como finiquitar los malhadados asuntos de su padre. Significaba despedirse de las tierras, la casa, Nineva, Amos y las otras personas que conocía de toda la vida.

Estuvo vagando por Nueva Orleans durante tres días y, cuando finalmente se aburrió, dio un abrazo de despedida a Florry y se marchó. Ella se había instalado sin problemas y parecía sentirse como en casa.

Fue en coche a Biloxi y consiguió pillar al padre de Mary Ann en su despacho. Joel le pidió disculpas por importunarlo, pero no quería que ella se enterara de que estaba en la ciudad, y no había otra manera de cumplir su propósito. Le pidió al señor Malouf la mano de su hija. Al verse acorralado de aquella manera, al caballero no le quedó más remedio que acceder.

Esa noche Joel cenó con quien pronto sería su prometida y durmió en el sofá de la familia.

49

El inicio del año 1950 resultó tan deprimente como cabía esperar. El 26 de enero, en la magnífica sala de juntas de John Wilbanks, Joel y él tomaron posesión de un lado de la mesa mientras Burch Dunlap y Errol McLeish ocupaban el otro. El juez Shenault, esta vez sin toga, sentado a un extremo, iba a arbitrar las negociaciones.

Joel, en calidad de administrador suplente, firmó una escritura que transmitía la titularidad de las doscientas sesenta hectáreas, casa incluida, a Jackie Belle, cuyo nombre oficial había pasado a ser Jackie Bell McLeish. A fin de evitar malentendidos con Florry, se había realizado un levantamiento topográfico y trazado un plano catastral de las tierras para que las partes implicadas supieran con precisión por dónde discurrían los límites de las propiedades. Todos los edificios habían sido identificados y enumerados en una escritura aparte: cuadras, gallineros, cobertizos para tractores, establos de vacas, pocilgas, la casa estrecha y rectangular de Nineva y Amos, la cabaña del capataz, utilizada por Buford Provine, y las catorce chozas en el bosque en las que vivían los peones. Una escritura de compraventa contenía una lista de los bienes muebles: la camioneta Ford 1956 de Pete, los tractores John Deere, los remolques, arados, sembradoras y demás equipamiento agrícola, incluyendo rastrillos y palas, además de los caballos y el ganado. McLeish se quedaría con todo. Había dejado que Joel comprara el Pontiac 1939 por trescientos dólares.

Otro documento enumeraba los enseres de la casa, o más bien lo que quedaba de ellos. Joel había conseguido llevarse los libros, recuerdos, objetos de valor sentimental, la ropa de cama y los muebles de mayor calidad.

Por lo que al dinero se refería, McLeish no se puso demasiado exigente. Imaginó, y con razón, que lo que no se habían gastado estaría oculto. Basándose en el inventario que Wilbanks había presentado después de la validación del testamento en otoño de 1947, había accedido a aceptar la cifra de dos mil quinientos dólares, en nombre de su esposa, por supuesto.

Joel llevaba tanto tiempo odiando a aquel hombre con todas sus fuerzas que le costó otro arranque de odio en condiciones. McLeish le parecía pedante y a la vez digno de lástima cuando barajaba sumas de dinero y listas de bienes ganados y construidos con el sudor ajeno. Se comportaba como si creyera de verdad que su nueva esposa y él se merecían las tierras de los Banning.

La reunión fue una pesadilla, y en algunos momentos Joel sintió náuseas. Se marchó lo antes posible sin pronunciar palabra, dando un portazo, y se alejó de la oficina a toda velocidad. Cuando aparcó en la finca, tenía los ojos llorosos.

Nineva y Amos estaban sentados en el porche trasero —nunca se sentaban en el delantero—, con la expresión estupefacta de quien teme perderlo todo. Cuando vieron las lágrimas en los ojos de Joel, rompieron a llorar también. De algún modo, los tres consiguieron lidiar con las emociones y las despedidas, y separarse. Cuando Joel los dejó en el porche, Nineva estaba deshecha en llanto y Amos la abrazaba. Joel caminó hasta el establo, donde lo esperaba Buford, en el frío. Le transmitió el mensaje de que McLeish, el nuevo propietario, quería hablar con él esa tarde. Seguramente el capataz conservaría su trabajo. Joel les había hablado muy bien de él y les había asegurado que sustituirlo por otro sería un error. Buford le dio las gracias, le estrechó la mano y se enjugó una lágrima.

Con un viento cortante de cara, Joel recorrió a pie poco menos de un kilómetro sobre terreno helado hasta el Sicomoro Viejo y se despidió de sus padres. Por un golpe de suerte, el cementerio familiar formaba parte de la propiedad de Florry, de modo que la familia seguiría teniendo acceso a él para siempre, o al menos hasta un futuro próximo. Al fin y al cabo, ¿qué significaba «para siempre»? Cuando nació, estaba previsto que aquellas tierras le pertenecieran para siempre.

Contempló ambas lápidas durante largo rato y se preguntó por enésima vez cómo era posible que aquellas vidas se hubieran vuelto tan complicadas y trágicas. Eran demasiado jóvenes para morir dejando atrás misterios y cargas que atormentarían a sus seres queridos. Miró las otras sepulturas, intentando imaginar cuántos secretos oscuros más se habían llevado los Banning a la tumba.

Anduvo por última vez por los caminos rurales, veredas y senderos y, cuando regresó al coche, tenía los dedos entumecidos. Estaba aterido de frío, y le dolía hasta el alma. Arrancó y se alejó, negándose a mirar la casa, deseando haberle prendido fuego.

Entrada la tarde, Errol McLeish apareció en su nuevo hogar y se presentó a Nineva. Ninguno de los dos se esforzó por mostrarse cortés. Él no se fiaba de ella, porque había trabajado toda la vida para los Banning, y ella no lo consideraba más que un intruso ladrón.

—¿Le gustaría conservar su empleo? —preguntó McLeish.

—La verdad es que no. Soy demasiado mayor, señor. Ya no tengo edad para dedicarme a las tareas domésticas. ¿No tienen ustedes un montón de hijos?

—Son tres.

—Ahí lo tiene. Soy demasiado mayor para lavar, fregar, cocinar y planchar para tres críos y una esposa. Amos y yo deberíamos jubilarnos. Somos demasiado viejos.

—¿Y adónde se irían?

—¿No podríamos quedarnos aquí? Es solo una casita, pero no tenemos otra cosa. Llevamos allí más de cincuenta años. Nadie más daría un centavo por ella.

—Ya veremos. Tengo entendido que Amos ordeña las vacas y cuida de la huerta.

—Así es, pero él también se está haciendo mayor.

—¿Qué edad tiene?

—Supongo que unos sesenta, más o menos.

—¿Y usted?

—Los mismos, más o menos.

—¿Tienen hijos?

—Un montón, pero todos se han ido al norte. Solo quedamos Amos y yo en nuestra casita.

—¿Dónde está el señor Provine?

—¿Buford? Junto al cobertizo de los tractores, esperando.

McLeish cruzó la cocina y salió al porche. Se ajustó la bufanda, encendió un puro y, después de atravesar pavoneándose el patio trasero, pasó junto a los establos y cobertizos, contando las cabezas de ganado, paladeando su buena fortuna. Jackie y los chicos llegarían la semana siguiente y abordarían el apasionante reto de instalarse en el condado de Ford como personas que sabían hacerse valer.

Con su tía arropada y a salvo en la cálida Nueva Orleans, la hacienda de su padre cerrada y su casa solariega ocupada por otras personas, Joel no tenía ninguna razón para regresar al condado de Ford. De hecho, quería permanecer alejado. Casi todo el dinero de la herencia que quedaba había ido a parar al bufete Wilbanks, por haber representado a la familia con entrega y lealtad. Sus conversaciones telefónicas semanales con John Wilbanks llegaron a su fin, pero no antes de que el abogado le comunicara la noticia de que McLeish había despedido a Nineva y a Amos y los había desalojado de su casa. Les había dado cuarenta y ocho horas para abandonarla, así que se habían mudado con unos parientes de Clanton. Según Buford

Provine, que cotilleaba con el capataz de los Wilbanks en las tierras de Florry, McLeish pretendía cobrarles un alquiler por aquellas chozas y encima bajarles el sueldo.

Joel se horrorizó y se enfureció al enterarse del desalojo. No imaginaba a Nineva y a Amos viviendo en ningún otro sitio, ni viéndose obligados a encontrar un nuevo hogar a su edad. Se prometió que iría a Clanton en coche, los localizaría y les daría algo de dinero. En cuanto a los otros peones, sufrían humillaciones sin haber hecho nada malo. Se habían acostumbrado a que el padre y el abuelo de Pete los trataran de forma justa, pero un idiota había tomado las riendas. La crueldad no engendraba lealtad. Solo de pensarlo se le revolvía el estómago, otro motivo más para olvidarse de la hacienda.

De no ser por la magia de Mary Ann, habría sido un estudiante de derecho de veinticuatro años taciturno y deprimido con un futuro negro por delante. La joven había aceptado su proposición de matrimonio, y estaban planeando una boda discreta en Nueva Orleans después de que él se graduara en mayo. Cuando llegó la primavera, llena de promesas y esplendor, Joel se sacudió la melancolía e intentó disfrutar de sus últimos días como estudiante. Mary Ann y él eran inseparables. En las vacaciones de primavera, viajaron en tren a Washington y pasaron una semana con Stella.

Tanto durante el trayecto de ida como en el de vuelta, pasaron horas hablando de buscar una vida mejor lejos de Mississippi. Joel quería huir, como su hermana, y poner rumbo a las grandes ciudades del norte, donde las oportunidades se antojaban ilimitadas, y los recuerdos, más lejanos. Mary Ann no estaba tan desesperada por marcharse, pero como nieta de inmigrantes, no se oponía a empezar de cero. No eran más que unos críos perdidamente enamorados y a punto de casarse, así que ¿por qué no explorar el mundo?

El 19 de abril, por la mañana temprano, Florry despertó con fuertes dolores en el pecho. Estaba mareada y le costaba respirar, pero consiguió despertar a Twyla antes de desplomarse en una silla. Una ambulancia la llevó al hospital Mercy, donde la estabilizaron. Los médicos le diagnosticaron un ataque cardíaco leve y se mostraron preocupados por su estado de salud general. Al día siguiente, Twyla llamó a Joel, que estaba en la universidad de Mississippi, y al otro día, viernes, él se saltó la última clase de la jornada y condujo de un tirón hasta Nueva Orleans. Mary Ann no pudo acompañarlo, porque estaba ocupada con los exámenes.

En Mercy, Florry se alegró mucho de su visita —hacía tres meses y medio que no se veían— y se esforzó por fingir exasperación ante el exceso de atención. Le aseguró que se encontraba bien, aunque aburrida por la rutina, así que estaba deseando regresar a casa para ponerse a escribir un nuevo relato corto. A Joel le sorprendió su aspecto. Había envejecido de forma acelerada y aparentaba al menos diez años más, con el cabello encanecido y la piel pálida. Siempre había sido más bien gruesa, pero había adelgazado de forma considerable. Respiraba con dificultad y a menudo a bocanadas.

En el pasillo, Joel expresó su preocupación a la señorita Twyla.

—Tiene un aspecto horrible —susurró.

—Padece una enfermedad cardíaca degenerativa, Joel, y no va a mejorar.

Nunca se le había pasado por la cabeza que Florry pudiera morirse. Después de tantas pérdidas, Joel se había cegado a la posibilidad de perderla a ella también.

—¿No pueden tratarla?

—Lo están intentando, con un montón de medicamentos y demás, pero es irreversible e incurable.

—Pero si no tiene más que cincuenta y dos años.

—Eso es mucho para un Banning.

Gracias, qué considerada.

—Me asombra lo mucho que ha envejecido.

—Está muy débil, muy delicada y come poco, aunque querría comer más. Creo que el corazón se le debilita cada día más. Le darán el alta mañana; estaría bien que pasaras el fin de semana con nosotras.

—Claro, no hay problema. Esa era mi intención.

—Y tienes que mantener una conversación sincera con Stella.

—Créame, señorita Twyla, Stella y yo somos los únicos miembros de la familia que mantienen conversaciones sinceras.

El sábado por la mañana, una ambulancia llevó a Florry a casa, y su estado mejoró de forma visible. Tomaron un buen almuerzo en el patio. Era un día perfecto de primavera, la temperatura rondaba los veintisiete grados, y Florry volvía a estar encantada de la vida. Contraviniendo las órdenes de los médicos, se puso a trasegar vino y se zampó medio plato de alubias pintas con arroz. Conforme hablaba y bebía, le volvían las fuerzas. Se le aguzó la mente, al igual que la lengua, y su voz recobró su volumen habitual. Fue una recuperación tan espectacular que su sobrino dejó de pensar en otro funeral.

Tras una larga siesta sabatina, Joel salió a la calle y se paseó por el barrio francés, algo que siempre disfrutaba, aunque se sentía perdido sin Mary Ann. Jackson Square estaba abarrotada de turistas, y los músicos callejeros ocupaban todas las esquinas. Joel se tomó algo en su terraza favorita, posó para una caricatura tosca que le costó un dólar, le compró una pulsera barata a Mary Ann, escuchó a un conjunto de jazz delante del mercado y finalmente se encaminó hacia el dique, donde se sentó en un banco de hierro forjado a contemplar las idas y venidas de los barcos.

En sus cartas semanales, Joel había estado discutiendo con Florry si asistiría a su graduación en la facultad de derecho, a finales de mayo. Tres años antes, cuando la ejecución de su padre era inminente y reinaba la confusión en la familia, Joel se había perdido la ceremonia en Vanderbilt. También planeaba perderse la de la universidad de Mississippi, pero Florry intentaba disuadirlo. Los tres lo habían pasado de maravilla en Hollins cuando se había graduado Stella, y repetirían la experiencia en la universidad de Mississippi, al menos según los designios de Florry.

La discusión se reanudó el domingo por la mañana durante el desayuno en el patio. Florry insistía en que viajaría a Oxford para la ceremonia, y Joel reiteraba que sería una pérdida de tiempo porque él no estaría. Fue un rifirrafe amistoso y entreverado de bromas. Twyla puso cara de exasperación varias veces. Florry no se movería de allí, excepto tal vez para volver a Mercy.

Como había dormido poco esa noche, pronto empezó a mostrar señales de debilidad. La enfermera que había contratado Twyla la acompañó de vuelta a su habitación.

—No le queda mucho tiempo, Joel —musitó Twyla—. ¿Eres consciente de ello?

—No.

—Tienes que ir mentalizándote.

—¿Cuánto le queda? ¿Un mes? ¿Un año?

—No hay manera de saberlo. ¿Cuándo terminas las clases?

—El 12 de mayo. La graduación es la semana siguiente, pero no pienso ir.

—¿Y Stella?

—Termina más o menos al mismo tiempo.

—Os recomiendo que vengáis en cuanto podáis y paséis el mayor tiempo posible con Florry. Podéis alojaros aquí sin ningún problema.

—Gracias.

—De hecho, podéis quedaros todo el verano, antes y después de la boda. No habla más que de Stella y de ti. Es importante que estéis aquí con ella.

—Es muy generoso de tu parte, Twyla. Gracias. Nunca volverá a casa, ¿verdad?

Twyla desvió la mirada y se encogió de hombros.

—Lo dudo. No creo que los médicos se lo permitieran. Además, para serte sincera, Joel, no quiere volver a casa, al menos en un futuro próximo.

—Lo entiendo.

El Crescent Limited salía dos veces al día de Nueva York con destino a Nueva Orleans y cubría un trayecto de dos mil doscientos kilómetros y treinta horas. El jueves 4 de mayo, a las dos de la tarde, Stella subió al tren en Union Station, en Washington, y ocupó un cómodo asiento en un vagón de tercera clase para emprender un viaje que sería cualquier cosa menos cómodo. Para pasar el rato, se quitó el reloj, intentó dar una cabezada, leyó unas páginas de unas revistas y una novela, se comió el tentempié que llevaba y trató de justificar aquella escapada para sus adentros. A la directora del Saint Agnes no le había hecho gracia que le pidiera permiso para ausentarse. Debido a sus complicados asuntos familiares, ya había faltado muchos días al trabajo. Además, las clases acababan en una semana. ¿Acaso no podía esperar hasta entonces?

No, según la señorita Twyla, no había tiempo para esperar. Florry estaba en las últimas. Para Stella, acompañar a su tía en aquellos momentos era mucho más importante que cualquier empleo. La directora se había mostrado comprensiva hasta cierto punto y había decidido que ya hablarían de un nuevo contrato después. Stella era una profesora popular, y a Saint Agnes no le interesaba perderla.

Según Twyla, habían tenido que llevar a Florry de urgencia al hospital Mercy por segunda vez, y luego una tercera, y los médicos hacían poca cosa aparte de medicarla y fruncir el ceño. En ese momento se encontraba en casa, en cama, apagándose y deseosa de ver a los chicos. Joel ya estaba allí. Estaba saltándose exámenes, pero le daba igual.

Debido a los retrasos, el tren llegó a Nueva Orleans a última hora de la tarde del viernes. Joel la esperaba en la estación, y tomaron un taxi a la casa señorial de la señorita Twyla en Chartres Street. Esta los recibió en la puerta y los guio hasta el patio, donde habían dispuesto queso, aceitunas, pan y vino. Mientras picoteaban y tomaban sorbos de vino, les explicó que Florry estaba descansando pero que no tardaría en despertar.

Twyla ordenó a una sirvienta que se retirara y bajó la voz.

—Quiere tener una conversación con vosotros antes de que sea demasiado tarde. Tiene algo importante que contaros. La he convencido de que ha llegado el momento de hablar. Mañana podría ser demasiado tarde.

Joel respiró hondo y lanzó a Stella una mirada temerosa.

—¿Te lo ha dicho a ti? —preguntó Stella.

—Sí, me lo ha contado todo.

—Y ese todo tiene que ver con nuestros padres, ¿verdad? —quiso saber Joel.

Twyla inspiró hondo y bebió un pequeño trago de vino.

—La noche que murió vuestro padre, solo unas horas antes de la ejecución, Florry pasó una hora con él en la cárcel, y él confesó sus motivos por primera vez. La obligó a jurar sobre una Biblia que nunca se lo contaría a nadie, y mucho menos a vosotros. Hace seis meses, la noche que falleció vuestra madre, se encontraba a solas con Florry en el dormitorio de la casa, con la cabeza ida por no haberse tomado las pastillas. Pero le refirió otra historia, sobre la que vuestro padre nunca llegó a saber nada. También obligó a Florry a prometer que no se lo diría a nadie. Y ella cumplió su promesa, hasta hace unas semanas, cuando estaba en el hospital. Creíamos que ya no saldría de allí. Los médicos aseguraban que todo había terminado. Al fin decidió hablar, alegando que no podía llevarse la verdad a la tumba.

—En nuestra familia, la verdad es tan inasible como el humo —murmuró Joel.

—Pues estáis a punto de escucharla, y no os resultará fácil. La he convencido de que debe contároslo. Os decepcionará. Pero solo a través de la verdad podréis comprender lo que sucedió y seguir adelante. Sin ella las dudas y las sospechas os abrumarán para siempre. Pero con ella por fin podréis dejar atrás el pasado, rehacer vuestra vida y afrontar el futuro. Tenéis que ser fuertes.

—Estoy tan cansada de ser fuerte... —declaró Stella.

—¿Por qué me habré puesto nervioso de repente? —dijo Joel. Tomó un lingotazo de vino.

—Hemos reducido un poco la dosis de pastillas para que pueda hablar de forma más coherente, pero se fatiga enseguida.

—¿Está sufriendo? —inquirió Stella.

—No mucho. Su corazón simplemente se está dando por vencido. Es muy triste.

Una enfermera salió de la habitación de Florry, al otro lado del patio, y le hizo un gesto a Twyla con la cabeza.

—Se ha despertado —dijo esta—. Podéis pasar.

Florry estaba incorporada en la cama, recostada sobre almohadas y sonriente cuando entraron y la abrazaron. Llevaba una de sus numerosas batas de colores vivos, seguramente para disimular todo el peso que había perdido. Tenía las piernas tapadas con una manta. Durante unos minutos, estuvo muy locuaz, parloteando sobre la inminente boda de Joel y qué pensaba ponerse ella. Parecía haber olvidado que faltaba solo un par de semanas para que se graduara por la facultad de derecho.

Cerró los ojos cuando el cansancio la acometió con fuerza. Stella se sentó en el extremo de la cama y le dio unas palmaditas en los pies. Joel se acomodó en una silla, cerca del lecho.

Al cabo de un momento, abrió los párpados y con tono solemne anunció:

—Hay ciertas cosas que tenéis que saber.

»Cuando Pete regresó de la guerra, estaba hecho polvo y tenía las dos piernas escayoladas, como recordaréis. Pasó tres meses hospitalizado en Jackson, recuperando fuerzas. Cuando llegó a la finca, andaba con bastón, realizaba toda clase de ejercicios y estaba cada día más activo. Era a principios de otoño de 1945. La guerra había terminado y el país intentaba volver a la normalidad. Aunque había vivido un infierno allí, nunca decía una palabra sobre ello. Resultaba evidente que vuestros padres tenían una vida marital muy intensa, por así decirlo. Nineva le comentó una vez a Marietta, mucho antes de la guerra, que, en cuanto les daba la espalda, los dos intentaban escabullirse al dormitorio.

—Se casaron por obligación, Florry —señaló Joel—. Lo sabemos. He visto mi partida de nacimiento y su certificado de matrimonio. No somos tontos.

—No insinuaba que lo fuerais. Yo albergaba algunas sospechas, pero nunca llegué a confirmarlas.

—Mi padre movió hilos y consiguió que lo enviaran a Alemania antes de que yo naciera. Como estaban lejos de casa, los chismosos no tenían manera de saberlo a ciencia cierta.

—Entonces está claro. —Cerró los párpados y respiró hondo, como si estuviera agotada. Joel y Stella intercambiaron miradas nerviosas. Florry abrió los ojos y pestañeó, sonriendo—. Bueno, ¿dónde nos habíamos quedado?

—En Alemania, hace mucho tiempo. Nuestros padres mantenían una relación bastante tórrida.

—Sí, podríais describirlo así. Disfrutaban el uno del otro, y en cuanto Pete regresó a casa y estuvo en condiciones para ello, quiso recuperar el tiempo perdido. Pero había un problema: Liza no estaba interesada. Al principio él creía que era porque su cuerpo, cubierto de cicatrices y maltrecho por la guerra, ya no era el de antes. Pero Liza no respondía. Al final se enzarzaron en una fuerte discusión y ella le contó una mentira, la primera de muchas. Se inventó que había sufrido un aborto poco después de que él se marchara de casa en 1941. Como sabéis, tuvo tres.

—Cuatro —precisó Stella.

—De acuerdo, cuatro, y cuando Pete partió a la guerra, estaban convencidos de que ella nunca tendría más hijos. Bueno, en teoría estaba embarazada en aquel momento, pero aún no lo sabían. Cuando se dio cuenta, no se lo dijo a nadie porque temía perder otro bebé y no quería preocupar a su marido. Él estaba en Fort Riley, esperando la orden de embarcar. Entonces ella tuvo el aborto, o eso dijo, lo que le provocó algunos problemas femeninos persistentes. Empezó a experimentar flujos desagradables. Había ido a ver a varios médicos. Estaba tomando medicación. Su cuerpo hacía cosas que ella no era capaz de controlar, y había perdido el interés por el sexo. Me da vergüenza pronunciar esta palabra delante de vosotros.

—Lo sabemos todo acerca del sexo, tía Florry —dijo Joel.

—¿Los dos? —preguntó ella, mirando a Stella.

—Sí, los dos.

—¡Oh, Dios mío!

—Vamos, Florry. Todos somos adultos.

—De acuerdo. Sexo, sexo, sexo. Ya está, ya lo he dicho. Así que, como ella nunca tenía ganas, él estaba molesto. Imagináoslo: el pobre hombre había pasado tres años en la selva medio muerto, soñando con comida y agua, y pensando mucho en la bella esposa que lo esperaba en casa. Entonces lo asaltaron las sospechas. Según la historia que le contó Liza, él la había dejado encinta justo antes de partir a Fort Riley, a principios de octubre de 1941. Sin embargo, a finales de agosto, le había dado un tirón de espalda al intentar arrancar un tocón, y le dolía mucho. El sexo quedaba descartado del todo.

—Me acuerdo de eso —afirmó Stella—. Cuando se fue a Fort Riley a duras penas podía caminar.

—De hecho tenía la espalda tan mal que los médicos de la base estuvieron a punto de darlo de baja por razones de salud. Estaba convencido de que no había mantenido relaciones en septiembre, porque había pensado en ello un millón de veces cuando lo habían hecho prisionero. Ella aseguraba que se había quedado embarazada a principios de octubre y lo había guardado en secreto durante un par de meses, con la intención de contárselo a Pete por carta si llegaba al tercer mes de embarazo. No llegó. Sufrió el aborto a principios de diciembre, a los dos meses, y no se lo contó a nadie. Pete sabía que no era cierto. Si de verdad se había quedado embarazada, había sido a finales de agosto. Lo que significaba que ya estaba de más de tres meses cuando, según ella, había perdido al niño. Pete estudió el calendario y elaboró una cronología de los hechos. Luego, un día, acorraló a Nineva y le preguntó por el aborto. Ella no sabía nada, lo que, convendréis conmigo, era prácticamente imposible. No sabía nada ni del aborto ni del embarazo. Pete tenía claro que, si Liza hubiera estado de tres meses, Nina se habría enterado. Había asistido en un centenar de partos, incluidos el de Pete y el mío. Cuando quedó convencido de que Liza le había mentido sobre el aborto y, por tanto, también sobre los flujos y la falta absoluta de apetito sexual, la desconfianza se apoderó de él por completo. Ella estaba obsesionada con lavar su propia ropa interior, tal como le confirmó Nineva. Pete aguardó a que surgiera la oportunidad de echar un vistazo y confirmó lo de los flujos. Había unas manchas pequeñas en sus braguitas. Además, descubrió que ella estaba tomando un montón de pastillas a escondidas. Pete quería hablar con sus médicos, pero ella se negó en redondo. De todos modos, conforme se acumulaban las pistas, las mentiras se desmoronaban. Su mujer padecía algún problema físico que no estaba causado por un aborto. Como recordaréis, él ya había vivido tres.

—Cuatro —insistió Stella.

—Eso. Nineva le había hablado de Dexter Bell y de todas las horas que había pasado con Liza después de que os enterarais de que Pete había desaparecido y lo daban por muerto. Todos recordamos lo horrible que fue aquello, y Dexter pasaba mucho tiempo en vuestra casa. Resultó que Pete nunca se había acabado de fiar del pastor, pues le parecía que se le iban los ojos con las mujeres. En la iglesia corría el rumor, que yo nunca oí, de que Dexter tenía demasiada confianza con una joven, de veinte años, creo. No era más que un rumor, pero alimentó el recelo de Pete. —Florry exhaló y pidió un vaso de agua. Tras secarse la boca con el dorso de la mano, respiró con agitación unos instantes. Cerró los ojos y prosiguió—: El caso es que las sospechas de Pete iban en aumento. Fue a Memphis, contrató a un detective privado al que pagó mucho dinero y que le facilitó unas fotos de Liza y de Dexter Bell. Por aquel entonces había tres médicos, por llamarlos de alguna manera, no sé muy bien qué eran, y seguramente siguen en activo. El caso es que, en fin, practicaban abortos.

Stella asintió con estoicismo. Joel inspiró hondo. Florry, sin abrir los ojos, continuó.

—En efecto, el detective privado localizó a un médico que los reconoció por las fotos, pero pedía un soborno sustancioso. A Pete no le quedó más remedio que pagar dos mil dólares en efectivo al tipo, que confirmó que el 29 de septiembre de 1943, le había realizado la operación a Liza.

—Cielo santo —gruñó Joel.

—Pues eso explica la historia de Nineva sobre el día que mamá y Dexter pasaron en Memphis —señaló Stella.

—Sí.

—Lo siento, esa no la conocía —dijo Florry.

—Hay tantas... —comentó Stella—. Tú sigue, y ya volveremos a eso.

—Vale. Huelga decir que Pete estaba destrozado. Tenía la prueba de la infidelidad de Liza, que no había sido un tonteo sin importancia, sino la causa de un embarazo interrumpido en la trastienda de alguna clínica de mala muerte de Memphis. Estaba furioso, deshecho, y se sentía totalmente traicionado por la mujer a la que siempre había adorado. —Hizo una pausa para enjugarse una lágrima—. Esto es terrible. No quería tener que contar esta historia jamás.

—Estás haciendo lo correcto, tía Florry —le aseguró Stella—. Podemos encajar la verdad.

—Entonces ¿él se encaró con ella? —preguntó Joel.

—Sí. Eligió el momento más apropiado y le tendió una emboscada para ponerle la prueba delante. El resultado fue una crisis total y absoluta. Crisis nerviosa, crisis emocional, llamadla como queráis, o como quieran los médicos. Ella lo confesó todo: la aventura, el aborto, la infección que no se curaba. Le imploró que la perdonara, una y otra vez. De hecho, nunca dejó de suplicarle perdón, aunque él jamás se lo concedió. Nunca lo superó. Había tenido muchos roces con la muerte, pero seguía adelante por ella, y por vosotros. Y pensar que ella había estado divirtiéndose con Dexter Bell era más de lo que podía soportar. Habló con John Wilbanks. Fue a ver al juez con él. La internaron en Whitfield, y vuestra madre no opuso resistencia. Sabía que necesitaba ayuda y alejarse de él. Cuando ella ya no estaba, él intentó concentrarse en sus asuntos, pero llegó un punto en que no era posible.

—Así que mató a Dexter —concluyó Stella.

—No es un mal motivo —comentó Joel.

Se impuso un silencio largo e incómodo durante el cual los tres intentaron poner en orden sus pensamientos. Joel se levantó, abrió la puerta, salió al patio, se sirvió una copa de vino y se llevó la botella consigo al regresar a la habitación.

—¿Alguien quiere? —preguntó. Stella negó con la cabeza. Florry parecía dormida. Joel se sentó, bebió un sorbo y luego otro—. Supongo que la historia no acaba ahí —añadió al fin.

—Para nada —susurró Florry con los párpados cerrados. Después de toser y aclararse la garganta, se incorporó de nuevo—. Todos conocíamos a Jupe, el nieto de Nineva. Trabajaba en la casa y los huertos.

—Crecimos juntos, Florry, y jugaba conmigo —le recordó Joel.

—Exacto. Se marchó de casa siendo muy joven, estuvo en Chicago y volvió. Pete le enseñó a conducir, le dejaba la camioneta para que hiciera recados y le dispensaba un trato especial. Pete tenía mucho aprecio a Jupe. —Tragó en seco y respiró hondo de nuevo—. También vuestra madre.

—No —farfulló Joel, demasiado aturdido para agregar algo más.

—No puede ser —dijo Stella.

—Pues es lo que hay. Cuando vuestro padre le mostró a Liza la prueba del aborto, le exigió que le confesara si era de Dexter Bell. En aquel momento tan desagradable, ella tuvo que tomar una decisión. Elegir entre la verdad y una mentira. Y vuestra madre mintió. Le faltó valor para reconocer que se había entendido con Jupe. Era algo impensable, inimaginable.

—¿Cómo ocurrió? —preguntó Joel.

—¿La forzó? —preguntó Stella.

—En absoluto. La noche que falleció vuestra madre, ella obviamente sabía lo que se disponía a hacer. Yo no. Estábamos juntas, y ella no podía más. Empezó a hablar y me lo contó todo. Había momentos en que parecía lúcida, y otros en que no, pero no paraba de hablar. Me explicó que Nineva había contraído alguna enfermedad y se había quedado una semana en su cabaña. Jupe trabajaba en la casa. Un día se quedó a solas con Liza, y ocurrió sin más. Fue un año después de recibir la noticia sobre Pete, y un impulso se apoderó de ella. No lo había planeado. No hubo seducción ni forzamiento; solo consentimiento mutuo. Simplemente sucedió. Y más de una vez.

Joel cerró los ojos y exhaló con fuerza. Stella, atónita, tenía la vista clavada en el suelo y la boca abierta.

Florry se esforzó por continuar.

—A vuestra madre nunca le gustó conducir, así que Jupe se convirtió en su chófer, y para alejarse de Nineva se iban a la ciudad. Tenían varios nidos de amor por el camino y por todo el condado. Se convirtió en un juego para ellos, y Liza reconoció abiertamente que lo pasaba bien. No es algo tan insólito, chicos; las razas llevan mezclándose desde el primer día. Por otro lado, ella se consideraba una viuda sin compromiso, y solo se entregaba a un poco de diversión inocua, o eso creía.

—Imposible —refunfuñó Joel.

—A mí no me parece tan inocua —terció Stella.

—Pasó lo que pasó; no podemos cambiarlo. Solo os estoy explicando lo que me contó vuestra madre. Aquella noche estaba trastornada, pero ¿qué ganaba con inventarse una historia así? Quería que alguien supiera la verdad antes de que ella se fuera al otro mundo. Por eso me lo contó.

—¿Tú estabas ahí y nunca sospechaste nada? —preguntó Joel.

—Nunca, ni por un instante. Jamás sospeché de Dexter Bell ni de nadie. Todos intentábamos seguir adelante con nuestra vida tras la desaparición de Pete. En ningún momento se me pasó por la cabeza que Liza estuviera teniendo una aventura con nadie.

—¿Podemos acabar de una vez con esta horrible historia? —inquirió Stella.

—Siempre habéis querido saber la verdad —señaló Florry.

—Pues ya no estoy tan seguro —dijo Joel.

—Por favor, continúa.

—Vale, lo estoy intentando, chicos. No es fácil. El caso es que la indiscreción llegó a su fin cuando Liza descubrió que estaba embarazada. Se negó a aceptarlo durante cerca de un mes, pero entonces se le empezó a notar y comprendió que Nineva o alguien más podría concebir sospechas. Lo primero que se le ocurrió fue hacer lo que siempre han hecho las mujeres blancas cuando las pillan: decir que alguien la violó. Eso desvía la culpabilidad hacia otra persona y hace que resulte más fácil interrumpir el embarazo. Estaba desesperada cuando decidió desahogarse con Dexter Bell, un hombre en quien podía confiar. Él nunca la tocó de forma indebida. Siempre había sido un pastor amable y compasivo que le proporcionaba consuelo. Dexter la convenció de que dejara a un lado la historia de la violación y, con ello, salvó la vida a Jupe. Habrían colgado al muchacho en el acto. Más o menos por esos días, a Nineva y a Amos les llegó la noticia de que su nieto y la patrona tenían un enredo. Se asustaron tanto que lo obligaron a irse del condado.

Joel y Stella se habían quedado sin habla. La puerta se abrió ligeramente, y Twyla asomó la cabeza.

—¿Cómo vais?

—Vamos bien —susurró Florry, y la puerta se cerró. En realidad, no iban bien en absoluto.

Al cabo de un rato, Joel se puso de pie con su copa de vino y se acercó a la pequeña ventana que daba al patio.

—¿Nineva sabía que estaba embarazada?

—Liza le hizo creer que no. Nadie lo sabía, ni siquiera Jupe. Lo obligaron a marcharse en torno a la misma época en que ella descubrió que estaba en estado.

—¿Cómo se enteró Nineva de lo que estaban haciendo?

Florry cerró los ojos de nuevo y respiró como si esperara que le volvieran las fuerzas. Sin abrirlos, tosió y continuó.

—Un chico de color estaba pescando junto al arroyo y vio algo. Corrió a casa y se lo contó a su madre. El rumor llegó a oídos de Nineva y Amos, que quedaron horrorizados y enseguida tomaron conciencia del peligro. Subieron a Jupe en el primer autobús que salía para Chicago. Me parece que sigue allí.

Un silencio profundo y prolongado se apoderó de la habitación. Transcurrieron los minutos sin que nadie dijera nada. Florry abrió los párpados, pero les rehuyó la mirada. Joel regresó a su silla, depositó la copa de vino encima de la mesa y se deslizó los dedos por el espeso cabello.

—Así que supongo que Pete mató al hombre equivocado, ¿no, Florry? —murmuró al fin.

Ella no respondió a la pregunta.

—Pienso a menudo en Liza —dijo en cambio—, en el terrible momento en que Pete le echó en cara el aborto. Tuvo que tomar una decisión para la que no había tenido tiempo de prepararse. Pete daba por supuesto que el padre era Dexter Bell, y a ella le resultó mucho más sencillo darle la razón que pararse a pensar un momento. Fue una decisión bajo coacción, en un momento de confusión extrema, y ya conocéis las consecuencias.

518

—Tienes razón —intervino Stella—, pero, aunque hubiera contado con más tiempo, no habría reconocido la verdad. Ninguna mujer blanca de su posición habría podido reconocer algo así.

—No penséis en vuestra madre como en una fulana —dijo Florry—. Si hubiera creído que existía la más mínima posibilidad de que vuestro padre estuviera vivo, no habría actuado así. Era una buena mujer que quería a vuestro padre con toda el alma. Estuve con ella la noche que murió, y lloró y lloró y lloró por sus pecados. Imploró perdón. Echaba mucho de menos la vida con su familia. Estaba tan afligida que partía el corazón verla. Recordadla como una madre buena, atenta y cariñosa.

Joel se puso de pie y salió de la habitación sin decir nada. Atravesó el patio sin dirigirle una palabra a la señorita Twyla, que estaba en su mecedora de mimbre, y abandonó la casa señorial. Dejó que sus pasos lo guiaran por Chartres Street hasta Jackson Square, donde se sentó en las escaleras de la catedral a contemplar el espectáculo de artistas callejeros, músicos, charlatanes, trileros, pintores, carteristas, chulos y turistas. Todos los hombres negros le parecían Jupe, cargados de malas intenciones. Todas las mujeres blancas pintarrajeadas le parecían su madre, llenas de deseo. Todo se le antojaba confuso, desprovisto de sentido. Tenía la respiración agitada, la visión desenfocada.

De pronto, se encontraba en el dique, aunque no recordaba haber caminado hasta allí. Las barcazas navegaban por el río, y las miraba, sin mirarlas en realidad. Maldijo la verdad. Era mucho más feliz antes de conocerla. Durante los últimos tres años y medio, todos los días, se había atormentado preguntándose por qué su padre había hecho lo que hizo, y en incontables ocasiones había aceptado el hecho de que nunca lo sabría. Pues bien, ya lo sabía, y añoraba aquellos días de bendita ignorancia.

Permaneció largo rato sentado, perdido en su mundo interior, casi sin moverse, salvo para sacudir ligeramente la cabeza con incredulidad. De pronto, se percató de que su respiración se había tranquilizado y sus sentidos habían vuelto a la normalidad. Se convenció a sí mismo de que nadie lo sabría, aparte de Stella, la señorita Twyla y él. Florry moriría pronto y, como buena Banning, se llevaría sus secretos a la tumba. Stella y él acabarían por seguir sus pasos. La familia rota y deshonrada ya no sufriría más humillaciones.

Y en realidad, ¿qué importaba? Ni Stella ni él, ni mucho menos Florry, volverían a vivir entre aquellas personas del condado de Ford. Que la verdad se quedara enterrada allí, en el Sicomoro Viejo. Él no pensaba volver.

Una mano le tocó la espalda, y Stella se sentó a su lado, muy cerca. Él la abrazó por los hombros y la estrechó contra sí. No dieron la menor muestra de emoción. Estaban demasiado aturdidos.

—¿Cómo se encuentra? —preguntó él.

—No durará mucho.

—Ella es lo único que nos queda.

—No, Joel, nos tenemos el uno al otro. Por favor, no te mueras joven.

—Lo intentaré.

—Tengo una pregunta, letrado —declaró ella—. Si mamá hubiera dicho la verdad, ¿qué habría hecho papá?

—Le he estado dando muchas vueltas. Estoy seguro de que le habría pedido el divorcio y la habría echado del condado. Habría jurado vengarse de Jupe, pero él está a salvo en Chicago. En el norte las leyes son diferentes.

—Pero ella seguiría con vida, ¿verdad?

—Supongo. Todo es posible.

—Y sin duda papá aún estaría vivo.

—Sí, y también Dexter Bell. Y nosotros aún tendríamos las tierras.

Ella sacudió la cabeza.

—Menuda mentira —murmuró.

—¿De verdad crees que mamá tenía elección?

—No lo sé. Pero me da mucha pena. Y papá también. Y

Dexter. Siento pena por todos nosotros, supongo. ¿Cómo hemos llegado a esta situación?

Estaba temblando, y él la abrazó con más fuerza. Le dio un beso en la cabeza cuando ella rompió a llorar.

—Qué familia —dijo en voz baja.

Nota del autor

Hace muchos años, fui representante del estado en la asamblea legislativa de Mississippi. No disfruté mucho mi experiencia en la función pública, y habría que esparcir bastante polvo por el capitolio de Jackson para encontrar huellas de mi presencia. No dejé constancia de mi paso por allí; de hecho, me fui pitando. El trabajo consistía, en gran medida, en pasarnos horas sin hacer nada. Para matar el tiempo, nos juntábamos en torno a distintas cafeteras y fuentes de agua a escuchar las largas y pintorescas anécdotas de los colegas, todos políticos veteranos de diferentes rincones del estado, acostumbrados a contar historias. Dudo que la verdad les importara mucho.

En cierto momento de mi breve carrera como representante, escuché el relato de dos hombres destacados que habían vivido en una ciudad pequeña de Mississippi en la década de 1930. Uno de ellos mató al otro sin razón aparente, y nunca dio la menor pista sobre sus motivos. Después de que lo condenaran a morir en la horca, el gobernador se ofreció a conmutarle la pena de muerte a cambio de que revelara el móvil del crimen. Él se negó, y lo colgaron al día siguiente en el patio del juzgado mientras el gobernador, que nunca había presenciado una ejecución en la horca, lo observaba desde la primera fila.

Así pues, robé esa historia. Creo que es verídica, pero no recuerdo quién la contó, ni dónde se desarrollaba, ni cuándo. Es muy posible que fuera un cuento desde el principio, y después de adornarlo con un montón de detalles de mi cosecha, no tengo el menor reparo en publicarlo como novela.

Sin embargo, si algún lector reconoce los hechos, le ruego que me lo haga saber. Me encantaría confirmar su veracidad.

Como siempre, debo mucho a la generosidad de los amigos que me ayudaron a documentarme. Estoy muy agradecido a Bill Henry, Linda y Tim Pepper, Richard Howorth, Louisa Barrett y los Bus Boys: Dan Jordan, Robert Khayat, Charles Overby y Robert Weems. Y dedico un agradecimiento especial a John Pitts, por el título.

Se han escrito decenas, si no cientos, de libros sobre la marcha de la muerte de Bataán. Los que he encontrado y leído me parecen todos fascinantes. El sufrimiento y el heroísmo de esos soldados debió de ser difícil de imaginar ya entonces, y lo sigue siendo ahora, unos setenta y cinco años más tarde.

Recopilé información de las siguientes obras:

Shadows in the Jungle, de Larry Alexander; *Bataan Death March*, del teniente coronel William E. Dyess; *American Guerrilla: The Forgotten Heroics of Russell W. Volckmann*, de Mike Guardia; *Lapham's Raiders*, de Robert Lapham y Bernard Norling; *Some Survived*, de Manny Lawton; *Escape from Davao*, de John D. Lukacs; *Lieutenant Ramsey's War*, de Edwin Price Ramsey y Stephen J. Rivele; *My Hitch in Hell*, de Lester I. Tenney; *Escape from Corregidor*, de Edgar D. Whitcomb.

Tears in the Darkness, de Michael Norman y Elizabeth M. Norman, es el relato minucioso y apasionante de la marcha de la muerte de Bataán narrado desde el punto de vista tanto de los estadounidenses como de los japoneses. *The Doomed Horse Soldiers of Bataan*, de Raymond G. Woolfe, Jr., es la absorbente historia del famoso Vigésimo Sexto de Caballería y su última carga. Recomiendo encarecidamente ambos libros.